Lucienne

AVRIL 2008
PROMPT RÉTABLISSEMENT !
BONNE LECTURE !

onne

DEUX SŒURS POUR UN ROI

PHILIPPA GREGORY

DEUX SŒURS
POUR UN ROI

traduit de l'anglais
par Céline Véron Voetelink

l'Archipel

Ce livre a été publié sous le titre
The Other Boleyn Girl
par HarperCollins, Londres, 2001.

www.editionsarchipel.com

Si vous désirez recevoir notre catalogue
et être tenu au courant de nos publications,
envoyez vos nom et adresse, en citant ce
livre, aux Éditions de l'Archipel,
34, rue des Bourdonnais 75001 Paris.
Et, pour le Canada, à
Édipresse Inc., 945, avenue Beaumont,
Montréal, Québec, H3N 1W3.

ISBN 978-2-8098-0016-6

Printemps 1521

J'entendis un roulement de tambour étouffé. Une femme devant moi me bloquait la vue de l'échafaud, je n'apercevais rien d'autre que les lacets de son corps de cotte. À cette cour où je vivais depuis plus d'une année, j'avais assisté à des centaines de festivités ; mais jamais encore à un événement comme celui-ci.

En tordant le cou, je parvins à entrevoir le condamné accompagné du prêtre ; ils avançaient lentement depuis la Tour jusqu'à la pelouse où se dressait la plate-forme de bois, le billot dressé en son centre. Le bourreau était vêtu d'une chemise sans manches, le chef couvert d'une capuche noire. La scène ressemblait à un bal masqué, je l'observai comme s'il s'agissait d'un divertissement de cour. Le roi, assis sur son trône, semblait distrait, comme répétant en son for intérieur son discours de pardon. Derrière lui se tenaient mon époux depuis une année, William Carey, mon frère, George, et mon père, sir Thomas Boleyn, qui arboraient un air grave. Je remuai les orteils dans mes pantoufles de soie, souhaitant voir le roi se hâter d'accorder sa clémence afin qu'il nous fût possible d'aller prendre notre première collation. À treize ans, j'avais toujours faim.

Sur l'échafaud, le duc de Buckinghamshire retira son épais manteau. Il m'était suffisamment proche pour que je puisse l'appeler mon oncle. Il avait assisté à mon mariage, m'avait offert un bracelet doré. Selon mon père, il avait offensé le roi d'une douzaine de manières : du sang royal coulait dans ses veines et il se faisait accompagner d'une escorte trop nombreuse et trop armée pour rassurer un monarque pas encore solidement établi. Affront suprême, il aurait prétendu le souverain incapable d'engendrer un mâle et destiné à mourir sans héritier pour lui succéder.

Une telle pensée ne peut s'exprimer à haute voix ! Quoique chacun sût que la reine dût engendrer un fils, suggérer autrement revenait à faire le premier pas sur le chemin qui menait à l'échafaud où le duc, mon oncle, se tenait à présent sans peur et même avec dignité. Un bon courtisan n'évoque jamais rien de sordide ; la vie à la cour doit toujours être joyeuse.

Oncle Stafford s'avança sur le devant de l'estrade afin de prononcer ses dernières paroles. Trop loin pour l'ouïr, je regardai le roi qui attendait le moment propice pour offrir son royal pardon. Cet homme sur l'échafaud, dans le soleil du petit matin, avait été le partenaire au jeu de paume du souverain, son rival lors des joutes, son ami de débauche. Ils étaient compagnons depuis l'enfance. Le roi lui donnait une leçon terrible et publique, mais ensuite il lui pardonnerait et nous irions tous manger.

La petite silhouette au loin se tourna vers son confesseur, baissa la tête pour la bénédiction puis embrassa le rosaire. Il s'agenouilla devant le billot et l'étreignit des deux mains. Je me demandai à quoi cela ressemblait de poser une joue sur le bois doux et ciré, de sentir le vent chaud qui venait du fleuve, d'entendre, au-dessus de soi, le cri des mouettes. Même en sachant qu'il s'agissait d'une mascarade, ce devait être étrange pour mon oncle de poser sa tête là, le bourreau derrière lui.

Ce dernier leva sa hache. Je regardai le roi. Il attendait le tout dernier moment pour intervenir. Je tournai de nouveau les yeux vers l'échafaud. Mon oncle ouvrit les bras en grand, signal que la hache pouvait tomber. Je regardai le beau visage du roi emprunt de morosité ; il fallait qu'il se lève à présent. Un autre roulement de tambour retentit soudain, suivi du choc sourd de la hache. Une fois, puis une autre, et une troisième ; un bruit familier, comme celui du bois qu'on coupe. Incrédule, je vis la tête de mon oncle rouler dans la paille puis un jet de sang écarlate jaillir du cou étrangement court. L'exécuteur à la capuche noire mit de côté sa grande hache maculée avant de soulever la tête par l'épaisse chevelure bouclée. Nous aperçûmes alors cette chose étrange qui ressemblait à un masque, son bandeau lui couvrant les yeux, les dents découvertes en un dernier sourire de défi.

Le roi se leva lentement de son siège et je pensai, de façon puérile, « Dieu tout-puissant, cela va être terriblement embarrassant ! Il s'y est pris trop tard. Tout est allé de travers. Il a oublié de parler à temps ».

Mais j'avais tort. Il avait voulu voir mon oncle mourir devant toute la cour afin que chacun sût qu'il n'y avait qu'un seul roi, et que c'était lui, Henri ; qu'un fils naîtrait de ce roi, et ne serait-ce que sous-entendre autre chose entraînait une mort honteuse.

En silence, la cour remonta la rivière à bord de trois barges en direction du palais de Westminster. Les gens massés sur les rives de la Tamise retiraient leur chapeau et s'agenouillaient devant l'embarcation royale qui scintillait sous l'éclat des riches tissus et glissait sur l'eau comme un ballet d'oriflammes. Je me trouvais parmi les dames de la cour dans la barge de la reine, ma mère assise auprès de moi. Avec un intérêt à mon endroit qu'elle montrait rarement, elle remarqua :

— Vous êtes fort pâle, Marie, êtes-vous souffrante ?

— Je ne pensais pas qu'il serait exécuté, répondis-je. Je pensais que le roi lui pardonnerait.

Ma mère se pencha en avant et murmura à mon oreille afin que ses paroles fussent couvertes par les craquements du bateau et le tambour des rameurs.

— Alors vous êtes une sotte, déclara-t-elle sèchement. Et plus encore d'en faire la remarque. Observez et apprenez, Marie. L'erreur n'a point sa place à la cour.

Printemps 1522

— Je pars pour la France demain et reviendrai avec votre sœur Anne, me dit mon père sur les marches du palais de Westminster. Sa place est à la cour de Marie Tudor.

— Je pensais qu'elle resterait en France, répondis-je. Je croyais qu'elle avait épousé un comte français.

Il secoua la tête.

— Nous avons d'autres projets pour elle.

Je savais qu'il était inutile de lui demander de quels desseins il s'agissait. Il me fallait attendre. Ma plus grande peur était qu'ils eussent pour elle l'ambition d'un meilleur mariage que le mien, m'obligeant à suivre sa traîne pour le restant de mes jours.

— Effacez cet air renfrogné de votre visage, m'enjoignit sèchement mon père.

J'affichai aussitôt mon sourire de cour.

— Bien sûr, père, répondis-je docilement.

Il hocha la tête et je m'abîmai dans une profonde révérence alors qu'il s'éloignait. Je me relevai puis me dirigeai lentement dans la chambre de mon époux, où un petit miroir était accroché au mur. « Tout ira bien, murmurai-je à mon reflet, je suis une Boleyn, ce n'est pas rien ; et ma mère est née Howard, qui sera l'une des plus grandes familles du pays. Je suis une Howard et une Boleyn. » Je me mordis les lèvres. « Mais elle aussi. »

Le miroir me renvoya mon creux sourire de courtisan. « Je suis la cadette des filles Boleyn, mais non la moins importante. Unie à William Carey, un homme qui a les faveurs du roi, je suis la plus jeune des dames d'atour de la reine, et sa préférée. Nul ne peut m'ôter cela. Ni elle ni personne. »

Anne et père furent retardés par des intempéries et j'espérai, puérilement, que coulât le bateau de ma sœur et qu'elle se noyât. À la pensée de sa mort, je ressentais un mélange déconcertant de véritable détresse et d'exaltation. Le monde sans Anne m'était inconcevable ; mais il ne me semblait guère assez grand pour nous deux.

De toute façon, elle arriva saine et sauve. Je les vis, mon père et elle, remonter le chemin depuis l'embarcadère royal vers le palais. Depuis la fenêtre du premier étage, je distinguai le balancement de sa robe, la coupe stylée de son manteau et, lorsqu'il tourbillonna autour d'elle, la jalousie me serra la gorge. J'attendis qu'elle disparût de ma vue puis me précipitai vers mon siège, dans la salle d'audience de la reine.

Je voulais qu'elle me trouve à mon aise dans les appartements de la reine richement décorés de tapisseries ; je comptais me lever pour l'accueillir avec maîtrise et distinction. Mais lorsque les portes s'ouvrirent sur elle, je fus submergée d'une joie soudaine et criai « Anne ! » puis courus à elle, ma jupe bruissant autour de moi. Et Anne, entrée la tête fort haute, regardant dans toutes les directions d'un air arrogant, cessa soudain d'être une grande dame de quinze ans pour m'ouvrir ses bras.

— Vous êtes plus grande, dit-elle dans un souffle, ses bras serrés autour de moi, sa joue pressée contre la mienne.

— J'ai des talons *tellement* hauts.

Je respirai son odeur familière. Savon et essence d'eau de rose sur sa peau chaude, lavande sur ses vêtements.

— Vous allez bien ?

— Oui. Vous aussi ?

— *Bien sûr*[1] ! Comment est-ce, le mariage ?

— Pas trop mal. De beaux vêtements.

— Et lui ?

— Grand seigneur. Très en faveur auprès du roi.

— L'avez-vous fait ?

— Oui, il y a longtemps.

— Fut-ce douloureux ?

— Énormément.

Elle recula pour lire sur mon visage.

---

1. Tous les mots en italique suivis d'un astérisque sont en français dans le texte. *(N.d.T.)*

— Pas tant que ça en fait, rectifiai-je, pour adoucir mon propos. Il essaie d'être délicat et me donne toujours du vin. Mais c'est plutôt affreux, vraiment.

Sa mine renfrognée disparut et elle gloussa, les yeux brillants.

— Comment cela, affreux ?

— Il pisse dans un pot, juste là où je peux tout voir !

Elle se plia en un hurlement de rire.

— Non !

— Allons, mes filles, déclara mon père qui arrivait derrière Anne. Marie, accompagnez Anne et présentez-la à la reine.

Je la menai aussitôt parmi la foule de dames d'atour vers la souveraine assise, droite sur sa chaise, auprès du feu.

— Elle est stricte, avertis-je ma sœur, ce n'est pas comme en France.

Catherine d'Aragon jaugea Anne d'un seul coup d'œil et je ressentis un élan de peur qu'elle ne préférât ma sœur à moi.

Anne exécuta une révérence parfaite et se releva comme si elle était elle-même la reine. Elle parla d'une voix où frémissait cet accent séducteur ; tous ses gestes trahissaient la cour de France. Je notai avec jubilation la réponse glaciale de la reine à ses manières stylées. J'attirai ma sœur vers une banquette sous une fenêtre.

— Elle hait les Français, expliquai-je. Elle ne vous acceptera jamais auprès d'elle si vous poursuivez dans cette voie.

Anne haussa les épaules.

— C'est le peuple le plus à la page, qu'elle les aime ou non. Et cette coiffe ! On dirait que quelqu'un lui a plaqué un toit sur la tête.

— Chut, la réprimandai-je. C'est une très belle femme. La plus raffinée des reines d'Europe.

— C'est une vieille femme, rétorqua Anne avec cruauté. Vêtue de laids vêtements, issue de la plus stupide nation d'Europe. Nous n'avons pas de temps à accorder aux Espagnols.

— Qui, nous ? m'enquis-je froidement.

— *Les Français** ! répondit-elle d'un ton irrité. *Bien sûr** ! Je suis totalement française maintenant.

— Vous êtes anglaise de naissance et de race, comme George et moi, déclarai-je sèchement. Je fus moi aussi élevée à la cour de France, tout comme vous ; pourquoi devez-vous toujours vous prétendre différente ?

— Parce que chaque femme doit posséder quelque chose qui la différencie et la place au centre de l'attention. Je serai donc française.

— Alors vous ferez semblant d'être ce que vous n'êtes pas, répliquai-je d'un air réprobateur.

12

Anne posa sur moi ses yeux noirs et brillants et me toisa de haut en bas comme elle seule pouvait le faire.

— Je ne fais ni plus ni moins semblant que vous, souffla-t-elle doucement. Ma petite sœur d'or, ma petite sœur de miel et de lait.

Je croisai son regard, œil clair contre œil noir, et me sentis sourire devant son sourire ; elle était mon ténébreux reflet.

— Oh, cela, éludai-je, refusant de reconnaître le coup.

— Exactement, poursuivit-elle. Je serai sombre, française, à la mode et difficile ; vous serez douce, ouverte, anglaise et belle. Quelle paire nous formerons… Quel homme pourra nous résister ?

Je ris. Elle avait toujours réussi à me faire rire. Je baissai les yeux vers la fenêtre sertie de plomb et vis le roi et sa chasse qui s'en retournaient vers les écuries.

— Est-ce le roi ? demanda Anne. Est-il aussi beau qu'on le dit ?

— Il est merveilleux. Danseur, cavalier, je ne saurais vous en dire assez !

— Viendra-t-il céans ?

— Probablement. Il lui rend toujours visite.

Anne jeta un coup d'œil dédaigneux sur la reine qui brodait avec ses dames d'atour.

— Je ne comprends vraiment pas pourquoi.

— Parce qu'il l'aime, répondis-je. C'est une merveilleuse histoire d'amour : mariée au frère du roi qui meurt si vite et si jeune, elle se retrouve veuve sans savoir où aller. Henri fait alors d'elle son épouse et sa reine. Un vrai conte de fées ! Et il l'aime encore.

Anne leva un sourcil parfaitement dessiné et scruta la salle. Toutes les dames d'atour avaient ouï le bruit de la chasse qui rentrait. Elles étalèrent leurs jupes et se rajustèrent sur leur siège afin d'être placées comme un petit tableau vivant qui devait être vu depuis l'embrasure de la porte. Celle-ci s'ouvrit en grand et le roi, sur le seuil, rit avec la joie mutine d'un jeune homme trop gâté.

— Je suis venu vous surprendre et je vous attrape toutes au dépourvu !

— Nous sommes stupéfaites ! Quelle joie vous nous offrez ! déclara la reine avec chaleur.

Les compagnons et amis du roi le suivirent dans la salle. Mon frère George entra le premier et chercha Anne du regard ; il cacha aussitôt son plaisir sous un masque impassible et s'inclina très bas sur la main de la reine.

— Majesté, souffla-t-il, penché sur les doigts de la souveraine. Sous le soleil tout le jour, je ne suis ébloui que maintenant.

Elle sourit de son petit sourire poli et baissa les yeux vers la tête inclinée noire et bouclée.

— Vous pouvez saluer votre sœur.

— Marie est ici ? demanda George avec indifférence, comme s'il ne nous avait pas vues toutes les deux.

— Votre autre sœur, Anne, le corrigea la reine.

Elle nous fit signe de nous avancer d'un petit geste de sa main alourdie de bagues. George nous salua sans bouger de sa position stratégique, proche du trône.

— A-t-elle beaucoup changé ? demanda la reine.

George sourit.

— J'espère qu'elle changera davantage, inspirée par un modèle tel que le vôtre.

— Très joli, approuva-t-elle d'un rire léger, puis elle le congédia, le laissant nous rejoindre.

— Bonjour, mademoiselle Beauté, lança-t-il à Anne. Bonjour, madame Beauté, ajouta-t-il en se tournant vers moi.

— J'aimerais vous prendre dans mes bras, annonça Anne en le regardant à travers ses cils noirs.

— Nous sortirons dès que possible, décréta George. Vous avez l'air de bien vous porter, *Annamaria*.

— Je vais bien, répondit-elle. Et vous ?

— On ne peut mieux.

— Comment est l'époux de notre petite Marie ? s'enquit-elle avec curiosité, observant William qui entrait et s'inclinait sur la main de la reine.

— Arrière-petit-fils du troisième comte de Somerset et très en faveur auprès du roi.

George poursuivit sur ce sujet d'une importance capitale : les relations de la famille de William et ses liens avec le trône.

— C'est une bonne situation pour elle. Savez-vous que vous êtes rappelée à la maison pour être unie, Anne ?

— Oui, père n'a toutefois pas dit à qui.

— Je crois que vous irez à Ormonde, annonça George.

— Une comtesse, roucoula Anne avec un sourire triomphant à mon endroit.

— Seulement irlandaise, rétorquai-je du tac au tac.

Mon époux s'éloignait du siège de la reine ; il nous aperçut et leva un sourcil en découvrant le regard intense et provocateur d'Anne. Le roi prit place auprès de la reine et observa la salle.

— La sœur de ma chère Marie Carey s'est jointe à notre compagnie, déclara la reine. Voici Anne Boleyn.

— La sœur de George ? demanda le roi.

Mon frère s'inclina.

— Oui, Votre Majesté.

Le roi sourit à Anne. Elle s'abîma aussitôt en une profonde révérence, droite comme un seau plongé dans un puits, la tête haute et un petit sourire de défi aux lèvres. Le roi ne s'en émut guère ; il aimait les femmes détendues et souriantes, pas celles qui le regardaient fixement d'un regard sombre.

— Êtes-vous heureuse de retrouver votre sœur ? me demanda-t-il.

J'exécutai à mon tour une profonde révérence et me relevai un peu rouge.

— Bien sûr, Votre Majesté, répondis-je avec douceur. Quelle femme n'aspirerait point à la compagnie d'une sœur telle que Anne ?

Ses sourcils se relevèrent. Il préférait l'humour direct des hommes aux pointes incisives des femmes. Son regard passa de mon visage à celui, vaguement interrogateur, d'Anne puis il comprit la plaisanterie et éclata de rire. Claquant des doigts, il tendit la main vers moi.

— N'ayez crainte, mon petit, dit-il. Nulle ne peut éclipser la jeune mariée en ses premières années de félicité conjugale. Et Carey autant que moi partageons une préférence pour les femmes aux cheveux clairs.

Chacun s'esclaffa, surtout Anne, qui était brune, et la reine, dont la chevelure auburn pâlissait vers le gris. Elles eussent été folles de ne pas rire de bon cœur à la plaisanterie du roi. Je les imitai, avec plus de joie au cœur qu'elles n'en avaient.

Les musiciens jouèrent une ouverture et Henri m'attira vers lui.

— Vous êtes une fort jolie fille, déclara-t-il d'un air approbateur. Carey m'a confié qu'il appréciait tellement sa jeune mariée qu'il ne s'accouplerait désormais qu'avec des vierges de douze ans.

Je m'efforçai de garder le menton levé et le sourire tandis que nous tournoyions au son de la musique.

— C'est un heureux homme, ajouta gracieusement le roi.

— Il est heureux de posséder votre faveur, répondis-je, luttant pour trouver un compliment.

— Mais plus heureux encore de vous posséder, je crois ! rétorqua-t-il dans un soudain rugissement de rire.

Il m'entraîna devant la ligne des danseurs et je perçus le rapide regard d'approbation que me lançait mon frère et, qui me fut plus doux encore, celui envieux d'Anne tandis que le roi d'Angleterre passait devant elle en me tenant dans ses bras.

15

Anne s'adapta à la routine de la cour d'Angleterre et attendit son mariage sans rencontrer son futur époux. Les négociations semblaient durer des siècles. Pas même l'influence du cardinal Wolsey ne parvenait à accélérer les choses. Pendant ce temps, Anne badinait aussi élégamment qu'une Française, servait la sœur du roi avec une grâce nonchalante et passait des heures chaque jour à converser, à monter à cheval et à jouer avec George et moi. Nous avions des goûts similaires et étions proches en âge ; mais j'étais une enfant de quatorze ans face aux quinze années d'Anne et aux dix-neuf de George. Nous étions frère et sœurs et cependant presque des étrangers. Anne et moi avions suivi notre éducation à la cour de France tandis que George apprenait son métier de courtisan en Angleterre. À présent réunis, nous devînmes connus à la cour sous le nom des Trois Boleyn ; le roi, quand il se trouvait dans ses appartements, y appelait à grands cris les Trois Boleyn, et quelqu'un était envoyé en toute hâte parcourir le château à notre recherche.

Notre tâche première consistait à participer aux nombreux divertissements du roi : joutes, jeu de paume, chevauchées à cheval, chasse à courre et danse. Le souverain aimait vivre dans une excitation perpétuelle, notre devoir était de nous assurer qu'il ne s'ennuyât jamais. Mais, parfois, lors de ces moments calmes qui précèdent le dîner ou bien si la pluie l'empêchait de chasser, Henri trouvait seul le chemin qui menait aux appartements de la reine ; elle posait alors sa couture ou sa lecture et nous renvoyait d'un mot, lui adressant un sourire qu'elle n'accordait à nul autre, pas même à sa fille, la princesse Marie.

Une fois, je le trouvai assis à ses pieds comme un amant, la tête posée sur ses genoux. La reine enroulait autour de ses doigts les boucles d'or roux ; elles scintillaient avec l'éclat des bagues qu'il lui avait offertes quand il l'avait épousée contre l'avis de tous.

Je m'éclipsai sur la pointe des pieds. Ils étaient si rarement seuls que je ne voulais pas rompre le charme. Je partis à la recherche d'Anne. Elle arpentait le jardin glacé en compagnie de George, quelques flocons de neige dans la main, son manteau bien ajusté.

— Le roi se trouve seul avec la reine, annonçai-je en les rejoignant.

— Au lit ? demanda Anne avec curiosité.

— Bien sûr que non ! répondis-je en rougissant, il est deux heures de l'après-midi.

Anne me sourit.

— Vous devez être une épouse comblée si vous ne pensez à vous accoupler avant la tombée de la nuit.

George tendit son bras libre vers moi.

— C'est une épouse comblée, intervint-il en mon nom. William affirmait au roi qu'il n'avait jamais rencontré fille plus douce. Que faisaient-ils, Marie ?

— Ils étaient seulement assis, répondis-je sombrement, n'ayant soudain aucune envie de décrire la scène à Anne.

— Ce n'est pas comme cela qu'elle engendrera un fils, avança crûment celle-ci.

— Chut ! répliquâmes-nous aussitôt.

Nous nous rapprochâmes les uns des autres et baissâmes la voix.

— Elle doit perdre l'espoir d'en concevoir, dit George. Quel âge a-t-elle maintenant ? Trente-huit ? Trente-neuf ?

— Seulement trente-sept, répondis-je avec indignation.

— A-t-elle encore son flux mensuel ?

— George !

— Oui, elle l'a, affirma Anne avec nonchalance. Mais cela ne lui est pas d'un grand secours. C'est sa faute, on ne peut jeter la pierre au roi. Il eut de Bessie Blount un petit bâtard qui apprend déjà à monter un poney.

Elle ajouta, pensive :

— Serait-il temps qu'elle meure pour qu'il se remarie ?

— Anne ! Quelle horreur !

Pour une fois, ma répugnance envers elle était sincère.

George regarda une fois de plus autour de nous afin de s'assurer que personne ne pouvait nous entendre. Deux filles Seymour marchaient près de leur mère, mais nous ne leur accordâmes aucune attention. Leur famille était notre plus grande rivale et nous aimions faire comme si nous ne les voyions pas.

— C'est cependant vrai, rétorqua Anne sans ménagement. Qui donc sera le prochain roi s'il n'a pas de fils ?

— La princesse Marie pourrait se marier, suggérai-je.

— Nul n'accepterait un prince étranger qui viendrait régner en Angleterre, objecta George. Et nous ne pouvons nous permettre une autre guerre pour le trône.

— La princesse Marie pourrait régner seule, sans se marier, rétorquai-je sauvagement.

Anne émit un grognement incrédule et son souffle produisit un petit nuage dans l'air glacé.

— Bien sûr ! railla-t-elle. Elle monterait à cheval comme un homme et apprendrait à jouter. Une femme ne peut diriger un royaume comme celui-ci, les grands seigneurs la mangeraient vive.

Nous marquâmes un arrêt devant la fontaine qui s'élevait au centre du jardin. Anne, avec une élégance étudiée, s'assit sur le rebord du bassin. Elle retira son gant brodé puis tapota la surface de l'onde de ses longs doigts. George et moi la regardâmes admirer son propre reflet.

— Le roi y pense-t-il souvent ? demanda-t-elle à son image.

— Continuellement, répondit George. Rien au monde n'est plus important. Je crois qu'il ferait son héritier du fils de Bessie Blount si la reine ne risquait de lui causer problème.

— Un bâtard sur le trône ?

— Il n'a pas été baptisé Henri Fitzroy[1] pour rien, répliqua George. Si Henri vit suffisamment longtemps pour sécuriser le pays, s'il peut amener les Seymour et nous, les Howard, à l'accepter, et si Wolsey obtient l'appui de l'Église et des pays étrangers… qu'est-ce qui pourrait l'arrêter ?

— Un petit bâtard, dit Anne pensivement. Une petite fille de six ans, une reine vieillissante et un roi dans la fleur de l'âge.

Elle s'arracha à la contemplation de son pâle visage dans l'eau et leva les yeux vers nous.

— Il faudra bien qu'il advienne quelque chose. Mais quoi ?

Le cardinal Wolsey envoya un message à la reine pour nous proposer de prendre part à un bal costumé qu'il voulait organiser le Mardi gras, chez lui, à York Place. La reine me demanda de lire sa lettre et ma voix trembla d'excitation à la lecture de mots tels que « grand bal masqué », « Château Vert », et « cinq dames » ayant à danser avec les cinq chevaliers qui allaient assiéger la forteresse.

— Votre Majesté… commençai-je, puis je me tus.

— Votre Majesté, quoi ?

— Je me demandais si je serais autorisée à assister aux festivités.

— Je crois bien que vous espériez davantage, rétorqua-t-elle avec un petit brillement de l'œil.

— J'aimerais tant être l'une des danseuses, confessai-je.

---

1. Fitzroy, littéralement, fils du roi, était le nom donné aux bâtards royaux. *(N.d.T.)*

— Soit, vous en ferez partie, déclara-t-elle. Combien de dames le cardinal souhaite-t-il ?

— Cinq, répondis-je doucement.

Du coin de l'œil, je vis Anne retenir sa respiration et fermer les yeux un court instant. Sa voix résonna aussi clairement dans ma tête que si elle avait crié : « Choisissez-moi ! Choisissez-moi ! »

Cela marcha.

— Mademoiselle Boleyn, énonça pensivement Catherine, la reine Marie de France, la comtesse de Devon, Jane Parker, et vous, Marie.

Anne et moi échangeâmes un rapide regard. Nous formerions un quintette curieusement dissemblable : la tante du roi, sa sœur la reine Marie, la riche héritière Jane Parker qui deviendrait notre belle-sœur si son père et le nôtre trouvaient un accord sur sa dot, et enfin nous deux.

— Nous vêtirons-nous de vert ? demanda Anne.

La reine lui sourit.

— Oh, je le pense, répondit-elle. Marie, voulez-vous répondre au cardinal que nous sommes ravies d'assister à son bal masqué ? Mandez-lui aussi de nous envoyer son maître des festivités pour nous aider à choisir nos costumes et préparer nos danses.

— Je m'en chargerai, intervint Anne qui se leva de sa chaise et se dirigea vers la table où plume, encre et parchemins étaient disposés. Marie a la main tellement crispée qu'il croira que nous lui envoyons un refus.

La reine émit un petit rire.

— Ah, les érudits de France, dit-elle avec douceur. Vous écrirez donc de votre élégant français au cardinal, mademoiselle Boleyn. Ou bien préférez-vous le latin ?

— Ce que souhaite Votre Majesté, assura Anne sans ciller. Je parle raisonnablement bien les deux langues.

— Dites-lui que nous sommes toutes fort impatientes de prendre part à son « Château Vert », déclara alors la reine. Quel dommage que vous ne puissiez vous exprimer en espagnol…

L'arrivée du maître des festivités, venu nous enseigner nos pas de danse, déclencha une lutte sauvage de sourires et de douces paroles pour déterminer qui jouerait quel rôle au cours du bal masqué. À la fin, la reine intervint et distribua les rôles sans autoriser la moindre discussion. Elle me donna celui de la Bonté ; la sœur du roi, la reine Marie, reçut le rôle plantureux de la Beauté ; à Jane Parker échut la Constance. « C'est vrai qu'elle s'accroche », murmura Anne à mon oreille. Cette dernière devint la Persévérance.

— Cela montre ce qu'elle pense de vous, rétorquai-je dans un souffle.

Anne eut la grâce de glousser.

Nous devions être attaquées par des Indiennes – en réalité les choristes de la chapelle royale – avant d'être secourues par le roi et ses amis. Nous fûmes averties que le souverain serait déguisé et qu'il nous était formellement interdit de pénétrer la ruse transparente de son masque d'or.

Ce fut une fête magnifique ! George me lança des pétales de fleurs et je l'arrosai d'eau de rose. Les choristes, des petits garçons exaltés, s'en prirent aux chevaliers et se virent soulevés de terre puis lancés dans les airs, atterrissant tout étourdis et gloussants. Lorsque les dames sortirent du Château Vert pour danser avec les mystérieux chevaliers, le plus grand d'entre eux m'invita : le roi lui-même. Encore hors d'haleine après ma bataille avec George, les cheveux et la coiffe parsemés de pétales, quelques fruits en sucre glissés dans les plis de ma robe, je ris et lui donnai la main comme une servante de cuisine à un homme ordinaire lors d'un bal de campagne.

Lorsque le souverain eût dû ordonner de se démasquer, il cria : « Continuez de jouer ! Dansons encore ! », puis il m'entraîna dans une gigue que nous exécutâmes main dans la main, ses yeux brillants fixés sur moi au travers des fentes du masque d'or. Audacieuse et rieuse, je lui rendis son sourire et laissai cette admiration chaleureuse s'infiltrer sous ma peau.

— J'envie votre époux ; lorsque vous ôterez votre robe ce soir vous l'arroserez de sucreries, me chuchota-t-il alors que, côte à côte, nous suivions l'évolution d'un autre couple au centre du cercle.

Je me trouvai dans l'incapacité de répliquer avec esprit à cette image érotique, si différente des compliments formels de l'amour courtois.

— Vous ne pouvez envier qui que ce soit, vous êtes le roi, commençai-je étourdiment, oubliant son déguisement impénétrable. Roi du Château Vert, me rattrapai-je en hâte. Le roi Henri devrait vous envier, car vous avez remporté un siège important ce tantôt.

— Et que pensez-vous du roi Henri ?

Je le fixai de mes yeux innocents.

— C'est le plus grand roi que ce pays ait jamais connu. C'est un honneur de vivre à sa cour et un privilège de s'encontrer auprès de lui.

— Pourriez-vous l'aimer comme un homme ?

Je baissai les yeux et rougis.

— Je n'oserais y songer. Il n'a jamais regardé de mon côté.

— Oh, il a regardé, répliqua le souverain. Soyez-en assurée. S'il regardait encore, mademoiselle Bonté, feriez-vous honneur à votre nom et lui seriez-vous bonne ?

— Votre...

Je me mordis la lèvre pour m'empêcher de dire « Votre Majesté ».

— Votre nom est bien Bonté, me rappela-t-il.

Je lui souris et lui lançai une œillade à travers mon masque.

— En effet, concédai-je, je suppose dès lors que je devrais me montrer bonne.

Les musiciens terminèrent la danse et attendirent, suspendus aux ordres du roi.

— Démasquez-vous ! ordonna-t-il et il arracha son masque.

Découvrant le roi d'Angleterre, j'eus un magnifique petit hoquet de surprise et chancelai.

— Elle perd connaissance ! cria George.

Ce fut superbe. Je tombai dans les bras du roi tandis qu'Anne, vive comme un serpent, décrochait mon masque et – avec brio – tirait sur ma coiffe afin que ma chevelure d'or cascadât comme un ruisseau sur les bras du souverain.

J'ouvris les yeux, son visage était tout proche. Je sentais le parfum de ses cheveux, son souffle effleurait mon cou.

— Vous devez vous montrer bonne envers moi, me rappela-t-il.

— Mais je ne savais pas que c'était vous, Votre Majesté, balbutiai-je.

Il m'accompagna à la fenêtre, qu'il ouvrit lui-même ; l'air froid s'engouffra à l'intérieur. Je secouai la tête et ma chevelure ondula dans le courant d'air.

— Vous êtes-vous évanouie de peur ? demanda-t-il dans un murmure.

Je baissai les yeux sur mes mains.

— De plaisir, chuchotai-je, délicate comme une vierge dans un confessionnal.

Il leva mes mains à ses lèvres.

— À présent, dînons ! cria-t-il.

Je cherchai Anne du regard. Elle décrochait son masque et m'observait d'un air calculateur, le regard des Boleyn et des Howard qui spéculait : « Que s'est-il passé là et comment puis-je tourner cela à mon avantage ? » Elle m'adressa un petit sourire secret.

Le roi offrit son bras à la reine qui se leva gaiement de son siège, comme si elle avait pris plaisir à observer son époux badiner avec moi. Mais, alors qu'il se détournait pour avancer, elle me lança un long regard froid, un regard qui disait adieu à une amie.

— J'espère que vous vous remettrez bientôt de votre indisposition, madame Carey, articula-t-elle doucement. Peut-être devriez-vous retourner à vos appartements.

— Je crois qu'elle est étourdie par le manque de nourriture, intervint George promptement. Puis-je l'amener au dîner ?

Anne s'avança d'un pas.

— Le roi l'a effrayée lorsqu'il ôta son masque. Nul n'avait deviné qui vous étiez, Votre Majesté !

Le roi rit de plaisir, imité par la cour. La reine comprit de quelle façon nous avions tous trois contrecarré ses ordres afin que, malgré son souhait, je fusse présente au repas. Elle mesura la force de notre trio. Je n'étais point une Bessie Blount qui ne comptait presque pour rien, mais une Boleyn ; et les Boleyn étaient soudés.

— Eh bien, venez dîner avec nous, Marie, capitula-t-elle.

Il s'agissait d'une invitation, mais ses paroles ne contenaient aucune chaleur.

Les chevaliers et les dames du Château Vert prirent place de façon informelle autour d'une table ronde. Notre hôte, le cardinal Wolsey, trônait à l'opposé du roi tandis que la reine formait la troisième pointe d'un triangle. Le reste d'entre nous s'attabla selon ses affinités. George m'installa près de lui et Anne attira l'attention de mon époux tandis que le roi me dévisageait fixement d'un regard que, soigneusement, je ne lui rendais pas. À la droite d'Anne se trouvait Henry Percy de Northumberland, tandis que George était flanqué à sa gauche de Jane Parker, qui m'observait intensément, cherchant à découvrir comment se rendre désirable.

Je ne mangeai guère, bien qu'il y eût des tourtes, des pâtés en croûte, des viandes fines et de la venaison. Au cours du repas, mon père rejoignit la table et prit place auprès de ma mère qui chuchota hâtivement quelque chose à son oreille ; il m'observa aussitôt comme un marchand de cheval évaluant la valeur d'une pouliche. Chaque fois que je levais les yeux, je voyais ceux du roi posés sur moi.

Lorsque nous eûmes terminé, le cardinal suggéra de se rendre dans la grand-salle afin d'écouter de la musique. Anne me guida dans les escaliers pour que, lorsque entra le roi, il nous trouvât toutes deux assises sur un banc contre le mur. Il lui fut tout naturel de s'arrêter pour me demander si je me sentais mieux. Naturel également qu'Anne et moi dussions nous lever à son passage pour qu'il s'assît sur le banc vacant en m'invitant à prendre place auprès de lui. Anne s'éloigna pour converser avec Henry Percy, nous soustrayant ainsi, le souverain et moi, au regard de la cour et surtout de la reine Catherine, auprès de laquelle se rendit mon père tandis que jouaient les musiciens. Tout s'enchaîna avec une aisance et une facilité déconcertantes ; le roi et moi fûmes enfin totalement isolés dans une salle bondée, cachés par les membres de la famille Boleyn judicieusement placés, tandis que la musique noyait nos murmures.

— Vous sentez-vous mieux à présent ? me demanda le roi à voix basse.

— Jamais je ne me suis sentie aussi bien, Sire.

— Je pars me promener à cheval demain, dit-il, souhaitez-vous vous joindre à moi ?

— Si Sa Majesté la reine n'a pas besoin de moi, répondis-je, déterminée à ne pas déplaire à la souveraine.

— Je demanderai à la reine de vous libérer pour la matinée car vous avez besoin d'air frais.

Je souris.

— Quel excellent physicien vous feriez, Votre Majesté ! Vous proposez diagnostic et remède d'un seul élan.

— Vous devrez vous montrer une patiente obéissante, m'avertit-il.

— Je le serai, murmurai-je, les yeux baissés sur mes genoux.

— Je pourrais vous ordonner de demeurer couchée des jours entiers, poursuivit-il d'une voix rauque.

Je levai les yeux. L'intensité de son regard me fit rougir. La musique cessa et ma mère ordonna aussitôt : « Continuez de jouer ! » La reine Catherine chercha le roi des yeux et le vit assis à mon côté.

— Danserons-nous ? demanda-t-elle.

Il s'agissait d'une invitation royale ; Anne et Henry Percy prirent place dans un carré et les musiciens se mirent à jouer. George se fit mon partenaire tandis que le roi s'installait sur le trône auprès de son épouse, sans me quitter des yeux.

— Levez la tête, m'ordonna mon frère d'une voix brusque, vous ressemblez à un chien battu !

— Elle m'observe, rétorquai-je en chuchotant.

— Bien sûr qu'elle vous observe. Mais, plus important, *il* vous observe, tout comme père et oncle Howard. Ceux-ci attendent de vous le comportement d'une jeune femme en pleine ascension. Alors, élevez-vous, madame Carey, que nous puissions vous suivre.

Je levai la tête et adressai à mon frère un sourire empreint d'une feinte insouciance. Je dansai avec toute la grâce possible, plongeant, tournant et virevoltant sous les yeux des souverains qui m'observaient tous deux.

Un conseil de famille se tint dans la grande maison londonienne d'oncle Howard. Nous nous réunîmes dans sa bibliothèque, où les gros livres reliés de cuir étouffaient les bruits de la rue. Deux hommes vêtus de la livrée des Howard stationnaient devant la porte pour prévenir toute intrusion ou oreille indiscrète. Nous avions à parler affaires et secrets de famille : seul un Howard pouvait approcher.

J'étais la cause et le sujet de ce conseil, le noyau autour duquel s'articulaient les événements, le pion qu'il fallait jouer à l'avantage. Mon cœur battait du sentiment de ma propre importance, mêlé à l'anxiété de faillir à ma famille.

— Est-elle fertile ? demanda oncle Howard à ma mère.

— Son flux est régulier et elle est en bonne santé.

Mon oncle hocha la tête.

— Si elle partage la couche du roi et y conçoit un bâtard, nous aurons gros à jouer.

Avec un sens du détail que je trouvai presque terrifiant, je remarquai la fourrure qui bordait ses manches ; son riche manteau prit une teinte lustrée sous la lumière projetée par les flammes du feu derrière lui.

— Elle ne peut plus dormir dans le lit de Carey.

J'émis un hoquet de surprise. Comment annoncer pareille chose à mon époux ? Nous avions fait serment de demeurer ensemble. Notre union était destinée à produire des enfants. Dieu nous avait unis, nul ne pouvait nous désunir.

— Je ne… commençai-je.

Anne tira sur ma robe.

— Chut ! siffla-t-elle.

Les minuscules perles de sa coiffe lancèrent des éclairs, comme autant de conspirateurs furieux.

— Je parlerai à Carey, déclara mon père.

George me pressa discrètement la main.

— Si vous concevez un enfant, le roi doit savoir qu'il ne peut être que de lui, me chuchota-t-il.

— Je ne puis être sa maîtresse, rétorquai-je à mi-voix.

— Vous n'avez pas le choix, poursuivit-il en secouant la tête.

— Je ne peux pas, intervins-je à voix haute.

Je m'accrochai au bras réconfortant de mon frère et regardai mon oncle, de l'autre côté de la longue table de bois. Il avait les yeux d'un faucon.

— Je suis désolée, monsieur mon oncle, mais je ne saurais trahir la reine, ni renier le serment que je fis devant Dieu de demeurer fidèle à mon époux.

Il ne me répondit pas. Son pouvoir était tel qu'il n'envisagea pas un instant de s'adresser à moi.

— Que faire de cette conscience délicate ? demanda-t-il à la ronde.

— Laissez-moi m'en charger, répondit Anne, une main sur mon épaule. Je saurai expliquer les choses à Marie.

— Vous êtes un peu jeune pour cette tâche de tuteur.

Elle soutint son regard avec une confiance tranquille.

— Je fus élevée à la plus élégante cour du monde, où j'observai et appris tout ce qu'il y avait à savoir, déclara-t-elle. Je sais ce dont il est besoin ici, je saurai enseigner à Marie comment se comporter.

Il hésita un instant.

— J'espère pour vous que vous n'étudiâtes point l'art du badinage de trop près, Anne.

— Non, bien sûr, répondit-elle, avec la sérénité d'une nonne.

Mon épaule se leva d'elle-même, comme pour échapper à ma sœur.

— Je ne vois pas pourquoi je devrais obéir à Anne.

Je n'existais plus, alors que ce conseil avait lieu pour moi ! Anne me volait leur attention. Un court silence s'installa, rompu par oncle Howard.

— Fort bien, je vous confie, ainsi qu'à George, la direction de votre sœur, décréta-t-il sans se préoccuper de mon intervention. Vous l'aiderez et lui fournirez tout ce dont elle a besoin pour séduire le roi, quelque artifice, objet ou compétence que ce soit. Mettez-la dans son lit et il y aura de larges récompenses. Mais, si vous échouez, personne n'aura rien. Souvenez-vous-en.

Curieusement, ma séparation d'avec mon époux s'avéra douloureuse. Je pénétrai dans notre chambre à coucher alors que ma servante empaquetait mes affaires pour les emporter dans les appartements de la reine. William se tenait au milieu d'un désordre de chaussures et de robes jetées sur le lit, de manteaux lancés sur les chaises et de boîtes à bijoux. Son jeune visage trahissait son trouble.

— Je vois que vous êtes en pleine ascension, madame.

C'était un beau jeune homme, auquel toute femme eût accordé ses faveurs. Je pensai que si nos familles ne nous avaient pas forcé à ce mariage puis à sa dissolution, nous eussions pu nous apprécier.

— Pardonnez-moi, lançai-je maladroitement, je dois faire ce que m'ordonnent mon oncle et mon père.

— Je sais cela, répondit-il brusquement. Il me faut moi aussi obéir.

À mon grand soulagement, Anne apparut dans l'embrasure de la porte, un sourire malicieux aux lèvres.

— William Carey ! Bien dit !

Elle semblait enchantée de rencontrer son beau-frère au moment où s'effondraient ses espoirs de mariage et de descendance.

— Anne Boleyn. Il s'inclina brièvement. Êtes-vous céans pour aider votre sœur à s'élever ?

— Bien sûr ; c'est notre affaire à tous. Nul ne souffrira si Marie s'attache les faveurs du roi.

Elle soutint son regard et il se détourna le premier pour regarder par la fenêtre.

— Je dois partir, déclara-t-il. Le roi me prie de l'accompagner à la chasse.

Il hésita un instant puis traversa la pièce pour me rejoindre. Avec douceur, il me prit la main et la baisa.

— Je suis navré, pour vous et pour moi. Lorsque vous me reviendrez, renvoyée dans un mois ou dans un an, j'essaierai de me souvenir de vous ainsi : une enfant innocente un peu perdue parmi tous ces vêtements. Ce jour, vous êtes davantage une personne qu'une Boleyn.

La reine n'émit aucun commentaire sur mon statut de célibataire logée avec Anne comme compagne de lit dans une petite chambre. Elle demeura courtoise à mon endroit, requérant mes services – écrire un mot, chanter, promener son petit chien ou envoyer un message – aussi poliment que toujours. Mais jamais plus elle ne me demanda de lui lire un passage de la Bible ou de m'asseoir à ses pieds tandis qu'elle brodait. Elle ne me bénissait plus lorsque je me retirais au lit. Je n'étais plus sa petite préférée.

Partir me coucher avec Anne m'était un grand soulagement. Nous tirions les courtines autour de nous afin d'être tranquilles et chuchotions dans les ténèbres. Cela me rappelait notre enfance en France. Parfois, George abandonnait les appartements du roi pour venir nous retrouver ; il grimpait auprès de nous, perchait imprudemment la chandelle à la tête du lit puis sortait ses cartes ou ses dés. Nous jouions alors tandis que, dans les pièces voisines, les autres filles dormaient sans se douter qu'un homme se cachait dans notre chambre.

Ni George ni Anne ne me faisaient la leçon sur le rôle que j'aurais à tenir. Sournoisement, ils attendaient de m'entendre leur déclarer que c'était au-dessus de mes forces.

Toutefois, je ne dis rien lorsque mes effets furent déplacés d'un bout à l'autre du palais. Mais, après que mon époux, tandis que toute la cour déménageait l'espace d'un été pour Eltham, le palais favori du roi situé dans le Kent, eut chevauché à mon côté pour me parler avec douceur de la condition de ma monture, je déclarai à mon frère :

— Je n'y parviendrai pas.

— Vous ne parviendrez à quoi ? demanda-t-il, guère coopératif.

Anne, George et moi promenions la petite chienne de la reine dans le jardin d'Eltham, nauséeuse après avoir voyagé tout le jour sur le pommeau de la selle.

— Cherche, Flo ! dit-il pour encourager l'animal. Cherche !

— Je ne puis me consacrer à deux hommes en même temps, riant avec le roi sous les yeux de mon époux, expliquai-je.

— Pourquoi pas ? intervint Anne en faisant rouler une balle au sol pour que Flo la poursuive.

La petite chienne la suivit des yeux sans marquer d'intérêt.

— Cours, stupide animal ! s'exclama Anne.

— Parce que je sens que c'est mal.

— En savez-vous davantage que votre mère, votre père, votre oncle ? demanda Anne d'un ton brusque.

— Bien sûr que non !

— Ils vous préparent un magnifique avenir pour lequel n'importe quelle fille se damnerait, reprit-elle. Vous êtes sur le point de devenir la favorite du roi d'Angleterre et vous atermoyez dans le jardin en demandant si vous pouvez rire de ses plaisanteries ? Vous avez à peu près autant de sens commun que Flo.

Elle poussa doucement la chienne de la pointe de sa botte. Flo s'assit sur le chemin, aussi têtue et malheureuse que moi.

— Doucement, l'avertit George.

Il s'empara de ma main glacée et la plaça sous son bras.

— Ce n'est pas aussi mal que vous le croyez, dit-il. William chevaucha ce jour à votre côté pour vous signifier qu'il donne son accord ; vous n'avez donc point à vous sentir coupable. Il sait, comme nous tous, que le roi doit obtenir ce qu'il veut ; il en tirera de beaux avantages. Vous ne faites rien de mal, vous contribuez à l'avancement de sa famille, ce qui représente votre devoir d'épouse.

J'hésitai. Je lançai un rapide regard vers le visage d'Anne qui se déroba délibérément.

— Il y a autre chose, avouai-je d'une petite voix.

— Qu'est-ce donc ? demanda George.

Anne suivait Flo du regard mais je savais qu'elle était suspendue à mes lèvres.

— Je ne sais comment procéder, confessai-je doucement. William le faisait une fois par semaine, dans le noir, en hâte, et je n'aimais pas vraiment cela. Je ne sais ce que je suis supposée faire.

George éclata d'un rire clair. Il passa son bras autour de mes épaules et m'étreignit.

— Pardonnez mon hilarité ! Ne comprenez-vous pas ? C'est vous qu'il veut, qu'il désire, qu'il apprécie. Vous, timide et qui manquez de confiance.

Un cri retentit soudain derrière nous.

— Hé ho ! Les Trois Boleyn !

En nous retournant, nous aperçûmes le roi sur la terrasse supérieure, encore vêtu de son manteau de voyage, le chapeau de guingois sur la tête.

George s'inclina profondément tandis qu'Anne et moi plongions d'un même mouvement dans une révérence.

— N'êtes-vous point las de votre chevauchée ? demanda le roi en s'approchant.

La question était générale mais il me regardait.

— Nullement, Sire.

— Vous montiez une bien jolie jument, mais au dos trop court. Je vous offrirai un nouveau cheval, promit-il.

— Votre Majesté est bien bonne, répondis-je. Cette monture ne m'appartient pas, je serais heureuse d'en posséder une en propre.

— Vous ferez votre choix dans mes écuries, poursuivit-il. Venez, allons-y maintenant.

Il me tendit son bras, je posai une main légère sur la riche étoffe de sa manche. Il la recouvrit de la sienne et la pressa fermement.

— Là. Je veux m'assurer que vous êtes mienne, madame Carey.

Ses yeux bleu clair se posèrent sur ma coiffe à la française, sur ma chevelure châtain doré lissée en dessous, puis sur mon visage.

— Je veux m'assurer que vous êtes mienne, répéta-t-il.

Je sentis ma bouche s'assécher, l'esprit envahi d'une étrange oppression, mélange de peur et de désir, mais je souris.

— Je suis heureuse de me trouver avec vous.

— L'êtes-vous vraiment? s'enquit le roi avec une soudaine intensité. Je n'accepterai pas de faux-semblant de votre part; on vous poussera vers moi mais je veux que vous veniez de votre propre et libre volonté.

— Oh, Votre Majesté! N'ai-je point dansé avec vous aux festivités du cardinal Wolsey sans savoir qui vous étiez?

Son visage s'éclaira à ce souvenir.

— En effet! Et vous perdîtes connaissance en découvrant mon identité lorsque je me démasquai. De qui pensiez-vous qu'il s'agissait?

— Je ne sais pas. Follement, je croyais que vous étiez un bel étranger nouvellement arrivé à la cour. J'éprouvais tellement de plaisir à danser avec vous.

Il rit.

— Ah, madame Carey, de si coquines pensées derrière un si charmant visage! Vous pensiez danser avec un bel étranger?

— Je n'eus aucunement l'intention de me montrer coquine, protestai-je, craignant un instant que tout cela fût trop mielleux, même pour son goût. J'oubliai seulement les convenances lorsque vous m'invitâtes à danser. Jamais je ne me conduirais de façon répréhensible, mais, l'espace d'un instant, je…

— Vous?

— J'oubliai, terminai-je dans un souffle.

Nous atteignîmes l'arche de pierre qui menait aux écuries. Le roi marqua un arrêt et me fit tourner vers lui. Je sentais la vie affluer dans chaque parcelle de mon corps, depuis mes bottes de cavalière, glissantes sur les dalles, jusqu'à mon regard qui se levait vers son visage.

— Pourriez-vous oublier de nouveau ?

J'hésitai. Anne s'avança d'un pas et rompit le charme d'une voix claire :

— Quel cheval Votre Majesté a-t-elle à l'esprit pour ma sœur ? Je crois que vous la trouverez bonne cavalière.

Le souverain me relâcha puis ouvrit le chemin dans les écuries, accompagné de George. Ensemble, ils examinèrent un cheval puis un autre. Anne apparut à mes côtés.

— Continuez à l'attirer vers vous, me murmura-t-elle. Faites-le venir à vous sans jamais aller à lui. Il doit vous poursuivre, pas avoir l'impression que vous le piégez. Lorsqu'il vous offre le choix de céder ou de vous échapper, comme maintenant, vous devez toujours vous échapper.

Le roi se retourna et me sourit tandis que George ordonnait à un garçon d'écurie de sortir un beau cheval bai.

— Mais ne fuyez pas trop vite, m'avertit ma sœur. Souvenez-vous qu'il doit vous attraper.

Ce soir-là, je dansai dans les bras du roi devant sa femme et la cour entière. Le lendemain, j'accompagnai le souverain à la chasse sur ma nouvelle monture, alors que la reine saluait son époux de la main depuis la grande porte du palais. Tout le monde savait qu'il me courtisait et que je capitulerais lorsque j'en recevrais l'ordre, à l'exception du roi qui croyait devoir abattre mes défenses en me faisant la cour.

Le premier gain survint quelques semaines plus tard, en avril ; mon père fut nommé trésorier de la Maison du roi, un poste qui lui donnait accès à la fortune quotidienne du souverain qu'il pouvait à présent détourner comme il l'entendait. Mon père me prit à part ce soir-là, alors que je suivais la reine vers la salle du dîner.

— Votre oncle et moi-même sommes satisfaits de vous, déclara-t-il brièvement. Votre frère et votre sœur m'affirment que, guidée par leurs soins, vous vous en sortez fort bien.

J'exécutai une petite révérence.

— Ceci n'est qu'un début pour nous, me rappela-t-il. Vous devez le prendre et le garder, souvenez-vous-en.

Je cillai quelque peu à ouïr ces paroles que le prêtre prononçait lors des messes de mariage.

— Vous a-t-il déjà entreprise ? s'enquit mon père.

Je coulai un regard vers la grand-salle où le roi et la reine prenaient place. Les trompettes étaient en position pour annoncer la procession des serviteurs des cuisines.

— Pas encore, répondis-je, seulement des œillades et des mots.

— Comment répondez-vous ?

— Avec des sourires.

Je n'avouai pas à mon père me trouver à demi délirante de joie d'être courtisée par l'homme le plus puissant du royaume.

Mon père hocha la tête.

— C'est bien. Allez vous asseoir.

Après une autre révérence, je me hâtai vers la salle où j'arrivai juste avant les marmitons. La reine, le regard dur, sembla sur le point de me réprimander mais se ravisa en apercevant le visage de son époux qui, les yeux rivés sur moi, arborait une expression étrange, intense, comme si la grand-salle en son entier eût cessé d'exister et qu'il ne voyait que moi, vêtue et coiffée de bleu, un sourire tremblant aux lèvres. La reine mesura la chaleur contenue dans ce regard, pinça les lèvres puis détourna les yeux.

Le roi lui rendit visite dans ses appartements, après le dîner.

— Écouterons-nous de la musique ? s'enquit-il.

— Oui, madame Carey chantera pour nous, déclara-t-elle, affable, me faisant signe d'approcher.

— Sa sœur Anne possède la plus douce des voix, la contra le roi.

Anne me lança un bref regard emprunt de triomphe.

— Voulez-vous nous chanter une chanson française, mademoiselle Anne ? suggéra le roi.

Anne plongea dans une gracieuse révérence.

— Je suis aux ordres de Votre Majesté, répondit-elle d'une voix trahissant un fort accent français.

La reine, qui suivait cet échange, se demandait si la tocade du roi ne passait d'une fille Boleyn à l'autre. Mais le souverain se montrait simplement malin. Anne prit place sur une chaise au centre de la pièce, son luth sur les genoux. La reine s'installa dans son siège habituel, doté d'accoudoirs matelassés ornés de broderies et d'un dossier rembourré contre lequel elle ne s'adossait jamais. Le roi, au lieu de s'asseoir à côté d'elle, s'avança vers moi pour prendre la place laissée vacante par Anne, puis il considéra l'ouvrage de couture que j'avais entre les mains.

— Très beau travail, admira-t-il.

— Il s'agit de chemises pour les pauvres, répondis-je. La reine se montre bonne envers eux.

— En effet, approuva-t-il. Comme vous êtes agile de vos petits doigts pour faire entrer et sortir cette aiguille !

Il avait la tête penchée sur mes mains et, observant sa nuque, je fus prise de l'envie de toucher son épaisse chevelure bouclée.

— Vos mains sont sans doute deux fois plus petites que les miennes, déclara-t-il paresseusement. Montrez-les-moi.

Je plantai l'aiguille dans la chemise des pauvres et m'exécutai, levant ma paume en l'air. Sans quitter mon visage des yeux, il fit de même. Incapable de détourner le regard, j'observai sa moustache qui bouclait un peu au-dessus de ses lèvres en me demandant si elle serait aussi douce que les boucles éparses et noires de mon époux, ou raide comme des fils d'or. Ses poils semblaient solides et rêches, capables de griffer ma peau et de la rougir lors d'un baiser, rendant celui-ci impossible à dissimuler. Sous les petites boucles d'or, ses lèvres étaient sensuelles. Je ne pouvais les quitter des yeux, rêvant de les toucher, de les goûter.

Lentement, comme deux danseurs qui terminaient une pavane[1], sa main s'approcha de la mienne et la toucha. Je sursautai comme sous l'effet d'une morsure et le vis sourire lorsqu'il mesura combien son contact me troublait. Je ressentais avec acuité la chaleur de sa peau, la callosité de l'un des doigts à cause du tir à l'arc, la rudesse de ces mains d'homme qui chaque jour chevauchait, jouait à la paume, chassait et tenait lance ou épée. Je m'arrachai à la contemplation de ses lèvres et englobai du regard son visage dans son entier, me laissant inonder du désir qui irradiait de lui comme un soleil brûlant.

— Votre peau est si douce, murmura-t-il, la voix rauque.

Nous demeurâmes immobiles, paume contre paume, les yeux fixés sur le visage de l'autre. Puis, avec lenteur, il referma délibérément sa main sur la mienne.

Anne termina sa chanson et en enchaîna aussitôt une autre, prolongeant ainsi la magie du moment.

Ce fut la reine qui nous interrompit.

— Votre Majesté trouble madame Carey, dit-elle avec un petit rire comme si la vue de son époux, la main dans celle d'une femme de

---

1. La pavane était une danse d'apparat lente et solennelle très en vogue en Angleterre aux XVIe et XVIIe siècles. (N.d.T.)

vingt-trois ans sa cadette, était amusante. Votre ami William ne vous saura gré de rendre son épouse paresseuse. Elle a promis d'ourler ces chemises pour les nonnes du couvent de Whitchurch et son travail n'avance pas.

Il tourna la tête vers sa femme et déclara d'une voix distraite.

— William me pardonnera.

— J'aimerais jouer aux cartes, poursuivit la reine. Vous joindrez-vous à moi, monsieur mon époux ?

Un instant, je crus qu'elle avait réussi à l'éloigner de moi. Mais, alors qu'il se levait pour lui obéir, il croisa mon regard plein de désir.

— Madame Carey sera ma partenaire. Prenez George, nous jouerons ainsi chacun avec un Boleyn.

— Jane Parker jouera avec moi, répondit froidement la reine.

— Vous avez agi avec brio, me félicita Anne cette nuit-là.

Elle était assise près du feu dans notre chambre à coucher et brossait sa longue chevelure noire qui répandait un parfum suave.

— L'épisode de la main surtout était très réussi. Que faisiez-vous ?

— Il comparait la longueur de sa main contre la mienne, répondis-je.

Je terminai de natter mes cheveux blonds que je recouvris de mon bonnet de nuit.

— Lorsque nos mains entrèrent en contact...

— Eh bien ?

— La peau me brûla, chuchotai-je.

Anne me regarda, perplexe.

— Que voulez-vous dire ?

Les mots s'échappèrent de mes lèvres.

— Je meurs littéralement d'envie qu'il me touche, qu'il m'embrasse.

Anne pinça les lèvres.

— Que père ou mère ne vous entendent pas proférer de telles inepties, m'avertit-elle. Ils vous ont commandé de le séduire, pas de vous languir d'amour comme une paysanne au clair de lune.

— Mais me désire-t-il, selon vous ?

— Certes oui, pour le moment. Mais la semaine ou l'année prochaine ?

On toqua doucement et George passa la tête par l'entrebâillement de la porte.

— Puis-je entrer ?

— D'accord, maugréa Anne de mauvaise grâce, nous allons au lit.

— Moi aussi, répliqua-t-il. Je vais me coucher et, demain, je me pendrai. Mon mariage aura lieu l'année prochaine ; souhaitez-moi bonne fortune !

Je l'entendis à peine, les yeux perdus au-dehors, l'esprit fixé sur la main du roi recouvrant la mienne.

— Tout le monde se marie sauf moi ! grogna Anne. Le projet avec Ormonde a échoué, depuis ils n'ont plus rien. Veulent-ils que je devienne une nonne ?

— Hum, guère un mauvais choix, réfléchit George. Pensez-vous que je serais accepté ?

— Dans un couvent ? intervins-je, m'intéressant enfin à la conversation. La belle abbesse que vous feriez !

— Je serais meilleur que la plupart, répliqua George avec entrain.

Il se dirigea vers une chaise, manqua son but et s'effondra sur le sol de pierre.

— Vous êtes ivre, l'accusai-je.

— Et acrimonieux, renchérit Anne.

— Quelque chose chez ma future épouse me semble très étrange, déclara George. Elle me paraît… rance.

— Balivernes, décréta Anne. Sa dot est belle et elle jouit de bonnes relations ; elle est la favorite de la reine et son père est riche et respecté. Pourquoi vous inquiéter ?

— Parce que sa bouche ressemble à un piège à lapin et ses yeux me brûlent et me glacent à la fois. Je vais vivre une vie de chien avec elle.

— Oh, épousez-la, partagez sa couche puis renvoyez-la dans sa campagne ! décréta Anne avec impatience. Vous êtes un homme, libre de faire ce que vous voulez.

Ces paroles le ragaillardirent.

— Je pourrais l'enfermer à Hever, rêva-t-il.

— Ou à Rochford Hall. Ou même ailleurs, le roi est tenu de vous offrir de nouvelles terres pour votre mariage.

George leva son flacon.

— Qui en veut ?

— Moi, répondis-je en prenant la bouteille.

Je goûtai le vin rouge, froid et acide.

— Je vais au lit, annonça Anne d'une voix guindée. Vous devriez avoir honte, Marie, de boire en robe de nuit.

Elle grimpa dans le lit et se glissa sous les couvertures.

— Vous vous montrez tous deux trop dociles, déclara-t-elle soudain.

George me lança un clin d'œil.

— Je vous l'avais dit, affirma-t-il avec entrain.

— Elle est très stricte, raillai-je, jamais on ne croirait qu'elle a passé la moitié de sa vie à flirter à la cour de France.

— Elle semble plus espagnole que française, selon moi, renchérit George.

— Et pas mariée, chuchotai-je, l'air pincé, une véritable duègne.

Anne, adossée aux coussins, lissa la courtepointe.

— Je n'écoute pas, épargnez votre souffle.

— Qui pourrait vouloir d'elle ? demanda George d'un ton mutin.

— Ils lui trouveront quelqu'un, affirmai-je. Un cadet ou un vieil écuyer.

Je rendis le flacon à George.

— Vous verrez, nous parvint la voix du lit, je ferai un meilleur mariage que vous. J'en déciderai moi-même, s'ils ne m'en arrangent pas un bientôt.

George me repassa la fiasque d'argile.

— Finissez-la, m'enjoignit-il. J'ai eu plus qu'assez.

Je terminai la dernière lampée et me dirigeai de l'autre côté du lit.

— Bonne nuit, lançai-je à George.

— Je reste un peu ici, près du feu, déclara-t-il. Tout va bien pour les Boleyn, n'est-ce pas ? poursuivit-il. Je suis fiancé, vous partagerez bientôt la couche du roi, et mademoiselle Parfaite, ici, s'apprête à jouer ses atouts.

— Oui, acquiesçai-je, tout va bien pour nous.

Je pensai au regard bleu intense du roi posé sur moi. Enfouissant mon visage contre le coussin, je murmurai :

— Henri. Votre Majesté. Mon amour.

Le jour suivant, une joute prit place dans les jardins d'une demeure située à une petite distance du palais d'Eltham. Le manoir de Fearson House avait été bâti par sir John Lovick, un homme aguerri qui avait fait fortune sous le règne de feu le père du roi. Il s'agissait d'une belle et grande maison sans douve ni mur d'enceinte. Les jardins et chemins s'étalaient autour de la bâtisse comme un échiquier de vert et de blanc. Au-delà s'étendait le parc où l'on courait le cerf. Entre les deux se trouvait une magnifique pelouse entretenue toute l'année afin que le roi y vînt tournoyer.

Sous la tente royale, tendue de soie rouge et blanche, la reine était vêtue d'une robe assortie couleur cerise qui la rajeunissait. Je portais la robe verte dans laquelle le roi m'avait remarquée lors de ce bal masqué du mardi gras. Cette couleur faisait ressortir le brillant de mes cheveux et de mes yeux. Debout près de la reine, je savais que tout homme qui nous apercevrait la trouverait belle mais âgée tandis que j'irradiais, à quatorze ans, la jeunesse et la sensualité naissante.

Les hommes qui entrèrent en lice aux trois premières joutes provenaient de rangs inférieurs ; ils espéraient attirer l'attention en risquant leur cou. Ils se montrèrent cependant habiles et nous assistâmes à quelques passes palpitantes.

— Madame Carey, demanda la reine après celles-ci, voulez-vous demander au grand écuyer quel cheval a choisi mon époux ?

En me détournant pour lui obéir, je compris pourquoi elle voulait m'éloigner : le roi traversait lentement la pelouse. Je plongeai dans une courte révérence. À l'entrée de la tente, je m'arrangeai pour qu'il me vît hésiter sous le taud. Il interrompit aussitôt sa conversation en s'excusant et se hâta vers moi. Il ressemblait à l'un de ces héros antiques, son armure ciselée d'or étincelait au soleil et je dus mettre ma main en visière.

— Madame Carey. Vous ici, sur la pelouse de Lincoln.

— Vous brillez de mille feux, dis-je.

— Même vêtue de noir, vous resteriez éblouissante, répliqua-t-il.

Je le fixai des yeux, incapable du moindre compliment, rendue muette par le désir. Il ne dit rien non plus et nous demeurâmes ainsi, fouillant avidement le visage de l'autre.

— Il me faut vous voir seule, déclara-t-il enfin.

— Je n'ose pas, Votre Majesté.

Il inspira profondément, comme reniflant la luxure qui nous enveloppait déjà.

— Ayez confiance en moi.

Je m'arrachai à la contemplation de son visage et détournai le regard. Il leva ma main, l'appuya contre ses lèvres. Je sentis la chaleur de son souffle sur mes doigts et découvris la douce caresse des boucles de sa moustache.

— Si doux.

— Doux ? répéta-t-il d'un air interrogateur.

— Je me suis demandé quel effet ferait votre moustache, expliquai-je en rougissant.

— Vous avez songé à mes baisers ? s'enquit-il, incrédule.

Je baissai les yeux, incapable de soutenir l'intensité de ses yeux bleus, et hochai imperceptiblement la tête.

— Je dois partir, Votre Majesté, dis-je alors. La reine m'envoya découvrir sur quelle monture vous tournoierez et à quel moment vous entrerez en lice. Elle se demandera où je suis.

— Je puis lui répondre moi-même, il n'est nul besoin que vous cheminiez sous ce pesant soleil. Dieu sait qu'elle possède des serviteurs en suffisance pour courir de tous côtés. Elle dispose d'une somptueuse suite espagnole, tandis que l'on me rogne ma petite cour.

Du coin de l'œil, j'aperçus Anne qui émergeait de la tente de la reine. Elle s'immobilisa lorsqu'elle nous vit, le roi et moi, si proches l'un de l'autre.

Il me relâcha alors avec douceur.

— Je me rendrai auprès d'elle pour répondre à sa question. Que ferez-vous ?

— J'ai besoin d'un instant avant de revenir auprès de Sa Majesté la reine, je me sens...

Je m'interrompis, incapable de décrire les sentiments qui m'agitaient.

Il me dévisagea avec tendresse.

— Vous êtes bien jeune pour jouer à ce jeu, même pour une Boleyn. Vous utilisent-ils auprès de moi pour parvenir à leur fin ?

J'eusse avoué le complot familial sans Anne qui m'observait à l'ombre de la tente royale.

— Ce n'est pas un jeu pour moi, Votre Majesté, chuchotai-je.

Je détournai les yeux, fis trembler mes lèvres.

Il prit mon menton entre ses doigts et fit tourner mon visage vers le sien. Un bref instant, extatique, je crus avec autant de frayeur que de joie qu'il allait m'embrasser, devant tout le monde.

— Avez-vous peur de moi ?

Je secouai la tête et résistai à la tentation de poser ma joue contre sa main.

— Non, mais de ce qu'il pourrait advenir.

Il sourit, du sourire confiant de l'homme qui sait que la femme qu'il désire lui cédera bientôt.

— Rien de mal ne vous arrivera de m'aimer, Marie, je vous en donne ma parole. Vous serez ma bien-aimée, ma petite reine... Donnez-moi votre écharpe, déclara-t-il soudain, je veux porter vos couleurs en entrant en lice.

Je regardai autour de moi.

— Ici ? C'est impossible.

— Faites-la-moi parvenir, s'inclina-t-il. Je vous enverrai George, vous la lui confierez. Nul ne me verra la porter, je la glisserai sous ma cuirasse, contre mon cœur.

J'acquiesçai d'un signe de tête.

— Ainsi, vous m'accordez votre faveur ? demanda-t-il.

— Si vous le souhaitez, chuchotai-je.

— Il n'est rien que je désire davantage.

Il s'inclina puis se dirigea vers la tente royale. Anne, obligeante, avait disparu.

Je m'accordai quelques minutes puis revins auprès de la reine. Celle-ci m'interrogea d'un regard dur. Je plongeai en une révérence.

— J'aperçus le roi qui venait vous répondre en personne, Votre Majesté, expliquai-je d'un air soumis. Aussi suis-je revenue sur mes pas.

— Vous eussiez dû envoyer un serviteur, intervint le roi d'un ton brusque. Madame Carey ne devrait point parcourir le terrain des joutes sous ce soleil. Il fait bien trop chaud.

La reine n'hésita qu'un instant.

— Je suis navrée, s'inclina-t-elle aussitôt, je me montrai insensible.

— Ce n'est pas à moi que vous devriez adresser vos excuses, précisa-t-il.

Je crus qu'elle allait refuser et, sentant Anne se raidir à mon côté, je compris que ma sœur aussi attendait quelle serait la réaction d'une princesse d'Espagne.

— Je suis désolée de vous avoir causé quelque dérangement, madame Carey, déclara la souveraine d'un ton égal.

Je ne ressentis aucun triomphe. Observant cette femme qui avait l'âge d'être ma mère, je n'éprouvai que de la pitié pour le chagrin que j'allais lui causer.

— C'est un plaisir de vous servir, Majesté, répondis-je avec sincérité.

Son regard croisa le mien, j'eus l'impression fugitive qu'elle comprenait un peu les sentiments contradictoires qui m'agitaient, puis elle se tourna vers son époux.

— La condition de vos chevaux est-elle bonne ce jour, Sire ? demanda-t-elle.

— Suffolk ou moi gagnerons, affirma-t-il.

— Ferez-vous montre de prudence, Sire ? dit-elle doucement. Perdre face à un cavalier comme le duc n'est point honteux, et ce serait terrible pour le royaume si quelque chose vous arrivait.

Elle avait parlé par amour, mais la réaction de Henri fut impitoyable.

— Terrible en effet, puisque nous n'avons pas de fils.

Elle tressaillit, son visage perdit ses couleurs.

— Il n'est pas trop tard… chuchota-t-elle.

— Mais presque! la coupa-t-il froidement, puis il se détourna et ajouta :

— Je dois me préparer.

Il passa près de moi, plongée comme les autres femmes dans une profonde révérence, sans m'accorder un regard.

Quelques instants plus tard, George pénétra dans la tente d'un pas nonchalant et s'agenouilla devant la souveraine avec sa grâce coutumière.

— Votre Majesté, salua-t-il, je suis venu rendre visite à la plus belle femme du Kent, de l'Angleterre et du monde.

— Oh, George Boleyn, relevez-vous, répondit la reine en souriant.

— Je préférerais mourir à vos pieds, offrit-il.

Elle lui donna une petite tape sur la main de son éventail.

— Donnez-moi plutôt les enjeux pris autour des joutes du roi.

— Qui parierait contre lui? Il est le plus accompli des cavaliers. Je ne gagerais avec vous que dans la seconde joute : Seymour contre Howard. Le vainqueur ne fait aucun doute.

— Vous m'offrez de gager sur Seymour? s'enquit la reine.

— Pour qu'il s'en vante? Jamais! répliqua George. Je vous ferais miser sur mon cousin Howard, Votre Majesté. Vous gagne-riez alors, certaine de parier sur l'une des meilleures et plus loyales familles du pays.

— Quel courtisan accompli vous faites, rit-elle. Combien voulez-vous donc perdre face à moi?

— Que dites-vous de cinq couronnes?

— Soit!

— Je veux gager, moi aussi, intervint soudain Jane Parker.

Le sourire de George s'effaça.

— Je ne puis vous offrir un tel enjeu, mademoiselle Parker, refusa-t-il avec civilité, toute ma fortune étant à vos pieds.

Il s'agissait encore du langage de l'amour courtois, ce badinage continu qui prenait place de jour comme de nuit dans les cercles royaux et qui, souvent, ne signifiait rien.

— J'aimerais seulement parier quelques couronnes, minauda Jane, qui s'essayait ainsi à badiner avec un maître en la matière.

Anne et moi l'observâmes d'un œil critique, peu disposées à lui apporter notre aide.

— Si je perds contre Sa Majesté – et vous verrez avec quelle grâce elle m'appauvrira – il ne me restera plus rien à gager. Quand il s'agit de la reine, nulle autre ne peut prétendre à mon cœur, mon or, ni mon attention.

— Quelle honte, interrompit la reine. Est-ce ainsi que l'on s'adresse à sa promise ?

George s'inclina devant elle.

— Nous ne sommes que de pâles étoiles piquetant le ciel illuminé d'une lune merveilleuse, déclama-t-il. Près de la plus grande des beautés, tout est sombre, amoindri.

— Enfuyez-vous donc, le gronda gentiment la reine. Allez scintiller ailleurs, ma petite étoile Boleyn.

George s'inclina et se dirigea vers l'extérieur ; je dérivai dans son sillage.

— Donnez-la-moi, vite ! ordonna-t-il d'une voix tendue. Il est le prochain à entrer en lice.

Je portais un carré de soie qui ornait le haut de ma robe ; je le passai au travers des boucles vertes puis le tendis à George, qui l'enfouit dans sa poche.

Il me quitta en hâte et je revins sous la tente. Sans un mot, la reine attarda son regard sur ma robe dépouillée de son ornement.

— Le roi entre en lice, déclara Jane.

Je l'aperçus alors qui montait en selle, assisté de deux hommes car le poids de son armure le clouait au sol. Charles Brandon, duc de Suffolk et beau-frère du roi, s'arma également puis les deux hommes défilèrent côte à côte devant la tente royale. Le souverain salua la reine de sa lance baissée, qu'il maintint pointée vers le bas sur toute la longueur de la tente, transformant son geste en un salut à mon endroit. Le viseur de son casque était relevé, je le vis me sourire. Sous sa cuirasse, au niveau de l'épaule, un minuscule éclat blanc m'indiqua la présence de mon fichu. Le duc de Suffolk, qui chevauchait derrière le roi, abaissa sa lance devant la reine puis inclina sèchement la tête devant moi. Anne, à mon côté, retint son souffle.

— Suffolk vous a reconnue ! chuchota-t-elle.

Je glissai un regard de côté. La reine ne quittait pas des yeux la lice où le roi avait arrêté son étalon, qui caracolait en secouant la tête. La sonnerie d'une trompette résonna. Les éperons enfoncés dans leurs flancs, les deux chevaux s'élancèrent l'un vers l'autre dans un grondement de tonnerre, des gerbes de terre jaillissant sous leurs sabots. Les lances des deux hommes filèrent comme des flèches vers leur cible, hampes au vent. Le roi encaissa un coup violent qu'il reçut sur le bouclier mais celui qu'il porta à Suffolk heurta sa cuirasse. Le choc propulsa le duc en arrière. Il s'envola par-dessus la croupe de son cheval puis, avec un choc horrible, s'écrasa sur le sol.

Son épouse bondit sur ses pieds.

— Charles !

Elle s'élança en un tourbillon hors du pavillon royal et courut comme une femme du peuple vers son époux qui, immobile, demeurait allongé dans l'herbe.

— Je ferais mieux d'y aller aussi, déclara Anne qui se hâta à la suite de sa maîtresse.

Le roi, à l'autre bout de la lice, ôtait sa lourde armure, aidé de son écuyer. Mon carré de soie voleta au sol sans que le souverain s'en aperçût. Il posa un manteau sur ses épaules puis s'avança en hâte vers son ami. La reine Marie[1], agenouillée à côté de Suffolk, avait posé la tête de ce dernier sur ses genoux. Elle leva un visage souriant vers son frère qui s'avançait.

— Il va bien, s'écria-t-elle. Il vient d'adresser un horrible juron à l'encontre de Peter qui l'a pincé en retirant son armure.

Henri se mit à rire.

— Dieu soit loué !

Deux hommes arrivaient en courant avec une civière. Suffolk s'assit.

— Que je sois damné si l'on me porte pour quitter le terrain avant ma mort ! décréta-t-il.

— Là, dit Henri en l'aidant à se hisser sur ses pieds.

Sir John Lovick se hâta de l'autre côté et ils l'aidèrent à avancer.

— Restez ici, ordonna Henri à la reine Marie par-dessus son épaule. Laissez-nous le ragaillardir, nous lui trouverons ensuite un chariot pour rentrer chez lui.

Elle s'immobilisa. Le page du roi survint, mon carré de soie dans les bras, courant après son maître. La reine Marie le retint d'un geste.

— Ne le dérange pas maintenant, ordonna-t-elle d'un ton sec.

Le gamin s'arrêta net.

— Il a fait tomber ceci, Votre Majesté, expliqua-t-il en indiquant le carré de tissu. Il le portait sous sa cuirasse.

Les yeux fixés sur son époux, elle tendit une main indifférente et le page lui donna mon étole. D'un air absent, elle revint vers le pavillon royal, mon fichu enroulé dans la main. Je m'avançai pour le lui prendre mais hésitai, ne sachant que dire.

---

1. Marie Tudor, sœur de Henri VIII, avait épousé Louis XII de France en 1514 ; elle garda ce titre malgré la mort de celui-ci. *(N.d.T.)*

— Comment se porte-t-il? s'enquit la reine Catherine.

La reine Marie parvint à sourire.

— Il a tout son esprit, aucun os n'est brisé, et sa cuirasse se montre à peine dentelée.

— Voulez-vous que je prenne ceci? reprit Catherine.

Sa belle-sœur baissa le regard sur mon fichu froissé.

— Oh, cela se trouvait sous la cuirasse du roi, son page me l'a confié.

Elle le remit à la souveraine, aveugle et sourde à tout ce qui ne concernait pas son époux.

— Je vais le voir, décréta-t-elle soudain. Anne, vous et les autres rentrerez avec la reine, après le dîner.

Catherine hocha la tête pour signifier son accord, et la reine Marie disparut. Sa Majesté l'observa partir, mon fichu entre les mains. Lentement, elle fit glisser la soie délicate entre ses doigts et lut le monogramme vert vif : MB. Elle se tourna vers moi.

— Ceci vous appartient, je crois, dit-elle avec dédain.

Elle le tendit à bout de bras, entre le pouce et l'index, comme s'il s'agissait d'une souris morte qu'elle eût trouvée derrière une armoire.

— Vous devez le reprendre, me chuchota Anne.

Elle me donna une petite poussée dans le dos et je m'avançai. Comme j'allais m'en emparer, la reine le lâcha et je l'attrapai au vol.

— Merci, dis-je humblement.

Pendant le dîner, le roi me regarda à peine, plongé dans cette mélancolie caractéristique de son père que les courtisans apprenaient à craindre. La reine n'aurait pu se montrer plus agréable. Mais ni sourire charmeur, ni musique, ni conversation enjouée ne parvint à améliorer l'humeur du roi. Comment eût-elle réussi? Catherine d'Aragon était, en partie, la cause de la morosité de son époux.

— Je suis certaine que Charles Brandon sera bientôt sur pied, s'aventura-t-elle.

Sur la table se trouvaient des prunes de sucre et un vin aussi riche que doux. Elle en but une gorgée sans en goûter la saveur, son époux assis à ses côtés arborant le visage sombre de feu le roi son père, lequel ne l'avait jamais aimée.

— Ne vous sentez point coupable, Henri, la joute se déroula honorablement.

Il se tourna sur son siège, la dévisagea d'un air glacial. Trop sage pour lui demander ce qui le troublait, elle lui lança un sourire audacieux et charmeur, puis leva son verre.

— À votre santé, Henri, déclara-t-elle avec chaleur, je remercie Dieu à genoux de ce que vous n'ayez point été blessé ce jour d'hui. En eût-il été ainsi, j'aurais couru comme folle à la lice, le cœur brisé de frayeur. Je suis affligée pour votre sœur, mais je me réjouis de vous voir sain et sauf.

Cela agit. Henri, séduit à la pensée d'une femme éperdue de frayeur à propos de sa santé, perdit son air sombre.

— Jamais je ne vous causerais de tourments.

— Mon époux, vous me causâtes des jours et des nuits d'angoisse, affirma la reine en souriant. Mais, tant que vous demeurerez en bonne santé et rentrerez à la maison, je ne me plaindrai pas.

— Un coup de maître ! apprécia Anne à mi-voix. Elle est parvenue à le sortir de sa mélancolie et lui accorde permission de vous posséder, tant qu'il lui revient par la suite.

J'observai le roi porter à son tour un toast à son épouse.

— Puisque vous savez tout, m'enquis-je, qu'advient-il ensuite ?

— Oh, il vous possédera quelque temps, répondit-elle avec indifférence, mais vous ne les séparerez pas. Elle peut lui montrer qu'elle l'adore, il a besoin de cela et se souvient qu'elle fut, en sa jeunesse, la plus belle femme du royaume ; il en faudra beaucoup pour surpasser cela. Je doute que vous puissiez retenir un tel homme.

— Vous y parviendriez, je suppose ? demandai-je, piquée au vif.

Elle les observa comme un soldat mesurant les défenses d'une ville à assiéger, le visage ne trahissant qu'une curiosité professionnelle.

— Peut-être, répondit-elle. Mais ce serait un projet difficile.

— C'est moi qu'il veut, pas vous, lui rappelai-je. Il a porté mes couleurs sous sa cuirasse.

— Qu'il fit tomber sans y penser, souligna Anne avec sa cruauté habituelle. De toute façon, ce qu'il veut n'est pas la question. Avare et gâté comme il est, on peut le pousser à vouloir presque tout. Mais jamais vous n'y parviendrez, parce que ce sont les plaisirs du lit et de la table qui vous guident. Or la femme qui le dirigera n'obéira qu'à une volonté inébranlable de se l'attacher et de le gouverner. Il ne s'agira en aucun cas de désir, quoi que Henri en pensât, mais d'habileté qui ne faiblit pas.

Le déjeuner prit fin vers cinq heures. Alors que nous quittions les tables du banquet pour prendre congé de notre hôte, je vis les serviteurs déposer les viandes et miches de pain restantes dans de grands paniers pour les vendre aux portes des cuisines. L'extravagance, la malhonnêteté et le gaspillage suivaient le roi à travers le pays, comme la bave derrière un escargot. Les pauvres gens venus suivre les joutes puis regarder dîner la cour s'assemblaient à présent afin de récupérer quelques miettes du festin. Ils recevraient des viandes coupées, des tranches de pain, les entailles des rôtis ou des gâteaux à demi mangés : les pauvres, aussi commodes qu'un cochon, permettaient que rien ne fût gâché.

Ces avantages liés à un poste dans la Maison du roi ravissaient les serviteurs du souverain qui utilisaient leur fonction afin de glaner quelque chose : le dernier des marmitons montait sa petite affaire avec les croûtes des pâtisseries, le lard de cuisine ou les jus des viandes. Mon père, à présent qu'il était contrôleur de la Maison du roi, trônait au sommet de cette pyramide de larrons, s'octroyant une portion de ce que chacun s'appropriait. Même les dames d'atour, qui ne semblent exister que pour servir la souveraine, utilisaient leur position afin de s'approprier quelque avantage en séduisant le roi. Après le repas, en secret, elles aussi monnayaient promesses et sucreries.

Nous chevauchâmes vers le palais sous un ciel qui devenait gris et froid. Je sentais avec bonheur mon manteau serré autour de moi mais j'avais repoussé ma coiffe afin de voir le chemin ainsi que les cieux qui lentement se piquetaient d'étoiles. Nous avions parcouru la moitié du trajet lorsque le cheval du roi vint se placer à côté du mien.

— Avez-vous passé une bonne journée ? s'enquit-il.

— Vous avez fait tomber mon fichu, répondis-je d'un air boudeur. Votre page le confia à la reine Marie, celle-ci à son tour le remit à la reine Catherine qui, comprenant aussitôt, me le rendit.

— Eh bien ?

Au lieu de penser aux petites humiliations que la reine Catherine endurait sans une plainte, je poursuivis :

— Je me suis sentie épouvantablement mal. Elle savait qu'il m'appartenait, me le rendit devant toutes les femmes et l'eût laissé tomber à terre si je ne m'étais précipitée pour le rattraper.

— Où est le problème ? demanda-t-il d'une voix dure, le visage soudain fermé. Hein ? Elle nous vit danser et parler ensemble, elle sait que je recherche votre compagnie et, lorsque vous avez mis votre main dans la mienne, vous ne m'avez pas, alors, rebattu l'oreille de vos plaintes agaçantes.

— Je ne me plains pas, répliquai-je, piquée.

— Si, affirma-t-il sèchement, et sans guère vous trouver en position de le faire, n'étant ni ma maîtresse ni mon épouse. Je ne souffre de remarques de personne. Je suis le roi d'Angleterre, si vous n'aimez point ma façon de me comporter, vous pouvez toujours retourner en France.

— Votre Majesté…

— Je vous souhaite la bonne nuit, me coupa-t-il en éperonnant son étalon.

Il s'éloigna au galop, manteau au vent, m'abandonnant là sans me laisser la possibilité de lui répondre ou de le rappeler.

Dans notre chambre, je refusai de raconter l'épisode à Anne, qui en attendait un compte rendu complet.

— Je ne dirai rien, déclarai-je, têtue.

Anne retira sa coiffe puis défis les nattes de ses cheveux. Je retirai ma robe, mis ma chemise de nuit puis me glissai entre les draps sans brosser mes cheveux ni nettoyer mon visage.

— Vous n'irez tout de même pas au lit ainsi, s'écria Anne, scandalisée.

— Pour l'amour de Dieu, laissez-moi tranquille !

Elle hocha la tête, grimpa dans le lit puis souffla la bougie.

La fumée qui se dégagea de la mèche vint chatouiller mes narines ; elle sentait le chagrin. Dans les ténèbres, protégée du regard scrutateur d'Anne, je me tournai sur le dos et fixai le baldaquin au-dessus de ma tête. Qu'arriverait-il si le roi cessait de me regarder ?

Mon cœur s'arrêta ; je posai les mains contre mes joues que je trouvai trempées de larmes et frottai mon visage contre les draps.

— Qu'avez-vous encore ? s'enquit Anne d'une voix endormie.

— Rien.

— Vous l'avez perdu, m'accusa oncle Howard.

Nous nous trouvions dans la grand-salle d'Eltham, dont nos serviteurs en livrée gardaient l'accès. Dans le propre palais du roi, la garde avait été renforcée pour les Howard afin de nous permettre de comploter en paix.

— Vous l'aviez à votre merci et vous l'avez perdu. Qu'avez-vous fait ?

Je secouai la tête, incapable de livrer mon secret au visage de marbre d'oncle Howard.

— Je veux une réponse, tonna-t-il. Il ne vous a pas regardée depuis une semaine, que s'est-il passé ?

— Rien, chuchotai-je.

— Impossible. Lors des joutes, il portait vos couleurs sous sa cuirasse. Vous avez fait quelque chose qui l'a irrité après cela.

Je lançai un regard de reproche à George, le seul à avoir pu mentionner mon écharpe à oncle Howard. Il haussa les épaules et arbora une expression contrite.

— Le roi fit tomber mon écharpe, son page le confia à la reine Marie, avouai-je, la gorge serrée. Elle la donna à la reine, qui à son tour me la rendit au vu de tous, poursuivis-je avec désespoir. Sur le chemin du retour, je m'en plaignis au roi.

Oncle Howard inspira profondément, mon père frappa la table du poing. Ma mère détourna la tête comme si elle ne pouvait supporter de me regarder.

— Sang du Christ ! jura mon oncle en lançant un regard accusateur à ma mère. Vous m'avez assuré qu'elle avait été convenablement éduquée ! Elle passa la moitié de sa vie à la cour de France et pleurniche après lui comme une bergère après un ballot de foin ?

— Comment avez-vous pu ? me demanda simplement ma mère.

— Je n'avais pas l'intention de dire quoi que ce fût de mal, chuchotai-je en baissant la tête. Pardonnez-moi.

— Il ne restera pas longtemps en colère, intervint George.

— En ce moment même, une fille Seymour danse peut-être pour lui, rétorqua mon oncle.

— Elle ne sera jamais aussi jolie que Marie, maintint mon frère. Il oubliera vite sa parole déplacée, peut-être même ne l'en appréciera-t-il que davantage, car cela prouve qu'elle est passionnée.

Mon père hocha la tête, apaisé, mais mon oncle tambourina la table de ses doigts.

— Comment allons-nous agir ?

— Éloignez-la.

L'intervention tardive d'Anne attira aussitôt l'attention sur elle.

— L'éloigner ? répéta mon oncle.

— Oui. Envoyez-la à Hever. Dites au roi qu'elle est souffrante ; faites en sorte qu'il l'imagine se mourant de chagrin.

— Et ensuite ?

— Il voudra la revoir, elle sera alors en mesure de tout lui imposer. Mais saura-t-elle, selon vous, charmer le plus cultivé, le plus
intelligent, le plus beau des princes de la chrétienté ?

Un froid silence accueillit ses paroles ; ma mère, mon père, mon
oncle Howard et même George m'inspectèrent sans un mot.

— Je ne le crois pas non plus, déclara Anne d'un air suffisant.
Mais je puis la former pour la mener à sa couche ; ce qu'il adviendra ensuite se trouve entre les mains de Dieu.

Oncle Howard fixa Anne intensément.

— Pouvez-vous faire en sorte qu'elle se l'attache ? demanda-t-il.
Elle leva la tête et lui sourit. L'image même de la certitude.

— Bien sûr, pour un temps. Après tout, ce n'est qu'un homme.
Oncle Howard émit un rire bref.

— Les hommes ne se trouvent pas où ils sont aujourd'hui par
accident. Malgré le désir des femmes, nous avons accédé aux postes
de pouvoir et avons su les utiliser afin d'émettre des lois qui nous y
maintiendront à jamais.

— C'est vrai, lui accorda Anne. Mais il s'agit ici non de politique
mais du désir du roi : il faut qu'elle attise suffisamment longtemps
son intérêt pour qu'il lui fasse un fils. Il ne nous faut rien de plus.

— En est-elle capable ?

— Elle peut apprendre, répondit Anne. Elle y est presque ; après
tout, il l'a choisie, termina-t-elle avec un petit haussement d'épaules
indiquant qu'elle ne tenait pas le choix du roi en haute estime.

Un long silence s'ensuivit. L'attention d'oncle Howard ne m'était
plus accordée, à moi, la jument poulinière de la famille. Il dévisageait Anne comme s'il la voyait pour la première fois.

— Peu de filles de votre âge sont aussi vives.
Elle lui sourit.

— Je suis une Howard, tout comme vous.

— Je suis surpris que vous n'essayiez point de le conquérir vous-
même.

— J'y ai pensé, répondit-elle avec honnêteté.

— Mais ? l'encouragea-t-il.

— Je suis une Howard, répéta-t-elle. Peu importe laquelle d'entre
nous le séduit. Si Marie lui donne un fils qu'il reconnaît, ma famille
deviendra la première du royaume.

Oncle Howard hocha la tête.

— Il semble que nous ayons à vous remercier, dit-il. Vous avez
mis en place notre stratégie.

Au lieu de s'incliner gracieusement, elle tourna la tête avec suffisance.

— Voir ma sœur favorite du roi est autant mon affaire que la vôtre.

Ma mère émit un « chut ! » impérieux devant l'arrogance de sa fille aînée.

— Non, laissez-la parler, la défendit mon oncle, elle a l'esprit vif et je crois qu'elle a raison. Marie se rendra à Hever et attendra que le roi la rappelle.

— Il la rappellera, affirma Anne d'un ton confiant.

J'étais un vulgaire colis qu'on empaquetait et envoyait à Hever comme appât. Il me fut interdit de le voir avant de partir ni de mentionner mon départ à quiconque. Ma mère apprit à la reine que j'étais souffrante et demanda que je fusse dispensée de son service pour quelques jours afin de rentrer chez moi me reposer. La souveraine, pauvre femme, pensa qu'elle avait triomphé : elle croyait que les Boleyn reculaient.

La chevauchée, couvrant une demi-douzaine de lieues[1], ne dura guère. Nous nous arrêtâmes sur le bord de la route pour déjeuner de pain et de fromage emportés avec nous. Mon père aurait pu en appeler à l'hospitalité de tout manoir rencontré en chemin, mais il ne voulait interrompre le rythme du voyage.

Sur la route défoncée et creusée d'ornières, nous aperçûmes régulièrement la roue d'un chariot cassée, signe qu'un voyageur avait été renversé. Mais nos chevaux s'en tiraient plutôt bien sur les terrains secs et, plusieurs fois, nous parvîmes à galoper. Au-delà des accotements s'étendaient de vastes prairies luxuriantes d'un vert vif, piquetées de grandes marguerites et de persil des vaches. Dans les haies, le chèvrefeuille se mêlait aux pousses d'aubépine tandis qu'à leur pied s'étalaient des parterres de brunelles dont le pourpre se mélangeait aux délicates petites fleurs blanches veinées de violet des pousses dégingandées du cresson. Dans ces épais pâturages ruminaient des vaches replètes ; plus loin, on apercevait des troupeaux

1. Une lieue équivaut environ à cinq kilomètres. (N.d.T.)

de moutons chaperonnés par leur petit pâtre qui les surveillait à l'ombre d'un arbre.

Les terres qu'exploitaient les paysans, au-dehors des villages, s'étiraient comme de jolis rubans parsemés d'oignons et de carottes alignés proprement. Dans les villages eux-mêmes, les jardins des cottages mêlaient joyeusement jonquilles et herbes, légumes et primevères, levées de haricots sauvages et haies d'aubépine en fleur. On y apercevait un coin dégagé pour accueillir un cochon tandis que le coq chantait sur une pile de fumier. Mon père parcourut dans un silence tranquille et satisfait le chemin qui menait à nos terres, à travers Edenbridge et les marécages.

Le domaine de Hever avait appartenu à son père avant lui mais ne remontait pas plus avant dans la famille. Mon grand-père, un homme aux moyens modestes, avait prospéré grâce à ses propres qualités, œuvrant comme apprenti mercier avant de devenir lord-bourgmestre de Londres. Notre héritage Howard, quoique nous tenant fort à cœur, était récent et nous provenait de ma mère, Élisabeth Howard, fille du duc de Norfolk, un beau parti pour mon père.

Ce dernier, notant combien Hever avait consterné sa jeune épouse par sa petitesse, s'était aussitôt mis à la tâche pour le reconstruire. Il ferma d'un plafond la grand-salle ouverte aux chevrons suivant l'ancien style et aménagea, dans l'espace créé au-dessus, une série d'appartements où il devenait possible de dîner avec plus de confort et d'intimité.

Mon père et moi arrivâmes par les portes du parc, le gardien et sa femme jaillirent de leur demeure pour s'incliner sur notre passage. Nous leur accordâmes un signe puis remontâmes la route boueuse vers le cours d'eau qu'enjambait un petit pont de bois. Ma jument n'en aima guère l'aspect, elle se déroba dès qu'elle entendit l'écho de ses sabots sur le bois creux.

— Sotte, déclara brièvement mon père.

Me laissant débattre s'il parlait de moi ou de ma monture, il éperonna son propre étalon pour m'ouvrir le chemin. Ma jument suivit, docile. Je franchis la première enceinte derrière mon père et nous nous dirigeâmes vers le pont-levis du château. Des hommes émergèrent de la salle des gardes pour s'emparer de nos chevaux et les mener aux écuries. Ils me soulevèrent de ma selle pour me faire descendre. Mes jambes étaient faibles après cette longue chevauchée mais je suivis mon père sous les dents épaisses et dissuasives de la herse, surgissant dans la petite cour accueillante du château.

Devant la porte d'entrée ouverte se tenaient notre contremaître et les principaux hommes de la maisonnée, qui s'inclinèrent devant mon père. Certains étaient en livrée, d'autres non ; deux des servantes détachaient en hâte le tablier de toile qu'elles portaient pardessus des vêtements dégoûtants de saleté. Mon père évalua le désordre général de ses gens puis leur accorda un signe de tête.

— Bien, commença-t-il, sur ses gardes. Voici ma fille, Marie, madame Marie Carey. Avez-vous préparé nos chambres ?

— Oui, monsieur, répondit le valet de chambre en s'inclinant. Tout est prêt.

— Je ne veux pas être dérangé ce soir, aussi prendrons-nous notre repas dans les appartements privés. Je dînerai demain dans la grand-salle où l'on pourra me voir.

L'une des filles s'avança et plongea devant moi dans une révérence.

— Puis-je vous accompagner à votre chambre, madame Carey ?

Sur un signe de tête de mon père, je la suivis, franchissant la large porte d'entrée avant de tourner à gauche dans un étroit couloir. Au bout, un escalier à vis nous conduisit à une jolie chambre dotée d'un petit lit entouré de courtines de soie bleu clair. La fenêtre ouvrait sur les douves et le parc au-delà, tandis qu'une autre porte menait à une petite salle avec une cheminée de pierre, la pièce préférée de ma mère.

— Voulez-vous vous nettoyer ? s'enquit la chambrière en montrant du doigt une jarre et une aiguière remplies d'eau froide.

Je me débarrassai de mes gants de cavalière et les lui tendis.

— Oui, acquiesçai-je. Apporte-moi de l'eau chaude et veille à ce que mes vêtements soient montés ici, je veux changer ces habits de voyage.

Elle s'inclina et quitta la chambre par le petit escalier de pierre. Je l'entendis murmurer pour elle-même : « Eau chaude, vêtements. » Je m'agenouillai sur la banquette sous la fenêtre et regardai par les carreaux sertis de plomb.

J'avais passé la journée à ne pas penser à Henri ni à la cour. Mais, à présent, de retour dans ce foyer si peu accueillant, je compris n'avoir pas seulement perdu l'amour du roi mais aussi ce luxe qui m'était devenu essentiel. J'avais été la femme la plus favorisée de l'Angleterre, je m'étais élevée bien au-dessus de mademoiselle Boleyn de Hever, cadette d'un petit château du Kent ; je ne voulais pas y redescendre.

50

Mon père ne demeura que trois jours, le temps de rencontrer son contremaître et les métayers qui avaient un urgent besoin de lui parler, de régler une dispute à propos d'une borne de séparation, d'ordonner que sa jument favorite fût saillie. À son départ, je me tins sur le pont-levis pour lui dire adieu, l'air chagrin.

— Est-ce la cour qui vous manque ? s'enquit-il d'un ton brusque en s'élançant sur sa selle.

— Oui, répondis-je brièvement, sans avouer que, outre la cour, l'absence de Henri m'était insupportable.

— Vous êtes seule responsable, répliqua mon père, impitoyable, et nous devons maintenant nous fier à George et à Anne pour arranger les choses. Sinon, Dieu sait ce qu'il adviendra de vous : je serai forcé de pousser Carey à vous reprendre en espérant qu'il vous pardonne.

Il éclata de rire en voyant la stupeur s'inscrire sur mon visage.

Je m'approchai de son cheval et mis la main sur son gant qui reposait sur les rênes.

— Direz-vous au roi que je suis sincèrement désolée de l'avoir offensé ?

Il secoua la tête.

— Nous suivrons les conseils d'Anne ; elle semble savoir comment l'approcher. Cette fois, vous devrez obéir, Marie.

— Pourquoi écoutez-vous toujours Anne ?

Mon père retira sa main de la mienne.

— Parce qu'elle a la tête sur les épaules, répliqua-t-il sans détour, tandis que vous agîtes comme une gamine de quatorze ans amoureuse pour la première fois.

— Mais je *suis* une gamine de quatorze ans amoureuse pour la première fois ! m'exclamai-je.

— Exactement, conclut-il, c'est la raison pour laquelle nous écoutons Anne.

Il tourna alors bride sans un mot de plus, traversa le pont-levis au trot puis s'élança vers les grandes portes du mur d'enceinte. Je levai la main pour le saluer au cas où il regarderait en arrière, mais il n'en fit rien. Il galopait le dos droit, les yeux fixés devant lui. Un vrai Howard, sans regrets ni hésitations. Mon père était en route vers la cour et le roi, sans un regard pour moi.

À la fin de la première semaine, j'avais exploré le jardin et le parc dans tous leurs recoins. J'entrepris de broder une tapisserie pour l'autel de l'église Saint-Pierre au village dont je complétai un pied carré de ciel tout bleu, ce qui était vraiment ennuyeux. J'écrivis trois lettres à Anne et à George et les envoyai à la cour d'Eltham par messager qui, par trois fois, revint sans autre réponse que leurs bons vœux.

Je dissimulai ma mauvaise humeur, remerciant toujours ma chambrière du moindre service ou inclinant docilement la tête lorsque le prêtre disait les grâces lors du dîner. Mais, au-dedans, je hurlais de frustration, piégée à Hever tandis que la cour quittait Eltham pour Windsor, sans moi. Je contenais à grand-peine la fureur que j'éprouvais d'avoir été si cruellement laissée pour compte.

Après trois semaines, je sombrai dans un désespoir résigné. Sans aucune nouvelle, j'en conclus que Henri ne souhaitait pas me rappeler et que mon époux se refusait à accueillir une épouse en disgrâce. J'écrivis encore deux fois à Anne et à George mais mes lettres demeurèrent sans réponse. Le mardi qui suivit, cependant, je reçus une note de George.

Ne désespérez pas – je gage que vous vous croyez bien abandonnée de tous. Il parle de vous constamment et je lui rappelle vos charmes infinis. Je pense qu'il vous fera mander dans le mois. Assurez-vous d'avoir l'air en bonne santé !
Geo.
Anne me prie de vous dire qu'elle écrira sous peu.

Ce message de George fut le seul à rompre ma monotonie. Au mois de mai, le plus joyeux à la cour car il apportait son lot de pique-niques et voyages, j'entamai mon deuxième mois d'attente. Les journées me semblaient bien longues, n'ayant personne avec qui converser à l'exception de ma chambrière qui babillait lorsqu'elle me vêtait ou des solliciteurs venus me présenter des affaires dont mon père devait s'occuper.

Peu à peu, lors de ces mornes après-midi, je partis à cheval découvrir la campagne environnante. J'appris à reconnaître les routes et chemins qui partaient du château et les noms de nos paysans dans leurs petites fermes. Je me mis à tirer la bride de mon cheval lorsque je voyais un homme travailler aux champs pour m'enquérir de sa santé et lui demander ce qu'il faisait pousser. C'était la meilleure époque pour les fermiers : le foin était coupé et séchait, étalé au vent, attendant d'être pris à la fourche puis mis dans de gros sacs et recouvert de chaume afin de demeurer sec pendant l'hiver. Le blé, l'orge et le seigle poussaient haut et droit dans les champs. Les veaux engraissaient grâce au lait de leur mère tandis que, dans chaque ferme et cottage du pays, on comptait les profits apportés par la vente de la laine.

Le mois de mai représentait un bref répit au milieu du dur labeur de l'année : les fermiers se rendaient à des petits bals sur les pelouses des villages, à des courses ou encore à des divertissements sportifs avant le gros travail de la moisson.

Moi qui avais d'abord parcouru le domaine des Boleyn sans rien voir, je connaissais à présent les métayers et les récoltes qu'ils préparaient. Lorsque, à l'heure du dîner, ils vinrent se plaindre à moi de ce que tel homme ne cultivât pas correctement la bande de terre qui lui était allouée par le village, je fus aussitôt en mesure de comprendre. La veille, j'avais aperçu cette terre laissée à l'abandon, envahie de mauvaises herbes et de ronces, jurant parmi tous ces champs bien entretenus. Il me fut dès lors facile d'avertir le paysan que sa terre lui serait confisquée s'il ne l'utilisait pas pour y faire pousser une récolte. Je distinguais parmi les fermiers ceux qui faisaient pousser du houblon de ceux qui cultivaient la vigne. Avec l'un de ces derniers, je passai l'accord que, s'il obtenait une bonne récolte de raisins, je demanderais à mon père d'envoyer un Français à Hever y enseigner l'art de faire du vin.

J'appréciais de parcourir les environs chaque jour, d'entendre les oiseaux chanter dans les bois, de sentir l'aubépine en fleur des chemins. J'adorais Jesmond, la jument que le roi m'avait offerte, son appétit à galoper, ses doux hennissements et ses oreilles qui se dressaient quand elle me voyait arriver dans la cour des écuries, une carotte à la main. J'aimais la luxuriance verte des pâturages près de la rivière ou le rouge éblouissant des coquelicots dans les champs de blé. J'observais les buses qui, dans le ciel vierge de nuages, traçaient de grands cercles paresseux.

Bien qu'il s'agît d'un pis-aller, j'éprouvai le sentiment de plus en plus vif que, si je devais ne plus jamais retourner à la cour, je deviendrais au moins un seigneur bon et juste. Deux fermiers entreprenants d'Edenbridge s'aperçurent qu'un marché existait pour la luzerne, mais ne savaient où se procurer des semences. J'écrivis pour eux à un paysan de l'un des domaines de mon père dans l'Essex et leur obtins graines et conseils. Ils ensemencèrent les champs puis, découvrant combien la récolte s'adaptait bien au sol, se promirent d'en planter une autre. Et je pensai alors : « Je ne suis peut-être qu'une femme, mais c'est magnifique, ce que j'ai fait là. » Grâce à mon aide, ils seraient en mesure de tenter leur chance et, qui sait, s'ils faisaient fortune, le monde compterait deux hommes de plus qui s'élèveraient en étant partis de rien, comme mon grand-père.

Lorsque je les croisai un jour qu'ils labouraient leur champ, les fermiers, tapant leur bottes pour en éliminer la boue, me dévoilèrent combien ils désiraient qu'un seigneur s'intéressât à leurs terres pour s'associer ou investir quelque argent, afin que nous puissions tous prospérer ensemble.

J'éclatai de rire et, du haut de mon cheval, posai les yeux sur leur visage buriné par le soleil.

— Je n'ai pas d'argent.

Le regard de l'un engloba mes bottes de cuir, la selle ornée d'incrustations, la richesse de ma robe et la broche d'or piquée dans mes cheveux.

— Vous portez sur le dos davantage que ce que je gagne en une année.

— Je sais, acquiesçai-je, et c'est là que ça reste : sur mon dos.

— Mais votre père ou votre époux vous donnent de l'argent, intervint l'autre homme d'un ton persuasif. Ne vaut-il pas mieux l'engager sur vos propres champs que sur la valeur d'une carte ?

— Je suis une femme, rien ne m'appartient véritablement. Regardez-vous, qui vivez plutôt bien ; votre femme est-elle riche ?

Il gloussa docilement.

— Mon épouse est aussi riche que je le suis, mais elle ne possède rien en propre.

— C'est la même chose pour moi, expliquai-je. Ma richesse est celle de mon père ou de mon mari. Je me vêts comme il sied à leur épouse ou leur fille, mais ne jouis d'aucune possession. D'une certaine manière, je suis aussi pauvre que votre femme.

— Mais vous êtes une Howard, et je ne suis personne, observat-il.

— Je suis une *femme* Howard ; je puis devenir l'une des premières dames du pays ou bien vivre comme la dernière des pauvresses. Cela dépend.

— De quoi ? demanda-t-il, intrigué.

Je pensai au visage de Henri qui s'était fermé lorsque je lui avais déplu.

— De ma chance.

Été 1522

*A*u milieu de mon troisième mois d'exil, alors que dans le jardin du château fleurissaient d'énormes roses dont le parfum embaumait l'air, je reçus une lettre d'Anne.

C'est fait. Je suis parvenue à lui parler de vous. J'ai affirmé qu'il vous manquait de façon intolérable. Je lui ai appris que vous aviez mécontenté votre famille lorsque vous montrâtes de façon trop ostensible votre amour pour lui et que, pour l'oublier, nous vous avions envoyée au loin. La nature des hommes est bien contradictoire, il se montre fort excité à la pensée de votre détresse. Enfin ! Vous pouvez revenir à la cour. Père dit que vous pouvez ordonner à une demi-douzaine d'hommes du château de vous escorter immédiatement à Windsor. Faites en sorte d'arriver discrètement avant le dîner, rendez-vous directement à notre chambre où je vous dirai comment vous comporter.

Windsor, l'un des plus jolis châteaux de Henri, s'élevait sur une colline comme une perle grise sur un beau velours vert. La bannière du roi claquait au vent et sur le pont-levis se succédaient les innombrables fardiers et chariots des colporteurs ou des brasseurs. Partout où elle demeurait, la cour attirait les richesses de la campagne ; le village de Windsor savait d'expérience comment assouvir profitablement les appétits du château.

Je me glissai par une porte latérale et, en tapinois, trouvai mon chemin vers la chambre d'Anne. La pièce était vide, aussi m'installai-je pour l'attendre. Elle rentra à trois heures, retirant sa coiffe. Elle sursauta lorsqu'elle me vit.

— J'ai cru que vous étiez un fantôme ! Quelle peur vous m'avez causée…

— Vous m'avez demandé de me faire discrète.

— En effet. Je dois vous faire part de l'état des choses. Je conversai à l'instant avec le roi. *Mon Dieu** ! Qu'il fait chaud !

— Que disait-il ?

Anne sourit d'un air délibérément provocant.

— Il s'enquérait à votre sujet.

— Qu'avez-vous répondu ?

— Laissez-moi réfléchir.

Elle jeta sa coiffe sur le lit puis secoua la tête pour libérer sa chevelure qui cascada dans son dos. Elle la souleva d'une main afin de rafraîchir sa nuque.

— Oh, je ne puis me souvenir. Il fait trop chaud.

Je connaissais trop bien Anne pour la laisser me tourmenter. Tranquillement, je pris place sur une chaise de bois devant le feu éteint et ne lui prêtai aucune attention tandis qu'elle se lavait le visage et s'aspergeait les bras et la nuque à grand renfort d'exclamations en français.

— Je crois que je me souviens à présent, concéda-t-elle.

— Cela n'a pas d'importance, déclarai-je. Je le verrai moi-même au dîner, il me dira alors tout ce qu'il souhaite. Je n'ai pas besoin de vous.

Elle se cabra aussitôt.

— Oh si ! Il me faut vous expliquer comment vous comporter avec lui car vous ne savez vous y prendre !

— J'en savais assez pour le rendre fou d'amour et le pousser à porter mes couleurs, observai-je froidement. Je pense être capable de converser avec lui après dîner.

Anne recula d'un pas et me mesura du regard.

— Comme vous voilà calme, remarqua-t-elle.

— J'ai eu le temps de réfléchir, répliquai-je. Je sais que je le veux.

Elle hocha la tête.

— Comme toutes les femmes d'Angleterre.

J'écartai son mépris d'un haussement d'épaules.

— Je sais également que je peux vivre sans lui.

Ses yeux se rétrécirent.

— Vous serez ruinée, si William refuse de vous reprendre.

— Je pourrais supporter cela aussi, affirmai-je. À Hever, seule pendant trois mois, j'ai compris que je n'avais pas besoin de la cour, de la reine, du roi, ni même de vous. J'ai pris plaisir à voir les terres cultivées, à parler aux paysans et à observer leurs récoltes pour apprendre comment poussent les choses.

— Vous voulez devenir une paysanne ? demanda-t-elle avec un rire de dédain.

— Je serais une paysanne heureuse, déclarai-je avec fermeté. Je suis très amoureuse du roi, certes... Mais, si cet espoir s'écroulait, je me contenterais avec joie de vivre dans une ferme.

Anne se dirigea vers un coffre au pied du lit d'où elle tira une nouvelle coiffe. Lorsqu'elle la posa sur ses cheveux, elle observa avec satisfaction son visage se teinter d'une élégance nouvelle.

— Si je me trouvais à votre place, je choisirais le roi ou rien, observa-t-elle. Je risquerais ma tête sur le billot pour avoir mes chances avec lui.

— C'est l'homme que j'aime, non le roi.

Elle haussa les épaules.

— Il est indissociable de sa couronne. Nul ne lui est supérieur dans tout le royaume. Pour trouver son égal, il faut se rendre auprès du roi de France ou de l'empereur d'Espagne.

Je secouai la tête.

— J'ai vu l'empereur et le roi de France, je ne les regarderais pas deux fois.

Anne se détourna de la glace et tira sur son corps de cotte afin de dénuder la courbe de sa poitrine.

— Alors vous êtes une sotte, dit-elle simplement.

Une fois parées, nous nous rendîmes aux appartements de la reine.

— Ne vous attendez pas à un accueil chaleureux, m'avertit ma sœur.

Devant le logement royal, les gardes de faction nous ouvrirent les portes en nous saluant. Anne carra les épaules et nous entrâmes comme si le château nous appartenait.

La reine se trouvait auprès de la fenêtre laissée grande ouverte afin de laisser entrer l'air frais du soir. À ses côtés, son musicien chantait en jouant du luth. Elle était entourée de ses dames d'atour ; certaines cousaient, d'autres paressaient d'un air languissant en attendant l'invitation de se rendre au dîner. Elle semblait totalement en paix avec le monde, le regard s'attardant sur la petite cité de Windsor et, au-delà, sur les courbes du fleuve. En me voyant, elle garda le visage impassible ; elle se maîtrisait trop pour laisser paraître sa déception.

— Madame Carey ; vous voici rétablie et de retour à la cour ?

Je m'abîmai en une profonde révérence.

— Si cela agrée à Votre Majesté.

— Vous demeurâtes tout ce temps dans la demeure de vos parents ?

— Oui, au château de Hever, Votre Majesté.

— Je gage que cela s'avéra fort reposant. On n'y trouve que des moutons et des vaches, n'est-ce pas ?

— Auxquels s'ajoutent des terres à cultiver, renchéris-je en souriant. J'avais cependant fort à faire, car j'aimais sortir à cheval pour regarder les champs et m'entretenir avec les laboureurs.

Un instant, je décelai son intérêt à l'égard de ce pays qu'elle percevait encore, malgré toutes ces années passées en Angleterre, comme un terrain de chasse, un parc propice au pique-nique ou une route qui menait, en été, de château en château. Mais elle se souvint de la raison pour laquelle j'avais quitté la cour.

— Sa Majesté le roi a-t-il ordonné votre retour ?

Anne émit derrière moi un petit sifflement d'avertissement que j'ignorai, obéissant au désir aussi romantique que stupide de ne point mentir à cette excellente femme.

— Le roi m'a fait mander, Votre Majesté, répondis-je, le ton emprunt de respect.

Elle hocha la tête et baissa le regard sur ses mains, croisées sur ses genoux.

— Alors vous êtes fortunée, murmura-t-elle.

Un bref silence s'ensuivit. J'aurais tant voulu lui dire que, bien que je fusse amoureuse de son époux, je la reconnaissais comme bien supérieure à moi !

Le double battant des portes s'ouvrit soudain en grand.

— Sa Majesté le roi ! annonça le héraut et Henri s'avança à grands pas dans la pièce.

— Je viens vous mener au dîner, commença-t-il.

Il m'aperçut alors et s'arrêta brusquement. Le regard pensif de la reine passa du visage transfiguré de son époux au mien.

— Marie ! s'exclama-t-il.

Immobile, les yeux fixés sur lui, j'oubliai de le saluer d'une révérence, sans même que le petit « psst » d'avertissement d'Anne me rappelât sur terre.

Le roi traversa la pièce en trois enjambées, me prit les mains et les tint contre son cœur. Je perçus sous mes doigts les douces aspérités de son pourpoint brodé, la caresse de sa chemise de soie au travers des crevés.

— Mon amour, chuchota-t-il, vous êtes la bienvenue à la cour.

— Je vous remercie...

— Ils m'ont dit vous avoir éloignée en guise de leçon. Ai-je bien fait de vous rappeler avant que vous ne l'ayez retenue ?

— Oui, oui, parfaitement bien, bafouillai-je.

— Désiriez-vous revenir à la cour ?

— Oh oui !

La reine se leva.

— Mesdames, allons dîner, lança-t-elle.

Henri lui lança un rapide regard par-dessus son épaule. Elle lui tendit la main, impérieuse comme une fille d'Espagne. Il se tourna vers elle, obéissant à une habitude bien ancrée, et je ne sus que faire pour capturer de nouveau son attention. J'avançai d'un pas derrière la reine puis m'inclinai très bas afin de réarranger la traîne de sa robe. Catherine se tenait droite comme une véritable souveraine, magnifique malgré la lassitude inscrite sur son visage.

— Merci, madame Carey, dit-elle avec gentillesse.

Et elle nous mena au dîner, la main posée avec légèreté sur le bras de son époux, qui inclina la tête vers elle pour écouter une remarque. Je disparus de son esprit.

George vint me saluer lorsque se termina le dîner, m'apportant une prune confite.

— Une douceur pour vous, ma douce, dit-il, plantant un baiser sur mon front.

— George, m'exclamai-je, merci pour votre billet.

— Vous me submergiez d'appels désespérés, sourit-il. Je ne reçus pas moins de trois missives la première semaine. Était-ce si terrible ?

— Les premiers temps surtout, expliquai-je. Mais, par la suite, je m'habituai à la situation et tirai même quelque plaisir de la vie à la campagne.

— Quoi qu'il en soit, nous agîmes ici au mieux de vos intérêts.

— Où se trouve oncle Howard ? demandai-je, parcourant la salle des yeux.

— Il accompagna Wolsey à Londres. Il vous fait dire qu'il ouïra des rapports sur vous et espère que vous saurez vous comporter comme il sied.

Jane Parker se pencha par-dessus la table.

— Voulez-vous devenir dame d'atour ? demanda-t-elle à George d'un ton faussement badin. Vous êtes assis à notre table, sur l'une de nos chaises.

George se leva sans hâte.

— Je vous supplie de me pardonner, mesdames. Je n'avais pas l'intention de me montrer indiscret.

Une demi-douzaine de voix lui assurèrent qu'il ne dérangeait en rien. Mon frère était un beau jeune homme, populaire visiteur des appartements de la reine. Seule son aigre fiancée semblait émettre des objections à sa présence parmi nous.

Il s'inclina sur la main de Jane.

— Merci, mademoiselle Parker, de me rappeler de vous quitter, dit-il avec une fausse courtoisie, son irritation clairement audible.

Il s'inclina et m'embrassa fermement sur les lèvres.

— Dieu vous garde, petite *Marianne*, chuchota-t-il à mon oreille. Vous portez les espoirs de votre famille.

J'attrapai sa main alors qu'il s'apprêtait à partir.

— Attendez, George.

Je tirai sur son bras, le forçant à approcher son oreille de ma bouche.

— Pensez-vous qu'il m'aime ? murmurai-je.

— Oh ! chérie, sourit-il en se relevant.

— Eh bien ?

Il haussa les épaules.

— Nous écrivons sur l'amour des poèmes que nous déclamons tout le jour et des chansons que nous entonnons chaque nuit. Mais que je sois damné si je sais ce qu'il en est dans la vie !

— Oh, George !

— Il vous désire ; cela, je puis vous l'affirmer. Il est préparé à affronter un certain nombre d'ennuis pour vous posséder. Si c'est de l'amour pour vous, alors, oui, il vous aime.

— C'est suffisant à mes yeux, répondis-je avec une satisfaction tranquille.

Mon délicieux grand frère s'inclina sur ma main puis recula d'un pas.

— Votre Majesté.

Le roi se tenait devant moi.

— George, je ne puis vous permettre de converser la soirée entière avec votre sœur. Vous faites l'envie de toute la cour.

— J'en suis conscient, répondit George en courtisan plein de charme. Je possède deux sœurs magnifiques et vis sans nul souci au monde.

— Je souhaite danser, annonça le souverain. Conduirez-vous mademoiselle Boleyn ? Madame Carey sera ma partenaire.

— J'en serais enchanté, répliqua George, qui claqua des doigts sans regarder autour de lui.

Vive comme l'éclair, Anne apparut à ses côtés.

— Nous dansons, indiqua-t-il, laconique.

Le roi fit un geste de la main. Les musiciens attaquèrent un branle ; nous formâmes un cercle de huit personnes avant d'exécuter les pas de danse, d'un côté puis de l'autre. En face de moi, j'apercevais le visage familier de George. Anne, sous son doux sourire, déchiffrait l'humeur du roi et mesurait l'intensité de son désir à mon égard avec le soin qu'elle eût pris à étudier un psautier. Bien qu'elle ne tournât jamais la tête, je savais qu'elle surveillait aussi l'humeur de la reine, essayant de deviner ce qu'elle ressentait.

Je souris intérieurement. En cette princesse d'Espagne, Anne trouvait une adversaire à sa mesure. Ma sœur surpassait tous les courtisans mais elle était issue du peuple. La reine Catherine avait appris dès son plus jeune âge à tenir sa langue, à avancer avec précaution. Avant même la naissance d'Anne, Catherine d'Aragon avait tenu un rôle au sein d'une cour aussi riche que bouillonnante d'inclinations rivales.

Ma sœur ne surprendrait aucune réaction de la reine devant son époux et moi consumés de désir, rien d'autre qu'un intérêt poli. La souveraine cria ses félicitations une fois ou deux au cours de la danse. Lorsque celle-ci prit fin, les autres danseurs prirent congé. Henri et moi demeurâmes soudain exposés aux regards de tous. Nous ne pouvions plus cacher nos mains entrelacées et nos yeux brûlants. La reine applaudit.

— Bravo, déclara-t-elle d'un ton calme et uni. Très joli.

— Il vous enverra chercher, affirma Anne cette nuit-là alors que nous nous dévêtions dans la chambre.

Elle secoua sa robe et la déposa soigneusement dans le coffre au pied du lit, à côté de sa coiffe, puis rangea ses chaussures. Elle enfila sa robe de nuit et s'assit devant le miroir, avant de me mettre en main la brosse à cheveux. Je coiffai avec lenteur sa longue chevelure noire et elle ferma les yeux de plaisir.

— Ce soir ou bien demain ; vous irez.

— Bien sûr, j'irai, rétorquai-je.

— Souvenez-vous alors de votre nom et position, m'avertit Anne. Ne le laissez pas vous posséder à la sauvette, dans l'embrasure d'une porte. Exigez une vraie chambre avec un vrai lit.

— Je verrai, répondis-je.

— C'est important, insista-t-elle. S'il vous prend comme une catin, il vous oubliera aussitôt. En fait, je pense que vous devriez lui résister un peu plus. S'il considère que vous vous montrez trop docile, il ne vous possédera pas plus d'une fois ou deux.

Je tressai les longs écheveaux de sa chevelure.

— Aïe ! se plaignit-elle. Vous tirez trop fort.

— Et vous, vous m'enquiquinez, grondai-je. Laissez-moi agir à ma guise, Anne, je n'ai guère commis de fautes, jusqu'à présent.

Elle haussa ses blanches épaules et sourit à son reflet dans le miroir.

— Séduire un homme est à la portée de chacune ; le garder fait toute la difficulté.

Les coups à la porte nous firent sursauter. Les yeux noirs d'Anne se posèrent en hâte sur mon reflet, dans le miroir.

— Le roi, déjà ?

J'ouvris la porte. George se tenait sur le seuil, vêtu du pourpoint de daim rouge qu'il portait au dîner, une fine chemise de lin blanche chatoyant à travers les crevés, un chapeau cramoisi brodé de perles posé sur sa tête brune.

— *Vivat ! Vivat Marianne* !*

Il s'avança d'un pas vif et referma la porte derrière lui.

— Il vous mande de prendre une coupe de vin en sa compagnie. Je dois vous transmettre ses excuses pour l'heure tardive : l'ambassadeur vénitien vient tout juste de partir. Ils n'ont évoqué que la guerre avec la France, le voici à présent plein de passion pour l'Angleterre, Henri et saint George. Il me faut vous affirmer que vous êtes libre de votre choix et maîtresse de vos actes ; vous pouvez boire une coupe de vin puis revenir à votre lit.

— Qu'a-t-il offert ? s'enquit Anne.

George leva un sourcil dédaigneux.

— Faites montre d'un peu d'élégance, la réprimanda-t-il. Il ne l'achète pas franchement, il l'invite pour un verre de vin. Nous fixerons le prix plus tard.

Je posai la main sur ma tête.

— Ma coiffe ! m'exclamai-je. Vite, Anne, tressez mes cheveux !

Elle secoua la tête.

— Allez-y ainsi, dit-elle, avec vos cheveux lâchés sur les épaules. Vous ressemblez à une vierge le jour de ses noces, c'est ce qu'il veut. J'ai raison, n'est-ce pas, George ?

Il acquiesça.

— Elle est adorable comme cela. Délacez son corsage un petit peu.

— Elle est supposée être une dame.

— Juste un petit peu, insista-t-il. Un homme aime à apercevoir ce qu'il acquiert.

Anne délaça mon corps de cotte puis tira dessus. Il descendit de quelques pouces, dévoilant les rondeurs de ma poitrine. George claqua la langue.

— Parfait.

Anne recula d'un pas et me regarda du même œil critique dont mon père avait enveloppé la jument qu'il avait envoyée à l'étalon.

— Elle devrait se laver, décida-t-elle. Au moins sous les bras, et sa fente.

J'eusse voulu en appeler au jugement de George mais celui-ci hocha la tête.

— Oui, en effet. Il a en horreur tout ce qui est fétide.

— Allez ! m'ordonna Anne en indiquant la jarre et l'aiguière.

— Sortez, tous les deux, leur intimai-je.

George se dirigea vers la porte.

— Nous attendrons dehors.

— N'oubliez pas de vous laver les fesses, Marie, ajouta Anne sur le seuil. Vous devez être propre partout.

La porte se referma sur ma réponse, peu digne d'une lady. Je me lavai rapidement à l'eau froide puis me frottai pour me sécher. J'empruntai un peu d'eau de fleurs d'Anne et m'en parfumai la nuque, la chevelure et le haut des jambes. Puis j'ouvris la porte.

— Êtes-vous propre ? s'enquit Anne d'un ton bref.

Je hochai la tête.

— Alors, partez. Vous pouvez résister un peu, lui montrer que vous êtes en proie au doute. Ne lui tombez pas dans les bras.

Je détournai le visage. Elle me semblait insupportablement grossière.

— Permettez-lui d'en tirer un peu de plaisir, intervint George avec gentillesse.

Anne s'en prit à lui.

— Pas dans sa couche, répliqua-t-elle sèchement. Seul compte le plaisir du roi.

Je ne l'entendais déjà plus, les battements de mon cœur résonnant à mes oreilles, enivrée à l'idée de me trouver bientôt seule avec Henri.

— Allons-y, ordonnai-je à George.

— Je vous attendrai, déclara Anne.

— Peut-être ne rentrerai-je pas, objectai-je.

— Je l'espère. Mais je vous attendrai cependant, assise près du feu, regardant l'aube se lever.

Je l'imaginai, montant la garde dans sa chambre comme une vieille fille tandis que j'étais dorlotée et aimée dans le lit du roi d'Angleterre.

— Mon Dieu, vous mourez d'envie de vous trouver à ma place, m'écriai-je dans un soudain accès de joie.

Elle ne cilla pas et répondit froidement :

— Bien sûr. Il s'agit du roi.

— Qui me désire, *moi*, poursuivis-je, remuant le couteau dans la plaie.

George s'inclina, m'offrit son bras puis me guida dans les escaliers étroits vers la grand-salle, que nous traversâmes comme deux fantômes étroitement enlacés. Nul ne nous surprit ; quelques soubrettes dormaient devant les cendres de la cheminée et une demi-douzaine d'hommes somnolaient sur les tables.

Nous atteignîmes, derrière la table d'honneur, les portes qui menaient aux appartements royaux. Au sommet d'un escalier richement orné d'une magnifique tapisserie, deux sentinelles en arme se tenaient devant la salle d'audience. Ils s'écartèrent pour me laisser passer lorsqu'ils me virent, ma chevelure d'or détachée, un sourire confiant aux lèvres.

La salle d'audience, derrière le double battant, m'apparut vide pour la première fois. D'ordinaire se tenaient ici ceux qui cherchaient à entrevoir le roi ; les pétitionnaires, après avoir soudoyé des membres importants de la cour, se voyaient autorisés à se placer sur le passage du souverain, espérant attirer son attention. Jamais je n'avais connu cette immense pièce voûtée autrement que débordant de gens dans leurs plus beaux atours. À présent, elle était plongée dans le silence et les ténèbres. George pressa mes doigts glacés.

Devant nous se dressaient les portes des appartements privés du roi, gardées par deux soldats en arme, leurs lances croisées.

— Sa Majesté a ordonné notre présence, déclara George d'un ton bref.

Les lances s'entrechoquèrent avec un bruit métallique. Les soldats présentèrent les armes puis ouvrirent les deux portes en grand.

Le roi était assis devant le feu, enveloppé d'un chaud manteau de velours bordé de fourrure. En entendant la porte s'ouvrir, il se leva.

Je plongeai dans une profonde révérence.

— Vous m'avez fait appeler, Majesté.

Il ne pouvait détacher ses yeux de mon visage.

— En effet, et je vous remercie d'être venue. Je veux voir… Je veux parler… Je veux…

Il s'interrompit enfin.

— Je vous veux.

Je m'approchai d'un pas, secouai la tête et sentis le poids de ma chevelure. Derrière moi, j'entendis la porte se refermer sur George. Henri ne s'aperçut pas même de son départ.

— Je suis honorée, Votre Majesté, murmurai-je.

Il secoua la tête, sans véritable impatience, mais comme un homme qui ne veut pas perdre son temps en préliminaires.

— Je vous veux, Marie Boleyn, répéta-t-il, comme si c'était tout ce qu'une femme eût besoin d'entendre.

J'avançai encore. Je sentis la chaleur de son souffle puis le contact de ses lèvres sur ma chevelure.

— Marie, chuchota-t-il, la voix rauque de désir.

— Votre Majesté ?

— Appelez-moi Henri, je veux l'entendre de votre bouche.

— Henri.

— Voulez-vous de moi, comme un homme ? murmura-t-il. Si j'étais un simple fermier, m'aimeriez-vous quand même ?

Il plaça sa main sous mon menton, releva mon visage et fouilla mon âme de ses beaux yeux bleus. Délicatement, je posai la main sur son visage et sentis la douceur de sa barbe. Il ferma aussitôt les yeux puis tourna la tête pour baiser mes doigts.

— Oui, affirmai-je à voix basse, ignorant l'absurdité de cette réponse, incapable d'imaginer cet homme autrement que roi d'Angleterre. Fussiez-vous un paysan dans un champ de houblon, je vous aimerais. M'aimeriez-vous si j'étais une fille venue pour la récolte ?

Il m'attira plus près de lui, ses mains brûlantes sur mon corps de cotte.

— Oui, promit-il. En tout lieu, je vous eusse reconnue comme mon véritable amour.

Il baissa la tête et m'embrassa. Son baiser, de doux qu'il était au départ, se fit impérieux. Il me prit la main pour me mener au lit à colonnes. Il m'y allongea avant d'enfouir le visage dans le creux de mes seins qui émergeaient juste au-dessus du corps de cotte qu'Anne avait si généreusement délacé pour lui.

À l'aube, je me hissai sur un coude et regardai par l'un des carreaux sertis de plomb de la fenêtre. Le ciel pâlissait, je savais qu'Anne attendait elle aussi le lever du jour en prenant davantage conscience à chaque instant qui s'écoulait que sa sœur était devenue la maîtresse du roi d'Angleterre. Je l'imaginai, assise sur la banquette de la fenêtre, écoutant les premiers oiseaux qui poussaient leur trille matinal, acceptant avec difficulté que le roi m'eût choisie, moi qui à présent tenais entre mes mains les desseins de la famille.

Le roi remua.

— Êtes-vous éveillée ? questionna-t-il, à demi enfoui sous la courtepointe.

— Oui, répondis-je, aussitôt alerte.

Devais-je offrir de partir ? Mais sa tête émergea alors, un grand sourire aux lèvres.

— Bonjour, mon doux cœur, susurra-t-il, comment vous portez-vous ce matin ?

Je lui rendis son sourire, enchantée de sa joie.

— Je me porte très bien.

— Heureuse ?

— Plus heureuse que je ne le fus jamais.

— Alors venez à moi, ordonna-t-il.

Je me blottis dans ses bras chauds et son odeur musquée. Je sentis ses cuisses se presser contre les miennes, il enfouit son visage dans mon cou.

— Henri, mon amour, soufflai-je stupidement.

— Je sais, répondit-il de façon engageante. Venez plus près.

Je ne le laissai qu'une fois le soleil levé. Il me fallait me hâter pour éviter d'être vue par les domestiques du château. Henri lui-même m'aida à passer mon cotillon, laça mon corps de cotte, puis posa son propre manteau sur mes épaules pour me prémunir contre le froid du matin. Il ouvrit la porte, aperçut George qui somnolait sur un banc. Mon frère se leva, s'inclina le chapeau à la main devant le souverain, puis m'adressa un doux sourire.

— Veillez au bon retour de madame Carey, ordonna le roi, puis envoyez-moi le valet de chambre, voulez-vous ? Je veux me lever tôt, ce jour d'hui.

George s'inclina de nouveau et m'offrit son bras.

— Vous m'accompagnerez à la messe, ajouta le roi. Vous l'ouïrez dans ma chapelle privée, George.

Mon frère accepta cette marque inouïe de faveur avec une gracieuse nonchalance :

— Je vous remercie, Votre Majesté.

Je m'abîmai dans une révérence, la porte de la chambre du roi se referma. Nous traversâmes rapidement la salle des audiences puis la grand-salle.

Il nous fut impossible d'éviter les plus bas des serviteurs, ces gamins employés à maintenir les feux qui traînaient derrière eux d'énormes bûches, ou ceux qui nettoyaient le sol. Les gens d'armes endormis sur les tables s'éveillaient en bâillant et maudissaient la force du vin.

Je tirai sur ma coiffure échevelée la large capuche du manteau du roi, avant de traverser en hâte la grand-salle puis de monter les marches qui menaient aux appartements de la reine.

Anne nous ouvrit la porte, le visage livide et les yeux rougis par le manque de sommeil. Je tirai une joie féroce de sa jalousie.

— Eh bien ? s'enquit-elle sèchement.

Mes yeux se posèrent sur le couvre-lit encore intact et je remarquai :

— Vous n'avez pas dormi.

— Je n'ai pas pu, avoua-t-elle. Vous non plus, j'espère.

Je ne mordis pas à l'hameçon.

— Nous voulons seulement nous assurer que vous allez bien, Marie, intervint George. Père, mère et oncle Howard le voudront savoir également ; autant vous habituer à en parler, ce n'est point une affaire privée.

— Il n'existe rien de plus privé.

— Pas pour vous, rétorqua Anne froidement, alors cessez de prendre cet air de jeune laitière au printemps. Vous a-t-il possédée ?

— Oui, répondis-je, laconique.

— Plus d'une fois ?

J'acquiesçai de nouveau.

— Dieu soit loué ! s'écria George. Elle a réussi ! Je dois partir, il m'a demandé d'ouïr la messe avec lui.

Il traversa la pièce et m'étreignit.

— Bien joué. Nous parlerons plus tard.

Il claqua la porte en partant. Anne émit un petit sifflement réprobateur puis se tourna vers le coffre qui contenait nos vêtements.

— Vêtez-vous de votre robe couleur crème, conseilla-t-elle, inutile d'avoir l'air d'une catin. Je vous apporte de l'eau chaude, vous devez vous baigner.

Elle leva les mains devant mes protestations.

— Ne discutez pas ! Vous devez être impeccable, Marie. Retirez votre robe, nous devons nous rendre à la messe avec la reine dans moins d'une heure.

Je lui obéis, comme toujours.

— Êtes-vous heureuse pour moi ? demandai-je en me contorsionnant pour sortir de mon corps de cotte et de mon cotillon.

J'aperçus son visage dans le miroir, l'éclair de jalousie aussitôt voilé d'un battement de cils.

— Je suis heureuse pour la famille, répondit-elle. Je ne pense presque jamais à vous.

Le roi travaillait en écoutant les matines dans sa chapelle privée devant laquelle nous passâmes afin de rejoindre celle de la reine. En tendant l'oreille, j'entendais tout juste les marmonnements du secrétaire qui présentait au roi des documents à signer. Le souverain s'exécutait tout en observant le prêtre accomplir les gestes familiers de la messe. Le roi conduisait toujours ses affaires en écoutant le service du matin, il suivait ainsi son père dans cette tradition. Beaucoup croyaient que de la sorte le travail était sanctifié. D'autres, dont mon oncle, pensaient que le roi avait hâte d'en finir avec ses tâches et qu'il n'y accordait que la moitié de son attention.

Dans la chapelle de la reine, je m'agenouillai sur le coussin et suivis du regard le scintillement ivoire de ma robe qui brillait et esquissait le contour de mes cuisses. Je sentais encore sa chaude présence entre mes jambes, je le goûtais sur mes lèvres. Malgré le bain que j'avais pris sur les instances d'Anne, j'imaginai encore sentir la sueur de sa poitrine sur mon visage et mes cheveux. Lorsque je fermai les yeux, je ne m'abandonnai pas en prières mais dans une rêverie sensuelle.

La reine, agenouillée près de moi, inclinée sur son rosaire, affichait un visage grave, les traits tirés et las. Sa robe était un peu ouverte à la nuque afin qu'elle fût en mesure de glisser un doigt à l'intérieur pour toucher le cilice de crin qu'elle portait toujours contre sa peau. Elle avait les yeux clos.

La messe se déroula comme une éternité. Comme j'enviai à Henri la distraction apportée par ses documents d'État ! Lorsque le service s'acheva, quand enfin le prêtre nettoya les calices d'un linge blanc et les emporta, la reine se tourna et nous sourit.

— Allons rompre le pain de la première collation, annonça-t-elle plaisamment. Peut-être le roi se joindra-t-il à nous.

En passant devant la porte de la chapelle royale, je ralentis le pas malgré moi. Comme s'il avait senti mon désir, mon frère George ouvrit le battant à cet instant et s'écria d'une voix forte :

— Le bonjour à vous, ma sœur.

Derrière lui, Henri leva aussitôt les yeux de son travail et m'aperçut, encadrée par le chambranle de bois, vêtue de la robe qu'Anne avait choisie pour moi, la coiffe couleur crème posée sur ma chevelure d'or. Il émit un petit soupir de désir à ma vue, je me sentis rougir tandis qu'un sourire illuminait mes traits.

— Bonjour, Sire. Et le bonjour à vous également, mon frère, répondis-je avec douceur.

Henri se leva et tendit la main comme pour m'attirer à l'intérieur. Il se reprit et jeta un œil à son secrétaire.

— Je prendrai ma première collation en votre compagnie, déclara-t-il. Dites à la reine que je la rejoindrai dès que j'aurai terminé ces... ces...

Son geste vague indiqua qu'il n'avait aucune idée de ce que recélaient les documents. Il se leva et traversa la pièce, comme une truite nageant vers la lanterne du braconnier.

— Et vous, ce matin, vous portez-vous bien ? murmura-t-il à mon oreille.

— Oui.

Je lui lançai un regard malicieux et ajoutai :

— Un peu lasse.

Ses yeux brillèrent.

— Avez-vous donc mal dormi, ma douce ?

— Plutôt peu.

— Le lit n'était-il point à votre goût ?

J'hésitai, moins rompue qu'Anne à ces joutes oratoires. Je choisis de répondre la vérité.

— Sire, il l'était tout à fait.

— Y dormiriez-vous de nouveau ?

Je me délectai alors de posséder la bonne réponse.

— Oh, Sire ; j'espérais très bientôt ne pas y dormir.

Il éclata de rire puis s'empara de ma main et, la retournant, déposa un baiser sur ma paume.

— Ordonnez, Milady, je suis votre serviteur en tout.

Incapable de quitter son visage des yeux, je baissai la tête pour me repaître de sa bouche pressée contre ma main. Quand il se releva, nos yeux, chargés de désir mutuel, se croisèrent un long moment.

— Je devrais partir, dis-je enfin, Sa Majesté se demandera où je suis.

— Je suis derrière vous, affirma-t-il. N'en doutez pas.

Je lui accordai un rapide sourire puis m'élançai dans la galerie pour rattraper les femmes de la reine, ma robe de soie bruissant autour de moi, mes talons émettant un petit tap tap tap sur les dalles. Chaque partie de mon corps en émoi criait que j'étais jeune, pleine de charme, et aimée du roi d'Angleterre lui-même.

Ce dernier nous rejoignit, sourire aux lèvres, en prenant place à table. La reine jaugea du regard mon visage cramoisi et l'éclat de ma robe, puis détourna les yeux. Elle fit venir des musiciens pour nous divertir pendant le repas et son grand écuyer pour nous offrir son assistance.

— Chasserez-vous ce jour, Sire? s'enquit-elle plaisamment.

— Oui. S'en trouve-t-il parmi vos femmes qui souhaitent suivre la chasse?

— Je suis certaine qu'elles l'apprécieraient, répondit-elle avec son habituelle douceur. Mademoiselle Boleyn, mademoiselle Parker, madame Carey, je vous sais toutes trois excellentes cavalières. Souhaitez-vous accompagner le roi aujourd'hui?

Jane Parker me lança un regard narquois parce que j'avais été nommée la troisième. Elle ne sait rien, pensai-je, m'ébaudissant en secret. Qu'elle croie triompher!

— Nous serions enchantées de chevaucher avec Sa Majesté, répondit Anne avec docilité. Toutes les trois.

Dans la grande cour des écuries, le roi montait son immense coursier tandis qu'un palefrenier me soulevait vers la selle de ma jument. Je calai mes jambes autour du pommeau et arrangeai ma robe afin qu'elle tombât au sol avec élégance. Anne, qui portait un charmant chapeau du plus pur style français orné d'une délicate petite plume, me scrutait du regard, attentive comme toujours au moindre détail, et je fus ravie lorsqu'elle m'adressa un petit hochement de tête approbateur. Elle mena sa monture auprès de la mienne et la maintint à ma hauteur.

— S'il veut vous emmener dans les bois et vous y posséder, vous devez refuser, murmura-t-elle. Tâchez de vous souvenir que vous êtes une Howard et non une complète catin.

— S'il me désire...

— S'il vous désire, il attendra.

Le maître d'équipage souffla dans son cor et tous les chevaux dans la cour se raidirent d'excitation. De loin, Henri me sourit comme un gamin en effervescence et je lui rendis son sourire. Ma jument, Jesmond, piaffait d'impatience. Lorsque le grand veneur ouvrit le chemin sur le pont-levis, nous trottâmes à sa suite, les chiens sous les sabots des chevaux comme un océan brun et blanc. C'était une belle journée, un petit vent faisait onduler l'herbe des pâturages que fauchaient les paysans. Ceux-ci s'appuyaient sur leur faux pour nous regarder passer, retirant leur casquette en apercevant les couleurs vives des cavaliers aristocratiques, puis se mettant à genoux lorsqu'ils découvraient l'étendard du roi.

Je regardai par-dessus mon épaule en direction du château. Une fenêtre à vantaux demeurait ouverte dans les appartements de la reine, où s'encadrait le visage pâli de la souveraine, surmonté de sa lourde coiffe noire. Elle nous retrouverait au souper, pendant lequel elle nous sourirait, à Henri et à moi, prétendant ne pas nous avoir vus nous éloigner côte à côte pour une belle journée.

Les aboiements des chiens changèrent de ton puis cessèrent totalement. Le maître d'équipage souffla une longue note de son cor : les chiens avaient reniflé une trace.

— Taïaut ! cria Henri, éperonnant son cheval.

Au bout de l'allée d'arbres qui s'ouvrait devant nous s'enfuyait la silhouette d'un grand cerf. Les chiens se précipitèrent à sa suite. Quand ils disparurent dans les sous-bois, nous tirâmes bride et attendîmes. Les veneurs trottaient anxieusement aux abords de la forêt, fouillant des yeux les bois où l'animal rabattu allait apparaître. L'un d'eux se dressa soudain sur ses étriers et sonna de son cor. Mon cheval se cabra aussitôt et fit volte-face. Sans aucune grâce, attentive à ne pas choir dans la boue, je m'accrochai au pommeau de la selle et à une poignée de crins.

Le cerf s'échappait dans le terrain nu et cahoteux qui menait aux marécages puis à la rivière. Les chiens s'élancèrent à sa poursuite, suivis des chevaux, dans une course éperdue. Les sabots martelaient le sol dans un bruit de tonnerre, je plissai les yeux tandis que des gerbes de boue volaient à mon visage et me penchai sur l'encolure de Jesmond, la poussant en avant. Je sentis mon chapeau s'envoler, arraché par le vent. Devant moi s'éleva une haie blanche de fleurs d'été. Le puissant poitrail de Jesmond se souleva et elle prit son envol. Retombant loin devant, elle recouvra aussitôt son équilibre et se remit au galop. Le roi galopait devant moi, son attention fixée sur le cerf qui gagnait du terrain. Mes cheveux se libérèrent des épingles qui les retenaient et j'éclatai d'un rire téméraire, le visage fouetté par le vent. Jesmond réagit un court instant au son de ma voix en penchant ses oreilles en arrière, puis nous arrivâmes devant une autre haie précédée d'un petit fossé. Ma jument n'hésita qu'un instant et franchit l'obstacle en un saut colossal. Le parfum de l'aubépine me chatouilla un instant les narines, puis nous reprîmes notre course. Devant nous, le cerf plongea dans la rivière et se mit à nager vigoureusement vers l'autre rive. Le grand veneur souffla désespérément dans son cor pour empêcher les chiens, trop excités pour lui obéir, de suivre l'animal ; il les voulait auprès de lui, gardant l'allure avec leur proie sur la rive. Les piqueurs se précipitèrent mais la moitié de la meute s'élançait déjà à la poursuite du cerf dans la rivière, certains emportés par le fort courant, tous impuissants dans l'eau profonde. Henri tira bride et observa la confusion qui s'ensuivit.

Je craignis que cela le rendît furieux mais il pencha la tête en arrière et éclata de rire, comme ravi de la roublardise du cerf.

— Va-t'en, alors ! cria-t-il au gros animal. Mon garde-manger est rempli de venaison, je n'ai nul besoin de te rôtir !

Les chasseurs rassemblés firent écho ; je m'aperçus alors qu'ils avaient tous redouté que l'échec de la chasse ne tournât son humeur au vinaigre. Que fous nous étions, songeai-je un bref instant, de faire de l'humeur de cet homme le centre de nos vies… Mais il me sourit, et je compris que, en ce qui me concernait, je n'avais pas le choix.

Il posa les yeux sur mon visage éclaboussé de boue et ma chevelure en désordre.

— Vous ressemblez à une jeune fille de la campagne, dit-il d'une voix où perçait le désir.

Je retirai mon gant, tâchant sans succès de remettre en place une mèche de cheveux.

— Oh ! chut, lui ordonnai-je avec un doux sourire, refusant de répondre à sa paillardise.

Derrière le roi, Jane Parker lâcha un hoquet comme si elle avait avalé une mouche ; j'en déduisis qu'elle avait enfin admis la nécessité de devoir surveiller ses manières autour des Boleyn.

Henri descendit de cheval, lança les rênes à son palefrenier et se plaça à l'encolure de mon cheval.

— Descendrez-vous à moi? demanda-t-il, la voix chaude, pleine d'invite.

Sans un mot, je dégageai mon genou et me laissai glisser entre ses bras. Devant toute la cour, il m'embrassa sur une joue, puis l'autre.

— Vous êtes la reine de la chasse.

— Nous devrions la couronner de fleurs, suggéra Anne.

— Oui! acquiesça Henri, ravi.

Un instant plus tard, la moitié de la cour tressait des guirlandes de chèvrefeuille et l'on posa sur ma chevelure ébouriffée une couronne d'un dense parfum de miel.

Les chariots arrivèrent chargés du déjeuner. Les serviteurs montèrent une tente destinée à abriter la cinquantaine de favoris du roi, et placèrent bancs et chaises aux alentours pour les autres. Lorsque la reine arriva, allant l'amble sur son calme palefroi, elle découvrit sa dame d'atour assise à la gauche du roi, couronnée de fleurs d'été.

Le mois suivant, l'Angleterre entra enfin en guerre contre la France. Charles, l'empereur d'Espagne, darda son armée comme une lance au cœur du pays attaqué tandis que son allié, l'armée de Henri, partait du fort anglais de Calais en direction de Paris.

La cour, avide de nouvelles, s'attarda à proximité de Londres, mais la peste estivale survint dans la capitale et Henri, toujours effrayé par la maladie, ordonna que commençât aussitôt le périple d'été. Nous fuîmes en direction de Hampton Court où le souverain défendit aux fournisseurs, marchands et artisans de la capitale de suivre la cour. Le palais d'été, pour se défendre de l'infection, n'accepta qu'une nourriture fournie par la campagne avoisinante.

Les nouvelles de France étaient bonnes, celles de Londres, mauvaises. Le cardinal Wolsey orchestra un voyage qui nous mena plus au sud, puis vers l'ouest, au cours duquel nous logeâmes dans les demeures de seigneurs locaux et nous divertîmes grâce à des bals masqués, dîners, chasses, pique-niques et joutes. Henri s'amusa comme un fou. La reine chevauchait au côté du roi ou, lorsqu'elle était lasse, en litière. Bien qu'il me fît venir chaque nuit, il se montrait plein d'attentions à son égard durant le jour. Le neveu de la souveraine représentait le seul allié de l'Angleterre en Europe et le soutien de sa famille serait l'arme de la victoire pour l'armée de

Henri. Mais, surtout, Catherine le regardait encore comme un jouvenceau plein de charme. Aucune fille jetée sur sa couche ne pouvait défaire l'affection qui les liait, née longtemps auparavant de l'aptitude qu'avait la souveraine d'aimer cet homme plus égoïste que tout autre, si piètre prince comparé à elle.

Hiver 1522

Ce roi désira fêter Noël à Greenwich ; pendant douze jours et douze nuits se déroulèrent des fêtes et festins aussi magnifiques qu'extravagants. Il incombait au maître des festivités de Noël, sir William Armitage, d'élaborer chaque jour un nouveau divertissement : course de bateaux, joute, compétition de tir à l'arc, combat d'ours, de chiens, de coqs, ou venue d'un théâtre ambulant avec des jongleurs et des cracheurs de feu. S'ensuivait un déjeuner pris dans la grand-salle, accompagné de vins fins et de bière, qui se terminait par un gâteau de pâte d'amande sculptée aussi délicatement qu'une œuvre d'art. L'après-midi, sir William organisait un divertissement : une causerie, une pièce de théâtre ou un bal masqué, dans lequel chacun se voyait attribuer un rôle ou un costume.

La campagne contre la France s'interrompit avec l'hiver mais l'on savait qu'elle reprendrait avec la venue du printemps ; les deux alliés s'aventureraient alors conjointement contre leur ennemi. Ce Noël-là, le roi d'Angleterre et la reine venue d'Espagne se montrèrent unis dans tous les sens du terme ; une fois par semaine, sans faillir, ils soupaient en privé et le roi dormait alors dans le lit de la souveraine.

Mais, les autres nuits, George venait frapper à la porte de la chambre que je partageais avec Anne et annonçait : « Il vous veut. » Je courais alors vers mon amour, vers mon roi.

Je ne demeurais cependant jamais la nuit entière. Des ambassadeurs venus de toute l'Europe avaient été invités à Greenwich pour Noël, jamais Henri n'eût causé un tel affront à la reine devant eux, en particulier l'ambassadeur espagnol. Celui-ci, informé du rôle que je jouais à la cour, ne m'aimait pas, aussi préférais-je quitter la chaleur du roi quelques heures avant son arrivée pour ouïr la messe. Rougie et échevelée, je regagnais ma chambre en compagnie de George qui bâillait à s'en décrocher la mâchoire.

Anne m'attendait toujours, avec une bière aux épices et un feu qui flambait haut. Glacée après ma traversée des corridors, je

75

bondissais dans le lit où elle m'entourait d'une couverture de laine. Elle prenait ensuite place auprès de moi afin de démêler mes cheveux tandis que George mettait une autre bûche dans le feu et sirotait son gobelet.

— Quel emploi éreintant ! se plaignit-il un soir. Je tombe de sommeil la plupart des après-midi, incapable de garder les yeux ouverts.

— Anne me met au lit après dîner comme une enfant, rétorquai-je avec humeur.

— Voulez-vous être aussi hagarde que la reine ? demanda Anne.

— Elle arbore un visage souffrant, convint George. De quoi s'agit-il ?

— L'âge, je pense, joint à ses efforts pour paraître heureuse, répondit ma sœur, impitoyable. Il en faut beaucoup pour plaire à Henri, n'est-ce pas ?

— Non, la contredis-je d'un air suffisant et nous éclatâmes de rire.

— A-t-il l'intention d'offrir à George, ou à l'un d'entre nous, un cadeau particulier ce Noël ? s'enquit Anne.

Je hochai la tête, engourdie de sommeil.

— Il m'a promis une surprise.

Aussitôt, les deux autres dressèrent l'oreille.

— Il veut m'emmener sur le chantier naval demain.

Anne eut une grimace de dédain.

— Il ne s'agit pas d'un présent. Toute la cour s'y rendra-t-elle ?

— Juste un petit groupe.

Je fermai les yeux. J'entendis Anne se lever et s'activer dans la chambre, fouillant mon coffre à la recherche des vêtements que je porterais le lendemain.

— Vous vous vêtirez de rouge, décida-t-elle. Vous pouvez emprunter ma cape de même couleur, bordée de duvet de cygne. Il fera froid sur la rivière.

— Merci, Anne.

— Oh, ne croyez pas que j'agisse pour vous. Je n'ai à cœur que l'intérêt de la famille.

Trop lasse pour répondre, je haussai les épaules. Dans un demi-sommeil, j'entendis George reposer sa coupe, se lever de sa chaise puis déposer un baiser léger sur le front d'Anne.

— C'est un travail éreintant mais nous avons tout à y gagner, murmura-t-il. Bonne nuit, *Annamaria*, je vous laisse à vos devoirs et m'en vais aux miens.

Le petit rire d'Anne s'éleva.

— Quelle noble vocation que d'honorer les catins de Greenwich, mon frère. Je vous verrai demain.

✾

La cape d'Anne étincelait sur mon habit cramoisi de cavalière, elle me prêta également son charmant petit chapeau français. Henri, Anne, moi, George, mon époux William et une demi-douzaine d'autres parcourûmes les rives du fleuve en direction du chantier naval où se construisait le nouveau vaisseau du roi. C'était une belle journée d'hiver, le soleil scintillait sur l'eau et, dans les champs qui bordaient la rivière, s'élevaient les criaillements des oies de Russie qui passaient l'hiver sous nos cieux plus cléments, mêlés aux cris des canards, des bécasses ou des courlis. Nous galopions en petit groupe, mon cheval à hauteur de l'étalon du roi, escortés d'Anne et de George. Lorsque nous approchâmes du chantier naval, le contremaître sortit aussitôt en ôtant son chapeau et en s'inclinant très bas devant le roi.

— J'ai pensé venir voir où vous en êtes, annonça le roi en lui souriant.

— Nous sommes honorés de votre visite, Votre Majesté.

Le roi sauta à bas de sa monture, jeta les rênes à un palefrenier puis se tourna vers moi pour me soulever de ma selle. Il cala ma main sous son bras puis me mena vers le chantier naval.

— Qu'en pensez-vous? me demanda Henri, les yeux plissés devant le flanc en chêne du navire à demi construit, posé sur d'énormes rondins de bois. Ce vaisseau deviendra-t-il des plus charmants?

— Charmant et dangereux, renchéris-je, les yeux fixés sur les écoutilles destinées aux canons. Les Français ne possèdent rien d'aussi imposant.

— Rien, répéta Henri avec fierté. Si trois beautés comme celle-ci avaient croisé en mer l'année passée, j'eusse démoli l'armée française et serais ce jour roi d'Angleterre et de France, de fait autant que de titre.

J'hésitai.

— On dit l'armée française très puissante, m'aventurai-je, et François fort résolu.

— C'est un paon prétentieux, affirma Henri avec hauteur. Charles d'Espagne le combattra au sud et je lui tomberai dessus depuis Calais: nous nous partagerons la France.

Henri se tourna vers le constructeur naval.

— Quand sera-t-il armé ?

— Au printemps, répondit l'homme.

— L'artiste est-il céans ?

Le contremaître s'inclina.

— Oui, Sire.

— Je désire qu'une esquisse soit faite de vous, madame Carey. Souffrirez-vous de demeurer immobile quelques instants ?

Je rosis de plaisir.

— Avec joie, Votre Majesté.

Henri adressa un signe au contremaître qui cria un ordre. Henri m'aida à descendre de l'échelle, puis je pris place sur une pile de planches récemment sciées tandis qu'un jeune homme vêtu d'un grossier vêtement campagnard esquissait mon portrait.

— Qu'allez-vous faire de ce dessin ? demandai-je avec curiosité, tâchant de rester immobile et souriante.

— Vous verrez.

L'artiste mit sa page de côté.

— J'ai ce qu'il me faut.

Henri m'aida à me relever.

— Retournons vers notre déjeuner, ma douce. Je connais un chemin qui contourne les marécages où nous pourrons galoper jusqu'au château.

Les palefreniers nous amenèrent les chevaux. Henri me souleva vers ma selle puis s'élança sur son propre coursier. Il vérifia que chacun était prêt. Lord Percy resserrait la sangle d'Anne, qui baissa les yeux pour lui offrir son petit regard provocant. Nous fîmes volte-face et galopâmes vers Greenwich sous le froid ciel d'hiver que le soleil teintait de jaune pâle.

Le déjeuner de Noël se poursuivit jusque tard dans l'après-midi. J'étais certaine que Henri me ferait mander cette nuit-là, mais il annonça qu'il allait rendre visite à la reine. Il me fallut demeurer auprès d'elle avec ses femmes en attendant la venue du souverain.

Anne me plaça une chemise à demi cousue entre les mains puis s'assit, les pieds sur ma robe, m'interdisant ainsi de me lever sans sa permission.

— Oh, laissez-moi en paix, grinçai-je entre mes dents.

— Quittez donc cet air misérable ! siffla-t-elle en retour. Personne ne vous désirera si vous arborez l'air boudeur d'un ours au combat.

— Mais passer la nuit de Noël avec elle...

Anne hocha la tête.

— Voulez-vous savoir pourquoi?

— Oui.

— Une devineresse lui a prédit qu'il aurait un fils ce soir. Il espère que la reine lui donnera un enfant tardif. Seigneur, que les hommes sont idiots!

— Une devineresse?

— Elle prophétisa qu'il obtiendrait un fils s'il abandonnait toute autre femme. Je gage que si nous la retournions pour la secouer bien fort, l'or des Seymour tomberait de ses poches. Mais, trop tard, les dommages sont faits : il passera cette nuit et celles qui suivent jusqu'à la Nuit des rois avec elle. Dès lors, faites en sorte qu'en vous voyant il comprenne ce que son devoir lui fait abandonner.

Je baissai la tête sur ma couture. Une larme tomba sur l'ourlet de la chemise.

— Petite sotte, m'asséna Anne durement, vous le récupérerez.

— Je déteste l'idée de le savoir avec elle, chuchotai-je. L'appelle-t-il aussi « ma douce »?

— Probablement, répondit Anne avec dédain. L'imagination n'est point le fort des hommes. Mais, après avoir fait son devoir auprès d'elle, si vous savez de nouveau attirer son regard, il sera vôtre.

— Comment puis-je sourire quand mon cœur se brise?

— Quelle tragédienne! gloussa Anne. Vous sourirez, même avec un cœur brisé, car vous êtes une femme, une courtisane et une Howard, ce qui fait de vous, trois fois, la créature la plus dissimulatrice de la création. À présent : chut! le voici.

George entra le premier, m'accorda un rapide sourire puis s'agenouilla aux pieds de la reine. Elle lui offrit la main en rougissant de façon charmante; elle rayonnait de plaisir que le roi lui accordât son attention. Henri arriva ensuite, la main sur l'épaule de lord Percy et accompagné de mon époux, William. Anne et moi plongeâmes dans une profonde révérence, mais il ne m'accorda qu'un petit signe de tête. Il se rendit droit à la reine, la baisa sur la bouche puis ouvrit le chemin vers ses appartements privés. Les chambrières de la souveraine y pénétrèrent à leur suite avant d'en ressortir peu après, refermant les portes. Le silence s'installa.

William regarda autour de lui et me sourit.

— Bien le bonjour, douce épouse, commença-t-il plaisamment. Pensez-vous garder votre présent logement quelque temps encore, ou bien redeviendrai-je bientôt votre compagnon de lit?

— Ceci dépendra des ordres de la reine et de notre oncle, répondit George d'un ton égal, la main glissant sur sa ceinture, vers l'endroit où son épée était ordinairement attachée. Il n'appartient point à Marie de choisir, vous le savez.

William me lança un sourire contrit sans relever le défi.

— La paix, George. Je sais cela.

Je détournai le regard. Lord Percy avait attiré Anne dans une alcôve où résonna le rire sucré de ma sœur. Me voyant l'observer, elle déclara :

— Lord Percy m'écrit un sonnet, Marie. Dites-lui, je vous prie, que ses lignes ne scandent point.

— Il n'est pas même terminé, protesta le garçon. Vous vous montrez critique dès la première ligne ! « Gente Dame qui me traitez avec dédain ».

— Je trouve que c'est un fort bon début, l'encourageai-je.

— Certes non ! Le dédain n'est pas un bon début, me contredit George. Un doux commencement serait plus prometteur.

— Ce serait toutefois fort surprenant de la part d'une fille Boleyn, intervint William d'un ton railleur, quoique cela dépende du soupirant, bien sûr, et, à présent que j'y pense… un Percy de Northumberland devrait obtenir un doux début.

Mon époux reçut d'Anne un regard qui n'avait rien de fraternel mais Henry Percy, absorbé par son poème, ne l'entendit presque pas.

— Cela se poursuit avec le second vers, que je n'ai pas encore, et ensuite il y a un la la la la la : mon chagrin.

— Ah ! Pour rimer avec dédain ; je commence à comprendre ! s'exclama George de façon provocante.

— Mais il vous faut trouver une image que vous poursuivrez tout au long du poème, expliqua Anne à Henry Percy. Si vous écrivez un poème pour votre maîtresse, inventez une jolie comparaison que vous tournerez en conclusion spirituelle.

— Mais comment ? lui demanda Percy. Vous êtes vous. À quoi devrais-je vous comparer ?

— Très joli ! railla George. Percy, votre conversation dépasse votre poésie. Si j'étais vous, je resterais à genoux pour chuchoter à son oreille. Limitez-vous à la prose, ce sera un triomphe.

Percy sourit et s'empara de la main d'Anne.

— Étoile de la nuit, déclara-t-il.

— La la la la la, régal infini, ajouta Anne promptement.

— Buvons du vin, suggéra William. Je me sens incapable de tenir front à si brillant esprit. Qui jouera aux dés avec moi ?

— Moi, répondit George en hâte avant que William ne pût s'adresser à moi. Quels seront les enjeux ?

— Oh, quelques couronnes, répondit William. Je n'aimerais point vous avoir pour ennemi à cause d'une dette de jeu, Boleyn.

— Ou pour toute autre raison, renchérit mon frère avec douceur. Surtout si lord Percy nous écrivait un poème martial sur le combat.

— Je ne crois pas que la la la la la soit véritablement menaçant, intervint Anne.

— Je suis un novice, répliqua Percy avec dignité. En amour comme en poésie. Vous vous montrez fort cruelle : « Gente Dame qui me traitez avec dédain » reflète la simple vérité.

Anne rit et lui tendit sa main à baiser. William tira un jeu de dés de sa poche et les fit rouler sur la table. Je lui versai un verre de vin, puisant à le servir un étrange réconfort tandis que l'homme que j'aimais partageait la couche de son épouse dans la chambre voisine.

Nous jouâmes jusqu'à minuit sans que survînt le roi.

— Qu'en pensez-vous ? demanda William à George. S'il a l'intention de passer la nuit avec elle, nous ferions aussi bien d'aller rejoindre nos lits.

— Partons, décida Anne, qui me tendit une main péremptoire.

— Si tôt ? plaida Percy. Mais les étoiles apparaissent la nuit.

— Et elles pâlissent à l'aube, répliqua Anne. Cette étoile-ci a besoin de se voiler dans les ténèbres.

Je me levai afin de la suivre. Mon époux me regarda un instant.

— Souhaitez-moi la bonne nuit avec un baiser, femme, ordonna-t-il.

J'hésitai puis me baissai et le baisai sur les lèvres. Je le sentis répondre à ma caresse.

— Bonne nuit, monsieur mon mari, je vous souhaite un joyeux Noël.

— Bonne nuit, madame mon épouse. Mon lit eût été plus chaud cette nuit avec vous dedans.

Je hochai la tête, muette. Sans le vouloir, je coulai un regard furtif vers les portes closes derrière lesquelles l'homme que j'adorais dormait dans les bras de son épouse.

— Peut-être finirons-nous un jour avec nos épouses, déclara William avec douceur.

— Certes, affirma George avec entrain, faisant tomber ses gains dans son chapeau, car nous serons ensevelis côte à côte. Pensez à moi, devenant poussière près de Jane Parker.

Même William rit.

— Quand l'heureux jour de vos noces aura-t-il lieu ? s'enquit Percy.

— Peu après le milieu de l'été, si je parviens à contenir mon impatience jusque-là.

— Elle apporte une belle dot, remarqua William.

— Oh, qui s'en soucie ? s'exclama Percy. L'amour est tout ce qui importe.

— Ainsi parle l'un des hommes les plus riches du royaume, ironisa mon frère.

Anne tendit la main à Percy.

— Ne lui prêtez nulle attention, milord. Je suis d'accord avec vous ; l'amour est tout ce qui importe.

— Vous n'en croyez pas un mot, lui dis-je dès que la porte se fut refermée derrière nous.

Anne me lança un petit sourire.

— Prêtez donc attention à la personne à qui je m'adresse et non point aux paroles que je prononce.

— Vous parlez de mariage d'amour à Percy de Northumberland ?

— Exactement. Minaudez à satiété face à votre époux, Marie, mon union dépassera la vôtre.

Printemps 1523

*A*u cours des semaines qui ouvrirent la nouvelle année, la reine retrouva sa jeunesse et s'épanouit comme une rose. Couleurs aux joues et sourire aux lèvres, elle abandonna le cilice qu'elle portait toujours sous sa robe et les traces habituelles sur sa nuque et ses épaules disparurent, comme balayées par la joie. Elle ne confia à personne la cause de ces changements, mais sa servante apprit à une autre qu'elle avait manqué son flux. La devineresse avait eu raison : la reine était grosse.

La souveraine, qui menait rarement ses grossesses à terme, avait toutes les raisons de s'agenouiller chaque matin devant la statue de la Vierge Marie au-dessus de son prie-Dieu, une main sur le ventre, l'autre sur son missel, les yeux clos, l'expression absorbée. Les miracles existaient, pourquoi n'en bénéficierait-elle pas ?

En février, ses servantes répandirent la rumeur que ses draps étaient encore propres ; bientôt, elle apprendrait la nouvelle au roi, qui arborait déjà une expression satisfaite et passait près de moi sans me voir. Il me fallait à présent servir son épouse et endurer les sourires dédaigneux des dames d'atour. Je n'étais de nouveau rien de plus qu'une fille Boleyn.

— Je ne le supporterai pas, gémis-je.

Anne et moi étions assises devant l'âtre dans les appartements de la reine, seules tandis que les autres dames promenaient les chiens. Le brouillard s'élevait du fleuve, la journée était glaciale. Je frissonnai dans ma robe bordée de fourrure. Henri ne m'avait pas fait appeler depuis cette nuit de Noël, quand il avait partagé la couche de la reine.

— C'est ce qui arrive quand on aime un roi, observa ma sœur avec une satisfaction suffisante.

— Que puis-je faire d'autre ? demandai-je misérablement.

Je me déplaçai vers la banquette de la fenêtre pour coudre avec davantage de lumière. J'ourlais les chemises de la reine destinées aux pauvres, avec l'obligation d'effectuer un travail soigné sous peine de devoir le refaire.

— Si elle accouche d'un mâle, le roi lui sera à jamais acquis, remarqua Anne ; vous deviendrez une ancienne maîtresse parmi tant d'autres.

— Il m'aime, avançai-je, incertaine. Je ne suis pas une femme parmi tant d'autres.

Je détournai la tête et regardai par la fenêtre. Le brouillard s'élevait en volutes comme d'immenses serpentins au-dessus de la rivière.

Anne laissa échapper un petit rire dur.

— Vous le fûtes toujours, affirma-t-elle brutalement. Les Howard comptent une douzaine de filles dotées d'une bonne éducation, jolies, jeunes, fertiles. Ils les avancent comme des pions, ces catins sorties de la pouponnière, et attendent que la chance leur sourie. Vous n'étiez qu'une fille parmi d'autres avant même votre naissance ; si Henri ne vous reste point fidèle, vous retournerez auprès de William. Ils trouveront une autre Howard pour séduire le roi, et la partie recommencera. Rien n'est perdu pour eux.

— Mais moi, je perds tout ! criai-je.

Elle pencha la tête de côté et me dévisagea, comme cherchant à isoler la substance de cette passion enfantine.

— Oui, peut-être perdez-vous votre innocence, votre premier amour, votre confiance. Pauvre petite sotte, conclut-elle avec douceur, séduire un homme pour obéir à un autre et n'en rien retirer qu'un cœur brisé.

— Qui donc me succédera, d'après vous ? raillai-je, ignorant ma douleur. Laissez-moi deviner qui ils pousseront dans son lit : l'autre fille Boleyn ?

Elle me lança un regard sombre vite celé par ses longs cils noirs.

— Pas moi, répondit-elle. Je me charge de ma destinée, il n'est point question d'être prise puis abandonnée. Vous accepterez toujours de faire ce que l'on vous ordonnera. Pas moi ! répéta-t-elle avec rage. Je veille à mes propres affaires.

— Je le pourrais aussi, suggérai-je.

Anne sourit d'un air incrédule.

— Je pourrais retourner vivre à Hever, repris-je. Il me restera toujours cela.

La porte de la chambre royale s'ouvrit. Je levai les yeux comme des chambrières en sortaient, les draps de la reine sur les bras.

— C'est la seconde fois cette semaine qu'elle ordonne qu'ils soient changés, se plaignit l'une d'elles d'une voix irritée.

Anne et moi échangeâmes un regard rapide.

— Sont-ils tachés? s'enquit Anne d'un ton impérieux.

La servante la toisa avec insolence.

— Me demandez-vous de vous montrer les draps de la reine?

Les longs doigts d'Anne plongèrent dans sa bourse et une pièce d'argent changea de main. La domestique afficha un sourire triomphant lorsqu'elle l'empocha.

— Aucune tache, lança-t-elle.

Anne se détourna et j'allai ouvrir la porte aux deux femmes.

— Merci, me dit la seconde, surprise de ma politesse envers une domestique.

Elle pencha la tête vers moi et confia d'une voix douce :

— Trempés de sueur. Pauvre femme.

Elle m'offrait là, librement, une information qu'un espion français eût payée la rançon d'un roi et que chaque courtisan aspirait à apprendre.

— Voulez-vous dire que la reine a des sueurs de nuit, que son changement de vie survient?

— Si ce n'est maintenant, ce sera pour très bientôt. Pauvre femme, conclut la servante.

Je trouvai mon père en conciliabule avec George dans la grand-salle, tandis qu'autour d'eux les domestiques installaient les tables du dîner. Il m'invita à le rejoindre.

— Père, saluai-je d'une révérence.

Il m'embrassa froidement sur le front.

— Ma fille, répondit-il. Vous souhaitez me voir?

— La reine n'a point conçu, déclarai-je. Son flux a repris ce jour. C'est son âge qui l'interrompit ces mois passés.

— Dieu soit loué! exulta George. Je l'avais gagé; quelle bonne nouvelle!

— Excellente pour nous, renchérit mon père, quoique terrible pour l'Angleterre. En a-t-elle informé le roi?

Je secouai la tête.

— Nous connaissons alors la nouvelle avant lui. Qui d'autre le sait?

Je haussai les épaules.

— Les servantes qui ont changé ses draps, et dès lors quiconque les paie : Wolsey, sans doute, ou les Français.

— Alors il nous faut agir rapidement. Est-ce à moi d'impartir la nouvelle au roi ?

George eut un geste de dénégation.

— Le sujet est trop intime. Pourquoi pas Marie ?

— Il n'est guère souhaitable de la placer devant lui au moment même de sa déception, murmura mon père.

— Anne alors, offrit George. Il faut un Howard, pour l'écarter de la reine et le rappeler au souvenir de Marie.

— Soit, acquiesça mon père. Elle détournerait un chat de la traque d'une souris.

— Elle se trouve au jardin, les informai-je, aux cibles de tir à l'arc.

Nous quittâmes la grand-salle vers la lumière vive du soleil printanier. Un vent froid soufflait dans les jonquilles jaunes qui oscillaient au soleil. Nous aperçûmes un petit groupe de courtisans, Anne parmi eux. Sous nos yeux, elle s'avança, évalua la distance de la cible puis tendit son arc. Nous entendîmes distinctement le bruit que fit la corde en se détendant puis le choc sourd de la flèche qui se fichait dans le bois. Une vague d'applaudissements éclata. Henry Percy s'approcha de la cible et retira la flèche d'Anne qu'il mit dans son propre carquois, comme s'il la voulait garder.

Anne riait et tendait la main pour recouvrer sa flèche lorsqu'elle nous vit. Elle s'excusa aussitôt et vint à notre rencontre.

— Père.

— Anne.

Il lui offrit un baiser plus chaleureux qu'à mon encontre.

— Les saignements de la reine ont repris, annonça George sans ambages. Nous pensons que vous devriez l'apprendre au roi.

— Plutôt que Marie ?

— Cela lui conférerait une certaine bassesse, expliqua mon père. Il l'imaginerait jasant avec les femmes de chambre, les regardant vider les pots de pisse.

Un instant, je crus qu'Anne allait refuser cette bassesse pour elle-même, mais elle haussa les épaules.

— Rappelez-lui l'existence de Marie, ajouta mon père. Lorsqu'il se détournera de la reine, c'est auprès de votre sœur qu'il devra trouver du réconfort.

Anne hocha la tête.

— Bien entendu, acquiesça-t-elle. Moi seule perçus le tranchant de sa voix. Marie vient en premier.

Comme à son habitude, le roi rendit visite à la reine ce soir-là, et s'assit auprès du feu. La souveraine se montrait habile à le distraire ; une partie de dés ou de cartes prenait toujours place lors de ses visites. Ou bien elle émettait une opinion intéressante sur un livre récent qu'elle avait lu. Elle rassemblait des érudits ou de grands voyageurs pour s'entretenir avec le roi et ce dernier, qui adorait la musique, savait toujours trouver chez la reine d'excellents musiciens. Thomas More était l'un des favoris de la souveraine et, parfois, tous trois sortaient sur les terrasses du palais pour observer les cieux nocturnes. More et le roi échangeaient des interprétations de la Bible en rêvant à l'autorisation d'une Bible anglaise. La reine avait en outre la sagesse de remplir ses appartements des plus jolies femmes du royaume.

Ce soir ne fit pas exception ; elle s'employa à le distraire comme un ambassadeur étranger qu'elle eût à gagner à sa cause. Ils conversèrent un moment, puis quelqu'un demanda au roi s'il lui plairait de chanter l'une de ses propres compositions. Le souverain réclama une femme pour exécuter le rôle soprano et Anne s'avança avec une magnifique fausse modestie. Bien entendu, elle chanta à la perfection et, bissés, ils entonnèrent un second morceau, fort satisfaits d'eux-mêmes. Henri baisa ensuite la main d'Anne et la reine ordonna que du vin fût servi aux deux chanteurs.

Un moment plus tard, Anne attira le souverain à l'écart avec tant de discrétion que seuls les Boleyn présents et la reine s'en aperçurent. La souveraine ordonna à ses musiciens de jouer un autre air, trop avisée pour suivre son époux des yeux quand il s'engageait en badinage. Elle me lança cependant un rapide regard pour voir comment je réagissais à la vision de ma sœur au bras du roi et je lui renvoyai un sourire creux.

— Vous devenez une excellente courtisane, ma chère épouse, remarqua William Carey.

— Vraiment ?

— Lorsque vous avez paru à la cour la première fois, vous étiez à peine recouverte du vernis de la cour de France, mais celui-ci semble à présent avoir pénétré votre âme. Faites-vous jamais quoi que ce soit sans y réfléchir à deux fois ?

Un instant, je voulus me défendre, mais Anne s'adressait au roi, une main délicatement posée sur son bras, et j'aperçus ce dernier qui lançait un regard en direction de la reine. Ignorant totalement William, j'observai alors l'homme que j'aimais. Ses larges épaules s'affaissèrent, comme si la moitié de sa formidable puissance lui avait été ôtée. Le visage soudain vulnérable comme celui d'un enfant, il dévisagea la reine comme si celle-ci l'avait trahi. Anne se déplaça d'un pas, le masquant au reste de la cour et George demanda fort à propos à la reine si l'on allait danser, écartant ainsi l'attention de Catherine tandis qu'Anne déversait un chagrin mortel dans l'oreille du roi.

Incapable de le supporter, je me dirigeai vers Henri, poussant Anne pour le rejoindre. Il avait l'air bouleversé et le visage livide. Je pris ses mains et dis seulement :

— Oh, mon chéri.

Il se tourna aussitôt vers moi.

— Le saviez-vous aussi ? Toutes ses femmes le savent-elles ?

— Je le crois, répondit Anne. Nous ne pouvons la blâmer de ne point vouloir vous l'apprendre, pauvre femme, c'était sa dernière chance. C'était votre dernière chance, Sire.

Je sentis la main de Henri qui serrait la mienne.

— La devineresse m'avait dit...

— Je sais, le coupai-je avec douceur. Elle était probablement soudoyée.

Anne s'éclipsa et nous nous retrouvâmes seuls.

— J'ai partagé sa couche, espérant...

— J'ai tant prié Dieu qu'elle vous donne un fils, chuchotai-je.

— Mais elle ne le peut plus, à présent.

Sa bouche se referma comme un piège ; il eut soudain l'air d'un enfant gâté contrarié.

— Non, plus maintenant, confirmai-je.

Brusquement, il lâcha ma main et se détourna de moi. Il s'avança à grands pas vers l'estrade où trônait la reine, fendant la foule des danseurs qui s'écartèrent devant lui. Parvenu devant la souveraine, il l'apostropha d'une voix forte :

— J'apprends que vous êtes souffrante, madame. J'eusse souhaité vous entendre me l'apprendre vous-même.

Elle tourna aussitôt vers moi des yeux accusateurs mais, muettement, je secouai la tête. Elle chercha alors Anne qui, parmi les danseurs, lui rendit son regard, les yeux vides d'expression.

— Je suis navrée, Votre Majesté, déclara la reine avec dignité. J'eusse dû choisir moment plus approprié pour m'entretenir avec vous.

— Vous eussiez dû choisir un moment plus immédiat, la corrigea le roi. Mais, puisque vous êtes souffrante, je suggère que vous renvoyiez votre cour et demeuriez seule.

Certains courtisans comprirent aussitôt de quoi il retournait et se mirent à chuchoter en hâte avec leur voisin, mais, la plupart, devant ce soudain accès de rage du roi et le visage livide de la reine, demeurèrent immobiles.

Henri fit volte-face, claqua des doigts pour regrouper ses amis comme s'il appelait ses chiens, puis quitta les appartements de la reine sans un mot de plus. Soulagée, j'observai que mon frère accordait à la souveraine un profond salut. Sans une parole, elle les laissa partir puis s'enfuit doucement vers sa propre chambre.

Les musiciens, qui avaient joué avec une hésitation marquée, s'interrompirent totalement et regardèrent alentour, attendant un ordre.

— Oh, partez ! leur lançai-je avec une soudaine impatience. Il n'y aura plus ici ni danse ni musique, ce soir !

Jane Parker me dévisagea avec surprise.

— J'eusse pensé vous voir afficher plus de joie. Le roi, en mauvais termes avec la reine, vous ramassera bientôt comme une pêche abîmée dans le caniveau.

— Et moi, j'eusse cru que vous possédiez plus de sens commun, intervint Anne d'un ton sec. Parler ainsi de votre future belle-sœur ! Un peu de modération ou vous ne serez pas bien accueillie dans cette famille.

Jane ne recula pas.

— Rien ne peut rompre des fiançailles ; George et moi sommes promis l'un à l'autre devant témoins, cela équivaut à une union consacrée, il ne reste qu'à choisir la date. Vous pouvez m'accepter ou me haïr, mademoiselle Anne, mais non me proscrire.

— Oh, quelle importance ! m'écriai-je, avant de me détourner et de quitter la pièce en courant.

Anne me suivit jusqu'à notre chambre.

— Qu'avez-vous ? s'enquit-elle d'une voix rauque. Le roi est-il en colère contre nous ?

— Non. Il devrait l'être, toutefois. Nous œuvrâmes fort vilainement en lui dévoilant le secret de la reine.

— En effet, acquiesça Anne d'un ton indifférent. Mais il n'a montré aucune colère à notre endroit ?

— Il souffre, c'est tout.

Anne se dirigea vers la porte.

— Où allez-vous ?

— Ordonner qu'on vous apporte un bain, expliqua-t-elle. Vous devez vous laver.

— Anne ! m'écriai-je d'un ton irrité. Il vient d'ouïr la pire nouvelle de sa vie ; il ne me fera certainement pas appeler ce soir. Je me laverai demain.

Elle secoua la tête.

— Je ne prendrai aucun risque, répondit-elle. Vous vous baignez ce soir.

Elle n'eut tort que d'une journée. Le lendemain, la reine demeura seule dans sa chambre tandis que ses femmes et moi dînions dans les appartements privés du roi avec mon frère et ses amis. La soirée s'écoula dans la joie avec de la musique, de la danse et des jeux. Cette nuit-là, une fois de plus, je partageai le lit du roi.

Cette fois, Henri et moi devînmes inséparables. La cour entière et la reine nous savaient amants, de même que le petit peuple qui venait de Londres nous regarder dîner. Je portais son bracelet d'or autour du poignet et montais son coursier à la chasse. Je reçus une paire de boucles de diamants pour mes oreilles puis trois nouvelles robes, dont une brodée d'or. Un matin, dans le lit, il me demanda :

— Ne vous êtes-vous jamais demandé ce qu'il échut de cette esquisse que l'artiste fit de vous au chantier naval ?

— Je l'avais oubliée, confessai-je.

— Venez donc m'embrasser, je vous confierai ce qu'il en advint, ordonna Henri avec paresse.

Il était adossé aux oreillers de son lit. La matinée était déjà avancée mais les courtines, tirées autour de nous, nous séparaient des domestiques qui entraient pour faire le feu, apporter de l'eau chaude ou vider le royal pot de pisse. Je rampai vers lui, pressai mes seins contre sa poitrine et laissai ma chevelure cascader sur nous comme un voile. Je respirai son odeur chaude et érotique, sentis le doux titillement des poils autour de sa bouche et pressai mes lèvres contre les siennes, d'abord doucement puis avec insistance ; j'entendis alors son petit grognement de désir.

Je levai la tête et souris.

— Voilà votre baiser, chuchotai-je d'une voix de gorge, sentant mon désir croître avec le sien. Pourquoi avez-vous ordonné à cet artiste de me dessiner ?

— Je vous montrerai, promit-il. Après la messe, nous irons voir mon nouveau navire ainsi que votre portrait.

— Le bateau est-il armé ? m'enquis-je alors qu'il repoussait la courtepointe pour quitter le lit.

— Oui. Nous assisterons à son lancer la semaine prochaine.

Il ouvrit les courtines et cria à un domestique d'aller chercher George. Je passai en hâte ma robe et mon manteau puis Henri m'aida à descendre du lit, avant de m'embrasser sur les joues.

— Je prendrai ma première collation avec la reine, annonça-t-il. Ensuite, nous partirons voir mon vaisseau.

C'était une belle matinée. Je portai un nouvel habit de cavalière, taillé à mes mesures dans un beau velours jaune dont le roi m'avait fait cadeau. Anne chevauchait à mon côté, vêtue d'une de mes anciennes tenues. J'éprouvai une joie féroce à la voir porter mes vieux vêtements, mêlée à de l'admiration car elle l'avait fait rétrécir puis recouper dans le style français et avait belle allure. Elle portait de plus un petit chapeau assorti, taillé dans le même tissu. Henry Percy de Northumberland ne pouvait détacher ses yeux d'elle, mais elle badinait d'un ton égal avec tous les compagnons du roi. Nous étions neuf : Henri et moi, côte à côte, en tête. Anne derrière moi, en compagnie de Percy et de William Norris. Venaient ensuite George et Jane, silencieux et mal assortis, et enfin Francis Weston et William Brereton, riant et plaisantant. Deux pages seulement nous précédaient, tandis que quatre soldats fermaient la marche.

Nous chevauchions sur les berges du fleuve. La marée montait et les vagues, couronnées de blanc, venaient s'écraser sur les rives. Les mouettes piaillaient et volaient en cercle au-dessus de nos têtes, leurs ailes comme de l'argent dans le soleil du printemps. La nature autour de nous se parait d'un beau vert printanier, çà et là parsemé de primevères. Les chevaux galopaient à un bon rythme et, tout en chevauchant, le roi me chanta une chanson d'amour de sa propre composition.

Nous atteignîmes le chantier naval plus tôt que je ne l'eusse voulu. Henri lui-même me souleva de ma selle puis me serra contre lui le temps d'un rapide baiser.

— Mon cœur, murmura-t-il. J'ai une petite surprise pour vous.

Il s'écarta alors d'un pas pour me permettre de voir son nouveau vaisseau. Magnifique et imposant, celui-ci était presque prêt à être lancé sur les océans ; il exhibait fièrement sa poupe surélevée et cette proue caractéristique d'un navire de combat, construit pour la vitesse.

— Regardez bien, conseilla Henri qui me voyait l'observer dans son ensemble et non dans le détail.

Il indiqua du doigt le nom du bâtiment. En larges lettres d'or émaillées, je lus : « *Marie Boleyn* ».

Un instant, je gardai les yeux fixes, percevant sans comprendre les lettres qui formaient mon nom. Puis la compréhension me gagna et ma surprise se mua en stupéfaction.

— Vous lui avez donné mon nom ? demandai-je enfin, la voix tremblante devant tant d'honneur.

Je me sentais trop jeune, trop insignifiante pour qu'un tel vaisseau arborât mon nom.

— Oui, ma douce.

Henri souriait. Il glissa ma main glacée sous son bras et me guida vers l'avant du navire. Une fière et magnifique figure de proue regardait au loin vers la Tamise, la mer, la France. C'était moi : les lèvres entrouvertes, souriante, courageuse et brave, comme si j'étais femme à rechercher l'aventure, et non un pion entre les mains des Howard.

— Moi ? soufflai-je, la voix à peine audible par-dessus le bruit de l'eau qui venait s'écraser aux abords du chantier naval.

— Vous, confirma Henri, la bouche sur mon oreille, son souffle chaud sur ma joue. C'est une beauté, comme vous. Êtes-vous heureuse, Marie ?

Je me tournai vers lui pour enfouir mon visage dans la chaleur de son cou et sentir la douce odeur de sa barbe et de ses cheveux, cherchant à lui cacher la terreur que j'éprouvais à cette ascension si vertigineuse, si éclatante.

— Oh, Henri, chuchotai-je seulement.

— Êtes-vous heureuse ? insista-t-il. C'est un grand honneur.

Il leva mon visage vers lui afin de déchiffrer mon âme comme un manuscrit.

— Je sais, répondis-je, un sourire tremblant sur mes lèvres. Je vous remercie.

— Et vous le mettrez à l'eau, me promit-il. La semaine prochaine.

J'hésitai.

— Pas la reine ?

Je redoutais de prendre sa place pour le lancement du plus magnifique des navires jamais construit. Mais, bien sûr, cet honneur me revenait : comment eût-elle pu baptiser ce vaisseau qui arborait mon nom ?

Il écarta d'un haussement d'épaules la femme unie à lui depuis treize ans.

— Non, répondit-il sèchement, pas la reine. Vous.

Je puisai au fond de moi un sourire que j'espérai convaincant. Il me fallait cacher cette effrayante prémonition que je m'élevais trop vite, trop haut, et que ce qui se trouvait au-devant de moi n'était pas cette joie insouciante que nous avions ressentie ce matin en chevauchant de concert sur les berges du fleuve, mais quelque chose de sombre, d'effrayant. En baptisant ce bateau, je devenais une rivale avérée de la reine d'Angleterre, l'ennemie de l'ambassadeur et de la nation entière d'Espagne, une menace pour la famille Seymour. Les dangers me semblèrent démesurés, moi qui, à quinze ans, ne me repaissais pas d'ambition.

Comme si elle avait lu ma réticence, Anne apparut soudain à mes côtés.

— Vous faites un grand honneur à ma sœur, Sire, déclara-t-elle doucement. C'est un bâtiment des plus exquis, aussi adorable que la femme qui lui a donné son nom. Et un navire solide et puissant, comme vous-même. Que Dieu le bénisse et l'envoie contre nos ennemis, quels qu'ils soient.

Henri lui décrocha un sourire.

— Guidé par le visage d'un ange, il est destiné à être fortuné, renchérit-il.

— Aura-t-il à combattre les Français cette année ? demanda George qui me pinça discrètement pour me rappeler à mes devoirs de courtisan.

Henri hocha la tête, l'air sombre.

— Sans aucun doute, affirma-t-il. Si l'empereur d'Espagne et moi-même avançons de concert, lui au sud tandis que j'attaque au nord, nous ne faillirons pas à museler l'arrogance française.

— Si nous pouvons nous fier aux Espagnols, intervint Anne d'une voix onctueuse.

Henri se rembrunit.

— Ce sont eux qui ont le plus grand besoin de nous, Charles ferait bien de s'en souvenir. Il ne s'agit point là d'une affaire de famille ou de parenté. Même fâchée contre moi, la reine est avant tout souveraine d'Angleterre, et seulement ensuite princesse d'Espagne. Sa loyauté doit m'être acquise, à moi.

Anne hocha la tête.

— Comme je haïrais d'être ainsi divisée ! déclara-t-elle. Dieu merci, nous autres Boleyn sommes anglais d'âme et de cœur.

— Malgré vos habits français, répliqua Henri avec un humour soudain.

Anne lui rendit son sourire.

— Un habit est un habit, affirma-t-elle, tout comme celui de velours jaune que porte Marie. Mais soyez assuré qu'au-dessous bat le cœur pur d'un sujet loyal.

Il se tourna vers moi et me sourit comme je levai les yeux vers lui.

— Je suis heureux de récompenser un cœur aussi fidèle, dit-il.

Émue aux larmes, je tentai de les refouler mais l'une d'elles se glissa sous mes cils. Henri se pencha et l'embrassa.

— Exquise petite fille, souffla-t-il. Ma petite rose d'Angleterre.

Toute la cour se présenta pour assister au lancement du *Marie Boleyn*. Seule la reine prétexta une indisposition et demeura dans ses appartements. L'ambassadeur d'Espagne, présent également, garda pour lui les réserves qu'il aurait pu émettre à l'encontre du nom du navire.

Mon père, quant à lui, était plongé dans une rage silencieuse. L'immense honneur accordé à ma famille s'avéra avoir un prix : le roi, toujours subtil en ses affaires, remercia mon père et mon oncle de la contribution que ceux-ci ne pouvaient manquer fournir pour équiper ce navire qui porterait le fier nom de Boleyn par-delà les océans.

— Les enjeux montent encore, déclara George avec entrain tandis que nous regardions le bateau glisser sur les rondins de bois vers les eaux salées de la Tamise.

— Plus haut ? Impossible, c'est ma vie qui est en jeu, lui glissai-je du coin de la bouche, un sourire accroché aux lèvres.

Les employés du chantier naval, déjà à demi ivres de la bière distribuée gratuitement, agitèrent leur bonnet et lancèrent des vivats. Anne salua de la main en retour. George me sourit. Le vent fit frissonner la plume de son chapeau et ébouriffa sa chevelure sombre et bouclée.

— À présent, vous maintenir dans les faveurs du roi coûte de l'argent à père, expliqua-t-il. Ce ne sont plus seulement votre cœur et votre bonheur qui sont en jeu, petite sœur, mais la fortune de la famille. Nous pensions nous jouer de Henri comme d'un amoureux transi, il nous possède comme des bailleurs d'or. Notre père et notre oncle voudront voir quelque chose en retour de cet investissement, c'est une certitude.

Je me détournai de George et regardai Anne, auprès de laquelle, comme toujours, se tenait Henry Percy. Ils observaient le bateau que les barques remorquèrent au milieu du fleuve pour le faire tourner puis, luttant contre le courant, ramenèrent à quai : le navire pouvait maintenant être équipé tout en restant à flot. Le visage d'Anne était illuminé par la joie que lui apportait le badinage.

Elle se tourna et me sourit.

— Ah, la reine du jour, lança-t-elle d'un ton moqueur.

J'affichai une petite grimace.

— Ne vous moquez pas de moi, Anne, George s'en est suffisamment préoccupé.

Henry Percy avança d'un pas et s'empara de ma main pour y déposer un baiser. Je compris alors combien mon importance grandissait. Henry Percy, fils et héritier du duc de Northumberland, l'homme le plus riche du royaume après le roi, s'inclinait devant moi.

— Elle ne se moquera point de vous, promit-il en se relevant avec un sourire, car je vous mènerai au déjeuner, auquel les cuisiniers de Greenwich œuvrent depuis l'aube. Le roi ouvre la marche, suivons-le, voulez-vous ?

J'hésitai mais la reine, qui imposait toujours un certain décorum, avait été laissée de côté à Greenwich, allongée, la peur au cœur et la douleur au ventre. Au chantier naval ne se trouvaient que les hommes et femmes désœuvrés de la cour. Nul ne se souciait de préséance si ce n'est les vainqueurs, qui voulaient passer en premier.

— Bien entendu, répondis-je, pourquoi pas ?

Lord Henry Percy offrit son autre bras à Anne.

— Mènerai-je les deux sœurs ?

— Je crois que vous trouverez cela interdit par la Bible, répondit Anne de façon provocante. Il y est ordonné à l'homme de choisir entre deux sœurs et de demeurer fidèle à son choix, sous peine de péché mortel.

Lord Henry Percy éclata de rire.

— Je suis certain d'obtenir une dispense du pape, répliqua-t-il gaiement. Comment oserait-on intimer à un homme de choisir entre deux sœurs pareilles ?

Nous ne reprîmes la route qu'au crépuscule, alors que les étoiles commençaient à poindre dans le pâle ciel printanier. Je chevauchai au côté du roi, ma main dans la sienne. Les chevaux allaient l'amble sur le chemin de halage qui bordait la rivière. Nous passâmes sous l'arche du palais jusque devant la porte d'entrée. Il tira bride puis me souleva de ma selle. En me posant au sol, il me murmura à l'oreille :

— Je voudrais que vous fussiez reine à chaque instant, mon amour, pas seulement pour un jour dans un pavillon près du cours d'eau.

⚘

— Il a dit *quoi*? demanda mon oncle.

Je me tenais devant lui, comme une prisonnière. À la tête de la grande table, dans l'appartement des Howard, se trouvaient oncle Howard, mon père et George. Ma mère et Anne étaient assises derrière moi, au fond de la salle. Moi seule, au pied de la table, demeurai debout comme une enfant en disgrâce devant ses aînés.

— Il a dit qu'il aurait aimé que je fusse reine chaque jour, répétai-je d'une petite voix, maudissant Anne d'avoir trahi ma confidence.

— Qu'a-t-il voulu dire, selon vous?

— Rien, répondis-je d'un air boudeur. C'est langage d'amoureux.

— Nous devons recevoir quelque paiement en retour de ces contributions, grogna mon oncle. Vous a-t-il promis des terres? Parle-t-il de récompenser George? Ou nous?

— Ne pouvez-vous subtilement lui rappeler que George s'unit bientôt? suggéra mon père.

Je lançai à mon frère un muet appel.

— Le roi est à l'affût de ce genre de paroles, intervint George. Il est sans cesse harcelé, de toute part. Dès le matin, de sa chambre à la chapelle, une horde de gens sollicitent une faveur. Je crois qu'il aime justement chez Marie qu'elle ne demande rien.

La voix de ma mère s'éleva derrière moi.

— Elle porte aux oreilles des diamants qui valent une fortune.

— Mais il les lui offrit librement. Il aime se montrer généreux de façon inattendue. Je crois que nous devrions laisser Marie agir comme elle l'entend. Elle possède un certain talent pour l'aimer.

Je me mordis les lèvres pour m'empêcher de répondre. Ce talent dont parlait mon frère était peut-être le seul que je possédasse, exploité par ma famille, ce réseau d'hommes avides de pouvoir, comme ils s'appropriaient celui de George à l'épée ou celui de mon père pour les langues étrangères. Leur seule préoccupation était de faire avancer leurs intérêts.

— La semaine prochaine, la cour se rendra à Londres, où le roi rencontrera l'ambassadeur espagnol, remarqua mon père. Ayant besoin d'une alliance avec l'Espagne pour combattre les Français, il est peu probable qu'il se montre plus généreux envers Marie.

— Travaillons à la paix, alors, recommanda mon oncle avec un regard carnassier.

— C'est ce que je fais, répondit mon père. Je prône la paix. Quel ange je fais, n'est-ce pas ?

La cour, lors de son périple estival, constituait toujours une vision impressionnante, tenant de la kermesse de campagne, du marché et du tournoi. L'organisation en incombait au cardinal Wolsey qui dirigeait tout, à la cour comme dans le pays. Il s'était trouvé aux côtés du roi lors de la bataille des Éeperons[1] en France. Alors aumônier de l'armée anglaise, il avait veillé avec un talent inégalé au ravitaillement et aux campements des hommes. Pendant la progression de la cour, il se montrait attentif au moindre détail ; il prévoyait quelle route nous emprunterions et quel seigneur local se verrait honoré de recevoir le roi. Il possédait, en outre, suffisamment de finesse pour ne pas importuner Henri avec ces détails et le jeune roi allait de plaisir en plaisir comme si du ciel lui-même pleuvaient provisions, serviteurs et organisation sans faille.

Le cardinal réglait également la préséance au sein de la cour en mouvement. Au-devant de nous cheminaient les pages qui portaient les étendards des lords faisant partie du voyage. Ensuite, un espace permettait à la poussière de retomber, puis venait le roi, à cheval sur son plus beau destrier muni de sa selle brocardée de cuir rouge, arborant tous les attributs de la royauté. Au-dessus de lui flottait son propre étendard, et à ses côtés chevauchaient les amis qu'il choisissait pour l'accompagner. À leur suite survenaient les autres compagnons du roi qui changeaient de place dans le convoi au gré de leur désir. Autour d'eux se déployait la garde

---

1. La bataille de Guinegatte (actuel Pas-de-Calais) eut lieu le 16 août 1513 et opposa Louis XII à Henri VIII, allié à Maximilien Ier. La déroute des Français qui s'enfuirent sans combattre prit le nom de « journée des Éperons ». *(N.d.T.)*

personnelle du roi, montée à cheval et la lance au garde-à-vous. Ces soldats n'avaient guère pour rôle de protéger le roi – qui eût rêvé de l'attaquer ? – mais ils maintenaient à l'écart la presse qui se rassemblait pour pousser des vivats dès que nous traversions un village ou une petite ville.

Un autre espace vide précédait le convoi de la reine, qui montait ce vieux et calme palefroi qu'elle affectionnait. Assise très droite sur sa selle, la robe disposée en gros plis épais, le chapeau vissé sur la tête et les yeux plissés contre le soleil étincelant, elle était souffrante. Je le savais parce que j'avais entendu le petit grognement de douleur qu'elle avait laissé échapper en montant en selle ce matin-là.

Derrière la reine et sa cour avançaient les autres membres de la Maison royale, qui à cheval, qui en chariot. Beaucoup chantaient ou buvaient de la bière pour balayer la poussière qui leur tapissait la gorge.

Nous quittâmes Greenwich, impatients de connaître les agréables surprises que nous réservait l'avenir, partageant le sentiment insouciant qu'une nouvelle saison de fêtes et de distractions nous attendait.

Au palais d'York, quelques jours suffirent pour défaire nos paquets et tout ranger. Le roi nous rendit visite un matin, suivi de sa cour, lord Henry Percy parmi eux. Sa Seigneurie et Anne s'assirent sur la banquette de la fenêtre pour travailler à l'un des poèmes de lord Henry. Il jura qu'il deviendrait un grand poète en suivant le tutorat d'Anne, mais celle-ci répliqua qu'il ne s'agissait que d'une ruse pour lui faire perdre son temps et son enseignement, car il n'était bon à rien.

Qu'une fille Boleyn, sortie de presque rien, appelât le fils du duc de Northumberland un bon à rien me sembla extrême, mais Henry Percy ne fit qu'en rire avant d'affirmer que, n'en déplaise à sa si stricte préceptrice, un immense talent allait voir le jour.

— Le cardinal vous demande, annonçai-je à lord Henry.

Il se leva sans hâte particulière, baisa la main d'Anne en guise d'adieu et s'en fut trouver le cardinal Wolsey. Anne rassembla les pages sur lesquelles ils avaient travaillé et les enferma dans sa boîte à écriture.

— Ne possède-t-il réellement aucun talent de poète ? demandai-je.

Elle haussa les épaules avec un sourire.

— Il n'est point Wyatt.

— L'est-il dans sa cour ?

— Il n'est pas marié, répondit-elle. Et dès lors n'en est que plus désirable.

— Trop haut, même pour vous.

— Si je le veux et que c'est réciproque, je ne vois pas pourquoi.

— Demandez donc à père de s'entretenir avec le duc pour voir la réaction de ce dernier, raillai-je.

Elle tourna la tête pour regarder par la fenêtre. La longue et magnifique pelouse du palais d'York s'étalait à nos pieds jusqu'au cours d'eau qui étincelait au soleil.

— Je pensais plutôt m'occuper moi-même de cette affaire, répondit-elle enfin.

Je m'apprêtais à rire lorsque je m'aperçus qu'elle était sérieuse.

— Anne, son père autant que le nôtre ont assurément des projets pour vous. Nous ne sommes pas libres, il nous faut obéir. Regardez-moi !

— Oui, regardez-vous !

Elle fondit sur moi avec une rage terrible.

— Mariée et à présent maîtresse du roi, alors que vous possédez la moitié de mon intelligence, de mon éducation ! Vous êtes au centre de la cour et je ne suis rien ! Je vous sers comme dame d'atour, Marie, c'est me faire insulte !

— Je ne vous ai jamais demandé de... bégayai-je.

— Qui insiste pour que vous vous baigniez et laviez vos cheveux ? demanda-t-elle férocement.

— Vous, mais je...

— Qui vous aide à choisir vos vêtements et vous sauve la mise avec le roi lorsque vous vous montrez trop stupide ou avez la langue trop nouée pour savoir comment le manœuvrer ?

— Vous. Mais Anne...

— Qu'y ai-je gagné ? Quel que soient les sommets que vous atteindrez, je n'en retirerai rien !

— Je ne nie pas que vous devriez avoir votre propre position, répondis-je faiblement. Je crois seulement que vous ne sauriez devenir duchesse.

— Est-ce à vous d'en décider ? cracha-t-elle. Vous qui ne représentez qu'une distraction pour le roi dans sa tâche importante de produire un héritier, s'il en est capable, ou de partir en guerre, s'il parvient à lever une armée ?

— Je crois seulement qu'ils ne vous laisseront pas faire, chuchotai-je.

— Cela se fera, martela-t-elle, et ils ne l'apprendront qu'après.

Soudain, comme un serpent qui se dresse, elle m'agrippa la main d'une poigne féroce et la tordit derrière mon dos. Immobilisée, je criai de douleur :

— Anne, vous me faites mal !

— Ne vous mêlez pas de mes affaires, Marie, siffla-t-elle à mon oreille, j'en parlerai quand tout sera fini.

— Le voulez-vous rendre amoureux de vous ?

Elle me relâcha brusquement, je massai mon poignet douloureux.

— Je ferai en sorte qu'il m'épouse, répondit-elle calmement. Et, si vous en parlez à qui que ce soit, je vous tuerai.

Par la suite, je me mis à observer Anne avec plus d'attention. Elle cessa brusquement ses avances, mais plus elle semblait prendre ses distances, plus Henry Percy recherchait sa compagnie. Lorsqu'il entrait dans une pièce, elle lui lançait un sourire qui l'atteignait au cœur comme une flèche, mais ensuite elle détournait les yeux et l'ignorait toute la durée de sa visite.

Il faisait partie de la suite du cardinal Wolsey qui attendait Son Éminence lorsque celui-ci rendait visite au roi ou à la reine. Mais le jeune duc n'avait rien d'autre à faire que flâner dans les appartements royaux et badiner avec quiconque voulait bien lui parler. Il était évident qu'il n'avait d'yeux que pour Anne qui l'ignorait avec superbe, dansait avec tout autre que lui, s'asseyait auprès de lui sans lui parler et lui retournait ses poèmes en affirmant ne pouvoir l'aider plus avant.

Après s'être montrée sensible aux charmes du jeune homme, elle battit en retraite avec tant de soin que Henry Percy, désemparé, vint me trouver.

— Madame Carey, ai-je offensé votre sœur en quelque guise ?

— Non, je ne crois pas.

— Elle me lançait auparavant de si charmants sourires et me traite à présent avec tant de froideur !

Je réfléchis un instant. Je ne pouvais lui donner la véritable réponse : Anne le manœuvrait comme un pêcheur hameçonnant un poisson. Je dévisageai son visage anxieux avec une sincère compassion puis lui offris le sourire et la réponse d'une Boleyn.

— Je crois, milord, qu'elle craint de se montrer trop aimable.

L'espoir inonda ses traits enfantins et il se pencha en avant comme pour m'arracher les mots de la bouche.

— Trop aimable?

— Je crois qu'elle tremble de vous trop aimer pour le repos de son propre esprit, expliquai-je très doucement.

Il bondit sur ses pieds.

— Elle pourrait me désirer?

Je souris puis détournai la tête, cachant ma lassitude. Mais il s'agenouilla devant moi et scruta mon visage.

— Parlez, madame Carey, supplia-t-il. Je ne mange ni ne dors depuis des jours, mon âme est tourmentée. Je vous en prie, dites-moi si vous pensez qu'elle m'aime.

— Je ne le puis. C'était la vérité, le mensonge n'eût pu passer mes lèvres. Vous devez le lui demander vous-même.

Il s'élança comme un lièvre avec un chien à ses trousses.

— J'y cours! Où se trouve-t-elle?

— Elle joue à la boule dans le jardin.

Sans attendre davantage, il ouvrit la porte en grand et se précipita hors de la pièce. J'entendis ses bottes claquer sur les escaliers de pierre qui menaient à la porte du jardin. Jane Parker, assise de l'autre côté de la pièce, leva les yeux.

— Avez-vous fait une autre conquête? s'enquit-elle, s'imaginant des choses, comme à son habitude.

Je lui lançai un sourire aussi venimeux que le sien et répondis:

— Certaines femmes provoquent le désir; d'autres non.

Je trouvai Anne sur la pelouse du jeu de boules, perdant avec application contre sir Thomas Wyatt.

— Je vous écrirai un sonnet, promit ce dernier, pour vous remercier de cette gracieuse victoire.

— Non, non, le combat fut équitable, protesta Anne.

— Si de l'argent avait été en jeu, je serais en train de sortir ma bourse, poursuivit-il. Vous autres Boleyn ne perdez que lorsqu'une victoire ne vous rapporte aucun gain.

Anne sourit.

— La prochaine fois, vous gagerez votre fortune; j'ai fait naître en vous un sentiment de sécurité.

— Je n'ai d'autre fortune à offrir que mon cœur.

— Accompagnez-moi quelques pas, voulez-vous? interrompit Henry Percy, la voix perçante.

Anne sursauta, comme surprise de sa présence.

— Oh, lord Henry.

— Mademoiselle joue à la boule, objecta sir Thomas.

Anne leur sourit à tous deux.

— Ma défaite consommée m'amène à prévoir ma prochaine stratégie, déclara-t-elle en posant sa main sur le bras de lord Percy.

Il la conduisit loin de l'aire de jeu, sur un petit chemin tortueux qui menait à un siège au-dessous d'un if.

— Mademoiselle Anne, commença-t-il.

— N'est-ce point trop humide pour s'asseoir?

Il retira aussitôt son manteau de ses épaules et l'étala pour elle sur le banc de pierre.

— Mademoiselle Anne…

— Non, j'ai trop froid, décida-t-elle en se levant de son siège.

— Mademoiselle Anne! s'exclama-t-il pour la troisième fois, la voix fâchée.

Anne marqua une pause, puis lui adressa son sourire plein d'appas.

— Votre Seigneurie?

— Je veux savoir pourquoi vous vous montrez si froide envers moi.

Un instant elle hésita, puis, abandonnant la coquetterie, elle tourna vers lui un visage grave.

— Je n'avais pas l'intention de faire preuve de froideur, mais de prudence, expliqua-t-elle lentement.

— Pourquoi? gémit-il, mon âme est plongée dans le tourment.

Elle baissa les yeux vers la rivière.

— J'ai pensé que, pour la paix de mon esprit, notre amitié devenait trop manifeste.

Il recula d'un pas puis revint à ses côtés.

— Jamais je ne vous serais cause de désagrément, soutint-il. M'eussiez-vous demandé de vous protéger, par une respectueuse attitude, de tout scandale, je vous l'eusse promis.

Elle tourna vers lui ses beaux yeux noirs et lumineux.

— Pouvez-vous m'assurer que jamais personne ne nous croirait amoureux?

Muet, il secoua la tête. Comment garantir ce qu'une cour à l'affût de rumeurs et de scandales dirait ou ne dirait point?

— Pouvez-vous promettre que nous-mêmes ne tomberions jamais amoureux?

Il hésita.

— Je vous aime, certes; d'amour courtois et respectueux, déclara-t-il.

Elle sourit, comme heureuse de l'entendre.

— Je sais que nous agissons par jeu. Mais celui-ci peut se montrer dangereux, surtout s'il est des gens pour affirmer que nous sommes faits l'un pour l'autre, que nous sommes parfaitement assortis.

— Le dit-on ?

— Oui, quand on nous voit danser ensemble, quand on remarque la façon dont vous me regardez ou dont je vous souris.

— Que disent-ils d'autre ? demanda-t-il, transporté.

— Ils affirment que vous m'aimez comme je vous aime ; que nous sommes tombés éperdument amoureux en croyant simplement nous amuser.

— Mon Dieu, souffla-t-il devant cette révélation, mais *c'est* ainsi ! Quel idiot je fais ! Je suis amoureux de vous depuis des mois et tout ce temps je croyais m'amuser de taquineries qui ne signifiaient rien.

Le regard qu'elle lui lança lui embrasa le cœur. Prisonnier des yeux noirs, il murmura :

— Anne, mon amour.

Elle lui sourit, ses lèvres formant une invite irrésistible à un baiser.

— Henry, souffla-t-elle. Mon Henry.

Il s'avança d'un pas, posa les mains sur la taille d'Anne et l'attira auprès de lui. Anne ne résista pas. Il baissa alors la tête comme elle levait la sienne et leurs lèvres se joignirent pour leur premier baiser.

— Dites-le, l'exhorta Anne d'une voix rauque. À cet instant, Henry.

— Épousez-moi.

— Voilà ! C'est fait. Anne nous fit son compte rendu d'un ton allègre dans notre chambre, ce soir-là.

Elle avait ordonné que fût apportée la baignoire et nous nous plongeâmes dans l'eau à tour de rôle. Anne, aussi acharnée qu'une Française en matière de propreté, se montra plus rigoureuse qu'à son habitude. Elle inspecta mes ongles, me tendit un cure-oreille et me peigna les cheveux au peigne à poux avec minutie, indifférente à mes gémissements de douleur.

— Qu'est-ce qui est fait ? grognai-je d'un ton boudeur en sortant du baquet, enrobée d'un drap.

Quatre chambrières entrèrent pour écoper l'eau avec des seaux afin d'être en mesure d'emporter la grande baignoire de bois. Les draps qu'elles avaient utilisés pour tapisser le bain étaient lourds et trempés, tout cela me semblait un énorme effort pour bien peu.

— Je n'ai guère entendu qu'un peu de badinage.

— Il a fait sa demande, répondit Anne.

Elle attendit que la porte se fût refermée derrière les servantes puis s'assit devant le miroir.

Un coup à la porte résonna alors.

— Qui est-ce maintenant ? criai-je avec exaspération.

— C'est moi, nous parvint la voix de George.

— Nous faisons toilette, objectai-je.

— Oh, laissez-le entrer, il défera ces nœuds ! ordonna Anne, un peigne à la main.

George entra dans la chambre avec nonchalance. Il leva les sourcils en apercevant l'eau sur le sol, les draps mouillés, ses sœurs à demi nues, et Anne avec son épaisse crinière de cheveux mouillés lui tombant sur l'épaule.

— Êtes-vous des sirènes, en route pour un bal masqué ?

— Il nous fallut *encore* nous baigner ; Anne a insisté.

Cette dernière tendit à George le peigne d'ivoire.

— Coiffez-moi, ordonna-t-elle avec un petit sourire.

Il obéit en silence, se plaça derrière elle et entreprit, délicatement, de passer le peigne dans les longues mèches noires. Anne ferma les yeux, s'abandonnant avec délice à son habileté.

— Des poux ? s'enquit-elle.

— Aucun encore, la rassura-t-il, aussi familier qu'un coiffeur vénitien.

— Alors, qu'est-ce qui est fait ? répétai-je, revenant à l'annonce d'Anne.

— Henry Percy est mien, déclara-t-elle. Il a dit qu'il m'aimait et voulait m'épouser. Je vous veux, vous et George, comme témoins à notre promesse d'union. Il m'offrira une bague et dès lors nos fiançailles seront solides comme un mariage dans une église, devant un prêtre. Et je serai duchesse.

— Seigneur ! s'écria George qui s'immobilisa, le peigne en l'air. Duchesse de Northumberland ? Mon Dieu, Anne, vous posséderez la plus grande partie du nord de l'Angleterre.

Elle hocha la tête, s'adressa un sourire satisfait dans le miroir.

— Nous serons la plus puissante famille du pays, l'une des plus considérables d'Europe, poursuivit-il d'un ton rêveur. Une fois Marie dans le lit du roi et vous unie à son plus éminent sujet, les Howard s'envoleront si haut qu'il sera impossible de choir.

Il s'interrompit un instant.

— Si Marie donnait un mâle au roi, avec le soutien de Northumberland, il serait en mesure de s'emparer du trône, murmura-t-il. Je deviendrais l'oncle du roi d'Angleterre.

— Oui, acquiesça Anne d'une voix suave, c'est ce que je pensais.

Je ne dis rien, observant le visage de ma sœur.

— Vous pensiez que je n'y parviendrais jamais, m'accusa-t-elle, le doigt pointé vers moi.

Je hochai la tête.

— Je croyais que vous visiez trop haut.

— Vous le saurez pour la prochaine fois, m'avertit-elle, je fais toujours mouche.

— Je m'en souviendrai, acquiesçai-je.

— Et s'ils le déshéritaient? intervint George. Votre position ne serait alors guère enviable, unie au garçon jadis héritier d'un duché mais à présent en disgrâce, sans aucune possession.

Elle secoua la tête.

— Ils n'en feront rien, il leur est trop précieux. Vous devrez cependant soutenir ma cause, George, ainsi que père et oncle Howard. Le duc de Northumberland doit comprendre que nous sommes un bon parti afin d'accepter ces fiançailles.

— Bien entendu, mais les Percy sont fort orgueilleux. Ils destinaient le jeune Henry à Marie Talbot jusqu'à ce que Wolsey se déclare contre cette union. Ils ne vous accepteront pas à sa place.

— Sa fortune seule vous intéresse-t-elle? demandai-je.

— Oh, son titre aussi, répondit Anne crûment.

— Vraiment, que ressentez-vous pour *lui*?

Un instant, je crus qu'elle allait ridiculiser d'une plaisanterie l'adoration enfantine qu'il lui vouait. Mais elle secoua la tête et sa chevelure ondula entre les mains de George comme une rivière sombre.

— Je sais que je suis stupide et qu'il n'est rien de plus qu'un jouvenceau idiot mais, lorsqu'il est à mon côté, je me sens comme une petite fille; je deviens téméraire, comblée, amoureuse!

Le sortilège qui glaçait les âmes des Howard semblait soudain rompu! Je ris avec elle, m'emparai de sa main avant de plonger mon regard dans le sien et de m'écrier, transportée:

— N'est-il pas merveilleux, délicieux, admirable, de tomber amoureuse?

Elle retira ses mains des miennes.

— Marie, quelle enfant vous faites! Certes, c'est merveilleux, mais ne minaudez donc pas, c'est insupportable.

George rassembla la chevelure noire d'Anne en arrière et admira le délicat visage dans le miroir.

— Anne Boleyn amoureuse, déclara-t-il, pensif. Qui l'eût cru ?

— Amoureuse de l'homme le plus puissant du royaume après le roi, lui rappela-t-elle. Sans cela, rien n'aurait eu lieu. Je n'oublie pas ce qui m'est dû, ainsi qu'à ma famille.

Il hocha la tête.

— Je sais cela, *Annamaria*. Nous savions tous que vous viseriez haut. Mais, tout de même, un Percy !

Elle se pencha en avant comme pour interroger son reflet et chuchota, les mains sur les joues :

— Mon premier amour… à jamais.

— Plaise à Dieu qu'il demeure le seul, énonça George.

Elle croisa son regard dans le miroir.

— Plaise à Dieu, répéta-t-elle. Oh, George, rien ne me rendrait plus heureuse que de prendre et garder Henry Percy !

Ce dernier se rendit, à la requête d'Anne, dans les appartements de la reine le jour suivant à midi. Ma sœur avait choisi son heure avec soin ; les dames d'atour communiaient à la messe et nous avions les appartements pour nous seuls. Henry Percy entra puis regarda autour de lui, surpris du silence et du vide. Anne s'avança au-devant de lui, prit ses deux mains dans les siennes. Un instant, il eut l'air piégé.

— Mon amour, déclara Anne.

Au son de sa voix, le visage du garçon se réchauffa, le courage lui revint.

— Anne, souffla-t-il.

Il fouilla maladroitement les poches de ses chausses rembourrées d'où il tira une bague. Depuis la banquette de la fenêtre, où je me trouvais, j'aperçus l'éclat rouge d'un rubis – le symbole d'une femme vertueuse.

— Pour vous, dit-il doucement.

Anne lui prit la main.

— Voulez-vous engager votre foi, maintenant, devant témoins ? demanda-t-elle.

Il déglutit.

— Oui, je le veux.

Elle afficha sa joie, le visage rayonnant.

— Alors faites-le.

Henry nous lança un regard, comme nous défiant de l'arrêter. George et moi, serpents pleins de charme, l'encourageâmes d'un sourire.

— Moi, Henry Percy, je vous prends, Anne Boleyn, pour être mon épouse légitime, énonça-t-il, la main d'Anne dans la sienne.

— Moi, Anne Boleyn, je vous prends, Henry Percy, pour être mon époux légitime, répondit-elle, la voix plus ferme que celle du jeune garçon.

— Avec cet anneau, je me promets à vous, poursuivit-il.

La bague, trop grande, obligea Anne à serrer le poing pour la maintenir en place.

— Avec cet anneau, je vous reçois, répondit-elle.

Il baissa la tête et l'embrassa. Elle tourna alors vers nous un regard embué de désir.

— Laissez-nous, ordonna-t-elle d'une voix rauque.

Nous leur accordâmes deux heures. Lorsque la reine et ses dames d'atour revinrent de la messe, je frappai à la porte d'une façon particulière qui annonçait « Boleyn », sachant qu'Anne, même dans un demi-sommeil, l'entendrait et se lèverait d'un bond. Lorsque nous ouvrîmes la porte, suivis des femmes de la reine, elle et Henry Percy composaient un madrigal. Anne jouait du luth tandis qu'il chantait. Leurs têtes étaient rapprochées pour lire la musique écrite à la main, posée sur le lutrin, mais, à l'exception de cette intimité, ils agissaient comme ils l'avaient toujours fait ces trois mois passés.

À notre entrée, Anne sourit et lança :

— Nous avons composé un air charmant qui nous prit toute la matinée.

— Comment s'intitule-t-il ? s'enquit George.

— *Allégresse !* répondit ma sœur. Son titre est *Allégresse, envers et contre tous !*

Ce soir-là, ce fut Anne qui quitta notre chambre à coucher. Elle posa un manteau noir par-dessus sa robe et se dirigea vers la porte alors que la cloche du palais sonnait minuit.

— Où vous rendez-vous à cette heure ? demandai-je, scandalisée.

Elle leva vers moi son visage qui se découpait, pâle, dans l'ombre de sa capuche.

— Voir mon époux, répondit-elle simplement.

— Anne, non ! Vous serez vue et votre réputation, ruinée, m'écriai-je, effarée.

— Nous sommes promis l'un à l'autre, devant Dieu et devant témoins, n'est-ce pas ?

— Oui, acquiesçai-je avec réticence.

— Cette promesse, telle une union, pourrait-elle être annulée pour non-consommation ?

— Oui.

— Alors je me hâte, conclut-elle. La famille Percy elle-même ne pourra se dédire lorsque Henry et moi leur annoncerons que nous sommes unis et amants.

Je m'agenouillai sur le lit.

— Mais Anne, si l'on vous voit ! Que dira-t-on en apprenant que vous vous êtes éclipsée au milieu de la nuit ?

Elle haussa les épaules.

— Le où et le comment importent moins que l'acte.

— Si tout cela n'entraînait rien…

Je m'interrompis devant le feu de son regard. Elle traversa la pièce d'une enjambée et m'empoigna les épaules.

— Sotte ! siffla-t-elle. J'agis ainsi justement pour que rien ni personne ne soit en mesure de défaire ce qui est fait. Dormez, à présent ; je serai de retour aux petites heures du matin.

Je hochai la tête, muette. Lorsqu'elle atteignit la porte, je demandai :

— L'aimez-vous, Anne ?

Dans l'ombre de sa large capuche, j'aperçus son sourire.

— Je suis folle de l'admettre, mais j'aspire à ses caresses avec une fièvre inextinguible.

Puis elle ouvrit la porte et partit.

Été 1523

Pour saluer le premier jour de mai, la cour se plongea dans des festivités organisées par le cardinal Wolsey. Les suivantes de la reine, vêtues de blanc, prirent place sur une barge qui se vit attaquée par des brigands français, habillés de noir. Une petite troupe d'Anglais, en habit vert, vola à notre secours. Une joyeuse lutte s'ensuivit, les combattants se jetant seaux et vessies de porc remplis d'eau. L'embarcation royale, entièrement décorée de guirlandes vertes et naviguant sous pavillon de même couleur, possédait un ingénieux petit canon qui lançait des petits boulets d'eau. Ces derniers foudroyaient les Français qui tombaient dans la rivière et devaient ensuite être secourus par les bateliers de la Tamise, fort bien payés pour leur peine, puis empêchés de rejoindre le combat.

La reine, copieusement aspergée, rit aux éclats comme une jeune fille tandis que son époux, un masque sur le visage et un chapeau sur la tête, jouait à Robin de Nottingham et me lançait une rose.

Notre voyage s'acheva au palais d'York, où le cardinal lui-même nous accueillit sur la rive, accompagné de musiciens cachés dans les arbres du jardin. Robin des Bois, plus grand que quiconque et auréolé de sa chevelure d'or, m'invita à ouvrir la danse.

Les cuisiniers du cardinal s'étaient surpassés : paons et cygnes farcis, oies, poulets et cuissots de venaison côtoyaient quatre sortes différentes de poissons rôtis, dont la carpe, que Son Éminence appréciait particulièrement. Les pâtissiers avaient façonné des bouquets de fleurs en sucre filé et pâte d'amande. Après le dîner, quand la température se fit plus fraîche, nous suivîmes les musiciens qui nous entraînèrent au travers des jardins vers la grand-salle du palais d'York.

Celle-ci avait été transformée. Le cardinal avait ordonné qu'elle fût tapissée de tissu vert attaché à chaque coin avec de grosses branches d'aubépine en fleur. Au centre de la pièce se dressaient deux trônes magnifiques devant lesquels les choristes du roi chantèrent et dansèrent. Après le spectacle vint notre tour de danser à nouveau.

À la mi-nuit, la reine se leva et fit signe à ses femmes de quitter la pièce. Je m'apprêtai à la suivre quand le roi attrapa ma robe.

— Restez! ordonna-t-il avec impatience.

La reine, qui se retournait afin de prendre congé du roi, nous découvrit; Henri tenant en main l'ourlet de ma robe et moi qui hésitais devant lui. Sans balancer, elle lui offrit sa révérence espagnole pleine de dignité.

— Je vous souhaite la bonne nuit, mon époux, déclara-t-elle d'une voix douce. Bonsoir, madame Carey.

Je m'abîmai aussitôt dans une profonde révérence.

— Bonne nuit, Votre Majesté, chuchotai-je, la tête inclinée, le visage brûlant et écarlate.

Lorsque je me relevai, elle était partie. Henri l'avait déjà oubliée comme un enfant que sa mère laisse enfin tranquille.

— Jouez! ordonna-t-il aux musiciens sur un ton joyeux. Et que l'on apporte du vin!

Je regardai autour de moi; les dames d'atour de la reine l'avaient suivie. George me sourit de façon rassurante.

— N'ayez crainte, me tranquillisa-t-il à mi-voix.

J'hésitai, mais Henri, un verre de vin à la main, se retourna vers moi.

— À la reine de mai! entonna-t-il.

La cour, qui eût chanté en hollandais s'il les y avait engagés, reprit avec obéissance:

— À la reine de mai!

Henri me prit par la main pour me mener vers le trône de la reine Catherine. Je résistai, peu disposée à m'y asseoir, mais il me poussa avec douceur à monter les marches. Parvenue sur l'estrade, je pris place puis baissai le regard vers les visages innocents des enfants et les sourires plus avertis des courtisans.

— Dansons pour la reine de mai!

Henri se mit à tournoyer avec une partenaire. Assise sur le trône de la reine, j'accrochai sur mon visage le sourire indulgent de la souveraine en observant son époux danser et badiner avec une autre.

Le lendemain, Anne fit irruption dans notre chambre, le visage livide.

— Lisez! siffla-t-elle en lançant une feuille de papier sur le lit.

Chère Anne, je ne puis vous voir ce jour d'hui. Milord cardinal sait tout, je suis prié de m'expliquer. Mais je jure que je ne vous faillirai point.

— Mon Dieu, soufflai-je. Si le cardinal a tout appris, il en fera bientôt part au roi.

Anne se redressa comme une vipère qui attaque.

— Quelle importance? Qu'ils l'apprennent, tous! Notre promesse d'union s'est faite dans les formes, n'est-ce pas?

Je m'aperçus que la note laissée par Percy tremblait dans ma main.

— Que veut-il dire par « je ne vous faillirai point »? demandai-je. S'il s'agit d'une promesse qui ne se peut rompre, il n'a d'autre choix que respecter son engagement, non?

Anne se mit à arpenter la pièce comme l'un de ces lions que j'avais vus dans une cage de la Tour.

— Je ne sais ce qu'il insinue par là, cracha-t-elle. Ce gamin est un idiot.

— Vous affirmâtes l'aimer.

— Cela ne l'empêche en rien d'être un idiot.

Elle cessa brusquement son va-et-vient et annonça en ouvrant son coffre à vêtements pour en tirer son manteau :

— Il me faut le rejoindre, il aura besoin de moi. Il cédera devant eux.

Un coup, frappé à la porte, résonna comme le tonnerre. En un clin d'œil, elle retira le manteau de ses épaules, l'enfouit dans le coffre et s'assit sur ce dernier, l'air serein et détendu. J'ouvris la porte; devant moi se tenait un serviteur dans la livrée du cardinal Wolsey.

— Mademoiselle Anne est-elle présente?

J'ouvris la porte un peu plus grand et il la découvrit qui observait les jardins d'un air pensif. La barge du cardinal, avec ses étendards rouges bien distinctifs, se trouvait amarrée au bout du parc.

— Le cardinal vous prie de le rejoindre dans la salle d'audience, dit-il.

Anne savait qu'un ordre du cardinal ne se discutait pas. Elle se leva et s'avança vers le miroir pour y observer son reflet. Elle pinça ses joues afin d'y attirer un peu de couleur, mordit sa lèvre supérieure puis sa lèvre inférieure.

— Dois-je vous accompagner? m'enquis-je doucement.

— Oui, répondit-elle à voix basse. Cela lui rappellera que vous avez l'oreille du roi. Si celui-ci est présent, essayez de l'adoucir.

— Je ne puis rien solliciter, chuchotai-je aussitôt.

Même en cet instant délicat, elle me lança un rapide sourire condescendant.

— Je sais cela.

Nous suivîmes le serviteur, traversant la grand-salle avant d'atteindre la salle d'audience du roi. Celle-ci était déserte ; Henri chassait, la cour à ses côtés. Les hommes du cardinal, dans leur livrée écarlate, se tenaient devant la porte. Ils s'effacèrent pour nous laisser entrer puis reprirent leur position de sentinelle. Son Éminence s'assurait que nous ne serions pas dérangés.

— Mademoiselle Anne, commença-t-il sans préambule, j'ai appris ce jour une nouvelle des plus bouleversantes.

Anne, immobile, les mains croisées, afficha un visage serein.

— Je suis navrée de l'entendre, Votre Grâce, dit-elle doucement.

— Il semble que mon page, le jeune Henry de Northumberland, ait présumé de son amitié pour vous et de la liberté que je lui accorde pour converser d'amour dans les appartements de la reine.

Anne secoua la tête, mais le cardinal ne la laissa pas parler.

— Je lui enseignai ce matin que cette activité n'est en aucune guise adéquate pour quelqu'un qui un jour héritera des contrés du Nord et dont le mariage est une affaire qui regarde son père, le roi et moi. Il n'est point garçon de ferme libre de renverser une laitière dans le foin. L'union d'un lord aussi puissant que lui est affaire politique.

Il marqua une pause avant de conclure :

— Et, dans ce royaume, le roi et moi faisons la politique.

— Il me demanda ma main en mariage, je la lui ai accordée, déclara Anne d'un ton ferme. Nous sommes promis, milord cardinal. Je suis navrée si cette union n'est point de votre goût, mais elle est faite et ne se peut défaire.

Sous le rouge du chapeau jaillit un regard noir.

— Lord Henry a accepté de se soumettre à l'autorité de son père et du roi, annonça-t-il. Je vous dis cela par courtoisie, mademoiselle Boleyn, afin que vous soyez en mesure de ne point offenser ceux qui vous sont supérieurs par la grâce de Dieu.

Elle devint livide.

— Non. Jamais il ne se soumettrait à l'autorité de son père au lieu de...

— Au lieu de la vôtre ? Il l'a affirmé, mademoiselle Anne ; toute cette petite affaire est à présent entre les mains du roi et du duc.

— Il est mon fiancé, affirma Anne férocement.

— Il s'agissait d'un engagement *de futuro*, la contra le cardinal. Une promesse de s'unir dans le futur, si possible.

— Il s'agit d'une union *de facto*, rétorqua Anne sans se démonter. Une promesse faite devant témoins et consommée.

Une main se leva en guise d'avertissement, où le lourd anneau cardinalice lança un éclair, comme pour rappeler à Anne que cet homme était le responsable spirituel de l'Angleterre.

— Je vous en prie, énonça-t-il calmement. Cette promesse d'union était *de futuro*, mademoiselle Anne ; je ne puis me tromper. Une femme qui eût partagé la couche d'un homme sur une promesse aussi mince se verrait menacée d'abandon puis de ruine, sans jamais trouver à s'unir.

Je vis qu'Anne luttait contre la panique qui montait en elle.

— Milord cardinal, se défendit-elle d'une voix qui tremblait légèrement, je ferais une bonne duchesse de Northumberland ; je prendrais soin des pauvres, veillerais à ce que justice fût faite dans le Nord et protégerais l'Angleterre des Écossais. Je vous serais éternellement redevable, me considérant votre amie à jamais.

Il afficha un petit sourire, comme si l'amitié dévouée d'Anne représentait la plus formidable épingle qui lui eût été proposée.

— Vous feriez une duchesse délicieuse, acquiesça-t-il. De Northumberland ou d'ailleurs, votre père en décidera lorsqu'il projettera votre union, au sujet de laquelle le roi et moi aurons notre mot à dire. Soyez assurée, ma fille en Jésus-Christ, que je garderai vos aspirations à l'esprit, conclut-il sans chercher à masquer son sourire.

Il tendit la main. Anne s'avança, baisa l'anneau puis, sur une ultime révérence, quitta la pièce à reculons.

Lorsque la porte se referma sur nous, elle ne prononça pas une parole. Elle tourna les talons et se dirigea vers l'escalier de pierre qui menait au jardin. Elle demeura muette tandis que nous traversions les charmants petits sentiers, jusqu'à atteindre un banc de pierre sous une tonnelle ornée de roses qui ouvraient leurs pétales blancs au soleil.

— Que puis-je faire ? lança-t-elle alors.

Sur le point de lui répondre que rien ne me venait à l'esprit, je m'aperçus qu'elle s'adressait à elle-même.

— Demander à Marie de plaider ma cause auprès du roi ?...

Elle secoua la tête.

— Non, elle ferait une bourde, on ne peut se fier à Marie.

Je me mordis les lèvres et ravalai une dénégation indignée. Anne se mit à faire les cent pas, sa jupe bruissant sur l'herbe. Je m'écroulai sur le banc de pierre et l'observai.

— Envoyer George à Henri pour renforcer sa résolution ?

Elle interrompit son va-et-vient.

— Mon père, oncle Howard ! s'écria-t-elle soudain. Mon avancement est dans leur intérêt. Ils pourraient parler au roi, influencer le cardinal, arranger une dot qui séduirait Northumberland.

Elle hocha la tête avec une soudaine détermination.

— Il faut qu'ils me soutiennent, décida-t-elle.

La réunion de famille se déroula dans la maison Howard à Londres. Mon père et ma mère étaient assis à la grande table, mon oncle entre eux. Moi-même et George, partageant la disgrâce d'Anne, nous tenions au fond de la pièce. Et c'était Anne qui se trouvait devant la table comme une criminelle. Toutefois, elle ne gardait pas la tête baissée mais soutenait le regard de mon oncle, comme son égale.

— Je suis fâché de ces pratiques françaises que vous avez adoptées en même temps que la coupe de vos robes, commença mon oncle sans détour. Je vous avais avertie que je ne tolérerais aucune rumeur liée à votre nom. À présent, j'entends que vous avez accepté du jeune Percy une intimité indécente.

— J'ai partagé la couche de mon époux, répondit Anne calmement.

Mon oncle lança un regard à ma mère.

— Répétez ceci ou toute autre affirmation qui y ressemble et vous serez fouettée puis envoyée à Hever pour ne jamais revenir à la cour, énonça alors ma mère d'un ton égal. Je vous préférerais morte à mes pieds que déshonorée. Vous salissez votre réputation aux yeux de votre père et de votre oncle en parlant ainsi et ne parvenez qu'à vous rendre haïssable.

Anne serra un pli de sa robe comme un homme qui se noie attraperait une corde.

— Vous vous rendrez à Hever jusqu'à ce que tout le monde oublie cette erreur regrettable, décréta mon oncle.

— Pardonnez-moi cette précision, répliqua alors Anne d'un ton mordant. L'erreur regrettable n'est point de mon fait mais du vôtre. Lord Henry et moi sommes unis, il le soutiendra. Vous devez faire pression contre son père, le cardinal et le roi, afin de rendre ce mariage public. Ce faisant, je deviendrai duchesse de Northumberland et vous aurez placé une Howard à la tête du plus grand duché de l'Angleterre. J'eusse cru que ce gain-là eût mérité quelque combat. Si je suis duchesse et que Marie engendre un fils, celui-ci sera neveu du duc de Northumberland et bâtard du roi : nous pourrions l'asseoir sur le trône.

Le regard de notre oncle lança des éclairs.

— Ce roi-ci fit exécuter le duc de Buckingham il y a deux ans pour des propos de moindre importance sur la question des héritiers, gronda-t-il. Mon propre père signa la condamnation à mort. Jamais vous ne prononcerez à nouveau de telles paroles sous peine de vous retrouver derrière les murs d'un couvent pour le restant de vos jours ! Je ne laisserai pas votre folie menacer cette famille.

Impressionnée malgré elle par cette rage froide, elle déglutit et tenta de se justifier.

— Cela pourrait fonctionner, chuchota-t-elle.

— Impossible, intervint calmement mon père. Northumberland ne veut pas de vous, Wolsey ne nous laissera pas monter si haut et le roi suivra Wolsey.

Mon oncle s'apprêta à quitter la table ; la réunion avait pris fin.

— Nous pouvons réussir ! s'écria Anne avec désespoir. Soutenez-moi et Henry Percy fera de même ; le cardinal, le roi et le duc finiront par accepter.

Mon oncle fondit sur elle.

— Jamais ! Nous ne risquerons pas l'inimitié de Wolsey en soutenant vos folles prétentions ! Il tirerait Marie du lit du roi pour la remplacer par une Seymour et tout ce que nous cherchons à accomplir serait anéanti ! Vous compromettez les chances de votre sœur, Anne. Vous partirez pour l'été, peut-être même pour un an.

La stupéfaction la réduisit au silence.

— Mais je l'aime, confessa-t-elle enfin.

— Cela ne signifie rien pour moi, répondit mon père d'un ton tranchant. Votre union est l'affaire de la famille, laissez-nous en prendre soin. Vous vous rendrez à Hever pour un an au moins, estimez-vous-en heureuse. Si vous lui écrivez ou le voyez, ce sera le couvent.

— Bon, cela ne s'est pas trop mal passé ! déclara George avec un entrain forcé.

Nous nous dirigions tous trois vers la rivière pour attraper le coche d'eau qui nous ramènerait au palais d'York. Un serviteur en livrée des Howard avançait devant nous, repoussant mendiants et colporteurs, tandis qu'un autre gardait nos arrières. Anne avançait, insensible à la cohue.

Nous croisions des chariots où s'étalaient de multiples denrées, vantées par les marchands : pain, fruits, canards, poules, tout frais venus de la campagne. Les grasses épouses des Londoniens négociaient leurs achats, la langue agile et l'esprit vif, au contraire des villageois qui, lents et prudents, espéraient obtenir un juste prix pour leur provende. Des colporteurs abritaient dans leur sacoche des petits recueils d'histoires, des poèmes ou des feuillets de musique tandis que des cordonniers exhibaient leurs chaussures. Dans la rue se côtoyaient vendeurs de fleurs et de cresson, pages qui musardaient, ramoneurs de cheminées et gamins que l'on payait, le soir venu, pour marcher devant soi avec une torche et qui pour lors n'avaient rien à faire. Des serviteurs paressaient en chemin vers le marché et, devant chaque boutique, l'épouse du propriétaire voluptueusement assise sur sa chaise souriait aux passants et les enjoignait d'entrer à l'intérieur pour admirer ce qu'elle vendait.

George nous entraînait dans son sillage, ouvrant le chemin dans la foule comme Moïse écartant la mer Rouge, anxieux de mener Anne à la maison avant que la colère de celle-ci n'explosât.

— Ça s'est même très bien passé, répéta-t-il avec une conviction admirable.

Nous atteignîmes l'embarcadère. Notre serviteur héla un coche d'eau.

— Au palais d'York, ordonna George.

Avec l'aide de la marée, le trajet s'effectua rapidement, tandis qu'Anne regardait sans la voir la rive maculée des saletés de la ville.

Nous abordâmes la jetée du palais d'York et George nous entraîna en hâte vers notre chambre avant de refermer la porte derrière nous.

Aussitôt, Anne bondit sur lui comme un chat sauvage.

— Bien passé ? hurla-t-elle. Je perds l'homme que j'aime et ma réputation est ruinée ! Je vais être enterrée à la campagne ! Ma propre mère préférerait me voir morte ! Êtes-vous fou ? Ou stupide, aveugle, idiot à en être damné !

George lui tenait les poignets, mais elle essaya de le griffer au visage. Je m'approchai d'elle par-derrière et lui pris la taille, déjouant son intention de marcher sur les pieds de George avec ses hauts talons. Nous titubâmes tous trois comme des ivrognes pris dans une rixe. Écrasée contre les colonnes du lit, j'avais le sentiment qu'au-delà d'Anne nous combattions ce démon qui la possédait, qui nous possédait tous, nous autres Boleyn : l'ambition.

— La paix, pour l'amour de Dieu ! hurla George qui luttait pour esquiver ses ongles.

— La paix ? vociféra Anne en retour. Comment serais-je jamais en paix ?

— Parce que vous avez perdu, répondit George.

Elle cessa de lutter mais, défiants, nous ne lâchâmes pas notre emprise. Son regard plongea dans celui de George puis, comme une démente, elle rejeta la tête en arrière et se mit à rire d'un rire sauvage.

— Dieu tout-puissant ! s'écria-t-elle avec passion, je périrai à Hever, abandonnée de tous. Et jamais je ne le reverrai !

Son ultime cri me brisa le cœur et elle s'affaissa contre George qui la rattrapa. Passant ses bras autour de son cou, elle enfouit le visage contre sa poitrine et se mit à sangloter, répétant encore et encore, d'une voix étouffée par la douleur :

— Oh, Seigneur ! Je l'aimais ! Mon seul amour, mon seul amour !

Ils ne perdirent pas de temps. Le jour même, les vêtements d'Anne furent empaquetés, son cheval fut sellé, et George reçut l'ordre de l'escorter à Hever. Personne n'apprit son départ à lord Henry Percy. Ce dernier lui envoya une lettre, interceptée par ma mère, qui la lut avant de la jeter au feu.

— Que disait-il ? demandai-je doucement.

— Qu'il l'aimerait toujours, répondit ma mère avec dédain.

— Ne peut-on lui dire qu'elle est partie ?

Ma mère haussa les épaules.

— Il le saura assez tôt : son père le reçoit ce matin.

Je hochai la tête. Un autre pli arriva à midi, le nom d'Anne griffonné sur le devant d'une main tremblante. Ma mère l'ouvrit, le visage de marbre, et la missive suivit le chemin de la première.

— Lord Henry ? m'enquis-je.

Elle hocha la tête. Je quittai mon siège près de la cheminée pour m'asseoir sur la banquette sous la fenêtre.

— J'aimerais sortir faire quelques pas dans le jardin.

— Non ! refusa-t-elle sèchement sans même me regarder. Votre père et votre oncle ordonnent que vous demeuriez à l'intérieur jusqu'à ce que l'entretien de Northumberland avec son fils soit conclu.

— Je n'ai guère de chance de me mêler de cela en me promenant dans les jardins, protestai-je.

— Vous pourriez lui faire parvenir un message.

— Jamais je n'agirais ainsi ! m'exclamai-je. Vous devez comprendre, madame, que j'ai toujours fait ce que l'on me demandait. Vous arrangeâtes mon mariage quand je comptai douze ans, que vous interrompîtes tout juste deux années plus tard pour m'enjoindre de partager la couche du roi. Jamais je ne montrai de velléités à lutter pour ma propre liberté, comment combattrais-je au nom de ma sœur ?

Elle hocha la tête.

— C'est une bonne chose, répondit-elle. Les femmes ne sont point libres de leurs actions, voyez où cela a mené Anne.

— Oui, à Hever, répliquai-je d'un ton amer. Au moins est-elle libre de parcourir les terres.

Ma mère me dévisagea avec surprise.

— Vous semblez l'en envier.

— J'aime la vie à Hever, confessai-je. Parfois davantage que la vie à la cour. Mais vous briserez le cœur d'Anne.

— Qu'il se brise. Son caractère doit se tremper si elle veut se montrer utile à cette famille, rétorqua froidement ma mère. J'ai cru qu'à la cour de France on vous enseignerait l'obéissance, mais il semble qu'ils aient fait preuve de négligence. Il nous faut dès lors y remédier.

On frappa à la porte. Sur le seuil apparut un homme, mal à l'aise, vêtu de vieux vêtements.

— Une lettre pour mademoiselle Anne Boleyn, et nulle autre, annonça-t-il. Le jeune seigneur a dit que je devais vous regarder la lire.

J'hésitai et lançai un regard à ma mère. Elle m'adressa un rapide hochement de tête et je rompis le sceau rouge de Northumberland, avant de déplier le parchemin.

Mon épouse,
Je ne me rétracterai point si vous demeurez loyale à la promesse que nous avons échangée. Mon père est fort encoléré contre moi, le cardinal également, mais si nous restons fidèles l'un à l'autre, ils devront nous laisser être ensemble. Faites-moi parvenir un message, un mot seulement, qui me porte votre soutien.
Henry

— Le jeune maître attend une réponse, déclara l'homme.

— Attends dehors, lui ordonna ma mère avant de lui fermer la porte au visage.

Elle se tourna vers moi.

— Écrivez.

— Il connaît son écriture, objectai-je sans entrain.

Elle glissa une feuille de papier devant moi, me mit une plume en main et dicta la missive.

Lord Henry,

Marie écrit pour moi car il m'est interdit de vous adresser quelque parole que ce soit. Lutter est inutile ; ils ne nous laisseront point nous unir et je dois renoncer à vous. Ne vous opposez point au cardinal et à votre père pour moi, je me suis rendue déjà à leur raison. Je vous libère de votre demi-promesse de futuro *comme je suis libérée de la mienne.*

— Vous leur briserez le cœur, observai-je en versant de la poudre pour absorber l'encre mouillée.

— Peut-être, acquiesça ma mère d'un ton froid. Mais les cœurs qui possèdent la moitié de l'Angleterre ont mieux à faire que de battre plus vite par amour.

Hiver 1523

*A*nne partie, je devins la seule fille Boleyn et lorsque la reine choisit de passer l'été avec la princesse Marie, je chevauchai à côté de Henri à la tête du cortège. L'été se déroula, merveilleux, rythmé par les voyages, la chasse, la danse. Et lorsque la cour revint à Greenwich en novembre, je chuchotai au roi que je portai son enfant.

Aussitôt, tout changea : j'emménageai dans de nouveaux appartements et me vis offrir les services d'une dame d'atour. Henri m'acheta un épais manteau de fourrure pour m'éviter un seul instant de souffrir du froid. Sages-femmes, apothicaires et devins se succédèrent auprès de moi, à qui l'on posait l'unique question d'importance : « Est-ce un mâle ? »

La plupart répondaient oui et se voyaient récompensés d'une pièce d'or. Un ou deux excentriques, ayant affirmé l'inverse, reçurent pour tout paiement la mine boudeuse et mécontente du roi. Ma mère relâcha les lacets de mes robes, il me fut bientôt impossible de partager la couche du roi la nuit ; seule dans les ténèbres, je devais prier Dieu qu'Il m'accordât un fils.

La reine suivit mon embonpoint progressif d'un regard assombri par la douleur. Elle parvint à garder le sourire durant les fêtes de Noël, les bals masqués et les danses, offrant à Henri les somptueux présents qu'il adorait. Mais, lorsque vint la Nuit des rois, elle demanda à le voir en privé et trouva, Dieu seul sait où, le courage de le regarder en face pour lui annoncer qu'elle n'avait pas saigné une saison entière et qu'elle était stérile.

— Elle me l'a dit elle-même, sans une once de honte ! m'apprit Henri avec indignation cette nuit-là.

Je me trouvai dans sa chambre, emmitouflée dans mon manteau de fourrure, un gobelet de vin chaud à la main, mes pieds nus repliés sous moi devant un feu qui flambait haut.

Je ne répondis rien. Comment enseigner à Henri qu'il n'y avait point de honte pour une femme, à quarante années, de cesser d'être fertile ?

— Pauvre femme, remarquai-je enfin.

Il me lança un regard plein de ressentiment.

— Riche femme, me corrigea-t-il, reine d'Angleterre, mais qui s'acquitte de son devoir avec un seul enfant, qui plus est une fille.

Il se pencha vers moi et posa avec douceur une main sur les rondeurs tendues de mon ventre.

— Si mon fils se trouve là-dedans, il portera le nom de Carey, chuchota-t-il. Quel bienfait cela apporte-t-il à l'Angleterre ?

— Tout le monde saura qu'il est de vous, que vous pouvez engendrer un enfant, le consolai-je.

— Mais il me faut un fils légitime, Marie, déclara-t-il avec sérieux, comme s'il ne tenait qu'à moi ou à la reine de le lui donner. L'Angleterre doit avoir un héritier.

Printemps 1524

Anne m'écrivit chaque semaine pendant les longs mois de son exil. Je me souvins des missives désespérées que je lui avais envoyées lors de mon propre bannissement, auxquelles elle ne s'était jamais souciée de répondre. Je tirai à présent un plaisir infini de la générosité triomphante de mes nombreuses réponses, ne lui épargnant aucun détail sur ma grossesse et la joie de Henri.

Notre grand-mère paternelle avait été appelée à Hever pour chaperonner Anne. Les deux femmes se querellaient de l'aube au couchant comme des chats sur le toit d'une écurie, se rendant la vie misérable.

Si je ne puis retourner à la cour, je deviendrai folle

écrivit Anne.

Grand-mère Boleyn casse des noisettes dans sa main, laissant des écorces partout qui s'écrasent sous le pied comme des escargots. Elle insiste pour que nous nous promenions chaque jour dans le jardin, même lorsqu'il pleut. Elle affirme que c'est l'eau de pluie, bénéfique pour la peau, qui procure aux Anglaises une complexion sans égale. Je regarde alors son vieux cuir tanné et je sais que je préférerais demeurer à l'intérieur.

Elle sent très mauvais et ne s'en aperçoit pas un instant. J'ai ordonné qu'on lui prépare un bain, à la suite duquel on m'apprit qu'elle avait consenti à s'asseoir sur une chaise et à se laisser laver les pieds. Elle est convaincue qu'il faut garder maison ouverte comme cela se faisait jadis et dès lors chacun, des mendiants de Tonbridge aux fermiers d'Edenbridge, est le bienvenu dans la salle pour assister à notre dîner, comme si nous étions le roi lui-même.

Je vous en supplie, dites à notre oncle et à père que je suis prête à retourner à la cour, que je leur obéirai, qu'ils n'ont rien à craindre de moi. Je ferai tout pour partir d'ici.

Je lui répondis aussitôt.

Vous reviendrez bientôt à la cour, j'en suis certaine, car lord Henry fut promis contre son gré à lady Marie Talbot. On affirma qu'il pleurait lors de la cérémonie. Il est parti défendre la frontière écossaise, sous son propre étendard. Les Percy doivent veiller à la sécurité de Northumberland quand l'armée ira de nouveau en France cet été, avec nos alliés les Espagnols, terminer le travail que nous avons commencé l'an passé.

L'union de George avec Jane Parker doit enfin avoir lieu ce mois-ci, je demanderai à mère si vous pouvez y assister. Elle ne vous le refusera certainement pas.

Je me porte bien mais je suis fatiguée. Le bébé est très lourd et, lorsque j'essaye de dormir la nuit, il se tourne et donne des coups. Henri est plus doux que jamais, nous espérons tous deux avoir un garçon.

J'aimerais que vous soyez là. Henri souhaite tellement un fils que je suis presque effrayée de ce qui pourrait advenir s'il s'agissait d'une fille. Si seulement il existait une recette à suivre pour avoir un mâle ! Ne me parlez pas d'asperges. Je sais tout à ce sujet. Ils m'en font manger à chaque repas.

La reine m'observe sans arrêt. Je suis trop grosse à présent pour dissimuler mon état, et chacun sait qu'il s'agit de l'enfant du roi ; William n'a pas eu à endurer de félicitations, une sorte de mur du silence s'est élevé qui satisfait tout le monde à part moi. Je me sens parfois stupide : mon ventre s'arrondit devant moi, je souffle, hors d'haleine dans les escaliers, et mon époux me sourit comme si nous étions des étrangers.

Et la reine...

Si seulement je n'avais pas à prier, nuit et jour, dans sa chapelle, avec elle ! Que prie-t-elle, puisque tout espoir est perdu pour elle ? Vous me manquez, même votre langue acérée me manque.

Marie

Après de longs atermoiements, George et Jane Parker s'unirent dans la petite chapelle de Greenwich. Anne fut autorisée à s'asseoir dans l'une des loges, invisible de tous, mais pas à prendre part à la fête du mariage. Cela ne nous importa guère : la cérémonie devait se dérouler le matin. Aussi Anne arriva-t-elle la veille et, dès lors, nous eûmes, Anne, George et moi, toute la nuit qui précéda.

Nous nous installâmes comme des sages-femmes qui se préparent à un long travail. George apporta du vin et de la bière tandis que je me glissai dans les cuisines pour demander du pain, de la viande, du fromage et des fruits aux cuisiniers qui furent heureux de me remplir un plateau, croyant que mon ventre de sept mois me donnait faim.

Anne semblait plus âgée que ses dix-sept ans, mincie, la peau plus pâle. « C'est la marche sous la pluie avec la vieille sorcière », railla-t-elle d'un ton morose. Sa tristesse lui octroyait une sérénité nouvelle, comme si elle avait appris une dure leçon. Et le garçon qu'elle aimait lui manquait : Henry Percy.

— Je rêve de lui, déclara-t-elle. Je voudrais n'en rien faire, je suis lasse d'être malheureuse et c'est une douleur tellement futile !

Je lançai un coup d'œil à George qui la regardait, le visage rempli de bienveillance.

— Quand se marie-t-il ? s'enquit Anne d'un ton funèbre.

— Le mois prochain.

Elle hocha la tête.

— Et ensuite, tout sera terminé ; à moins qu'elle ne meure.

— Si elle périt, il pourrait vous épouser, suggérai-je avec espoir.

Anne haussa les épaules.

— Petite sotte, s'écria-t-elle. Attendre une vie entière la mort de Marie Talbot ? Je serais alors un bel atout à jouer, surtout si vous donnez naissance à un mâle ; je deviendrai la tante du bâtard du roi.

Instinctivement, je posai les mains de façon protectrice sur mon ventre, comme pour empêcher mon enfant d'entendre que seul un garçon était désiré.

— Il portera le nom de Carey, lui rappelai-je.

— Imaginons qu'il s'agisse d'un garçon aux cheveux d'or ?

— Je le nommerai Henri, répondis-je en souriant, et je ne doute pas que le roi prenne grand soin de lui.

— Ce qui sera fort bénéfique à ses oncles et tantes, intervint George. Peut-être recevra-t-il un duché ou un comté ?

— Et vous, George ? s'enquit Anne. J'eusse cru vous voir célébrer votre union prochaine avec grand tapage au lieu de rechercher la compagnie d'une femme énorme et d'une autre au cœur brisé.

George plongea un regard sombre dans sa coupe remplie de vin.

— Rien au monde ne me mettrait le cœur en fête. Ma future épouse me répugne ; elle exhale la perfidie.

— Balivernes, le réprimandai-je.

— Elle m'a toujours fait grincer des dents, intervint Anne avec sa franchise habituelle. À l'affût des potins, scandales ou rumeurs, elle entend tout et pense toujours le pire de chacun.

— Seigneur, quelle épouse ! gémit George.

— Elle pourrait vous surprendre lors de votre nuit de noces, suggéra Anne d'un air sournois en portant son verre à ses lèvres.

— Comment ? s'enquit George aussitôt.

— Elle est fort bien informée, pour une vierge, et possède une grande connaissance des affaires liées aux femmes mariées... et aux putains.

— Elle n'est point vierge ? Ce serait une excellente manière de me tirer de ce mauvais pas ! s'exclama George.

Anne secoua la tête.

— Quel galant homme ! Je ne dis point cela, mais elle observe, écoute, pose des questions. Je l'ai entendue chuchoter avec l'une des filles Seymour au sujet de quelqu'un qui avait partagé la couche du roi – pas vous, me dit-elle en hâte. Leur conversation portait sur les baisers avec la bouche ouverte et des choses comme se demander si l'on devait se coucher dessus le roi ou dessous, où les mains devaient aller et ce qui pouvait lui procurer un plaisir inoubliable.

— Sang Dieu ! s'exclama George en se versant un autre verre de vin, peut-être serai-je un époux plus comblé que je ne l'eusse cru ! Et que font donc les mains, mademoiselle *Annamaria*, puisque vous semblez avoir entendu cette conversation aussi bien que mon adorable épouse à venir ?

— Oh, je ne saurais vous répondre, lui lança Anne en secouant la tête, car je suis vierge. Demandez-le à mère, à père, à notre oncle, ou même au cardinal Wolsey qui l'a rendu officiel : je suis une vierge authentique, certifiée. On ne peut être plus vierge que moi !

— Je vous raconterai tout, promit George avec entrain. Je vous écrirai à Hever, Anne, vous pourrez lire ma lettre à haute voix à grand-mère Boleyn.

Au matin, George arbora un teint livide qui, seules Anne et moi le savions, ne provenait pas d'un excès de boisson lors de la nuit précédente. Il examina sans sourire Jane Parker qui s'approchait de l'autel, mais elle rayonnait suffisamment pour deux.

Les mains croisées sur mon ventre, je me remémorai ce lointain moment quand, quatre années auparavant, j'avais promis fidélité à William Carey. Ce dernier, depuis l'autre côté de la chapelle, m'adressa un petit sourire ; se souvenait-il aussi de ces instants pleins d'espoir ?

Le roi Henri se trouvait au premier rang des invités d'honneur ; je me fis la réflexion que, grâce à mon ventre alourdi, ma famille se portait bien. Le souverain était arrivé tard à mon union, davantage pour obliger son ami William que pour honorer les Boleyn. Mais, à présent, le mariage célébré, le roi et moi menâmes les invités au repas de cérémonie. Ma mère me sourit comme à sa fille unique tandis qu'Anne quittait discrètement la chapelle par une porte latérale et montait en selle, accompagnée seulement de quelques serviteurs, pour retourner à Hever.

Je l'imaginai, après sa chevauchée, découvrant enfin le château depuis le châtelet d'entrée, tel un joli jouet au clair de lune. Je me souvins du chemin qui se glissait entre les arbres pour aboutir au pont-levis, du bruit que produisait celui-ci en s'abaissant, du son creux émis par les sabots des chevaux quand ils s'avançaient doucement sur les larges planches de bois. Je me remémorai l'odeur froide et humide des douves, les effluves épicées de la viande qui cuisait sur une broche lorsque l'on pénétrait dans la cour. Je revis en pensée la lune qui brillait dans la cour, la ligne floue de la façade découpée contre le ciel de la nuit et, déchirée par des sentiments contradictoires, je souhaitai alors éperdument être un petit écuyer à Hever et non la prétendue reine d'une cour artificieuse. Je rêvai de porter un fils légitime à qui mes terres, même celles d'un petit manoir de campagne, reviendraient un jour.

Mais il m'était impossible d'évoquer l'avenir de mon fils ; j'étais une Boleyn, bénie par la fortune et la faveur du roi.

Été 1524

Je me retirai au mois de juin pour me préparer à ma délivrance, dans une chambre tapissée d'épaisses tentures où ne pénétrait ni air pur ni lumière du jour. Je resterais emmurée pendant deux mois et demi, assistée de ma mère et de deux sages-femmes ainsi que de deux chambrières administrées par une gouvernante. Devant la porte de la chambre se succéderaient deux apothicaires qui, nuit et jour, attendaient d'être appelés.

— Anne peut-elle me tenir compagnie ? demandai-je à ma mère en pénétrant dans la pièce sombre. Cela va durer tellement long-temps !

— Elle peut vous rendre visite, mais ne saurait être présente à la naissance du fils du roi.

— Ou fille, lui rappelai-je.

Elle fit un signe de croix au-dessus de mon ventre.

— Plaise à Dieu que ce soit un mâle, chuchota-t-elle.

Je n'ajoutai rien, heureuse d'avoir obtenu qu'Anne me rendît visite. Elle demeura deux jours à mes côtés. Exaspérée par notre grand-mère Boleyn, elle souhaitait désespérément s'éloigner de Hever, même pour se rendre dans une chambre plongée dans les ténèbres auprès d'une sœur qui tuait le temps en cousant des petites chemises pour un bâtard royal.

— Vous êtes-vous rendue à Home Farm ?

— Non, répondit-elle, je l'ai dépassée à cheval.

— Je me demandais comment se portait leur récolte de fraises ?

Elle haussa les épaules.

— Et la ferme de Pierre ? Avez-vous assisté à la tonte des mou-tons ? Savez-vous combien de foin nous avons engrangé ?

— Non, dit-elle encore.

— Anne, mais que diable faites-vous tout le jour ?

— Je lis, déclara-t-elle, je pratique ma musique. J'ai même com-posé quelques chansons. Je parcours le jardin à pied, monte à cheval.

— Que lisez-vous ?

— Des ouvrages de théologie, s'anima-t-elle. Avez-vous entendu prononcer le nom de Martin Luther ?

— Bien sûr, grognai-je, piquée. Il s'agit d'un hérétique, ses livres sont interdits !

Anne afficha son petit sourire condescendant.

— Hérétique ? C'est une question d'opinion.

— N'en parlez pas ! l'enjoignis-je. Si père et mère découvrent que vous lisez des écrits interdits, ils vous enverront de nouveau en France ou plus loin encore.

Elle haussa les épaules.

— Nul ne fait attention à moi, éclipsée par votre gloire. Le seul moyen d'attirer l'attention de cette famille est de grimper dans le lit du roi. Ils n'aiment que les putains.

Je croisai les mains sur mon gros ventre et lui souris, imperméable à sa perfidie.

— C'est ma bonne étoile qui me mit où je suis, inutile de m'en faire le reproche. Vous seule décidâtes de capturer Henry Percy, ce qui vous mena à la disgrâce.

Un instant, son masque d'indifférence vacilla et je lus la douleur dans ses yeux.

— Avez-vous eu des nouvelles de lui ?

Je secouai la tête.

— S'il m'avait écrit, ils ne m'auraient pas laissé lire ses lettres, objectai-je. Je crois qu'il combat toujours les Écossais.

— Seigneur ! Et s'il était blessé ou tué ? gémit-elle.

Je sentis mon bébé bouger sous mes mains.

— Anne, il est marié. Oubliez-le si vous voulez revenir à la cour.

Elle masqua d'un battement de cils le feu de ses prunelles.

— C'est *cela*, mon problème, poursuivit-elle en montrant du doigt mon gros ventre. Hormis ce bâtard royal qu'ils espèrent être un fils, la famille ne se préoccupe de rien. J'ai écrit à père une demi-douzaine de fois et il m'a renvoyé une seule missive, écrite par son secrétaire. Il ne se soucie que de vous et de votre gros ventre.

— La réponse est proche, déclarai-je.

J'essayai d'arborer un air serein, mais la peur me serrait le cœur. Henri n'était pas un homme ordinaire : une fille, même jolie et forte, ne suffirait sans doute pas à prouver au monde sa virilité et sa capacité de produire un enfant sain : il lui fallait un mâle.

Ce fut une fille ; malgré ces mois d'espoir, ces prières chuchotées à toute heure, ces messes spéciales.

Ma petite fille ; exquis petit paquet doté de mains menues, les yeux d'un bleu aussi sombre que le ciel de Hever à minuit. Elle avait la tête couronnée d'un délicat duvet noir qui tranchait avec l'or exubérant sur le chef de Henri, mais possédait cette même petite lippe adorablement boudeuse. Elle bâillait comme un souverain qui s'ennuie et, lorsqu'elle pleurait, de véritables larmes sillonnaient ses joues roses, comme un monarque outragé à qui l'on eût dénié ses droits. Quand je la nourrissais, la force de sa succion m'émerveillait ; elle enflait comme une outre puis s'endormait comme un ivrogne à côté d'un gobelet d'hydromel.

Une nourrice avait été désignée pour la nourrir mais, prétextant une grande douleur dans les seins et la nécessité de la laisser téter, je parvins à la garder pour moi. Je tombai amoureuse d'elle, éperdument, incapable de regretter un seul instant qu'elle ne fût pas un garçon.

Même Henri ne lui résista pas. Me venant visiter dans l'ombre paisible de ma chambre d'accouchée, il la souleva de son berceau et s'émerveilla de la minuscule perfection de son visage, de ses mains, de ses petits pieds sous la lourde robe brodée.

— Nous l'appellerons Élisabeth, décréta-t-il, la berçant avec douceur.

Je pris mon courage à deux mains.

— Puis-je choisir son nom ? m'enquis-je, la voix humble.

Il haussa les épaules. Le nom d'une fille n'avait pas d'importance.

— Appelez cette jolie petite chose comme vous le souhaitez.

Outre une bourse d'or et un collier de diamants, il m'offrit des livres, de lourds travaux que le cardinal Wolsey avait recommandés. Je l'en remerciai et les mis de côté, avec l'intention de les envoyer à Anne pour lui demander de m'en écrire un résumé.

La visite de Henri commença de façon plutôt formelle ; nous étions assis sur des chaises de part et d'autre de la cheminée. Bientôt, cependant, il me porta sur le lit, s'allongea près de moi puis m'embrassa avec douceur. Lorsqu'il voulut s'accoupler, je lui rappelai que je n'étais pas encore purifiée[1]. Timidement, je posai la main

---

1. Dans la tradition chrétienne, les femmes, considérées comme impures après l'accouchement, se pliaient à une cérémonie devant prendre place avant le quarantième jour qui suivait la délivrance. *(N.d.T.)*

sur son torse ; avec un soupir, il la prit et la pressa contre sa virilité. Je ne savais ce qu'il attendait de moi. Il guida alors lui-même ma main en me chuchotant ses instructions à l'oreille. Un moment plus tard, il émit un soupir puis se tint immobile.

— Est-ce assez pour vous ? demandai-je timidement.

Il se tourna vers moi et m'offrit son doux sourire.

— Mon amour, vous posséder est pour moi un plaisir immense, après tout ce temps, même ainsi. N'en confessez rien quand vous irez à l'église, ce péché est mien. Mais vous tenteriez un saint !

— L'aimez-vous ? le pressai-je.

Il eut un petit rire indulgent et paresseux.

— Mais oui ; elle est aussi adorable que sa mère.

Il se leva quelques instants plus tard et mit de l'ordre dans ses vêtements. Il m'accorda son sourire canaille qui me plaisait tant, bien que mon esprit fût occupé par mon enfant et la douleur de mes seins lourds de lait.

— Une fois purifiée, vous recevrez des appartements plus proches des miens, me promit-il, car je vous veux à mes côtés à tout instant.

Je souris. Le roi d'Angleterre me voulait constamment auprès de lui !

— Et je veux un mâle de vous, poursuivit-il sans détour.

Mon père était furieux contre moi que le bébé fût une fille, m'apprit ma mère. Mon oncle était déçu mais déterminé à ne le point laisser voir. Je hochai la tête comme si je m'en souciais, émerveillée intérieurement de ce que ma fille, ce matin-là, eût ouvert les yeux et les eût posés sur moi avec une attention qui m'avait arraché des larmes d'émotion. Ni mon père ni mon oncle n'étaient admis dans la chambre de délivrance ; quant au roi, il ne répéta pas sa visite. Cette pièce, interdite aux hommes, à leurs projets, à leurs ambitions, avait une aura de refuge pour nous.

George rompit les conventions avec sa grâce habituelle.

— Rien de trop effrayant ici, n'est-ce pas ? demanda-t-il, passant la tête par la porte entrebâillée.

— Rien, répondis-je en l'accueillant avec un sourire et lui tendant la joue.

Il se pencha et m'embrassa sur la bouche.

— Quel délice ! Ma sœur, une jeune mère : que de plaisirs interdits en même temps ! Embrassez-moi comme Henri.

— Reculez donc et regardez le bébé, l'enjoignis-je en le repoussant d'une main.

Il se pencha sur ma fille qui dormait dans mes bras.

— Jolis cheveux, remarqua-t-il. Comment l'appellerez-vous ?

Je glissai un œil à la porte fermée. Je savais que je pouvais me fier à George.

— Je veux l'appeler Catherine.

— Plutôt étrange, c'est l'enfant de son époux.

— Je sais, George. Mais je l'ai admirée dès l'instant où je suis entrée à son service ; je veux lui prouver mon respect à son égard.

Il arbora un air dubitatif.

— Croyez-vous qu'elle comprendra sans y voir de la moquerie ?

Choquée, je serrai Catherine contre moi.

— Jamais je n'afficherais mon triomphe sur elle !

— Ne pleurez pas, Marie, vous ferez tourner votre lait.

— Je ne pleure pas, niai-je, ignorant les larmes qui coulaient sur mes joues.

— Eh bien, cessez, m'enjoignit-il. Mère nous rejoindra bientôt et l'on me fustigera de vous avoir fâchée, moi qui n'ai pas même le droit de me trouver ici. Demandez vous-même à la reine, dès votre sortie, je ne suggérai rien de plus.

— Oui, décidai-je, aussitôt rassérénée. Je serai alors en mesure de lui expliquer.

— Mais sans pleurer, m'avertit-il. C'est une reine qui n'aime pas les larmes. Je gage que vous ne l'avez jamais vue en pleurs, au cours de ces quatre années passées auprès d'elle.

Je réfléchis un instant.

— En effet, répondis-je lentement.

— Et vous ne le verrez jamais, ajouta-t-il. Elle n'est point femme à céder au désarroi, elle possède une puissante volonté.

Je reçus une autre visite, celle de mon époux, William Carey. L'air gracieux, il m'offrit un bol de fraises fraîches, apportées de Hever sur son ordre.

— Une saveur qui provient de chez vous, annonça-t-il avec bonté.

— Merci.

Il regarda dans le berceau.

— Apprenez-moi qu'il s'agit d'une fille forte et en bonne santé.

— C'est le cas, répondis-je, un peu refroidie par l'indifférence contenue dans sa voix.

— Je suppose qu'elle portera mon nom et non point celui de Fitzroy ou tout autre la reconnaissant comme bâtarde royale ?

Je me mordis les lèvres puis baissai la tête.

— Je suis navrée que vous soyez offensé, mon mari, déclarai-je humblement.

Il hocha la tête.

— Alors, quel nom ?

— Elle sera une Carey. J'ai pensé à Catherine Carey.

— À votre guise, madame. Je me vis offrir l'intendance de cinq domaines ainsi que l'ordre de chevalier. Je suis à présent sir William, vous êtes lady Carey. J'ai plus que doublé mes revenus, vous l'a-t-il appris ?

— Non, avouai-je.

— Nous eussiez-vous accordé un mâle, l'achat d'un État en Irlande ou en France eût été envisageable, faisant de moi lord Carey. Jusqu'où un petit bâtard nous eût-il menés ?

Je ne répondis rien.

— Vous savez, je rêvai jadis d'un poste important à la cour du roi, poursuivit-il avec amertume, j'espérai servir l'État comme votre père et jouer un rôle dans les négociations avec les plus grandes cours d'Europe. Mais non ! Mon emploi, dont me voici récompensé, consiste à regarder ailleurs lorsque le roi s'accouple avec mon épouse !

Je gardai le silence et les yeux baissés. Lorsque je relevai la tête, il me souriait, de son sourire triste et à demi ironique.

— Ah, chère petite femme, prononça-t-il avec bonté. Nous n'eûmes guère le temps de beaucoup partager, n'est-ce pas ? Ni couche, ni tendresse, ni désir.

— Je suis désolée de cela aussi.

— Désolée que nous ne nous soyons point accouplés ?

— Monsieur ? articulai-je, stupéfaite par la soudaine dureté de sa voix.

— Votre famille suggéra, avec une politesse extrême, que peut-être j'avais rêvé vous posséder. Sont-ce là vos désirs ?

— Non ! Jamais mes désirs ne sont consultés, vous le savez.

— Ne vous enjoignirent-ils pas de révéler au roi que je m'étais montré impuissant lors de notre nuit de noces et chaque nuit qui s'ensuivit ?

Je secouai la tête.

— Pourquoi affirmerais-je une telle chose ?

Il sourit.

— Pour que notre mariage puisse être annulé, suggéra-t-il, faisant de vous une femme disponible. Votre prochain enfant deviendrait peut-être un Fitzroy, que Henri serait enclin à rendre légitime. Vous deviendriez alors la mère du prochain roi d'Angleterre.

Il y eut un silence. Je le regardai fixement, sans le voir.

— Sont-ce leurs intentions ? chuchotai-je.

— Oh, vous les Boleyn ! Prenez garde, toutefois, car ce faisant, l'état de mariage serait bafoué, ce qui ferait de vous une putain... quoique fort jolie.

Je sentis mes joues s'empourprer mais je gardai la bouche close. Il me regarda un moment puis je vis la colère quitter son visage, remplacée par une compassion lasse.

— Faites ce que l'on vous commande, déclara-t-il doucement. Jurez, s'il le faut, que lors de notre nuit de noces je jonglai toute la nuit avec des fioles d'argent. Vous ferez face à l'inimitié de la reine Catherine elle-même et à la haine de toute l'Espagne ; je vous épargnerai la mienne. Stupide petite fille. Si un mâle reposait dans ce berceau, ils vous eussent poussée au parjure dès votre purification pour vous débarrasser de moi et vous attacher Henri.

Nos regards se croisèrent.

— Alors, vous et moi sommes sans doute les seules personnes au monde à ne pas être déçus qu'il s'agisse d'une fille, chuchotai-je, car je n'aspire à rien de plus que ce que je possède.

Il sourit de son amer sourire de courtisan.

— Mais la prochaine fois ?

La cour entreprit son errance estivale, parcourant les chemins empoussiérés du Sussex vers Winchester puis New Forest[1], afin que le roi pût chasser le cerf de l'aube au couchant. Mon époux chevauchait aux côtés de son souverain, toute jalousie oubliée en ces journées de mâle activité. Mon frère, également du voyage, chevauchait auprès de Francis Weston ; il montait un tout nouvel étalon, une belle et forte bête que le roi lui avait offerte comme preuve supplémentaire de son affection envers moi et les miens. Mon père se trouvait

---

1. Ancienne réserve royale de chasse du sud de l'Angleterre, créée par Guillaume le Conquérant, aujourd'hui parc national. *(N.d.T.)*

en Europe ; il prenait part aux négociations infinies entre l'Angleterre, la France et l'Espagne, tâchant de freiner les ambitions de trois monarques jeunes, vifs et cupides qui rivalisaient afin d'obtenir le titre de plus grand roi d'Europe. Ma mère suivit la cour, avec son propre train de serviteurs, tout comme mon oncle, à l'affût des ambitions de la famille Seymour. S'y joignirent aussi les Percy, Charles Brandon et la reine Marie, les orfèvres de Londres, les diplomates étrangers : les grands hommes d'Angleterre abandonnaient champ, ferme, navire, mine, négoce, maison de ville pour chasser avec le roi, espérant en retirer quelque gain ou pousser sous les yeux papillonnants du souverain qui une fille, qui une épouse, et y gagner un poste.

Et moi, Dieu merci, je me vis épargner cela cette année-là. Anne vint à ma rencontre dans la cour de Hever, le visage sombre comme un ciel d'orage.

— Vous êtes folle, gronda-t-elle en guise de bienvenue. Que faites-vous ici ?

— Je désire me reposer et passer l'été avec mon enfant.

— Vous n'avez pas l'air d'avoir besoin de repos. Vous êtes magnifique, concéda-t-elle avec réticence après avoir scruté mon visage.

— Mais regardez-la, plaidai-je en retirant le châle de dentelle qui protégeait le petit visage endormi de Catherine.

— Adorable, affirma-t-elle sans trop de conviction. Mais pourquoi ne pas l'avoir envoyée ici seule avec la nourrice ?

Je poussai un soupir ; jamais Anne ne comprendrait que l'on pût préférer un autre endroit à la cour. J'ouvris le chemin vers le château, laissant la nourrice me prendre Catherine des bras pour changer les vêtements qui l'emmaillotaient.

— Ramenez-la-moi ensuite, stipulai-je.

Je pris place à la table de la grand-salle sur une des chaises sculptées. Je souris en voyant Anne se dresser devant moi, impatiente de m'interroger.

— La cour ne m'intéresse pas, commençai-je. Avoir un enfant m'a fait comprendre que l'important n'est pas de se hausser jusqu'aux faveurs du roi ni de satisfaire son ambition, ni même d'élever le rang de sa famille. Je veux que ma fille soit heureuse, certaine de ma tendresse, éduquée auprès de moi. Je désire qu'elle grandisse ici et connaisse la rivière, les champs, les saules des marécages.

Anne eut l'air perplexe.

— Ce n'est qu'un bébé, objecta-t-elle, qui risque de mourir. Vous en aurez des douzaines d'autres ; vous montrerez-vous ainsi avec chacun d'eux ?

Je tressaillis, mais elle ne s'en aperçut pas.

— Je ne sais pas, avouai-je. Ce que je ressens est nouveau pour moi, Anne. Je sais seulement qu'elle revêt plus d'importance à mes yeux que quoi que ce soit d'autre. J'ai pour seule ambition de prendre soin d'elle et de m'assurer de son bonheur. Jamais je ne me séparerai d'elle.

— Qu'en dit le roi ? s'enquit Anne, ne perdant pas de vue la seule préoccupation des Boleyn.

— Je ne lui en ai pas parlé, reconnus-je. Il voulait chasser et se montra heureux que je veuille me reposer ; il ne s'en souciait guère.

Anne hocha la tête d'un air songeur, engrangeant mes paroles dans un coin de sa mémoire, réfléchissant à ce qu'elles signifiaient.

— Soit, dit-elle enfin. S'ils ne se soucient point de vous voir demeurer à la cour, pourquoi le ferais-je ? Votre compagnie me sera bien plus amusante que celle de cette vieille femme ; vous m'épargnerez ses caquets infinis.

Je souris.

— Vous vous montrez fort irrespectueuse, ma sœur.

— Oui, oui, acquiesça-t-elle avec impatience, tirant une chaise à elle. À présent, narrez-moi les nouvelles ; parlez-moi de la reine, et je veux savoir ce que Thomas More a dit au sujet de ces idées nouvelles venues d'Allemagne. Allons-nous vers la guerre avec les Français ?

— Je suis navrée, m'excusai-je en remuant la tête. Quelqu'un le mentionna l'autre jour mais je n'écoutais pas.

Elle émit un petit grognement réprobateur puis bondit sur ses pieds.

— Très bien ! s'écria-t-elle d'un ton irrité. Parlez-moi du bébé, puisque rien d'autre ne vous intéresse ! Vous ressemblez à un chien à l'affût, la tête à demi penchée, cherchant à l'entendre. Pour l'amour de Dieu, redressez-vous !

Je ris devant l'exactitude de sa description.

— Je suis comme amoureuse : il me faut la voir à tout instant.

— Vous êtes toujours amoureuse, rétorqua Anne avec rancœur. Vous suintez l'amour comme une grosse motte de beurre ; jadis pour le roi, ce qui nous permit d'en tirer de bonnes choses, et à présent pour cet enfant, ce qui ne nous avance à rien du tout. Vous n'êtes que passion, sentiments et désir : cela me rend furieuse.

— Parce que vous n'êtes qu'ambition, répondis-je en souriant.

— Bien entendu. Qu'y a-t-il d'autre ?

Un ange nommé Henry Percy nous effleura de ses ailes.

— Ne voulez-vous savoir si je l'ai vu ? demandai-je.

J'avais posé cette question cruelle en espérant voir apparaître de la douleur dans ses yeux, mais cette méchanceté ne m'apporta rien. Son visage demeura froid et dur, elle avait terminé de pleurer sur lui.

— Non, dit-elle sèchement. Il a déclaré forfait, il a épousé une autre femme.

— Il a cru que vous l'aviez abandonné, protestai-je.

Elle détourna le visage.

— Un homme véritable eût continué de m'aimer, répliqua-t-elle froidement. En situation inverse, jamais je ne me fusse mariée tant que mon amant était libre. Il m'a abandonnée ; je ne le lui pardonnerai jamais. Il est mort pour moi. Je ne désire rien d'autre à présent que quitter cette tombe pour revenir à la cour. Il ne me reste que l'ambition.

Anne, grand-mère Boleyn, mon enfant et moi nous installâmes bon gré mal gré afin de passer l'été ensemble. Je repris des forces ; la douleur dans mon intimité s'estompant, je remontai bientôt à cheval et me mis à parcourir notre vallée puis à monter vers les collines de Weald. Je contemplai l'herbe des pâturages qui verdissait de nouveau après leur première fauche, les moutons devenir plus duveteux avec leur nouvelle laine. Je souhaitai joie et prospérité aux faucheurs lorsque ces derniers partirent couper la moisson de blé, les apercevant ensuite qui mettaient les gerbes dans de grands chariots pour les mener au moulin. Je m'apitoyai devant les vaches que l'on séparait de leurs veaux ; elles s'assemblaient autour des portails en meuglant après leur progéniture.

— Elles oublieront, lady Carey, me dit le vacher d'un air réconfortant. Elles ne pleureront pas plus de quelques jours.

Je lui souris.

— J'aurais aimé qu'on les leur laisse un peu plus longtemps.

— C'est un monde difficile pour les hommes comme pour les bêtes, observa-t-il. Les veaux doivent partir, sinon comment obtiendrez-vous votre beurre et votre fromage ?

Dans le verger, les pommes rondelettes prirent une belle couleur rose et je demandai au cuisinier de nous faire un douillon. Les prunes bien noires enflèrent, leur peau se craquela ; les abeilles en cette fin d'été s'enivraient de suc. Dans l'air se mêlaient les senteurs sucrées du chèvrefeuille et des fruits qui grossissaient sur les branches. J'aurais voulu figer ces instants de bonheur. Les yeux de ma petite fille changèrent de couleur, passant de ce bleu sombre des premières semaines à un bleu indigo, presque noir. Elle deviendrait une beauté sombre, comme sa tante au caractère si vif.

Elle souriait à présent lorsqu'elle me voyait ! Je ne me lassai pas de le vérifier et m'emportai quelque peu contre grand-mère Boleyn qui affirma qu'un bébé demeurait aveugle jusqu'à deux ou trois ans. Elle ajouta que je perdais mon temps lorsque je me penchais sur son berceau en chantonnant, étalais un tapis sous les arbres pour m'allonger avec elle et lui chatouiller les paumes, ou m'emparais de ses petits pieds dodus pour mordiller ses orteils.

Le roi m'écrivit une fois, me narrant ses chasses et mises à mort. Pas un cerf ne resterait à New Forest après son passage, me sembla-t-il. Il termina sa missive en m'annonçant le retour de la cour à Windsor en octobre qui se rendrait ensuite à Greenwich pour Noël ; il escomptait m'y trouver, sans ma sœur bien entendu ni notre bébé à qui il envoyait un tendre baiser. Je sus alors que le bonheur de cet été touchait à sa fin ; comme une paysanne qui doit laisser son enfant pour s'en retourner aux champs, il était temps pour moi de reprendre mon travail.

Hiver 1524

À Windsor, je rentrouvai le roi d'humeur joyeuse. Le bruit courait qu'il avait furieusement badiné avec l'une des nouvelles dames d'atour de la reine, une Margaret Shelton, cousine du côté Howard nouvellement arrivée à la cour. On racontait aussi l'histoire, plus drôle que vraie, d'une gourgandine qui n'avait cessé de glisser entre les mains du roi jusqu'à ce que, exaspéré, il la possédât derrière un buisson puis s'éloignât à cheval, avant qu'elle n'eût le temps d'arranger sa robe, tuant ainsi ses espoirs de jamais prendre ma place.

D'autres rumeurs portaient sur des rixes ; mon frère George arborait un hématome à l'œil qu'il avait récolté lors d'une bagarre dans une taverne. La cour plaisantait également au sujet d'un jeune page épris de George, renvoyé chez lui après qu'il lui eut adressé une douzaine de sonnets débordant d'amour signés Ganymède. En règle générale, ces messieurs de la cour montrèrent à mon arrivée une humeur gaillarde.

Le roi aussi, qui me prit dans ses bras pour m'embrasser devant tous ; Dieu merci, la reine était absente.

— Je me suis langui de vous, ma douce, s'exclama-t-il avec exubérance. Dites-moi que je vous ai également manqué !

Je ne pus m'empêcher de sourire devant son visage impatient.

— Bien sûr, acquiesçai-je. J'entends de toute part que Votre Majesté a cependant trouvé à s'amuser.

Le roi afficha un sourire penaud tandis que ses amis intimes s'esclaffaient d'un rire bruyant.

— Mon cœur souffrait nuit et jour de votre absence, déclara-t-il avec la grâce exquise de l'amour courtois. Je dépérissais dans de noires ténèbres. Vous portez-vous bien ? Notre enfant aussi ?

— Catherine est magnifique, répondis-je, appréhendant sa réaction à ouïr son nom. Elle grandit en beauté et en force, comme une belle rose Tudor.

Mon frère s'avança ; le souverain me relâcha pour lui permettre de m'embrasser sur la joue.

— Bienvenue à la cour, ma sœur, s'écria-t-il avec entrain. Comment se porte la princesse ?

Un silence stupéfait succéda à ses paroles. Le sourire de Henri s'effaça. Je fixai George avec horreur. En un éclair, il comprit son erreur et poursuivit d'un trait :

— J'appelle « princesse » la petite Catherine parce qu'elle est traitée comme une future reine. Vous devriez voir les habits que Marie a cousus et brodés de sa propre main ou les draps dans lesquels notre impératrice se prélasse ! Vous en ririez, Votre Majesté ; elle tyrannise tout le monde, à Hever, car tout doit être fait selon ses désirs. Elle est le pape de la pouponnière.

George avait rattrapé son erreur avec brio. Henri éclata d'un rire franc auquel tous les courtisans firent aussitôt écho.

— La gâtez-vous véritablement à ce point ? me demanda le roi.

— Elle est ma première, m'excusai-je. Mais ses vêtements serviront de nouveau pour le prochain.

Comme je l'avais prévu, Henri me suivit aussitôt dans cette voie.

— Ah oui ! s'exclama-t-il. Mais comment la princesse réagira-t-elle face à un rival ?

— J'espère qu'elle sera trop petite pour en prendre conscience, glissa George avec à-propos. Un petit frère pourrait lui naître avant qu'elle n'atteigne un an. Anne et Marie sont très proches, souvenez-vous ; nous sommes fertiles dans la famille.

— George, quelle honte ! le réprimanda ma mère en souriant. Mais un petit mâle à Hever nous apporterait une telle joie.

— À moi aussi, roucoula le roi en me dévisageant avec chaleur. Un petit garçon me serait une grande joie.

À peine mon père fut-il de retour de France qu'une autre réunion de famille se tint. Cette fois, on m'avança une chaise devant la table. Disparue, la petite fille qu'il fallait instruire et diriger. J'étais devenue une femme qui jouissait de la faveur du roi.

— Admettons que Marie conçoive un mâle, commença mon oncle. Supposons que la reine, poussée par sa conscience, fasse retraite en libérant le roi afin qu'il se remarie. Il serait fort tenté par une maîtresse enceinte.

Un instant, je crus avoir rêvé. Mais William m'en avait avertie ; l'affreux projet montrait bel et bien son hideuse face.

— Je suis déjà mariée, observai-je.

Ma mère haussa les épaules.

— Quelques mois seulement, sans que l'union fût consommée.

— Mon mariage a été consommé, répliquai-je d'une voix ferme.

Mon oncle haussa un sourcil afin d'inviter ma mère à répondre.

— Elle était jeune, expliqua celle-ci. Comment eût-elle compris ce qui arrivait ? Elle pourrait jurer que l'acte ne s'est jamais déroulé dans son entier.

— Non, chuchotai-je en me tournant vers mon oncle. Je vous en supplie, ne me demandez pas de prendre sa place. Elle naquit princesse, je ne suis qu'une Boleyn. Jamais je n'oserais.

Mes arguments ne signifiaient rien pour lui.

— Il ne vous est rien demandé d'extraordinaire, remarqua-t-il. Vous obéissez et vous vous mariez, voilà tout, comme par le passé. Je prendrai soin de tout le reste.

— Mais jamais la reine ne renoncera, objectai-je avec désespoir.

Mon oncle lâcha une exclamation, repoussa sa chaise puis fit un pas vers la fenêtre.

— Elle jouit pour le moment d'une position de force car l'Angleterre est alliée à l'Espagne, concéda-t-il. Mais, lorsque nous aurons gagné la guerre contre la France et partagé le butin, elle deviendra une simple femme trop vieille, incapable de jamais lui fournir un héritier. Elle devra s'effacer, chacun le sait.

— N'allons pas risquer une rupture avec l'Espagne maintenant, s'inquiéta mon père. Nous passâmes l'été entier à négocier et à consolider cette alliance.

— Est-ce le pays ou la famille qui prime ? lança sèchement mon oncle, qui poursuivit d'un ton venimeux en voyant mon père hésiter. Bien sûr, le sang des Howard ne coule pas dans vos veines, vous avez rejoint cette famille par votre mariage.

— La famille vient en premier, répondit lentement mon père.

— Alors envisageons de sacrifier l'alliance avec l'Espagne contre la France, conclut froidement mon oncle. Nous débarrasser de la reine Catherine pour que Marie prenne sa place l'emporte sur la paix en Europe et la vie de quelques Anglais. Il viendra toujours davantage de soldats. Mais, pour les Howard, cette occasion ne se présentera qu'une seule fois.

Printemps 1525

*L*a nouvelle de Pavie[1] nous parvint en mars. Tôt un matin, un messager fit irruption chez le roi alors que ce dernier n'était qu'à demi vêtu. Henri se précipita chez la reine, un héraut courant au-devant de lui pour frapper à la porte des appartements royaux et clamer : « Sa Majesté arrive : le roi ! » Tirées en sursaut de nos intimités, nous sortîmes en trébuchant ; seule la souveraine apparut calme et le visage composé, élégante dans une robe jetée à la hâte sur sa chemise de nuit. Henri fit claquer la porte en entrant dans la pièce ; il fendit la masse des dames d'atour pépiant comme grives en cage, sans même m'accorder un regard – moi qui, pourtant, me montrais délicieusement échevelée. Mais, pour impartir la meilleure nouvelle de son règne, Henri courait à son épouse, cette femme qui personnifiait l'alliance avec l'Espagne. Malgré toutes ses infidélités à son endroit, lorsque sa politique triompha, ce fut Catherine qui, une fois de plus, occupa dans son cœur la place de reine.

Il se jeta à ses pieds, s'empara de ses mains et les couvrit de baisers tandis que la reine, riant comme une jeune fille, criait avec impatience :

— Qu'est-ce donc ? Dites-moi ! Qu'y a-t-il ?

Et Henri répétait inlassablement :

— Pavie ! Le Seigneur soit loué ! Pavie !

Il se releva soudain et, sautillant avec pétulance, entraîna la reine dans une danse endiablée. Les gentilshommes du roi, distancés dans sa folle course pour atteindre les appartements de la souveraine, survinrent alors. George, accompagné de son ami Francis Weston, se plaça à mon côté.

---

1. Le 24 février 1525, François Ier est fait prisonnier à Pavie par les troupes impériales après la plus cuisante défaite de son règne ; il signera à Madrid le traité par lequel il s'engagera à renoncer à l'Italie, et cédera la Bourgogne. *(N.d.T.)*

— Mais que diable se passe-t-il? m'enquis-je en entreprenant de discipliner mes cheveux.

— Une immense victoire et la destruction de l'armée française, m'apprit mon frère. La France n'existe plus, Charles d'Espagne s'emparera du Sud, nous du Nord. L'empire espagnol jouxtera les frontières du royaume anglais sur le continent. Nous devenons les maîtres conjoints de la plus grande partie de l'Europe.

— François est défait? répétai-je, incrédule, me souvenant de ce prince sombre et ambitieux.

— Réduit en pièces, confirma Francis Weston. Quelle journée pour l'Angleterre! Quel triomphe!

À l'autre bout de la pièce, le roi avait cessé de danser, il tenait la reine dans ses bras et l'embrassait sur le front, les yeux, les lèvres.

— Ma très chère, s'exclamait-il, quel grand général que votre neveu, et quel magnifique présent il nous fait là! Je deviens roi d'Angleterre et de France, de fait autant que de titre. Richard de la Pole a péri; avec lui disparaît la menace qu'il portait contre mon trône. Le roi François lui-même est fait prisonnier. La France détruite, votre neveu et moi devenons les plus grands rois d'Europe. Vous et votre famille apportez ce jour à l'Angleterre tout ce que mon père avait espéré.

Le visage de la reine irradiait la joie, ses yeux bleus étincelaient; avec les baisers du roi disparaissaient les années.

— Dieu bénisse les Espagnols et la princesse d'Espagne! rugit soudain Henri et tous les hommes de sa cour le crièrent à leur tour.

George me glissa un regard de côté.

— Que Dieu bénisse la princesse d'Espagne, murmura-t-il.

— Amen, soufflai-je, puisant alors dans mon cœur la force de sourire du bonheur de la reine tandis que sa tête reposait contre l'épaule de son époux et qu'elle souriait devant la cour qui l'acclamait.

Les quatre jours qui suivirent, nous nous enivrâmes de victoire. Depuis les tours du château, nous apercevions les feux de joie qui brûlaient jusqu'à Londres. La ville elle-même, rougie par les feux allumés à chaque coin de rue, se découpait sur le ciel de la nuit. Les cloches des églises carillonnaient sans répit pour célébrer la cuisante défaite du plus vieil ennemi de l'Angleterre. Nous mangeâmes des plats nouveaux qui reçurent des noms inédits pour célébrer l'occasion : « Paon Pavie », « Gâteau Pavie », « Délice espagnol », « Entremets

Charles ». Le cardinal Wolsey ordonna une messe spéciale à Saint Paul tandis que dans toutes les églises du pays retentissaient des remerciements pour la victoire de Charles d'Espagne, le neveu bien-aimé de la reine Catherine.

Cette dernière était redevenue la souveraine, vêtue de cramoisi et d'or, la tête haute, le sourire aux lèvres. Elle accepta toutefois son retour en grâce avec la même modération dont elle avait fait preuve lors de l'éloignement de son époux ; cela faisait partie intégrante d'un mariage royal.

Le roi tomba à nouveau amoureux d'elle en remerciement de Pavie, la plaça à l'origine de sa victoire, vit en elle la source de sa joie. Comme tout enfant gâté, Henri aimait le donateur quand il recevait un beau cadeau. Jusqu'à ce que celui-ci cesse de l'intéresser. Or, à la fin du mois de mars, les premiers signes décevants nous parvinrent de Charles d'Espagne.

Le projet de Henri avait été de diviser la France entre eux, abandonnant seulement une partie du butin au duc de Bourbon tandis qu'il se faisait sacrer roi de France. Mais Charles d'Espagne se rendit à Rome pour son propre couronnement comme Saint Empereur romain. Pis que cela, il projetait de rançonner le roi François auprès des Français avant de le replacer sur ce trône qui visait tant tant Henri.

— Par les Saintes Plaies de Dieu, pourquoi agir ainsi ? rugit Henri lorsqu'il l'apprit.

Les gentilshommes présents, pourtant amis intimes du roi, tressaillirent. Quant aux femmes, elles se tassèrent sur leur siège. Seule la reine, assise à côté du roi, demeura impassible, comme si, à quelques pouces d'elle, l'homme le plus puissant du pays ne tremblait pas d'une rage incontrôlable.

— Pourquoi ce chien d'Espagnol nous trahirait-il ainsi en relâchant François ? Est-il fou ?

Il se tourna vers la reine.

— Votre neveu cherche-t-il à me trahir, madame, comme votre père eût trahi le mien ? Un vil sang coule-t-il dans les veines de ces rois espagnols ? Que répondez-vous, madame ? Il vous écrit, n'est-ce pas ; quelle est la teneur de sa lettre ? Explique-t-il pourquoi, démence ou stupidité, il souhaite relâcher notre pire ennemi ?

Elle lança un regard au cardinal Wolsey mais, à la lumière de ces événements, ce dernier ne lui était plus guère un allié. Il demeura silencieux, répondant à son muet appel avec une sérénité toute diplomatique.

Isolée, la reine fit face à son époux.

— Mon neveu ne me confie pas tous ses projets ; je ne savais pas qu'il pensait relâcher le roi François.

— Je l'espère bien ! hurla Henri. Et j'apprends par Wolsey l'intention de Charles de revenir sur son engagement d'épouser la princesse Marie ? Votre propre fille ! Qu'avez-vous à dire de cela ?

— Je ne savais pas, répéta-t-elle.

— Excusez-moi, intervint doucement Wolsey. Mais je pense que Sa Majesté oublie l'entrevue qu'elle eut avec l'ambassadeur d'Espagne hier.

— Ma fille, rejetée ! cria Henri en se levant brusquement. Et vous saviez, madame ?

La reine se leva, comme elle le devait lorsque son époux était debout.

— En effet, acquiesça-t-elle, l'ambassadeur mentionna quelque réserve au sujet de l'engagement envers la princesse Marie. Je n'en parlai point parce que je n'y voulus croire avant de l'entendre de mon neveu lui-même, ce qui n'est pas le cas.

— Je crains qu'il n'existe aucun doute, remarqua Wolsey.

La reine tourna son regard clair vers le cardinal qui, pour la seconde fois, l'exposait à la fureur de son époux.

— Je suis navrée que telle soit votre opinion, répondit-elle.

Henri se rejeta dans sa chaise, trop encoléré pour parler. La reine demeura debout sans qu'il l'invite à s'asseoir. La dentelle qui ornait le col de sa robe se soulevait au rythme régulier de son souffle, ses doigts effleuraient à peine le rosaire qui pendait à sa taille : on ne pouvait l'accuser de manquer de dignité.

Henri se tourna vers elle avec une fureur glaciale.

— Par la faute de votre neveu, qui s'apprête à anéantir cette opportunité que Dieu nous a offerte, il va nous falloir lever d'immenses impôts, rassembler une *autre* armée, mettre en place une *autre* expédition vers la France afin de guerroyer une fois de plus, seuls et sans soutien. Tout cela parce que votre neveu, *votre neveu*, madame ! après avoir remporté une victoire assourdissante, la jette au loin comme un vulgaire galet trouvé sur la plage !

Elle demeura immobile, mais sa patience ne l'enflamma que davantage. Bondissant de sa chaise, il se précipita soudain sur elle. Je crus qu'il allait la frapper mais ce fut un doigt, non un poing, qu'il pointa vers son visage.

— Ne lui ordonnez-vous donc pas de me demeurer fidèle ?

— En effet, acquiesça-t-elle, je lui commande de se souvenir de notre alliance.

Derrière elle, le cardinal Wolsey secoua la tête.

— Vous mentez ! hurla Henri à la reine. Vous êtes davantage une princesse espagnole qu'une reine anglaise !

— Dieu m'est témoin que je suis une épouse et une Anglaise loyale, répliqua-t-elle.

Henri se détourna brusquement et traversa la pièce à grands pas, créant un émoi sur son passage tandis que la cour s'écartait en hâte et plongeait en révérences et en saluts. Les gentilshommes du roi s'inclinèrent rapidement devant la reine et suivirent l'impétueux souverain ; mais il marqua une pause devant la porte.

— Je n'oublierai pas cet instant, l'apostropha-t-il, ni cette insulte qui m'est infligée par votre neveu ni votre attitude fleurant la trahison !

Avec une lenteur sublime, elle s'abîma dans une révérence aussi profonde que royale, gardant sa position comme une danseuse jusqu'à ce que Henri, sur un ultime juron, sortît en claquant la porte. Elle se releva alors puis, l'air pensif, observa autour d'elle les visages des témoins de son humiliation, qui à présent évitaient son regard dans la crainte de s'entendre appeler pour un service quelconque.

Au dîner, la nuit suivante, je sentis les yeux du roi posés sur moi. Après le repas, lorsqu'ils eurent dégagé un espace, le souverain m'invita à danser.

Un petit frémissement d'attention parcourut les courtisans lorsqu'il me mena au centre de la pièce. « La volte ! », ordonna Henri par-dessus son épaule, et les autres danseurs, qui s'étaient apprêtés à former un ensemble et à évoluer de concert avec nous, reculèrent alors et se placèrent en cercle.

Ce fut une danse de séduction comme nulle autre. Sans détacher un instant les yeux de mon visage, Henri avança lentement vers moi, fit claquer son talon au sol et frappa dans ses mains, comme s'il avait voulu me déshabiller à cet instant, devant la cour entière. La tête levée vers lui, lui rendant son regard, j'exécutai mes pas de danse emprunts de subtilité et de légèreté en les accompagnant d'un gracieux balancement des hanches. Nous nous fîmes face, il me souleva dans les airs où il me garda un instant ; les courtisans retinrent leur souffle avant d'applaudir, puis il me reposa doucement au sol et je sentis mes joues brûler d'un mélange puissant de confiance en moi, de triomphe et de désir. Nous nous écartâmes l'un de l'autre au rythme du tambourin avant de revenir nous placer face à face. Cette fois, après m'avoir soulevée, il me fit lentement glisser le long de son corps dont je perçus les contours avec une acuité aiguë contre le mien. Nous marquâmes une pause, nos visages tout proches ; je sentis son souffle sur mes joues et il murmura d'une voix rauque :

— Ma chambre. Venez tout de suite.

Cette nuit-là et la plupart de celles qui suivirent, il me posséda avec un désir qui semblait ne jamais s'éteindre. Ma mère, mon père, mon oncle et George s'en montrèrent ravis. Les courtisans recherchèrent une fois de plus ma compagnie, les femmes dans les appartements de la reine me témoignèrent autant de déférence qu'à Sa Majesté, les ambassadeurs étrangers s'inclinèrent devant moi comme devant une princesse. Les gentilshommes du roi écrivirent des odes à l'or de mes cheveux ou à la courbe de mes lèvres, Francis Weston composa une chanson pour moi. En tout lieu, à tout moment, je trouvai des gens disposés à me servir qui, sans répit, me chuchotaient à l'oreille que s'il m'était possible de mentionner une petite chose au roi ils me seraient grandement obligés.

Je suivis le conseil de George : je refusai catégoriquement de demander quoi que ce fût au roi, même pour moi-même. Il parvint ainsi à se détendre avec moi comme avec nul autre. Derrière les portes de ses appartements privés, nous avions institué un étrange petit paradis domestique. Après le dîner public servi dans la grand-salle, nous dînions seuls en compagnie de quelques amis choisis. Thomas More entraînait Henri à la fenêtre pour lui montrer les étoiles et, parfois, je me tenais avec eux, les yeux fixés sur l'immensité noire, imaginant ces points lumineux qui éclairaient Hever et, à travers la fenêtre, le visage de mon enfant.

Je manquai mon flux en mai, puis de nouveau en juin. J'en fis part à George qui passa son bras autour de ma taille et me pressa contre lui.

— Je vais l'annoncer à père et oncle Howard, déclara-t-il. Priez Dieu qu'Il vous accorde un mâle, cette fois.

J'eusse souhaité l'apprendre moi-même à Henri, mais ils décidèrent qu'une nouvelle dont pouvaient découler tant de possibles profits pour les Boleyn se devait d'être annoncée au roi par mon père. Ce dernier demanda une audience privée ; le souverain, croyant qu'il voulait l'entretenir des longues négociations menées par Wolsey avec la France, l'invita à parler dans l'embrasure d'une fenêtre à l'abri des oreilles de la cour. Mon père, sourire aux lèvres, ne prononça qu'une seule phrase. Je vis le regard de Henri venir se poser sur moi puis entendis son gros rire ravi. Il se précipita à travers la pièce pour me prendre dans ses bras mais se reprit soudain et, au lieu de cela, me prit les mains pour les baiser.

— Mon doux cœur ! s'exclama-t-il. Quelle merveilleuse nouvelle !

— Votre Majesté, répondis-je prudemment, ne voulant donner pâture aux courtisans qui tendaient l'oreille, je suis heureuse d'être à votre service.

— Vous ne pourriez faire davantage pour mon bonheur, m'assura-t-il.

Il m'entraîna alors sur le côté ; d'un seul mouvement plein de grâce, les femmes se penchèrent en avant tout en détournant le regard, mourant d'envie d'entendre sans avoir l'air d'écouter. Mon père et George, devant le roi, s'entretinrent à voix haute du temps et de la cour qui bientôt entreprendrait son voyage d'été, couvrant ainsi nos chuchotements.

Henri me poussa vers la banquette de la fenêtre et posa doucement ses mains sur mon corps de cotte.

— N'êtes-vous point trop lacée ?

— Non, répondis-je en souriant. Il est encore tôt, Votre Majesté. Cela se voit à peine.

— Priez Dieu que ce soit un mâle cette fois-ci, ajouta-t-il.

Je lui souris avec toute la témérité des Boleyn.

— J'en suis certaine, affirmai-je. Jamais je ne l'ai cru lorsque j'attendais Catherine, mais celui-ci sera un garçon ; peut-être l'appellerons-nous Henri.

Les récompenses accordées à ma famille pour ma grossesse ne tardèrent pas. Mon père devint vicomte Rochford, George sir George Boleyn. Ma mère, dès lors vicomtesse, se vit autorisée à porter du violet. Une terre vint agrandir les états de mon époux.

— Je dois vous en remercier, je pense, m'annonça ce dernier, un soir, au dîner.

Il avait choisi de s'asseoir à mes côtés et me servait les meilleurs morceaux de viande. Levant les yeux vers la table d'honneur, j'aperçus Henri qui m'observait et lui souris.

— Je suis heureuse de vous être de quelque service, l'assurai-je poliment.

Il s'adossa à sa chaise, ses prunelles étaient sombres, des yeux d'ivrogne, emplis de regret.

— Une fois de plus, nous vivons séparés ; vous à la cour, en maîtresse, moi dans le train du roi, en moine.

— Je ne savais pas que vous aviez choisi une vie de célibat, répliquai-je avec une légèreté forcée.

Il eut la grâce de sourire.

— Je suis marié et non marié, précisa-t-il. Où trouverais-je un fils pour hériter de ces nouvelles terres, sinon auprès de mon épouse ?

Je hochai la tête. Un bref silence s'ensuivit.

— Oui, vous avez raison. Je suis désolée, chuchotai-je.

— Si vous accouchez d'une fille et que s'émoussent les intérêts du roi, l'on vous renverra à moi, poursuivit William sur le ton de la conversation. Comment vivrons-nous selon vous, tous les deux avec ces petits bâtards ?

— Je n'aime pas vous entendre parler ainsi ! répliquai-je, les yeux étincelants.

— Attention, nous sommes observés, m'avertit-il.

Mon visage s'orna aussitôt d'un sourire mondain.

— Par le roi ? m'enquis-je, prenant soin de ne pas regarder autour de moi.

— Et votre père.

Je grignotai un morceau de pain puis tournai la tête comme si notre conversation ne portait sur rien d'important.

— Je n'aime pas vous entendre parler ainsi de ma Catherine, répétai-je. Elle porte votre nom.

— Cela devrait-il me forcer à l'aimer ?

— Vous ne pourriez y faillir, si vous la voyiez, expliquai-je, sur la défensive. C'est une enfant magnifique ! J'espère me trouver auprès d'elle à Hever, cet été, quand elle apprendra à marcher.

William perdit son expression dure et renfrognée.

— Est-ce là votre plus grand souhait, Marie ? Vous, la maîtresse du roi d'Angleterre, ne souhaitez rien de plus qu'assister aux premiers pas de votre fille dans votre petit manoir ?

Je répondis d'un petit rire.

— Absurde, n'est-ce pas ?

Il secoua la tête.

— Pardonnez-moi, déclara-t-il avec douceur. J'oublie, dans ma colère à l'endroit de cette meute de loups qu'est votre famille, quels généreux profits nous tirons tous de vous tandis que, comme un morceau de pain mou becqueté par des canards, vous vous voyez grignotée de toutes parts. Votre bonheur eût été d'épouser un homme amoureux de vous, qui vous aurait donné un enfant que vous eussiez allaité vous-même.

Je souris à ce tableau.

— Ne rêvez-vous point d'un tel époux, qui vous eût aimée et préférée à tout avantage ? poursuivit-il. Parfois, lorsque l'ivresse me rend triste, je regrette de ne point être cet homme.

Je laissai le silence se prolonger jusqu'à ce que l'attention de nos voisins se posât ailleurs.

— Ce qui est fait est fait, répondis-je alors avec douceur. L'on décida de mon avenir quand, trop jeune, je n'en pouvais rien faire. Je suis certaine que vous fîtes bien, monsieur, de ne point aller à l'encontre des souhaits du roi à mon endroit.

— J'utiliserai mon influence pour obtenir qu'il consente à vous envoyer à Hever cet été, me promit William. Je puis faire cela pour vous, au moins.

Je levai la tête.

— Oh, milord, chuchotai-je alors que mes yeux se remplissaient de larmes à l'idée de voir Catherine, j'en serais tellement heureuse !

William tint parole. Il parla à mon père, mon oncle et enfin au roi. On m'autorisa alors à me rendre à Hever pour toute la durée de l'été et à retrouver ma fille pour parcourir avec elle les vergers du Kent.

George nous rendit visite par deux fois, à l'improviste, arrivant au galop dans la cour sans chapeau ni pourpoint, suscitant chez les servantes un émoi fébrile. Anne l'assaillit de questions sur les rumeurs de la cour mais il se montra silencieux et las. Plusieurs fois, au plus chaud de la journée, il monta à la petite chapelle qui jouxtait sa chambre. Là, alors que sur le plafond repeint à la chaux dansait le reflet de l'eau des douves, il s'agenouillait en silence pour prier dans le calme.

Son épouse et lui se trouvaient des plus mal assortis. Jane Parker ne l'accompagna jamais à Hever, il ne l'autorisa pas à flétrir de son goût vicié pour le scandale ces journées passées avec nous.

— C'est un abominable monstre, ainsi que je l'avais imaginé, déclara-t-il avec langueur.

Nous avions tous trois pris place sur le long banc de pierre situé au cœur du jardin d'ornements devant l'entrée principale du château. Autour de nous, haies et plantes se dressaient comme un tableau dont chaque élément se trouvait à sa place. La fontaine émettait un murmure apaisant, George avait posé sa tête bouclée sur mes genoux ; je m'adossai et fermai les yeux.

— Que voulez-vous dire par abominable ? demanda Anne.

Sans se redresser, il leva la main pour compter les péchés de son épouse.

— Un, elle est maladivement jalouse ; dès que je passe le pas de la porte, elle se tient devant comme un cerbère et m'assaille de railleries : « Si je vois cette dame vous observer encore, sir George, je saurai quoi penser de vous ! Dansez avec cette demoiselle une fois de plus, sir George, et j'aurai des mots avec elle et vous ! », l'imita-t-il d'une voix de fausset.

— Oh, commenta Anne, c'est du dernier mauvais goût.

— Deux, poursuivit-il. Elle a la main leste : si elle trouve un shilling dans ma poche dont, croit-elle, je ne m'apercevrai pas de l'absence, il disparaît. Elle fond également comme une pie sur tout colifichet au sol.

Anne se montra enchantée.

— Vraiment ? Je perdis jadis un ruban d'or et j'ai toujours pensé qu'elle l'avait pris.

— Trois, et c'est là le pire : elle me poursuit au lit comme une chienne en chaleur. J'en suis terrorisé !

Je lâchai un gloussement surpris.

— George !

— Vraiment ? demanda Anne avec mépris. J'eusse plutôt cru que vous en seriez heureux.

Il s'assit et secoua la tête.

— Vous ne comprenez pas, précisa-t-il d'un air grave. Il ne s'agit pas d'assiduités sensuelles qui n'ont rien d'offensant, elle aime... Il s'interrompit.

— Dites, George ! le suppliai-je.

Anne m'intima le silence en fronçant les sourcils.

— Chut ! C'est important. Qu'aime-t-elle, George ?

— Ce n'est pas de la luxure, dit-il d'un air embarrassé, cela ne me choque guère, ni une forme de variété – moi-même, je ne dis pas non à un peu de sauvagerie. Mais elle semble vouloir acquérir du pouvoir sur moi. Elle offrit de me fournir une servante et d'assister à nos ébats.

— Elle aime regarder ? s'enquit Anne.

Il secoua la tête.

— Non, je crois qu'elle aime surprendre, écouter aux portes, regarder par les trous de serrure. Elle veut arranger les affaires des autres pour s'octroyer le droit de s'en mêler. Lorsque je refusai...

— Que fit-elle? le pressai-je.

George rougit.

— Elle proposa de me fournir un garçon.

J'émis un petit rire scandalisé mais Anne arbora un air sérieux.

— Pourquoi penserait-elle à cela, George? demanda-t-elle doucement.

Il détourna le regard.

— À la cour vit un chanteur, expliqua-t-il brièvement, gracieux comme une fille mais avec le solide humour d'un homme. Elle nous vit rire ensemble, pas davantage, mais elle voit la concupiscence partout.

— C'est le deuxième garçon dont le nom est lié au vôtre, observa Anne. N'y eut-il pas un page renvoyé dans ses foyers l'été passé?

— Ce n'était rien, affirma George.

— Et maintenant ceci?

— Ce n'est rien non plus.

— Ce sont deux « rien » pleins de danger, répondit Anne. Se dévergonder avec les filles est une chose, mais vous pouvez être pendu pour cela.

Nous demeurâmes silencieux un moment, puis George secoua la tête.

— Ce n'est rien, répéta-t-il. De plus, ce sont mes affaires. Je suis las des femmes, de leurs incessantes paroles. Tous ces sonnets, ces badinages, ces promesses creuses. Un garçon se montre si franc, si direct...

Il se détourna.

— C'est une lubie qui passera.

Anne le fixa d'un regard rétréci par le calcul.

— Qu'elle vous passe au plus vite, c'est un péché mortel.

Il la regarda dans les yeux.

— Je sais, madame Maligne.

— Et Francis Weston? intervins-je. Vous vous trouvez toujours ensemble.

George secoua la tête avec impatience.

— Nous servons le roi et l'attendons des heures durant, me corrigea-t-il, sans autre chose à faire que narrer aux filles les derniers scandales. Comment, dès lors, ne pas me montrer malade de cette vie et de la vanité des femmes?

Automne 1525

À l'automne, lorsque je revins à la cour, une réunion de famille eut lieu. Je notai avec ironie que, cette fois, j'avais droit à un large siège orné de blason et doté d'un coussin. Cette année, j'étais une jeune femme qui portait peut-être le fils du roi dans son ventre.

Ils décidèrent qu'Anne retournerait à la cour au printemps.

— Elle a appris sa leçon, décréta mon père avec satisfaction, comme un juge. Par ailleurs, il serait bon qu'elle s'unisse.

Mon oncle hocha la tête puis ils abordèrent un sujet plus important : qu'avait donc le roi en tête ? L'arrangement utilisé pour anoblir mon père venait d'être réitéré afin de faire du petit garçon de Bessie Blount un duc ; Henri Fitzroy, à tout juste six ans, devenait duc de Richmond et Surrey, comte de Nottingham et Grand Amiral d'Angleterre.

— Cela nous indique ce qu'il a en tête, bien que ce soit absurde : il va faire de Fitzroy son héritier, déclara mon oncle.

Il marqua une pause, parcourut la table du regard et nous examina tour à tour.

— Il perd tout espoir, conclut mon oncle. Une nouvelle union représenterait le plus rapide et plus sûr moyen d'obtenir un héritier.

— Wolsey ne nous favorisera jamais, observa mon père. Il cherchera une princesse de France ou du Portugal.

— Mais si elle accouche d'un fils ? répliqua mon oncle en me désignant de la tête. La reine répudiée, le souverain trouve devant lui une fille d'aussi bonne naissance que sa propre mère[1], et grosse de ses œuvres pour la deuxième fois. En l'épousant, il se voit aussitôt pourvu d'un héritier.

---

1. Élisabeth d'York, mère de Henri VIII, de sang royal par son père, le roi Édouard IV, mais non par sa mère, Élisabeth Woodville, fille d'un simple comte. (N.d.T.)

Il y eut un silence. En les observant, je vis qu'ils hochaient tous la tête.

— Mais la reine ne renoncera jamais, dis-je simplement.

C'était toujours moi qui leur rappelais ce fait.

— Si le roi cesse d'avoir besoin de son neveu Charles, alors il cesse d'avoir besoin d'elle, rétorqua mon oncle d'un ton définitif. Le traité de Thomas More, qui causa tant de soucis à Wolsey, nous offre une solution : la paix avec la France sonne le glas de l'alliance avec l'Espagne et la fin de la reine. Elle ne devient rien de plus qu'une épouse indésirable.

Il laissa le silence succéder à ces paroles qui constituaient une trahison pure et simple. Mon oncle me regarda droit dans les yeux, je sentis le poids de sa volonté comme un pouce pressé sur mon front.

— Elle part, qu'elle le veuille ou non, et vous prendrez sa place, que vous le vouliez ou non.

Puisant au plus profond de mon âme le courage de parler, je me levai pour me placer derrière ma chaise afin de me tenir à l'épais dossier de bois.

— Non ! déclarai-je alors d'une voix qui résonna dans le silence glacial de la pièce. J'en suis incapable, mon oncle. Je ne puis prendre la place de la reine d'Angleterre, ce serait renverser l'ordre des choses.

Il m'adressa son sourire carnassier.

— Un nouvel ordre des choses est sur le point d'émerger, déclara-t-il. Des rumeurs courent sur la fin de l'autorité du pape, les cartes de France et d'Espagne sont redessinées. Nous vivons l'aube d'immenses changements.

— Et si je refuse ? demandai-je, la voie tremblante.

Oncle Howard laissa s'écouler quelques instants, me fixant de ses yeux de faucon, un sourire cynique aux lèvres.

— Vous ne refusez pas, répondit-il simplement. Le monde ne change pas à ce point, les hommes ont encore le pouvoir.

Printemps 1526

Anne, de retour à la cour, me remplaça dans mes devoirs auprès de la reine. J'étais très fatiguée par une grossesse qui se révélait difficile – les sages-femmes juraient que le petit mâle que je portais s'appropriait mes forces. Lorsque j'étais allongée, le bébé pesait sur mon dos, mes pieds étaient alors pris de crampes. La nuit, quand je pleurais de douleur, Anne s'éveillait et, à l'aveuglette, rampait sous les couvertures pour masser mes orteils contractés.

— Pour l'amour de Dieu, dormez ! s'écria-t-elle un soir avec colère. Pourquoi remuez-vous ainsi sans cesse ?

— Parce que je ne parviens pas à trouver le confort, rétorquai-je. Si vous vous souciiez davantage de moi et moins de vous-même, vous me proposeriez un coussin pour mon dos au lieu de demeurer allongée là comme un gros polochon.

Elle gloussa puis essaya de percer les ténèbres pour voir mon visage.

— Souffrez-vous véritablement ?

— Oui, chacun des os de mon corps est douloureux !

Elle soupira, sortit du lit puis s'empara d'une chandelle pour l'allumer au feu qui luisait doucement.

— Vous êtes aussi livide qu'un fantôme, s'écria-t-elle avec entrain, approchant la flamme de mon visage. Vous semblez avoir l'âge de notre mère.

— Je souffre, dis-je d'une voix ferme.

— Voulez-vous une bière chaude, un autre coussin, et faire pipi, comme d'habitude ?

— Oui. Si vous aviez jamais porté un enfant, Anne, vous comprendriez ce que je ressens ; je vous l'affirme, cela n'a rien de plaisant.

— Il n'est besoin que de vous observer pour s'en assurer, railla-t-elle. Comment garderons-nous le roi, si vous demeurez ainsi ?

— Je n'ai rien à faire, il ne regarde que mon ventre, répondis-je avec irritation.

154

Anne plongea le tisonnier dans les braises et plaça le pot de bière près du foyer.

— Vous lutine-t-il, quand vous vous rendez dans sa chambre après dîner? s'enquit-elle avec intérêt.

— Pas une seule fois ce mois écoulé. La sage-femme me le déconseille.

— Bel avis pour la maîtresse du roi! grommela Anne, penchée sur le feu. L'avez-vous rapporté au souverain?

Elle retira le tisonnier brûlant du feu et le plongea dans le pot de bière qui siffla et cracha.

— Le bébé est plus important que tout, répondis-je.

Anne secoua la tête et versa la bière dans les gobelets.

— C'est *nous* qui comptons le plus, me corrigea-t-elle; aucune femme au monde n'a jamais gardé un homme simplement en lui donnant des enfants. Vous ne pouvez cesser de lui donner du plaisir, Marie.

— Je ne peux pas tout faire, gémis-je.

Elle me remit ma coupe, je bus une gorgée avant de reprendre:

— Anne, je souhaite seulement me reposer. Je vis au sein d'une cour royale depuis l'âge de quatre ans; je suis lasse de danser, de festoyer et de devoir, lors de bals masqués, me montrer stupéfaite que celui qui ressemble au roi déguisé s'avère être le roi déguisé. Si je le pouvais, je retournerais à Hever demain.

Anne grimpa auprès de moi dans le lit, tasse en main.

— Mais ce n'est pas le cas, me réprimanda-t-elle d'une voix ferme. Vous avez à présent toutes les cartes en main. Une fois la reine répudiée, votre ascension sera sans limites.

Je la dévisageai par-dessus le rebord de ma tasse et déclarai doucement:

— Je n'y ai pas le cœur.

Elle me regarda droit dans les yeux et répondit:

— Peut-être, mais vous n'êtes pas libre de choisir.

L'hiver glacial rendit les choses plus pénibles encore. Enfermée à l'intérieur de ma chambre, le corps transpercé d'élancements douloureux, je me mis à craindre l'accouchement. J'avais porté mon premier enfant avec une ignorance heureuse mais, à présent, je savais ce qui m'attendait: un mois de claustration suivi d'un effrayant calvaire.

— Souriez! m'ordonna Anne quand le roi visita mes appartements.

J'essayai d'obtempérer mais la douleur dans mon dos me terrassa et je m'effondrai sur ma chaise.

— Tenez-vous droite, espèce de garce paresseuse ! siffla Anne entre ses dents.

Henri nous dévisagea l'une après l'autre.

— Vous semblez fort lasse, lady Carey, déclara-t-il.

Anne le dévisagea, le visage lumineux.

— Elle porte un lourd fardeau, répondit-elle avec un sourire. Qui le saurait mieux que Votre Majesté ?

— Peut-être, admit-il, l'air surpris. Vous vous avancez fort, mademoiselle.

— Toute femme se ferait une joie d'avancer à l'entour de Votre Majesté, répliqua-t-elle sans ciller, à moins qu'elle n'ait une bonne raison de s'enfuir en hâte.

Il se montra intrigué.

— Vous enfuiriez-vous donc, mademoiselle Anne ?

— Jamais trop vite, biaisa-t-elle.

Il éclata de rire et les femmes, Jane Parker parmi elles, glissèrent un œil de notre côté, cherchant à deviner ce que j'avais dit d'amusant. Il me caressa le genou.

— Je suis heureux du retour de votre sœur à la cour, déclara-t-il, elle nous gardera de bonne humeur.

— De très bonne humeur, acquiesçai-je avec autant de douceur possible.

Je ne dis rien à Anne tant que nous ne nous retrouvâmes pas seules, dans notre chambre. Elle délaça mon corps de cotte et je poussai un soupir de soulagement lorsque mon ventre cessa de se trouver comprimé. Redressant le dos pour essayer d'apaiser la douleur qui m'irradiait les reins, j'attaquai avec aigreur :

— Que croyez-vous faire avec le roi ? Vous enfuir, peut-être ?

— Ouvrez les yeux, répliqua-t-elle d'une voix tendue.

Elle m'aida à quitter ma jupe puis à passer ma robe de nuit. Ma nouvelle chambrière versa de l'eau froide dans une bassine ; sous l'œil critique d'Anne, je me lavai entièrement.

— Je fais ce que l'on m'ordonne, reprit alors ma sœur, je pensais que vous vous en apercevriez aussitôt.

J'entendis la note d'avertissement contenue dans sa voix.

— Qui vous ordonne quoi ?

— Oncle Howard et père me commandent de faire en sorte que le roi ne cesse de penser à vous, de l'empêcher de vous oublier.

Je hochai la tête.

— Bien entendu.

— Et, si j'y faillis, de l'engager moi-même en badinage, ajouta-t-elle.

Je me redressai aussitôt.

— Oncle Howard vous enjoint de badiner avec le roi?

Anne acquiesça.

— Quand vous l'a-t-il demandé? Où cela?

— Il est venu à Hever.

— Il s'est rendu à Hever en pleine saison froide pour vous demander cela?

Elle hocha la tête, sérieuse.

— Dieu bon! Ne sait-il donc pas que vous, qui badinez comme je respire, le feriez de toute façon?

Anne rit malgré elle.

— Il semble que non. Ses instructions sont, pour vous et moi, de nous assurer que le roi, durant votre confinement et après la naissance, ne trouve en aucun cas diversion dans les jupons d'une Seymour.

— Et comment y veillerais-je, enfermée dans la chambre de confinement la moitié du temps?

— Voilà pourquoi j'en suis chargée.

Je réfléchis un instant puis me remémorai l'appréhension qui avait habité toute mon enfance.

— S'il vous préférait à moi?

Le sourire qu'Anne m'adressa était doux comme un poison.

— Quelle importance, tant qu'il s'agit d'une Boleyn?

— Oncle Howard n'a-t-il aucune considération pour moi? Il demande à ma sœur de flirter avec le père de mon enfant, tandis que je suis dans mon lit d'accouchée.

Anne hocha la tête.

— C'est exact, il n'a absolument aucune considération pour vous.

— Je n'ai pas espéré votre retour à la cour pour que vous deveniez ma rivale, protestai-je d'un ton amer.

— Je suis née pour être votre rivale, répliqua-t-elle posément, et vous, la mienne. Nous sommes sœurs, n'est-ce pas?

Elle se montra magnifique. Elle joua si bien aux cartes avec le roi qu'elle perdit toujours de quelques points et chanta ses chansons, les préférant à celles écrites par tout autre homme. Elle encouragea sir Thomas Wyatt et une demi-douzaine d'autres gentilhommes à toujours l'entourer afin que le roi la vît comme la plus attirante des jeunes femmes de la cour. Partout où se rendait Anne, une vague de rires, de bavardages et de musique l'accompagnait. En ces longs mois d'hiver, alors que le devoir impératif des courtisans consistait à divertir le roi, Anne seule parvenait à fasciner, charmer, défier tout le jour en donnant l'impression d'être seulement elle-même.

Henri, assis entre Anne et moi, aimait se nommer une épine prise entre deux roses, un coquelicot entre deux épis de blé. Il demeurait à mes côtés tout en ne la quittant pas des yeux. Il l'observait quand elle prenait les meilleurs morceaux de viande de son assiette pour les déposer dans la mienne. Elle n'aurait pu se montrer plus fraternelle, tendre, douce et attentionnée à mon égard.

— Vous faites preuve de la pire bassesse ! grondai-je un soir qu'elle tressait sa chevelure en une épaisse corde noire.

— Je sais, acquiesça-t-elle en observant son reflet avec complaisance.

Quelqu'un frappa à la porte. George passa sa tête par l'entrebâillement.

— Puis-je entrer ?

— Oui, répondit Anne. Refermez la porte, la tempête souffle dans le couloir !

George obéit puis agita un pichet de vin devant nous.

— Qui souhaite partager un verre avec moi ? Madame Fruit mûr ? Mademoiselle Printemps ?

— Je vous croyais aux étuves en compagnie de sir Thomas, remarqua Anne.

— Le roi a requis ma présence, répondit George. Il voulait me poser des questions sur vous.

— Moi ? demanda Anne, soudain en alerte.

— Il voulait savoir quelle serait votre réponse à une invitation.

Sans m'en rendre compte, je froissai la soie rouge du lit dans mes poings serrés.

— Quelle sorte d'invitation ?

— À partager son lit.

— Que répondîtes-vous ? l'exhorta Anne.

— Ce que l'on m'a sommé de dire : vous êtes fille, et la fleur de la famille. Vous ne partagerez aucune couche avant votre mariage, quelle que soit la personne qui le demande.

— Quelle fut sa réaction ?

— « Oh ! ».

— C'est tout ? Il a seulement dit « oh » ? le pressai-je.

— Oui, affirma George, puis il a suivi le bateau de sir Thomas sur la rivière, pour rendre visite aux putains. Je crois que vous l'avez pris au piège, Anne.

Elle releva bien haut sa robe de nuit pour monter dans le lit. George la regarda nue d'un œil de connaisseur.

— Très joli.

— En effet, dit-elle avec délectation.

À la mi-janvier, j'entrai en confinement. Cloîtrée dans les ténèbres et le silence, j'entendis parler d'une joute au cours de laquelle Henri porta un gage sous son armure, gage que je ne lui avais point accordé. Sur son bouclier, il afficha la devise « Me déclarer, je n'ose ! », ce qui intrigua la moitié de la cour qui y vit un compliment envers moi. Étrange compliment, en vérité, que je ne pouvais lire, enfermée dans l'ombre d'une chambre occupée par un essaim de vieilles femmes.

D'autres en déduisirent que mon étoile était en pleine ascension : « Me déclarer, je n'ose ! », signifiait son intention d'annoncer la naissance d'un fils et héritier. Quelques-uns seulement pensèrent à relier le roi à ma sœur, assise aux côtés de la reine, qui fixait les cavaliers de ses yeux noirs, un fin sourire aux lèvres.

Elle me rendit visite ce soir-là, et se plaignit de la gravité enténébrée qui régnait dans la chambre.

— Si j'insistais pour que la fenêtre soit ouverte et que je perde l'enfant, que me dirait notre mère selon vous ? répliquai-je. La colère du roi semblerait douce par comparaison.

Anne hocha la tête.

— Vous ne pouvez vous permettre la moindre erreur.

— En effet, répondis-je. Être la maîtresse du roi n'apporte pas que des plaisirs.

— Il me veut, il est sur le point de me l'avouer.

— Vous devrez reculer si j'accouche d'un mâle, l'avertis-je.

— Je le sais. Mais, si vous lui donnez une fille, ils m'ordonneront certainement de m'engager plus avant.

Je m'adossai aux coussins, trop lasse pour discuter.

— Avancez ou reculez, je n'en ai cure.

Elle considéra mon énorme ventre avec une curiosité dénuée de sympathie.

— Comme vous êtes grosse ! Il aurait dû baptiser une péniche de votre nom, pas un vaisseau de guerre.

Je levai les yeux vers son beau visage dégagé par sa coiffe exquise.

— Lorsqu'ils baptiseront les serpents, vous en serez la première marraine, lui lançai-je. Partez à présent, Anne, je suis trop lasse pour me quereller avec vous.

Elle se leva aussitôt. Arrivée à la porte, elle marqua une pause et se retourna.

— S'il me désire à votre place, il vous faudra m'aider, comme je l'ai fait pour vous, m'avertit-elle.

Je fermai les yeux de fatigue.

— S'il vous désire, avec l'aide de Dieu, j'emporterai mon enfant et me rendrai à Hever. Vous pourrez alors conquérir le roi avec ma bénédiction. Mais je ne crois pas qu'il soit homme à offrir beaucoup de joie à sa maîtresse.

— Oh, je ne serai pas sa maîtresse ni une catin, comme vous, me contredit-elle avec dédain.

— Il ne vous épousera jamais, prédis-je, et même si tel était le cas, vous devriez y réfléchir à deux fois. Observez la reine ; croyez-vous qu'une union avec Henri soit de nature à vous procurer de la joie ?

Anne ouvrit la porte en silence. Elle se retourna une dernière fois sur le seuil et remarqua :

— On n'épouse pas un roi pour en retirer de la joie.

Un autre visiteur vint me voir un matin de février, tandis que je déjeunai de pain, de jambon et de bière : mon époux.

— Je ne voudrais vous déranger pendant votre collation, commença-t-il poliment, s'attardant sur le pas de la porte.

Je fis signe à ma servante de débarrasser. Je ne me sentais pas à mon avantage, grosse et lourde.

— Je suis venu vous apporter les bons vœux du roi, qui – il me mande de vous l'apprendre – m'a confié quelque gouvernorat. Je vous suis redevable une fois de plus, madame.

— J'en suis fort heureuse.

— Je déduis de cette soudaine générosité qu'il me faudra donner mon nom à cet enfant ?

Mal à l'aise, je remuai dans le lit.

— Il ne m'a pas fait part de ses désirs ; je supposais…

— Encore un Carey ! Quelle famille nous engendrons !

— Oui.

Il s'empara de ma main pour la baiser, comme s'il se repentait soudain de se gausser de moi.

— Vous êtes pâle et vous avez l'air lasse. Ce n'est point si aisé, cette fois ?

Je sentis les larmes me piquer les yeux devant cette gentillesse inattendue.

— Non, en effet.

— Avez-vous peur ?

Je posai la main sur mon ventre gonflé.

— Un peu.

— Vous bénéficierez des meilleures sages-femmes du royaume, me rappela-t-il.

Je hochai la tête, sans lui avouer que, lors de ma première délivrance, elles avaient passé trois nuits consécutives autour de mon lit à raconter d'horribles histoires de mort de bébés.

William se tourna vers la porte.

— J'assurerai à Sa Majesté que vous êtes belle et allègre.

Je souris d'un sourire sombre.

— Je vous en remercie, et transmettez-lui mes plus obéissants devoirs.

— Il est très engagé auprès de votre sœur, remarqua William.

— C'est une femme très engageante.

— Ne craignez-vous point qu'elle prenne votre place ?

J'indiquai du geste la chambre sombre, les lourds rideaux autour du lit, le feu brûlant et mon propre corps déformé.

— Chacune est libre de venir prendre ma place ce matin avec ma bénédiction, mon époux.

Il rit, me salua d'un large geste de son chapeau avant de sortir. Je demeurai allongée en silence, observant les courtines du lit qui remuaient lentement dans l'air immobile. Mon bébé n'était pas attendu avant le milieu du mois : cela me semblait une éternité.

Dieu merci, il arriva tôt et ce fut un mâle. Mon robuste petit garçon naquit le quatrième jour du mois de février, incontestablement engendré par le roi : les Boleyn avaient tous les atouts en main.

Été 1526

Tous les atouts sauf un : moi.

— Que diable avez-vous donc ? s'impatienta ma mère un matin. Vous avez accouché il y a trois mois et vous êtes livide, comme souffrant de la peste !

— Je ne cesse de saigner ; j'ai peur d'en mourir, soufflai-je en cherchant sur son visage une once de compassion.

— Que disent les sages-femmes ?

— Elles affirment que cela s'arrêtera avec le temps.

Elle émit un claquement de langue irrité.

— Vous êtes si grosse, Marie, si… fade !

Je levai la tête vers elle et sentis mes yeux s'embuer de larmes.

— Je sais, acquiesçai-je humblement. Je me sens fade.

— Vous donnâtes un fils au roi, reprit ma mère et, sous son ton faussement encourageant, je sentais poindre l'irritation. Votre situation est des plus enviables, toute autre femme rirait déjà de ses plaisanteries et l'accompagnerait à cheval.

— Où est mon fils ? l'interrompis-je d'une voix ferme.

Elle hésita un instant, visiblement perplexe.

— Vous le savez : à Windsor.

— Je ne l'ai pas vu depuis mon acte de purification, il y a deux mois.

— Bien entendu, répondit-elle, étonnée ; nous avons pris des dispositions afin qu'il soit pris en charge.

— Par d'autres femmes.

— Mais en quoi cela a-t-il de l'importance ? s'impatienta ma mère ; il est bien soigné, se nomme Henri comme le roi – elle ne parvint à cacher l'exultation contenue dans sa voix – et possède l'avenir devant lui !

— Il me manque.

Un instant, j'eus le sentiment de m'être exprimée dans une langue qui n'existait pas.

— Est-ce la raison de votre humeur sombre ?

— Je ne suis pas sombre, je suis triste, expliquai-je. Mes enfants me manquent. Je n'ai d'autre envie que de pleurer sans fin. N'avez-vous point connu ce sentiment ? Encore bébés, nous vous fûmes retirées puis envoyées en France, n'avez-vous ressenti aucune tristesse qu'une autre nous apprenne à lire, à écrire, à marcher ou à monter nos poneys ?

— Non, répondit-elle simplement. Quel meilleur endroit existait-il pour votre éducation que la cour de France ? J'eusse été une bien pauvre mère si je vous avais gardées avec moi.

Je détournai le visage, les joues trempées de larmes.

— Revoir vos enfants vous rendrait-il le sourire ? s'enquit ma mère.

— Oui ! soufflai-je.

— Soit. J'en informerai votre oncle, conclut-elle avec réticence. Mais votre joie devra être visible, Marie : il vous faudra sourire, rire, danser avec insouciance, être un plaisir des yeux. Séduisez à nouveau le roi et gardez-le.

— S'est-il donc égaré si loin ? demandai-je, acerbe.

Sans une once de honte, elle répondit :

— Dieu merci, Anne l'a attrapé dans ses filets et le mène à son gré, comme on taquinerait le chien de la reine.

— Pourquoi ne pas l'utiliser, elle, au lieu de prendre toute cette peine avec moi ? jetai-je avec hargne.

La rapidité de sa réponse m'avertit que cela avait été décidé en réunion de famille.

— Parce que vous avez le fils du roi, qui possède les mêmes chances que le bâtard de Bessie Blount, fait duc de Richmond. Nous cherchons à ce qu'il vous épouse, une fois votre union annulée et la reine répudiée. Anne n'était que notre leurre pendant votre confinement.

Elle se tut pour que je laisse éclater ma joie. Me voyant muette, elle reprit, un peu plus sèchement :

— Levez-vous à présent, faites venir votre chambrière pour vous brosser les cheveux et vous lacer bien serré.

— Je me rendrai au dîner, l'informai-je d'un air sombre. Je prendrai place à côté du roi, rirai de ses plaisanteries, lui demanderai de chanter pour nous. Mais je ne serai pas heureuse, ma mère. Me comprendrez-vous jamais ? J'ai perdu ma joie.

Elle me fixa d'un regard aussi dur que déterminé.

— Souriez ! m'ordonna-t-elle.

Je relevai les lèvres, sentis mes yeux se remplir de larmes.

163

— Cela ira, opina-t-elle. Demeurez ainsi et je m'arrangerai pour que vous puissiez voir vos enfants.

Mon oncle me rendit visite après le dîner. Il observa avec plaisir la richesse de mes nouveaux appartements. Depuis ma délivrance, je jouissais d'une salle de réception aussi grande que celle de la reine, où j'étais entourée de quatre dames d'atour. Je comptais deux chambrières personnelles ainsi qu'un page. Le roi m'avait promis un musicien. Derrière mon cabinet de réception se trouvait ma chambre à coucher que je partageais avec Anne, puis une petite pièce privée où je pouvais me retirer. La plupart du temps, j'y pleurais en toute tranquillité.

— Il prend bien soin de vous.

— Oui, oncle Howard, acquiesçai-je poliment.

— Votre mère me dit que vous vous languissez de vos enfants.

Je me mordis les lèvres pour empêcher les larmes de me venir aux yeux.

— Mais pourquoi diable arborez-vous cet air-là ?

— Pour rien, chuchotai-je.

— Souriez, alors !

Je lui offris le même visage de gargouille qui avait satisfait ma mère ; il me dévisagea avec rudesse puis hocha la tête.

— Ne vous croyez pas autorisée à la paresse parce que vous avez engendré ce mâle. Il ne nous est d'aucune utilité tant que vous n'aurez pas franchi l'étape suivante.

— Je ne peux forcer le roi à m'épouser, il est encore uni à la reine, objectai-je tranquillement.

Il claqua des doigts avec impatience.

— Sang du Christ ! Son union n'a jamais eu aussi peu d'importance. Il est sur le point d'entrer en guerre contre le neveu de Catherine, ayant signé alliance auprès de la France, du pape et de Venise contre l'empereur espagnol. Ne savez-vous donc rien ?

Je secouai la tête.

— Suivez l'exemple d'Anne. Elle sait ces choses ! poursuivit-il sèchement. La nouvelle alliance combattra Charles d'Espagne ; Henri la rejoindra s'ils se mettent à gagner. La reine, tante de l'ennemi de l'Europe entière, ne possède plus aucune influence sur lui.

— Pavie n'est pas si loin, lorsqu'elle représentait le sauveur du pays, remarquai-je, incrédule.

— Oublié ! affirma-t-il. Revenons à vous, à présent. Votre mère dit que vous êtes souffrante ?

J'hésitai, incapable de me confier à mon oncle.

— Non.

— Alors soyez dans le lit du roi à la fin de cette semaine, Marie, ou vous ne reverrez jamais vos enfants. Me suis-je fait comprendre ?

J'eus un petit hoquet devant la cruauté de ce marchandage.

— Vous ne pouvez m'interdire de voir mes enfants, chuchotai-je. J'ai la faveur du roi.

Sa main s'abattit sur la table avec un bruit de tonnerre.

— Non, justement, vous ne l'avez pas ! Aussi, ne comptez point sur la mienne ! Retournez dans son lit et vous pourrez faire ce qu'il vous plaira. Mais, hors de son lit, vous n'êtes qu'une catin sans importance !

Un silence de mort s'abattit sur la pièce.

— Je comprends, répondis-je avec raideur.

Il s'éloigna de la cheminée et tira sur son pourpoint.

— Bien. Vous me remercierez le jour de votre couronnement.

— Oui, acquiesçai-je avant de sentir mes genoux se dérober. Puis-je m'asseoir ?

— Non, refusa-t-il froidement, apprenez à vous tenir debout.

Cette nuit-là, on dansa dans les appartements de la reine. Le roi avait amené ses musiciens, il était évident pour chacun qu'il se trouvait là afin d'admirer les dames d'atour de son épouse. Anne portait une nouvelle robe bleu foncé et une coiffe assortie. Elle arborait au cou son habituel collier de perles où scintillait le « B » d'or, comme si elle avait voulu afficher son statut de femme célibataire.

— Dansez, m'ordonna George à l'oreille.

— Je n'ose pas, chuchotai-je en retour. Je saigne et pourrais m'évanouir.

— Il le faut, Marie, sinon vous êtes perdue, je vous l'assure.

Il me tendit la main.

— Tenez-moi bien, alors, capitulai-je, et, si je commence à tomber, rattrapez-moi.

Nous rejoignîmes le cercle des danseurs. Anne balaya d'un rapide regard mon visage livide et mesura la poigne de George sous mon coude. Elle sembla sur le point de me refuser sa place ; je savais qu'elle eût été heureuse de me voir m'effondrer. Mais elle croisa le regard de notre oncle et celui, exigeant, de notre mère et m'abandonna son rang au milieu des danseurs. George et moi avançâmes alors en cadence jusqu'au bout de la ligne, vers le roi ; je levai les yeux et souris à Sa Majesté.

Lorsque la danse prit fin, nous enchaînâmes avec une autre puis le roi vint à nous et dit à George :

— Je prendrai votre place et danserai avec votre sœur, si elle n'est point trop lasse.

— Elle en sera honorée.

J'affichai un sourire radieux.

— Avec Votre Majesté comme partenaire, je danserais jusqu'au bout de la nuit !

George s'inclina et recula d'un pas. Le roi me prit la main et m'entraîna à sa suite. Les pas de danse nous menaient tantôt face à face, tantôt loin l'un de l'autre. Pas un instant, le roi ne me quitta des yeux.

Mon corps de cotte comprimait mon ventre douloureux qui me semblait rempli de fiel. La sueur coulait entre mes seins étroitement bandés, mais je continuai d'afficher mon sourire dénué de joie, espérant, si je parvenais à attirer Henri à l'écart, le persuader de me laisser partir à Hever auprès de mes enfants lorsqu'il s'en irait chasser cet été. Je lançai au père de mes enfants, qui me dévisageait de l'autre côté du cercle de danseurs, un regard plein de désir et de passion, un regard qui parlait de la hâte que j'éprouvais à vouloir partager sa couche pour son propre plaisir et non pour ce qu'il pouvait faire pour moi et les miens.

Anne supervisa ma toilette ce soir-là avec une efficacité pleine de rancune qui la poussa à me fouetter d'un linge trempé en pestant contre l'eau tachée de sang.

— Seigneur, vous me dégoûtez ! s'écria-t-elle, comment supportera-t-il cela ?

Je m'enveloppai dans un drap et entrepris en hâte de brosser ma chevelure, priant qu'elle ne fonde sur moi avec le peigne à poux pour m'arracher les cheveux du crâne en prétextant veiller à ma propreté.

— Peut-être ne me fera-t-il pas appeler, avançai-je avec espoir.

Lasse d'avoir dansé puis de m'être tenue patiemment debout tandis que Henri prenait officiellement congé de la reine, je rêvais de m'effondrer sur le lit.

On frappa d'une façon particulière ; George passa la tête par la porte entrebâillée.

— Bien, approuva-t-il en me voyant lavée et à demi nue, il vous attend, mettez une robe et suivez-moi.

— Il montre bien du courage, rétorqua Anne avec rancœur. Du lait s'écoule de ses seins, elle saigne toujours et elle éclate en sanglots à la moindre réflexion.

— Dieu vous bénisse pour votre douceur, *Annamaria*! gloussa George. Je gage que, chaque jour, Marie s'éveille en remerciant le Seigneur d'avoir une sœur telle que vous pour la réconforter.

Anne eut la grâce de paraître embarrassée.

— Je vous apporte quelque chose contre le saignement, m'annonça George en tirant un petit morceau d'ouate de son pourpoint.

Je l'envisageai avec suspicion.

— Qu'est-ce ?

— Une des putains m'en a parlé ; vous l'enfoncez dans votre intimité pour arrêter le saignement quelque temps.

— Cela n'empêchera-t-il point les choses de se faire ? demandai-je avec une grimace.

— Elle dit que non. Faites-le, Marie ; vous devez partager sa couche ce soir.

— Regardez ailleurs, ordonnai-je.

George se tourna vers la fenêtre. J'allai au lit où je tâchai de m'exécuter d'une main inexperte.

— Laissez-moi faire ! intervint Anne d'un ton rogue. Dieu sait que je fais déjà tout le reste pour vous.

Sans ménagement, elle poussa loin en moi la boule de coton, je laissai échapper un cri rauque de douleur et George se tourna à demi.

— Pas besoin d'assassiner la petite, remarqua-t-il doucement.

— Il faut qu'elle soit bouchée, n'est-ce pas ? demanda Anne, exaspérée.

George m'offrit la main ; je trébuchai au pied du lit, grimaçant de souffrance.

— S'il vous fallait quitter la cour, Anne, vous pourriez vous établir comme sorcière, déclara George d'un ton plaisant. Vous en possédez déjà toute la délicatesse.

Elle se renfrogna.

— Ah ! s'exclama-t-il soudain, je comprends pourquoi vous vous montrez si acerbe ! Il vous fut enjoint de laisser la place à Marie ; elle montera sur le trône et vous demeurerez dame d'atour de la vieille reine.

— Je compte dix-neuf ans, déclara-t-elle avec amertume, la jalousie déformant son visage. La moitié de la cour me trouve la plus belle femme du monde, la plus intelligente, la plus élégante. Le roi me dévore des yeux, sir Thomas Wyatt a quitté l'Angleterre pour m'oublier. Mais ma sœur, d'un an plus jeune que moi, est déjà unie et possède deux enfants du roi lui-même ! Qui sera mon époux ?

Un petit silence s'ensuivit. George caressa la joue écarlate d'Anne.

— Oh, *Annamaria*, dit-il avec tendresse, vous êtes une petite chose parfaite, nul roi de France ou empereur d'Espagne ne serait digne de vous. Soyez patiente. Établissons Marie là où elle pourra vous être utile, puis nous chercherons un parti digne de vous, plutôt que de vous laisser vous jeter au cou d'un petit duc dérisoire.

Elle laissa échapper un gloussement involontaire ; George inclina la tête et effleura sa joue d'un baiser.

— Nous vous adorons telle que vous êtes, l'assura-t-il. Restez ainsi, pour l'amour de Dieu… Si jamais quiconque apprenait ce à quoi vous ressemblez véritablement en privé, ce serait notre fin à tous.

Elle recula et fit mine de le frapper mais il évita le coup en riant, puis claqua des doigts dans ma direction.

— Allons, petite reine à venir, êtes-vous prête ?

Il se tourna vers Anne.

— Vous ne l'avez pas trop remplie comme la cale d'un navire ? Il pourra y enfoncer sa verge ?

— Bien sûr, rétorqua-t-elle, irritée. Mais je pense que cela fera un mal du diable.

— Eh bien, nous ne nous préoccuperons point de cela, n'est-ce pas ? demanda George gaiement en me prenant le bras. Après tout, ce n'est pas une femelle que nous envoyons dans son lit mais notre billet pour la fortune. Mettez-vous à l'œuvre, nous comptons sur vous !

Il poursuivit ses bavardages dans les escaliers plongés dans l'ombre qui menaient aux appartements du roi. Lorsque nous y pénétrâmes, nous y vîmes le cardinal Wolsey assis auprès de Henri. George m'attira vers la banquette d'une fenêtre et m'apporta un verre de vin tandis que nous attendions que le roi et son plus fidèle conseiller eussent achevé leur conversation.

— Il compte probablement les restes des cuisines, me glissa George d'un ton malicieux.

Je souris. Les tentatives du cardinal de diminuer le gaspillage lié aux extravagances de la cour représentaient une source continuelle d'amusement pour les courtisans qui en tiraient confort et profits, ma famille parmi ceux-ci.

Derrière nous, Wolsey s'inclina et fit signe à son page de rassembler ses papiers. George me poussa vers la chaise laissée vacante près du feu.

— Je vous souhaite la bonne nuit, Votre Majesté, madame, monsieur, nous salua Son Éminence avant de quitter la pièce.

— Partagerez-vous avec nous un verre de vin, George ? s'enquit le roi.

— Je remercie Votre Majesté, répondit George qui remplit trois coupes. Vous travaillez tard, Sire ?

Henri agita une main indifférente.

— Vous connaissez le cardinal : insatiable en ses labeurs.

— Mortellement ennuyeux, suggéra George avec impertinence.

Le roi gloussa de façon peu loyale.

— Mortellement ennuyeux, acquiesça-t-il.

Le roi renvoya George à onze heures ; à minuit, nous nous glissâmes dans le lit. Henri me caressa avec douceur, louant l'aspect charnu de mes seins et la rondeur de mon ventre. J'emmagasinai ses paroles, décidée à les transmettre à ma mère lorsqu'elle me reprocherait d'être grosse et ennuyeuse. Mais je n'en éprouvai nulle joie. En me retirant mon enfant, ils m'avaient privée d'une partie de moi-même. Comment aimer cet homme à qui il m'était interdit de montrer ma tristesse, le père de mes enfants qui ne leur accorderait d'intérêt que lorsqu'ils atteindraient l'âge de peser dans des négociations d'héritages ? Alors qu'il s'allongeait sur moi et bougeait à l'intérieur de moi, je me sentis aussi seule que ce navire qui portait mon nom, abandonné au milieu de l'océan.

Henri s'assoupit aussitôt, la respiration bruyante, à demi étalé sur moi, son haleine acide sur mon visage. Dérangée par son poids et son odeur, je me tins cependant immobile. J'étais une Boleyn, pas une garce des cuisines incapable de supporter un moment d'inconfort. Je songeai à la lune qui brillait sur les douves de Hever, souhaitant désespérément me trouver dans ma petite chambre. Je pris soin de ne pas penser à mes enfants : je ne pouvais risquer de pleurer dans le lit du roi, il me fallait être prête à lui sourire dès son éveil.

À ma grande surprise, il ouvrit les yeux au mitan de la nuit.

— Allumez une chandelle, je ne puis dormir, ordonna-t-il.

Je me levai du lit, percluse de douleurs après être demeurée sans bouger sous le poids de son corps. Je ravivai les flammes de l'âtre pour y pencher la bougie. Henri s'assit en couvrant ses épaules nues de la courtepointe. J'enfilai ma robe, pris place auprès du feu et attendis de savoir quel était son plaisir.

Je notai avec anxiété qu'il avait l'air irrité.

— Que se passe-t-il, Majesté ?

— Pourquoi, selon vous, la reine n'est-elle parvenue à me donner un fils ?

Surprise par le tour qu'avaient suivi ses pensées, je manquai de présence d'esprit.

— Je ne sais pas. Je suis navrée, Sire. Il est trop tard pour elle maintenant.

— Je sais cela ! rétorqua-t-il avec impatience. Mais avant ? Lorsque je l'ai épousée, j'étais un jeune homme de dix-huit ans et elle comptait vingt-trois années. Elle était magnifique et j'étais le plus beau prince d'Europe.

— Vous l'êtes toujours, l'assurai-je aussitôt.

Il m'offrit un sourire complaisant.

— Pas François ?

J'écartai d'un geste la pensée du roi de France.

— Il n'est rien, comparé à vous.

— Je ne manquai nullement de virilité, reprit-il, chacun le sait ; elle conçut aussitôt. Savez-vous combien de temps après le mariage elle sentit le bébé bouger ?

Je secouai la tête.

— Quatre mois ! déclara-t-il. Je l'avais engrossée le premier mois ! J'attendis, muette.

— Une fille seulement. Mort-née en janvier, jeta-t-il, laconique.

Je détournai le regard de son visage mécontent vers les flammes du feu.

— Elle conçut de nouveau, continua-t-il, et accoucha cette fois d'un mâle : le prince Henri. Nous le baptisâmes et organisâmes un tournoi en son honneur. Jamais je ne fus aussi heureux. J'avais un fils, nommé après moi et mon père, un héritier né le premier janvier. En mars, il était mort.

J'attendis, glacée à l'idée que mon Henri, qui m'avait été enlevé, pût lui aussi périr. Le roi, plongé dans le passé, poursuivit sa macabre énumération :

— Lorsque je partis guerroyer contre les Français, elle était encore grosse. Mais elle le perdit en octobre, ce qui atténua le scintillement

170

de ma victoire et diminua son éclat, à elle. Deux ans après cela, au printemps, elle enfanta un autre mâle mort-né. Pas de prince Henri. Aucun ne vécut jamais.

— Vous eûtes la princesse Marie, lui rappelai-je dans un souffle.

— Elle vint ensuite, opina-t-il. Je crus alors que nous avions rompu ce... sortilège, cette male fortune ; qu'il suffisait d'un seul enfant vivant pour que d'autres lui succèdent. Mais il lui fallut deux années encore pour concevoir à la suite de Marie. Une fille encore... mort-née elle aussi.

J'expirai sans bruit après avoir retenu ma respiration en écoutant cette histoire si répandue. Il m'était aussi douloureux d'entendre le père énoncer la liste de ses enfants disparus que de voir son épouse les nommer devant son prie-Dieu en égrenant son rosaire.

— Mais je savais que j'étais viril ! s'écria Henri en tournant soudain vers moi un visage non plus rempli de chagrin mais empourpré de colère. Bessie Blount me donna un mâle pendant que la reine labourait à un dernier enfant mort. Pourquoi ne me donne-t-elle que des corps sans vie ?

Je secouai la tête.

— Comment le saurais-je, Sire ? C'est la volonté de Dieu.

— Oui, acquiesça-t-il avec satisfaction, vous avez raison, Marie. Cela ne saurait être autre chose.

— Dieu ne peut vous infliger pareille fatalité, repris-je en choisissant mes mots avec soin. De tous les princes de la chrétienté, vous devez être Son favori.

Il me perça alors de ses yeux dénués de couleur dans l'ombre du lit.

— Alors, pourquoi ? répéta-t-il.

Prise au dépourvu, j'ouvris la bouche à demi, comme l'idiot du village qui musarde dans les rues. Luttant pour trouver la réponse qu'il souhaitait me voir faire, j'aventurai :

— La reine ?

Il hocha la tête.

— Mon union avec elle était maudite, affirma-t-il simplement, dès les premiers jours.

Je ravalai mes dénégations instinctives.

— Elle était l'épouse de mon frère, me rappela-t-il, jamais je n'eusse dû l'épouser. Cela me fut déconseillé mais j'étais jeune, volontaire, et je la crus lorsqu'elle me jura qu'il ne l'avait jamais possédée.

Sur le point de lui affirmer que la reine était incapable de mentir, je pensai à nous autres Boleyn, à nos ambitions, et je tins ma langue.

— Je n'aurais jamais dû l'épouser, répéta-t-il.

Son visage se décomposa alors, comme celui d'un petit garçon ; il m'ouvrit les bras et je m'y précipitai pour le serrer contre moi.

— Seigneur, Marie ! Percevez-vous ma punition ? J'ai de vous deux enfants, dont un garçon, auquel s'ajoute le mâle de Bessie Blount. Mais, sans héritier légitime, le trône ne sera obtenu qu'après une lutte féroce, ou bien occupé par la princesse Marie, et l'Angleterre devra s'accommoder de l'époux que je lui choisirai. Mon Dieu, comme me voilà puni des péchés de cette Espagnole ! Quelle trahison de sa part !

Ses larmes me mouillaient les joues. Je tins contre moi son grand corps secoué de sanglots et le berçai comme un enfant.

— Vous avez encore le temps, Henri, chuchotai-je. Vous êtes jeune, viril, fertile. Si la reine vous libérait, vous pourriez encore avoir un héritier.

Il se montra inconsolable. Sans chercher à le rassurer plus outre, je lui murmurai des paroles apaisantes jusqu'à ce que cet orage de larmes s'éteignît et qu'il s'endormît dans mes bras.

Une fois de plus, je demeurai éveillée et immobile. Cette fois, mon esprit avait trouvé provende : des menaces à l'encontre de la reine, pour la première fois, émanaient des lèvres du roi et non seulement de celles de ma famille, ce qui leur donnait soudain une toute nouvelle ampleur.

Henri remua peu avant l'aube. Il me posséda en hâte, sans même ouvrir les yeux, avant de replonger dans le sommeil, s'éveillant lorsque entrèrent le valet de chambre avec les baquets d'eau chaude pour sa toilette et le page venu raviver le feu. Je tirai les courtines autour de nous pour enfiler ma robe et mes chaussures à talons.

— Viendrez-vous chasser avec moi ce jour d'hui ? demanda Henri.

Je redressai mon dos, raide d'avoir subi son poids toute la nuit, et souris avec un ravissement admirablement feint.

— Oh, oui !

Il hocha la tête.

— Nous irons après la messe, décréta-t-il en me donnant mon congé.

Je sortis. George, fidèle, m'attendait dans l'antichambre, triturant et reniflant un diffuseur de parfum rempli d'herbes. Il regarda mon visage avec soin avant de s'enquérir :

— Des ennuis ?

— Pas pour nous.

— Bien. Pour qui ? demanda-t-il avec entrain en me prenant le bras.

— Garderez-vous un secret ?

Il tordit quelque peu le visage.

— Apprenez-le-moi puis laissez-moi en juger.

— Me prenez-vous pour la dernière des sottes ? demandai-je avec irritation.

Il m'offrit son plus charmant sourire.

— Parfois, répondit-il. À présent, dites-moi, quel est ce secret ?

— Henri a pleuré la nuit dernière ; il se croit maudit de Dieu qui ne lui accorde pas de fils.

George s'arrêta.

— A-t-il dit « maudit » ?

Je hochai la tête.

— Il pense que Dieu le punit pour avoir épousé la femme de son frère.

Le visage de mon frère s'illumina.

— Venez ! ordonna-t-il en me tirant vers la partie ancienne du palais.

— Je ne suis pas habillée, protestai-je.

— C'est sans importance, nous allons voir oncle Howard. Le roi se trouve enfin à l'endroit où nous le voulions. Enfin !

— Nous désirons qu'il se croie maudit ?

— Dieu bon, oui !

Je luttai pour retirer ma main de son bras mais il me tira en avant.

— Pourquoi cela ?

— Vous êtes en effet une sotte, jeta-t-il en guise de réponse avant de frapper à coups répétés à la porte qui s'ouvrit brusquement.

— J'espère que c'est important, entendîmes-nous.

George me poussa en avant et referma la porte derrière nous.

Mon oncle se trouvait assis devant un maigre feu dans sa salle d'audience, un pot de bière à son côté, une pile de papiers devant lui. Il portait sa robe de chambre bordée de fourrure. George parcourut la pièce du regard.

— Sommes-nous seuls ?

Mon oncle hocha la tête et attendit.

— Je la ramène de la couche du roi, commença George, ce dernier s'est plaint de se trouver sans enfants par la volonté de Dieu. Il se dit maudit.

Le regard aigu de mon oncle se posa sur mon visage.

— Il a employé le terme « maudit » ?

J'hésitai, partagée entre l'habitude d'obéir et un sentiment de trahison à l'égard de Henri, qui avait sangloté dans mes bras comme si j'avais été la seule femme au monde capable de prendre pitié de sa douleur. Mon oncle donna un coup de pied dans une bûche qui s'enflamma en un jaillissement d'étincelles puis fit signe à George de me faire asseoir sur une chaise.

— Parlez, si vous voulez voir vos enfants à Hever cet été, menaça-t-il d'une voix calme.

Je hochai la tête, inspirai profondément et relatai sans rien omettre ce que le roi m'avait dit dans le silence et l'intimité de sa couche. Le visage de mon oncle demeura impassible mais, lorsque je terminai, il sourit.

— Vous pouvez écrire à la nourrice pour qu'elle mène votre fils à Hever ; vous vous y rendrez dans le mois. Vous agîtes fort bien, Marie.

Il m'éloigna d'un geste.

— Vous pouvez partir. Oh, une chose encore. Chasserez-vous avec Sa Majesté aujourd'hui ?

— Oui, répondis-je.

— S'il aborde une fois encore ce sujet, continuez ainsi, agissez en sotte délicieuse. Nous possédons des savants qui lui prodigueront des conseils en théologie et des avocats qui l'orienteront dans les procédures de divorce. Contentez-vous de le charmer par votre stupidité, Marie, vous y parvenez à merveille.

Voyant mon visage se fermer sous l'insulte, il se tourna vers George en souriant.

— Elle est en effet la plus pliable des deux, lui déclara-t-il. Le parfait tremplin pour notre ascension.

George hocha la tête et m'attira hors de la chambre.

— Un tremplin ? crachai-je, tremblante de détresse mêlée de colère.

George m'offrit son bras. J'y posai ma main qu'il recouvrit de la sienne.

— La tâche de notre oncle est de veiller à l'élévation de notre famille, m'expliqua-t-il avec douceur. Nous sommes tous de simples marchepieds.

— Je ne veux pas en être un ! m'exclamai-je. Si je le pouvais, je posséderais une ferme dans le Kent, mes deux enfants dormiraient dans mon lit la nuit et mon époux serait un homme bon qui m'aimerait.

Dans la cour sombre, George prit mon menton entre ses doigts pour tourner mon visage vers le sien. Il m'embrassa légèrement sur les lèvres avant de répondre :

— C'est notre rêve à tous, qui sommes de simples gens, au fond, m'assura-t-il avec une joyeuse hypocrisie. Mais certains d'entre nous sont appelés à de grandes choses et vous êtes la plus illustre des Boleyn à la cour. Soyez heureuse, Marie, pensez combien Anne vous jalousera à cette nouvelle.

Je chassai ce jour-là avec le roi, une longue chevauchée à la poursuite d'un cerf que les chiens tirèrent finalement dans l'eau. Je pleurais presque d'épuisement à notre retour au palais mais n'eus guère le temps de me reposer : un pique-nique prenait place ce soir-là au bord de l'eau. Depuis les berges, nous admirâmes trois barges qui remontaient le courant, chargées de musiciens et de dames d'atour qui formaient un tableau vivant. Anne, posant à l'avant comme une figure de proue, lançait des pétales de rose dans les flots ; Henri ne la quittait pas des yeux. Quelques femmes sur le bateau aguichèrent les spectateurs en soulevant leur jupe lorsqu'on les aida à descendre, mais seule Anne possédait cette délicieuse confiance en elle qui accompagnait sa démarche : elle évoluait comme si elle se savait irrésistible, et le pouvoir de sa conviction était tel que les hommes ne pouvaient que la suivre des yeux, conquis. Lorsque les dernières notes de musique se furent envolées, les courtisans descendus de leur embarcation refluèrent vers elle. Anne, s'immobilisant sur la passerelle, rit aux éclats, comme surprise par la douce folie des jeunes hommes de la cour, et je vis un sourire éclore sur les lèvres de Henri, charmé par l'arpège de son rire. Anne secoua la tête comme si aucun ne se distinguait assez pour lui plaire et s'approcha du roi et de la reine devant qui elle plongea dans une profonde révérence.

— Le tableau vivant a-t-il plu à Vos Altesses ? s'enquit-elle comme s'il s'était agi de son cadeau envers eux et non d'un divertissement commandé par la reine en l'honneur du roi.

— Très joli, commenta la souveraine avec froideur.

Anne salua de nouveau puis s'assit à mon côté sur le banc.

Henri revint à sa conversation avec son épouse.

— Je rendrai visite à la princesse Marie lors de mon voyage d'été, annonça-t-il.

La reine cacha sa surprise.

— Où la rencontrerons-nous ?

— J'ai dit que *je* lui rendrai visite, répéta Henri froidement. Elle se rendra où je l'ordonnerai.

Catherine ne cilla pas.

— J'aimerais embrasser ma fille, persista-t-elle, car je ne l'ai vue de plusieurs mois.

— Elle pourra venir à vous, décréta Henri, où que vous vous trouviez.

La reine hocha la tête en apprenant, comme les courtisans qui tendaient l'oreille, qu'elle n'accompagnerait pas le roi dans son périple estival.

— Merci, répondit la souveraine avec une dignité simple. La princesse m'écrit qu'elle fait de grands progrès en grec et en latin.

— Cela ne lui sera guère d'utilité pour concevoir des fils et des héritiers, répliqua sèchement le roi. J'espère qu'elle ne deviendra pas une savante voûtée. Le premier devoir d'une princesse est d'être la mère d'un roi, comme vous le savez, madame.

La fille d'Isabelle d'Espagne, l'une des femmes les plus intelligentes et mieux éduquées d'Europe, croisa ses mains sur ses genoux et baissa les yeux vers les riches bagues qu'elle portait aux doigts.

— Je le sais, en effet.

Henri se leva brusquement en claquant des mains. Les musiciens s'interrompirent aussitôt, attendant ses ordres.

— Une gigue ! ordonna-t-il. Dansons avant le dîner !

Ils s'exécutèrent aussitôt et les courtisans se mirent en place. Henri s'avança vers moi. Je me levai mais il me sourit seulement avant de tendre la main à Anne. Les yeux baissés, elle passa devant moi. Sa robe me frôla avec impertinence, comme pour me signifier de reculer. Levant les yeux, je croisai le regard de la reine, aussi vide que si elle eût observé des pigeons pépiant dans un colombier, persuadée de leur insignifiance.

J'avais grand hâte que la cour se mît en route pour son périple d'été afin de me rendre à Hever auprès de mes enfants. Le départ fut toutefois retardé car le cardinal Wolsey et le roi ne parvenaient à s'accorder. Son Éminence, plongée dans des négociations avec les nouveaux alliés de l'Angleterre contre les Espagnols, voulait que la cour demeure proche de Londres, pour qu'il puisse aisément joindre le roi si la guerre survenait. Mais la peste sévissait dans la ville ainsi que dans les autres cités portuaires, ce qui terrifiait Henri qui voulait s'éloigner à la campagne.

Je ne pouvais me déplacer qu'escortée par George et munie de l'expresse permission du roi. Je les trouvai tous deux jouant à la paume sous le chaud soleil. Sous mes yeux, une balle adroitement envoyée par George rebondit sur le toit en pente et roula vers le court mais Henri la cueillit pour la renvoyer avec puissance dans le coin opposé[1].

George leva la main, reconnaissant le coup, puis servit de nouveau. Anne avait pris place sur le côté, à l'ombre, entourée de quelques dames d'atour qui ressemblaient aux jolies petites statues qui ornent les fontaines, toutes vêtues de façon exquise, à l'affût d'une faveur. Je serrai les dents, luttant contre mon désir d'aller m'asseoir à côté d'elle pour surpasser son éclat. Je demeurai en arrière et attendit que le roi eût terminé son jeu.

Il gagna la partie, bien entendu. George perdit avec conviction, les femmes applaudirent et Henri se détourna, sourire aux lèvres.

— J'espère que vous n'aviez point parié sur votre frère, me lança-t-il en m'apercevant.

— Jamais je ne gagerais contre Votre Majesté à un jeu d'adresse, répliquai-je aussitôt, je ménage trop ma petite fortune.

Il sourit puis prit un mouchoir des mains de son page pour essuyer son visage rougi par l'effort.

— Je viens quérir une faveur, poursuivis-je en hâte sans laisser à quiconque la chance de nous interrompre. Je souhaite rendre visite à notre fils et à notre fille, avant le départ de la cour cet été.

— Dieu sait où nous irons, grogna Henri, le visage froncé. Wolsey ne cesse de dire...

— En partant ce jour, je serai de retour dans une semaine, l'interrompis-je avec douceur. Je vous accompagnerais alors, où que vous décidiez de vous rendre.

Il ne voulait pas me laisser partir. Son sourire s'effaça. Je lançai à George un muet appel.

— Vous nous apprendrez si le bébé se montre aussi beau et fort que son père, intervint George. Qu'en dit la nourrice?

---

1. Du temps de Henri VIII, l'ancêtre du tennis se jouait sur un court entouré de quatre murs, dont trois étaient surmontés d'un petit toit en pente. Lors des services, la balle devait d'abord rebondir sur cette petite pente avant de toucher le court. *(N.d.T.)*

— Elle admire le blond doré des Tudor, répondis-je en hâte. Mais nul ne me dira qu'il dépasse la beauté de son père !

Le roi, ainsi cerné, ne put se départir de sa bonne humeur.

— Quelle flatteuse vous faites, Marie.

— J'aimerais m'assurer que l'on s'occupe bien de lui avant de partir à vos côtés, Votre Majesté, plaidai-je encore.

— Très bien, accepta-t-il d'un ton négligent, puis ses yeux se posèrent sur Anne. Je trouverai à m'occuper.

En voyant le roi regarder dans leur direction, les femmes s'ébrouèrent comme des poneys dressés dans un manège. Seule Anne croisa son regard puis détourna les yeux, comme si l'attention du roi était de peu d'intérêt. Elle sourit à Francis qui, obéissant à cette muette invite, s'élança d'un bond pour s'emparer de sa main et y déposer un baiser.

En voyant le visage du roi s'assombrir, je m'émerveillai de la témérité de ma sœur. Henri s'avança vers le petit groupe. Les femmes, surprises, se levèrent et plongèrent dans une révérence. Anne regarda autour d'elle, retira nonchalamment sa main de celle de Francis et exécuta une petite révérence bien à elle.

— Avez-vous vu quoi que ce soit du jeu ? lui demanda le roi avec brusquerie.

Anne se releva et lui offrit un large sourire.

— J'ai regardé la moitié, répondit-elle négligemment.

— La moitié, madame ? gronda le roi, le visage sombre.

— Pourquoi regarderais-je votre adversaire quand vous vous trouvez sur le court, Votre Majesté ?

Une seconde de silence s'écoula puis il éclata de rire, auquel succéda aussitôt celui, flagorneur, des courtisans, tandis qu'Anne affichait son éblouissant sourire de charlatan.

— Le jeu ne saurait dès lors avoir de sens, mademoiselle, car vous n'en voyez que la moitié, reprit le roi.

— Je ne vois que le soleil et non point l'ombre, riposta-t-elle.

— Me comparez-vous au soleil ? demanda-t-il.

Elle lui sourit.

— Étincelant, chuchota-t-elle en battant des cils.

— Me trouvez-vous étincelant ? s'enquit-il.

Elle ouvrit grand les yeux, comme si elle venait de comprendre la méprise du roi.

— Le soleil, Votre Majesté. Le soleil est étincelant aujourd'hui.

Hever tranchait comme une petite île fortifiée de gris sur la luxuriance verte des champs du Kent. Nous traversâmes le parc alors que le soleil se couchait derrière le château, nimbant le toit d'une lumière dorée. La pierre des murs se reflétait dans les eaux calmes des douves, créant une image comme issue d'un rêve de deux châteaux soudés en leur base. Un couple de cygnes sauvages glissait sur l'onde, leur bec se mordillant doucement, leurs deux cous arqués formant un cœur.

— Comme tout cela est charmant! remarqua George sèchement.

Nous contournâmes les douves pour traverser le petit pont de planches qui enjambait le cours d'eau. Deux bécasses nichées dans les roseaux s'égaillèrent et mon cheval tressaillit au bruit qu'elles firent. Dans l'air du soir flottait la douce odeur de foin coupé. Un cri retentit, quelques serviteurs de mon père dans leur livrée émergèrent de la salle des gardes, abritant leurs yeux de la lumière.

— C'est le jeune milord et milady Carey, s'exclama l'un d'eux.

Un galopin s'élança pour colporter la nouvelle au château. Nous ralentîmes les chevaux alors que la cloche sonnait; les gardes se précipitèrent hors de la salle d'armes tandis que les serviteurs se hâtaient dans la cour intérieure.

Devant ce désordre, George m'adressa un sourire triste. Il tira bride pour me laisser traverser le pont la première puis passer sous la herse du large porche. Les habitants du château se rassemblaient dans la cour, depuis les tournebroches en guenille jusqu'à la gouvernante qui ouvrait les portes de la grand-salle.

— Milord, milady Carey, nous salua-t-elle en avançant, flanquée de l'intendant.

Ils s'inclinèrent tous deux. Un palefrenier s'empara de mes rênes tandis que le capitaine des gardes m'aidait à descendre de ma selle.

— Comment se porte mon enfant? demandai-je à la gouvernante.

Elle hocha la tête en direction de l'escalier qui s'élevait au coin de la cour.

— Le voici.

Je me tournai vivement, la nourrice m'apportait mon fils dans la lumière du soleil, une main en coupe au-dessus de sa tête. Comme il avait grandi! Petit bébé d'un mois lorsque je l'avais vu pour la dernière fois, il arborait à présent de belles joues aussi rondes que roses. Il était langé bien serré, attaché à une planche. Je tendis les bras et la nourrice me le brandit comme un repas sur un plateau.

— Il se porte bien, déclara la jeune femme d'un ton défensif.

Je le tins devant moi pour l'admirer. Il était totalement immobilisé dans ses langes. Seuls ses yeux pouvaient bouger. Ils remontèrent le long de mon visage, de ma bouche à mon front, avant d'aller suivre le cercle des corbeaux qui survolaient la tour au-dessus de ma tête.

— Il est adorable, chuchotai-je.

George descendit de son cheval avec nonchalance, jeta ses rênes à un garçon d'écurie et regarda par-dessus mon épaule. Aussitôt, les petits yeux sombres vinrent scruter ce nouveau visage.

— Vous regardez votre oncle ? Souvenez-vous de moi, petit, nous ferons la fortune l'un de l'autre. C'est un vrai Tudor, Marie, la copie du roi. Bien joué !

Je souris devant les joues dodues, les fins cheveux qui brillaient comme des fils d'or sous le bonnet de dentelle, les yeux bleu foncé qui passaient du visage de George au mien avec un calme si confiant.

— Il est étrange de penser, poursuivit George en baissant la voix jusqu'au murmure, qu'un jour, peut-être, nous jurerons allégeance à cette petite chose devenue roi d'Angleterre.

Je resserrai ma prise sur la planche de bois et le chaud petit corps.

— Mon Dieu, je Vous en supplie, priai-je avec ardeur, gardez-le sain et sauf, quel que soit son avenir.

— Gardez-*nous* sains et saufs, me corrigea George, car la route qui le mènera au trône sera semée d'embûches.

Il me prit le bébé des bras et le rendit à la nourrice avant de me guider vers la porte d'entrée de la demeure. Sur les degrés, une fillette de deux ans attachait sur moi des yeux incertains, la main emprisonnée dans celle d'une servante.

Je tombai à genoux sur les pierres de la cour.

— Catherine, savez-vous qui je suis ?

Son petit visage trembla.

— Vous êtes ma mère.

— Oui, approuvai-je. J'aurais tant voulu venir vous voir plus tôt mais cela ne m'était pas autorisé. Ma chère enfant, comme vous m'avez manqué !

Elle leva les yeux vers la servante qui lui tenait la main. Celle-ci lui enjoignit de répondre d'un regard encourageant.

— Oui, mère, dit-elle d'une petite voix.

— Vous souvenez-vous de moi ? demandai-je.

La douleur dans ma voix était évidente pour tous ceux qui m'entendirent. Catherine me dévisagea de ses grands yeux ; sa lèvre inférieure se mit à trembler, son visage se décomposa, elle éclata en sanglots.

— Oh, Seigneur! s'exclama George d'un ton las.

Il me força à me relever puis, après m'avoir fait franchir le seuil de la maison, me poussa fermement vers la grand-salle. Le feu était allumé malgré la saison et le large siège devant l'âtre était occupé par grand-mère Boleyn.

— Bonjour, salua George, laconique, avant de se tourner vers les serviteurs qui nous avaient suivis dans la salle pour leur ordonner sèchement : Dehors. Allez vaquer à vos tâches.

— De quoi souffre Marie? s'enquit ma grand-mère.

— La chaleur, le soleil, improvisa George, la chevauchée après la naissance.

— Est-ce tout? demanda-t-elle avec aigreur.

George me poussa vers une chaise.

— Elle meurt de soif, indiqua-t-il. Tout comme moi, madame.

Les yeux de la vieille femme lancèrent des éclairs devant sa grossièreté et indiqua d'un signe le gros buffet derrière elle. George s'en approcha puis nous versa deux coupes de vin. Il avala la sienne d'un trait avant de s'en servir une seconde.

Frottant mon visage du dos de la main, je regardai autour de moi et déclarai :

— Je veux que l'on m'amène Catherine. Elle semble m'avoir totalement oubliée.

— Attendez, me conseilla George.

J'allais argumenter, mais il poursuivit.

— La pauvre enfant était sans doute malade de peur, tirée en hâte de la pouponnière et menée devant vous avec l'ordre de vous accueillir poliment. Seigneur, Marie, ne vous souvenez-vous point du bouleversement qui accompagnait la venue de père et mère? Laissez-lui un petit moment pour se remettre de ses émotions, puis rendez-vous tranquillement dans sa chambre et asseyez-vous avec elle.

Je hochai la tête, convaincue par le bon sens de ses remarques, et m'adossai confortablement dans ma chaise.

— Comment se portent mon fils et votre mère à la cour? intervint grand-mère Boleyn.

— Bien, répondit George brièvement. Père est à Venise depuis un mois, œuvrant pour un traité d'alliance concocté par Wolsey ; mère sert la reine, qui, cette année, ne participera pas au voyage d'été. Elle a fort perdu de son influence à la cour.

— Marie est-elle toujours la favorite du roi?

— Marie ou Anne, précisa George en souriant. Il semble priser les filles Boleyn. Mais Marie est toujours la favorite.

Ma grand-mère tourna son regard aigu vers moi.

— Vous êtes une brave fille, approuva-t-elle. Combien de temps passerez-vous ici?

— Une semaine, répondis-je, c'est tout ce qui me fut autorisé.

— Et vous, George?

— Moi aussi; j'avais oublié combien Hever est charmant en été, déclara-t-il avec paresse. Je ramènerai Marie lorsqu'il nous faudra retourner à la cour.

— Je demeurerai tout le jour avec les enfants, l'avertis-je.

— C'est parfait, sourit-il. Je n'ai nul besoin de compagnie; j'écrirai, je me sens l'âme d'un poète.

Je suivis le conseil de George; avant d'approcher ma petite Catherine, je pris possession de ma chambrette en haut des escaliers à vis, lavai mon visage à l'eau claire, puis m'installai un moment à la fenêtre pour suivre des yeux la nuit qui peu à peu enveloppait le parc de son sombre manteau. Lorsque j'eus aperçu l'éclat blanc d'une chouette, entendu son ululement interrogatif auquel répondit le bruit d'un poisson sautant dans les douves, et admiré les étoiles qui piquetaient d'argent le ciel bleu foncé, j'inspirai profondément et descendis à la nursery pour y trouver ma fille.

Je la trouvai assise sur sa chaise devant le feu, un bol de lait sur les genoux et une cuiller à la main, écoutant les commérages que sa nourrice contait à une autre servante. Lorsqu'elles me virent, les deux femmes bondirent sur leurs pieds. Catherine eût laissé tomber son bol si la nourrice ne s'était montrée rapide à le lui retirer. La servante disparut dans un tourbillon de jupon. La nourrice s'assit auprès de Catherine et s'appliqua à regarder ma fille manger en s'assurant qu'elle n'était pas trop proche du feu.

Je pris un siège en silence pour laisser s'atténuer la commotion. Lorsque Catherine eut terminé son bol de lait, je fis signe à la nourrice de nous laisser.

Je fouillai alors dans la poche de ma robe.

— Je vous ai apporté un petit cadeau, annonçai-je.

Il s'agissait d'un gland enfilé sur une fine cordelette, artistiquement sculpté en un visage; celui-ci était surmonté d'un chapeau formé par la cupule. Catherine sourit et tendit une main potelée. J'y déposai le gland et sentis la douceur de sa peau.

— Allez-vous lui donner un nom? demandai-je.

Un petit froncement vint rider son front. J'avançai la main et touchai sa chevelure d'un brun doré, tirée en arrière, à demi cachée sous son bonnet de nuit. Elle ne tressaillit pas à mon contact, trop absorbée par son examen.

— Comment vais-je l'appeler ? Ses yeux bleus se levèrent vers moi.

— C'est un gland, le fruit du chêne, expliquai-je. Il s'agit de l'arbre que le roi veut nous voir planter, car il grandira en un bois robuste pour ses navires.

— Je l'appellerai Petit Chêne, décida-t-elle, sans faire montre d'un quelconque intérêt pour le roi ou ses navires.

Elle pinça la cordelette et le petit gland sauta dans sa main.

— Danse, babilla-t-elle avec satisfaction.

— Voulez-vous vous asseoir sur mes genoux avec Petit Chêne ? demandai-je. Je vous raconterai une belle histoire à son propos, quand il se rendit à un magnifique bal masqué et dansa avec tous les autres glands.

Elle hésita un instant.

— Il semble bien que les Noisettes et les Baies se rendirent aussi à ce grand bal des bois, ajoutai-je pour la tenter.

Cela fut suffisant : Catherine se leva de sa chaise et je la soulevai sur mes genoux. Je m'émerveillai de son poids et de sa présence, posai ma joue contre son bonnet de nuit et sentis ses boucles me chatouiller la joue. J'inspirai la douce et merveilleuse odeur de sa peau de petite enfant.

— Racontez, commanda-t-elle, et elle s'installa pour écouter l'histoire de la Fête des Bois.

George, les enfants et moi passâmes une merveilleuse semaine ensemble à nous promener au soleil ou à faire des pique-niques dans les prairies où l'herbe recommençait à pousser. Lorsque nous étions hors de vue du château, je détachais les langes du petit Henri pour le laisser s'ébattre en toute liberté. Je jouai au ballon ou à cache-cache avec Catherine, encore à un âge où elle se croyait invisible en fermant les yeux et en enfouissant sa tête sous un châle, ou bien l'observai mener des courses éperdues avec son oncle qui, pour la laisser jouir d'une victoire méritée, acceptait de souffrir de handicaps de plus en plus draconiens.

La veille de notre retour à la cour, malade de chagrin, je ne pus me résoudre à lui apprendre mon départ. Je m'enfuis à l'aube comme une voleuse. La nourrice avait pour instruction de lui promettre à son réveil que sa mère reviendrait dès que possible, qu'il lui fallait être une bonne fille et veiller sur Petit Chêne. Je galopai jusqu'à midi, insensible à tout, noyée dans une brume de chagrin dont je n'émergeai que lorsque George lança d'un ton exaspéré :

— Par pitié, fuyons cette pluie et trouvons de quoi manger !

Nous avions fait halte devant un monastère ; les cloches se mirent à carillonner pour l'office de Sexte. George glissa au sol puis me souleva de ma selle.

— Avez-vous pleuré durant tout le trajet ?

— Oui, je crois, répondis-je. Je ne puis supporter de penser à…

— N'y pensez pas alors, me coupa-t-il.

L'un de nos hommes nous annonça au gardien, la lourde porte s'ouvrit, et George me guida dans la cour puis dans les escaliers qui montaient vers le réfectoire. Nous étions en avance, deux moines posaient sur les tables des assiettes et des gobelets d'étain.

George claqua des doigts et l'un des moines courut nous chercher du vin. Mon frère pressa le gobelet de métal froid entre mes mains.

— Buvez, ordonna-t-il avec fermeté, et cessez de pleurer ! Vous ne pouvez paraître à la cour le visage livide et les yeux rouges. Jamais ils ne vous laisseront retourner à Hever si cela doit vous enlaidir. Apprenez à vous satisfaire de votre sort.

— Montrez-moi une seule femme qui s'en montre satisfaite ! criai-je avec un ressentiment passionné.

— Je n'en connais point, en effet, répondit-il en riant. Comme je suis heureux que le petit Henri et moi soyons des hommes !

Nous atteignîmes Windsor à la nuit tombée et trouvâmes la cour sur le point de partir. Anne, emportée par la frénésie du départ, n'eut pas un instant à m'accorder. Je vis deux nouvelles robes disparaître dans son coffre.

— Qu'est-ce ?

— Des cadeaux du roi, répondit-elle brièvement.

Je hochai la tête en silence. Elle m'adressa un sourire en coin puis empaqueta des coiffes assorties dont une, qu'elle mania avec un soin outrancier, cousue de perles. Je pris place sur la banquette de la fenêtre et l'observai terminer puis appeler sa servante pour refermer le coffre. Lorsque le porteur l'eut emporté, Anne se tourna vers moi d'un air défiant :

— Des robes ? attaquai-je. Que se passe-t-il ?

Les mains derrière le dos, elle minauda comme une petite fille.

— Il me courtise ouvertement, avoua-t-elle.

— Anne, c'est mon amant.

Elle haussa les épaules.

— Vous étiez absente, n'est-ce pas ? Partie vous prélasser à Hever, désirant vos enfants plus que lui. Vous n'étiez guère... affriolante.

— Et vous l'êtes ?

Elle sourit.

— Il y a une certaine chaleur dans l'air, cet été.

Je bridai ma colère.

— Vous deviez raviver son intérêt pour moi, pas l'en débarrasser.

Elle haussa de nouveau les épaules.

— C'est un homme ; il est plus facile d'éveiller son intérêt que de le remettre en course.

— Vous avez visiblement obtenu son attention s'il vous offre de tels présents, mais vous agissez ainsi malgré le fait avéré qu'il soit mon amant, grinçai-je, les dents serrées devant son visage plein de suffisance.

— J'en reçus l'ordre, répliqua-t-elle avec arrogance.

— L'ordre de me supplanter ? demandai-je sèchement.

— Je n'y puis rien s'il me désire, comme la plupart des hommes de la cour, susurra-t-elle, la voix mielleuse. Je ne les y encourage nullement.

— Souvenez-vous que c'est à moi que vous parlez ! grondai-je. Je sais que vous encouragez tout le monde.

Elle m'offrit un sourire innocent en guise de réponse.

— Qu'espérez-vous, Anne ? M'évincer et devenir sa maîtresse ?

Son visage prit aussitôt une expression pensive.

— Oui, je pense. Mais cela comporte un risque. Si je le laisse me posséder, son intérêt s'émoussera ; il est difficile à retenir.

— Je ne trouve pas, rétorquai-je, marquant un maigre point.

— Cependant vous n'y gagnâtes rien, ni Bessie Blount qu'il unit à un homme sans importance lorsqu'il se lassa d'elle.

Je mordis ma langue avec tant de force que je sentis le goût du sang inonder ma bouche.

— Si vous le dites, Anne.

— Je crois que je me refuserai à lui jusqu'à ce qu'il s'aperçoive que je suis bien supérieure à une Bessie Blount ou à une Marie Boleyn et mérite de me voir offrir une proposition extraordinaire.

Je gardai le silence un instant.

— Vous ne récupérerez pas Henry Percy en échange de vos faveurs, si c'est ce que vous espérez, l'avertis-je.

Elle traversa la pièce en deux enjambées et s'empara de mes poignets en me lacérant la chair de ses ongles.

— Ne mentionnez plus jamais son nom, siffla-t-elle, jamais !

Dégageant mes mains d'un geste brusque, je l'agrippai par les épaules.

— Je dirai ce qu'il me plaît ! criai-je. Soyez maudite, Anne ; vous avez perdu votre seul amour et vous vous vengez en prenant ce qui ne vous appartient pas, ce qui est à moi !

Elle se déroba et s'élança vers la porte qu'elle ouvrit brusquement.

— Sortez ! ordonna-t-elle.

— Sortez donc vous-même, répliquai-je, c'est ma chambre, ici.

Comme deux chattes toutes griffes dehors sur le mur d'une écurie, nous nous mesurâmes un moment du regard. La première, j'abandonnai la lutte.

— Nous sommes supposées être du même côté.

Elle referma la porte en la claquant.

— C'est notre chambre, stipula-t-elle.

Les termes du combat étaient à présent clairement délimités. Toute notre enfance, nous avions lutté pour savoir laquelle d'entre nous était la meilleure des filles Boleyn. À présent, notre rivalité se jouait sur la plus grandiose scène du royaume. Lorsque viendrait la fin de l'été, l'une de nous serait la favorite reconnue du roi ; l'autre deviendrait la servante de celle-ci.

Je n'avais aucun moyen de la vaincre, sans pouvoir, sans alliés. Ma famille jugeait la situation idéale : la nuit, le roi possédait dans son lit la Boleyn féconde ; le jour, la Boleyn intelligente évoluait à son bras et le conseillait.

Moi seule, toutefois, savais ce que danser, rire et badiner tout le jour coûtait à Anne. Le soir venu, elle prenait place devant le miroir pour retirer sa coiffe, son jeune visage vidé et épuisé.

Souvent, George nous apportait alors un verre de porto. Nous mettions Anne au lit, tirions la courtepointe jusqu'à son menton et, lorsqu'elle avait vidé son verre, observions les couleurs revenir lentement à son visage.

— Dieu sait où cela va nous mener, me murmura George un soir. Le roi est follement entiché d'elle. Que diable espère-t-elle donc ?

Anne remua dans son sommeil.

— Chut! le réprimandai-je en tirant les courtines autour du lit. Ne l'éveillez pas, je ne pourrais la supporter un instant de plus.

George me lança son regard vif.

— En êtes-vous arrivée là?

— Elle me vole ma place! m'exclamai-je, la voix pleine d'un ressentiment passionné.

— Mais vous ne désirez plus autant le roi, à présent, n'est-ce pas? demanda George.

Je secouai la tête.

— Cela ne signifie pas que je veuille être destituée par Anne.

Il passa un bras autour de ma taille et nous avançâmes vers la porte. Comme nous arrivions sur le seuil, il me baisa les lèvres comme un amant.

— Vous êtes la plus exquise.

Je lui souris.

— Je suis une meilleure personne qu'elle, qui n'est que froideur et convoitise et préférerait vous voir pendu au gibet plutôt que de renoncer à son ambition. Je sais également qu'avec moi Henri compte une maîtresse qui l'aime pour lui-même. Mais Anne l'a ensorcelé, comme la cour, et même vous.

— Pas moi, me corrigea George avec douceur.

— Notre oncle la préfère, affirmai-je avec ressentiment.

— Il n'aime personne; il est curieux de savoir jusqu'où elle ira.

— Tout le monde se montre avide de voir quel prix elle est disposée à payer. Surtout si c'est moi qui le paye.

— La danse qu'elle mène n'est guère aisée, admit George.

— Je la hais, déclarai-je. Je la verrais périr avec joie, étouffée par son ambition.

✴

La cour rendit visite à la princesse Marie au château de Ludlow, où elle recevait l'éducation formelle et stricte que sa mère avait connue à la cour d'Espagne. Entourée d'un prêtre, de tuteurs et d'une dame de compagnie, elle régnait sur sa propre maisonnée dans ce pays de Galles dont elle était princesse. Nous attendions une petite princesse pleine de dignité, jeune fille de dix ans sur le point de devenir une femme, mais elle s'avéra minuscule comme une enfant de six ans, avec des cheveux brun pâle sous sa coiffe, et un visage grave.

Elle arriva dans la grand-salle où son père dînait et dut se soumettre à l'épreuve de traverser la pièce jusqu'à la table d'honneur, sous les yeux de chacun. Le roi l'accueillit avec une certaine tendresse mais son visage refléta sa surprise : il ne l'avait pas vue depuis plus de six mois et s'attendait à ce qu'elle eût grandi et fleuri vers l'âge adulte. Mais, petite et maigre, elle n'était en rien une princesse que l'on pouvait marier dans l'année en espérant qu'elle concevrait peu après des enfants.

Henri l'embrassa puis l'installa à sa droite à la table d'honneur, d'où elle balaya la salle du regard. Elle ne mangea presque rien, ne but rien, répondit au roi par des monosyllabes chuchotés. Sans l'ombre d'un doute, elle avait reçu une bonne éducation ; ses tuteurs défilèrent les uns après les autres en assurant le roi qu'elle pouvait parler grec et latin et connaissait ses tables de calcul autant que la géographie de sa principauté et du royaume. Après le repas, elle dansa, se montrant gracieuse et légère. Elle n'avait pas l'air d'une fille robuste et fertile mais d'une créature qui pouvait aisément mourir d'un simple refroidissement. Seule héritière légitime de Henri, elle ne semblait pas posséder suffisamment de force pour soulever le sceptre.

George me vint chercher tôt cette nuit-là, au château de Ludlow.

— Il est dans une méchante humeur, m'avertit-il.

Anne remua dans notre lit.

— Déçu par sa naine ?

— Vous êtes extraordinaire, Anne, remarqua George. Vous demeurez exquise, même à demi endormie. Allons, Marie, vous ne pouvez le faire attendre.

Henri se tenait près du feu, il repoussait du pied une bûche dans les braises rouges. Levant à peine les yeux à mon entrée, il tendit une main péremptoire et je me hâtai d'aller dans ses bras.

— Quelle déception ! murmura-t-il, la bouche sur mes cheveux. Je croyais qu'elle serait presque une femme. J'avais pensé l'unir à François ou à son fils, consolidant ainsi notre alliance avec la France. Je n'ai guère besoin d'une fille, mais si en plus elle ne peut être mariée !

Il se détourna brusquement et traversa la pièce en deux enjambées. Un jeu de cartes était étalé sur la table. D'un geste furieux, il les balaya du bras et renversa la table. En entendant le fracas, le garde de l'autre côté de la porte cria :

— Votre Majesté ?

— Laisse-moi ! rugit Henri.

Il se tourna alors vers moi.

— Ma seule fille est tellement frêle qu'elle semble sur le point d'être soufflée par l'hiver. Je n'ai point d'héritier ! Pourquoi Dieu m'infligerait-Il cela, à moi ?

Je gardai le silence et secouai la tête, attendant la suite.

— C'est la reine, n'est-ce pas ? s'enquit-il. Pensez-vous cela aussi, comme tout le monde ?

Ne sachant si je devais acquiescer ou nier, je me tins coite, un œil prudent fixé sur lui.

— Jamais je n'aurais dû contracter cette union maudite ! Mon père s'y opposait, mais je pensais… Je voulais…

Il s'interrompit, luttant contre le souvenir de sa passion pour elle.

— Le pape nous accorda une dispense, poursuivit-il, ce fut une erreur : on ne peut se soustraire à la parole de Dieu.

Je hochai gravement la tête.

— Je n'eusse point dû épouser la femme de mon frère. Dieu refusa d'accorder Sa bénédiction à ce faux mariage, me punissant par la stérilité de la reine. Elle n'est point mon épouse, mais celle d'Arthur.

— Mais si l'union ne fut jamais consommée… commençai-je.

— Aucune différence, me coupa-t-il.

J'inclinai la tête.

— Venez au lit, commanda Henri, soudain las. Je suis exténué, je dois dire à la reine de me libérer et me purifier de cet abominable péché.

Obéissante, je traversai la pièce, fis glisser mon manteau de mes épaules puis grimpai dans le grand lit. Henri tomba à genoux et pria avec ferveur. Devant cet homme, le plus puissant d'Angleterre, qui blâmait son épouse de l'avoir entraîné en état de péché mortel, je me surpris à implorer pour elle la clémence de Dieu.

Automne 1526

De retour au palais de Greenwich, la mauvaise humeur du souverain ne s'améliora pas. Il passait beaucoup de temps en compagnie de ses clercs et de ses conseillers. Certains en déduisaient qu'il s'attelait à un autre traité de théologie. Je savais qu'il interrogeait les paroles de Dieu à la recherche d'une réponse : la volonté du Seigneur était-elle qu'un homme prenne soin de la femme de son frère, ou le désir éprouvé à l'endroit de cette femme était-il damnable ? À ce sujet, Dieu demeurait ambigu, la Bible recelait des affirmations contradictoires et un collège entier de théologiens semblait nécessaire pour décider quelle loi aurait préséance.

Il me semblait évident qu'il était permis à un homme d'épouser la femme de son frère afin d'offrir un foyer aux enfants de cette dernière. Bien entendu, je n'aventurai pas cette opinion lors des conseils réunis le soir autour de Henri. Ces hommes qui, en grec ou en latin, remontaient aux textes originaux ou consultaient les Pères de l'Église n'avaient nul besoin d'un peu de sens commun baillé par une jeune fille ordinaire.

Je n'apportais aucune aide à Henri. Anne seule parvenait à l'égayer grâce à un esprit vif qui changeait un écheveau théologique en une plaisanterie, alors même qu'il désespérait de trouver une réponse.

Ils devisaient en cheminant ensemble, chaque après-midi. La main d'Anne passée sous le bras du souverain, leur tête accolée, ils avaient l'aspect de deux amants. Mais lorsque je m'approchais, je les entendais débattre. Anne affirmait :

— Oui, mais l'opinion de saint Paul est très claire à ce sujet...

Et Henri répondait :

— Croyez-vous que ce soit ce qu'il ait voulu dire ? J'ai toujours cru qu'il faisait référence à un autre passage.

George et moi cheminions derrière eux comme deux chaperons complaisants, et j'avais tout loisir d'observer ma sœur qui pinçait le bras du roi quand elle marquait un point, ou secouait la tête quand ils étaient en désaccord.

— Pourquoi ne pas simplement ordonner à la reine de se retirer ? demanda George. Nulle cour en Europe ne l'en blâmerait ; chacun sait qu'il lui faut un fils.

— Parce qu'il souhaite ménager la haute opinion qu'il a de lui-même, expliquai-je. Il ne veut rejeter son épouse pour la seule raison qu'elle vieillit, il lui faut l'aval de l'autorité divine.

— Seigneur ! Si j'étais roi, je suivrais mes désirs sans me soucier de savoir s'ils s'accordent à la volonté de Dieu ou non, s'exclama George.

— C'est parce que vous êtes un Boleyn avide et cupide. Mais un roi se doit d'être juste et d'agir en accord avec Dieu.

— Ce qu'Anne l'enjoint de faire, observa George avec malice.

— Quel excellent guide spirituel ! conclus-je avec rancune.

Mon oncle convoqua une réunion de famille. Je m'y attendais car, depuis notre retour de Ludlow, il n'avait cessé de nous observer, Anne et moi. Il avait remarqué combien le souverain recherchait la compagnie d'Anne tout en m'ordonnant de le rejoindre la nuit tombée et, perplexe face aux désirs équivoques du roi, il ne savait comment les utiliser pour promouvoir les ambitions des Howard.

George, Anne et moi nous tenions en rang devant la grande table, dans la salle d'audience d'oncle Howard. Ce dernier prit place sur un fauteuil, ma mère à ses côtés sur une plus petite chaise.

— Il est visible que le roi est pris de désir à l'endroit d'Anne, commença mon oncle. Mais supplanter Marie comme favorite ne nous avancera guère car Anne n'est pas mariée et ne vaudra rien une fois que le roi se lassera d'elle.

Pas un muscle ne tressaillit sur le visage de ma mère ; l'avancement de la famille excluait tout sentiment.

— Anne doit reculer, décida mon oncle. Vous réduisez les efforts de Marie à néant : elle a eu de lui deux enfants et nous n'en retirâmes que quelques terres.

— Nous en reçûmes un titre ou deux et de bonnes positions, ajouta George.

— Je ne le nie point, mais Anne émousse son appétit envers Marie.

— Il n'éprouve aucun désir pour Marie, intervint Anne avec rancœur, il s'est habitué à elle, c'est différent. Vous êtes un homme marié, mon oncle, vous devriez connaître cela.

George émit un hoquet de surprise. Mon oncle offrit à Anne son sourire carnassier.

— Merci, mademoiselle, railla-t-il. Votre esprit vif vous serait d'une grande utilité en France. Mais, en Angleterre, laissez-moi vous rappeler que les femmes doivent obéir en arborant un air d'humilité ravie.

Anne inclina la tête, le visage rouge de colère.

— Vous vous rendrez à Hever, décréta brusquement mon oncle.

— Encore ? Pour quelle raison ? s'enflamma-t-elle.

— Vous représentez sans doute un atout, mais je ne sais comment vous jouer, répondit-il crûment.

— Je vous promets de parvenir à rendre le roi amoureux de moi, plaida-t-elle avec désespoir. Permettez-moi de demeurer, ne me renvoyez pas à Hever !

Il leva la main.

— Ce ne sera que jusqu'à Noël, la calma-t-il. Vous avez subjugué Henri, c'est évident, mais cela ne nous aide aucunement : vous ne pouvez partager sa couche tant que vous êtes demoiselle, or nul homme doté de son bon sens ne vous épousera tant que vous serez sa favorite.

Elle ravala une réplique cinglante et s'abîma dans une révérence.

— Je ne vois point en quoi m'envoyer passer Noël toute seule à Hever me permettra de servir cette famille, proféra-t-elle les dents serrées.

— Cela permet au roi de reprendre ses esprits sans plus dévier du chemin que nous voulons le voir prendre : épouser Marie après son divorce d'avec Catherine. Vous êtes de trop dans ce tableau, Anne.

— Êtes-vous donc Holbein, pour me faire disparaître sous une couche de peinture ?

— Tenez votre langue ! dit sèchement ma mère.

— Je vous trouverai un époux, promit mon oncle. Lorsque Marie sera reine, vous n'aurez qu'à faire votre choix.

Les ongles d'Anne s'enfoncèrent dans ses paumes.

— Jamais je n'accepterai qu'elle me fasse l'aumône ! cracha-t-elle. Elle ne régnera pas ; elle a écarté les jambes et lui a donné deux enfants mais, *même ainsi*, il ne tient pas à elle. C'est un chasseur, ne le voyez-vous pas ? Il aime la traque. Une fois Marie capturée – et Dieu sait combien sa capture fut aisée – le jeu prit fin. Il s'est accoutumé à elle à présent, comme d'une épouse, mais sans honneur ni respect.

Mon oncle lui sourit.

— Comme à une épouse ? Oh, je l'espère. Je crois qu'il est à présent temps de prendre congé de vous, Anne. En votre absence, Marie nous montrera ce qu'elle peut faire de lui ; elle demeure notre favorite.

Je fis une révérence et lançai un doux sourire à Anne.

— Je suis la favorite, répétai-je. Vous devez vous effacer.

Hiver 1526

*A*vant le départ d'Anne pour Hever, je glissai dans son coffre des cadeaux de Noël pour mes enfants. J'avais trouvé pour ma fille une petite maison de pâte d'amande dotée d'un toit de tuiles faites d'amandes grillées et de fenêtres en sucre filé. Je suppliai Anne de l'offrir en mon nom à Catherine lors de la nuit des Rois avec le message que je l'aimais et qu'elle me manquait.

Ma sœur s'installa sur sa selle avec la grâce d'une fermière en route pour le marché. Personne ne la regardait, nulle raison de se montrer allègre et charmante.

— Seigneur ! Si vous aimez vos enfants autant que cela, envoyez cette famille au diable et partez donc les rejoindre ! s'écria-t-elle, cherchant à me pousser à l'erreur.

— Je vous remercie de ces avisés conseils, qui trahissent les meilleures intentions du monde, répliquai-je, la voix suave.

— Dieu seul sait ce qu'ils vous croient capable de faire ici, sans moi pour vous conseiller.

— Dieu seul le sait, en effet, répétai-je avec entrain.

— Il y a les femmes que les hommes épousent et celles qu'ils n'épousent pas, poursuivit-elle, mordante. Soyez assurée que vous êtes la sorte de maîtresse qu'un homme ne se soucie guère d'épouser ; avec ou sans fils.

Je lui souris.

— Il semble exister une troisième sorte de femmes : celles qui ne sont ni épouses ni maîtresses et qui rentrent seules au foyer pour Noël. Et il semble que vous êtes l'une de celles-ci, ma sœur. Adieu.

Je tournai les talons sans lui laisser le temps de répliquer. Elle fit un signe aux soldats qui l'accompagnaient et la petite troupe s'ébranla alors que, dans l'air froid et le ciel gris, la neige se mettait à tourbillonner.

La cour à peine installée à Greenwich pour les célébrations de Noël, il apparut de manière évidente de quelle vile manière le roi voulait que l'on traite la reine : négligée par lui, elle devint rapidement ignorée de tous.

Son neveu, l'empereur d'Espagne, ayant eu vent de la situation, envoya en Angleterre un nouvel ambassadeur nommé Mendoza, un habile avocat à qui l'on pouvait se fier pour raviver l'alliance entre l'Espagne et l'Angleterre. J'aperçus un matin mon oncle conférer à voix basse avec le cardinal Wolsey et n'en augurai rien qui pût faciliter la tâche de l'Espagnol.

J'avais raison. Durant les douze journées de célébration, l'ambassadeur, dont on ne reconnut pas les lettres de créance, se vit refuser l'autorisation de se rendre à la cour, de s'incliner devant le roi, et même de voir la reine. Les messages et les lettres de cette dernière étant surveillés, elle ne pouvait pas même recevoir de présent sans que ceux-ci fussent examinés par des valets de chambre.

Wolsey cessa de jouer au chat et à la souris au milieu de janvier, reconnaissant alors à Mendoza sa qualité d'ambassadeur de l'empereur d'Espagne qui, dès lors, se trouva en mesure de rendre visite à la reine.

Je me trouvai dans les appartements de la reine lorsqu'un page appartenant au cardinal vint annoncer à celle-ci que l'ambassadeur sollicitait une entrevue. Ses joues s'empourprèrent et elle se leva avec vivacité.

— Comme j'aimerais changer de robe, mais le temps me manque.

Toutes les dames d'atour accompagnaient le roi au jardin, j'étais la seule présente. Elle reprit sa place et je me tins debout derrière son siège.

— L'ambassadeur Mendoza m'apportera des nouvelles de mon neveu ; je crois aussi qu'il ravivera l'alliance qui existait jadis entre mon neveu et mon époux. Il ne devrait point exister de querelle au sein des familles. C'est un tort que nous soyons divisés.

Je hochai la tête et la porte s'ouvrit.

Le double battant ne découvrit pas l'ambassadeur, entouré de son escorte et apportant présents, missives et documents privés de la part du neveu de la reine, mais le cardinal Wolsey, le plus grand ennemi de la souveraine. Il introduisit l'ambassadeur dans l'appartement royal comme un charlatan conduisant un ours de foire : l'Espagnol était son captif.

La main que Catherine tendit au cardinal demeura ferme et ne trembla pas. Sa voix, lorsqu'elle l'accueillit avec courtoisie, était douce et parfaitement modulée. Nul n'eût deviné qu'elle voyait sa perte se figurer à elle sous les traits d'un ambassadeur sombre et d'un ecclésiastique souriant. À cet instant, elle comprit que ses amis et sa famille se montraient impuissants à l'aider : elle était irrémédiablement seule.

⚜

Le mois de janvier se termina par des joutes ; le roi refusa d'entrer en lice et George, choisi pour porter l'étendard royal, remporta les courses et reçut en remerciement une nouvelle paire de gants de cuir.

Cette nuit-là, je trouvai le souverain d'humeur sombre, emmitouflé dans un épais manteau devant la cheminée de sa chambre, une bouteille de vin à demi pleine à côté de lui et une autre, vide, qui traînait dans les cendres.

— Comment vous portez-vous, Votre Majesté ? m'enquis-je avec prudence.

Il leva la tête et darda sur moi des yeux injectés de sang.

— Mal, répondit-il doucement.

— Qu'y a-t-il ?

Il ressemblait à un petit garçon, ce soir-là, perdu et triste.

— Je n'ai point couru les joutes, ce jour. Je ne courrai plus.

— Jamais ?

— Peut-être jamais.

— Pourquoi, Henri ?

Il marqua une pause puis déclara d'une petite voix :

— Je pris peur lorsque mon écuyer me sangla dans mon armure. N'est-ce point honteux ?

Je ne sus que dire.

— Les joutes sont affaires dangereuses, reprit-il avec ressentiment. Vous autres femmes, installées dans les tribunes, préoccupées de gages et de faveurs, écoutant les hérauts sonner les trompettes, vous ne l'entendez point.

J'attendis.

— Et si je périssais ? demanda-t-il soudain. Qu'adviendrait-il alors ?

Un horrible instant, je crus qu'il s'enquérait du salut de son âme.

— Nul ne le sait avec certitude, répondis-je d'une voix hésitante.

Il écarta mes paroles d'un geste.

— Pas cela. Qu'advient-il du trône de mon père, qui pacifia le royaume après des années de lutte ? Nul autre n'y serait parvenu, et il avait deux fils, Marie! Il assura la sécurité du pays autant sur les champs de bataille que dans son lit. J'ai hérité d'un royaume doté de frontières bien gardées, de lords fidèles, d'un trésor rempli d'or, mais je n'ai personne à qui le transmettre.

J'inclinai la tête, émue par l'amertume contenue dans ses paroles.

— La terreur de périr sans un fils pour me succéder m'exténue. Je ne puis jouter, ni même chasser d'un cœur léger. Lorsque s'élève un obstacle devant moi, je n'éperonne plus mon cheval pour le franchir d'un bon, épouvanté à l'idée de ma mort et par la vision de la couronne d'Angleterre accrochée dans un buisson d'épines.

L'atroce angoisse sur son visage et dans sa voix me brisa le cœur. Je tendis la main vers la bouteille et remplis de nouveau son verre.

— Vous avez encore le temps, chuchotai-je, imaginant la joie de mon oncle à m'entendre parler ainsi. Nous savons que vous êtes fertile avec moi, notre fils Henri est tout votre portrait.

Il resserra sa cape autour de lui.

— Vous pouvez partir, déclara-t-il sans transition. George attend-il au-dehors pour vous ramener à votre chambre?

— Oui, comme toujours, répondis-je, surprise. Ne voulez-vous point me voir demeurer?

— Mon cœur broie du noir, ce soir, admit-il franchement. La perspective de ma mort ne m'incline guère à batifoler.

Je lui fis une révérence. Arrivée à la porte, je me retournai et le dévisageai, effondré sur sa chaise, les yeux fixés sur les braises rougeoyantes.

— Vous pourriez m'épouser, suggérai-je doucement. Nous avons déjà deux enfants, dont un garçon.

— Quoi?

Il leva vers moi un visage marqué par le désespoir.

Mon oncle eût voulu me voir pousser mon avantage, mais je n'étais pas faite ainsi.

— Bonne nuit, doux prince, lui dis-je avec bonté, et je le laissai à ses ténébreuses pensées.

Printemps 1527

L a chute de la reine devint de plus en plus manifeste. En février, la cour accueillit des envoyés de France. Ceux-ci, ne souffrant d'aucun délai tandis que leurs lettres de créance étaient examinées, furent salués par bon nombre de fêtes, banquets et toutes sortes de célébrations. Il apparut rapidement qu'ils se trouvaient en Angleterre pour arranger l'union de la princesse Marie avec le roi François Ier ou son fils. La petite princesse fut convoquée pour être présentée aux envoyés et encouragée à danser, jouer, chanter et manger. Seigneur, comme ils poussèrent cette enfant à manger! On aurait dit qu'ils la voulaient voir doubler de volume afin d'atteindre le coffre digne d'une épouse avant la fin des négociations. Mon père, venu dans le convoi des Français, se trouvait partout à la fois : il conseillait le roi, faisait office de traducteur, se plongeait dans des conciliabules secrets avec le cardinal, et enfin complotait avec mon oncle sur la meilleure manière pour la famille d'avancer en ces temps turbulents.

Ils décidèrent ensemble qu'Anne devait revenir à la cour, où mon père voulait que les envoyés de France l'aperçussent. Mon oncle m'arrêta dans l'escalier qui menait aux appartements de la reine pour m'annoncer le retour de ma sœur.

— Pourquoi? demandai-je aussi irrévérencieusement que je l'osai. Henri me parlait hier encore de son désir d'avoir un fils. Son retour gâchera tout.

— A-t-il mentionné *votre* fils? me demanda-t-il brusquement, et à mon silence il secoua la tête. Non. Vous ne faites aucun progrès avec le roi, Marie. Anne avait raison, nous n'avançons pas d'un pouce.

Je détournai le visage et regardai par la fenêtre, sentant bouillir une colère sourde.

— Et où croyez-vous qu'Anne vous mènera? éclatai-je. Elle ne travaillera pas au bien de cette famille mais ne se préoccupera que de ses propres ambitions, terres et titres.

Il hocha la tête et se gratta le nez.

— Elle est vive et obstinée en effet. Mais le roi ne parle que d'elle ; il la désire comme il ne vous a jamais désirée.

— Il a deux enfants de moi !

Les sourcils noirs de mon oncle se relevèrent lorsqu'il me vit élever la voix. Aussitôt, je baissai la tête.

— Pardonnez-moi. Mais que puis-je faire de plus ? Je l'ai aimé, ai partagé sa couche, lui donnai deux enfants solides. Aucune femme ne fera davantage, pas même Anne.

— Si elle concevait un enfant de lui maintenant, il l'épouserait peut-être, répondit-il, ignorant ma hargne. Il est éperdu de désir pour elle et désespéré de jamais avoir un fils, ces deux impérieux élans pourraient bien se combiner.

— Et moi ? criai-je.

— Vous pouvez retourner auprès de William, jeta-t-il négligemment.

Quelques jours plus tard, Anne revint à la cour avec autant de discrétion qu'elle en était partie. Elle devint aussitôt le centre de l'attention générale. J'avais de nouveau ma compagne de lit dont je laçais les robes au réveil et que je coiffais le soir. Elle m'ordonnait de la servir tout comme, jadis, elle avait été forcée de m'assister.

— N'avez-vous jamais craint de me voir le reconquérir ? lui demandai-je une nuit avec curiosité.

— Vous ne comptez pas, affirma-t-elle, pleine d'assurance. Ce que vous ferez, vous ou toute autre femme, n'aura aucune importance. Le printemps et l'été seront miens : il dansera au bout de ma laisse. Rien ne refroidira sa passion pour moi.

— Seulement pour le printemps et l'été ? demandai-je.

Anne prit un air pensif.

— Qui peut garder un homme dans ses filets ? Henri, pour l'instant emprisonné, souhaitera s'en échapper un jour. Nul ne demeure toujours amoureux.

— Pour l'épouser, vous devrez le garder bien plus que deux saisons, l'avertis-je. Pensez-vous pouvoir le garder une année ? Deux ?

La voyant blêmir, je réprimai un ricanement et poursuivis :

— Lorsque viendra le temps pour lui de s'unir à nouveau, *si* cela arrive jamais, il ne vous désirera plus.

Elle abattit violemment son poing sur le lit.

— Je vous interdis de me souhaiter du mal ! cracha-t-elle. Mon Dieu, vous ressemblez à une vieille bique d'Edenbridge. C'est *vous* qui serez oubliée, trop fainéante pour prendre en charge votre propre destin ! Moi, je m'éveille chaque matin avec la détermination inébranlable d'obtenir ce que je veux. Je serai la plus forte. Le monde m'appartient.

En mai, les négociations avec les envoyés de France s'achevèrent : la princesse Marie, devenue femme, épouserait le roi de France ou son fils. Un grand tournoi de jeu de paume fut organisé pour célébrer l'événement, pour lequel Anne fut élue maîtresse de l'ordre des joueurs ; elle établit avec soin un tableau qui dressait la liste des courtisans. Le nom de chacun était inscrit sur un petit drapeau. Le roi la trouva penchée sur cette liste avec l'un de ces minuscules étendards pressé contre son cœur.

— Qu'avez-vous là, mademoiselle Boleyn ?

— L'ordre de jeu pour le tournoi, répondit-elle avec une révérence ; il me faut trouver à chaque gentilhomme un adversaire équivalent.

— Je veux dire, qu'avez-vous là, dans votre main ?

Anne montra de la surprise.

— J'avais oublié le tenir en main, répliqua-t-elle en hâte. C'est seulement l'un des noms.

— Quel est donc ce gentilhomme que vous gardez si proche ?

Elle parvint à rougir.

— Je ne sais, n'ayant pas lu son nom.

— Vous permettez ? s'enquit-il en tendant la main.

Elle resserra la main sur le petit objet convoité par le roi.

— Il ne s'agit que du drapeau que j'avais en main lorsque je cherchais à résoudre l'ordre de participation au jeu, Votre Majesté.

— Vous semblez embarrassée, mademoiselle Boleyn ?

Elle réagit aussitôt.

— Non ! Ce n'est point de l'embarras ; je crains de paraître stupide. Je vous en prie, laissez-moi poser ce nom puis offrez-moi vos conseils sur l'ordre de participation.

Il tendit de nouveau la main.

— Je veux connaître le nom écrit sur ce drapeau.

Un terrible instant, parce qu'elle montrait tellement de confusion et de détresse, je crus qu'elle ne jouait pas avec lui ; découvrirait-il qu'elle trichait afin de donner la meilleure place à notre frère George ? Le roi, vivante image de l'un de ses chiens de chasse à l'affût, arborait un visage où une intense curiosité se mêlait à un violent désir.

— Je vous l'ordonne, commanda-t-il doucement.

Avec une visible réticence, Anne plaça le petit drapeau dans la main tendue, plongea dans une révérence puis s'éloigna sans un regard en arrière. Dès qu'elle fut hors de vue, nous entendîmes ses talons résonner et sa robe bruire tandis qu'elle s'éloignait en courant sur le chemin de pierre qui menait au château.

Henri baissa les yeux et découvrit le nom écrit sur le drapeau qu'elle avait tenu contre son cœur : c'était le sien.

⟆

Le tournoi de paume dura deux jours. Anne, pleine d'entrain, était partout à la fois : elle commandait, jugeait les points, tenait les scores. Quatre parties devaient se disputer à la fin : le roi contre George, mon époux William Carey contre Francis Weston, Thomas Wyatt, nouvellement revenu de France, contre William Brereton, et une partie entre deux inconnus sans importance qui prendrait place tandis que nous serions occupés à dîner.

— Assurez-vous que le roi ne s'oppose pas à Thomas Wyatt, conseillai-je à Anne à mi-voix tandis que George et le roi prenaient leur place.

— Pourquoi cela ? demanda-t-elle innocemment.

— Parce que la compétition serait trop rude, le roi désirant gagner devant les envoyés de France et Thomas Wyatt devant vous.

Elle haussa les épaules.

— C'est un courtisan. Il n'oubliera pas le véritable enjeu, qui est, qu'il s'agisse de paume, joute, tir à l'arc ou badinage, de divertir le roi et de ne le jamais fâcher.

Elle se pencha en avant. Les joueurs étaient en position ; George, prêt à tirer. Anne leva son mouchoir blanc puis l'abaissa. George effectua un bon service qui rebondit sur le toit du tripot et retomba juste hors de portée de Henri. Ce dernier courut pour cueillir l'estœuf qu'il renvoya par-dessus le filet. George, vif et de douze années plus jeune que le roi, frappa la balle qui atterrit derrière son adversaire ; Henri leva la main pour concéder le point.

Le roi n'eut aucune difficulté à rattraper le service suivant ; l'estœuf s'envola à l'opposé de l'endroit où se trouvait George, qui ne chercha même pas à l'atteindre. Le jeu s'écoula ; les deux adversaires s'appliquaient, selon toute apparence, à gagner. George perdait avec tant de discrétion que tout spectateur eût cru le roi meilleur joueur. Ce dernier l'était peut-être en termes de tactique et d'adresse mais, comme il s'acheminait vers le mitan de sa vie, sa taille s'épaississait et il faisait face à un jeune homme de vingt-quatre ans.

Lorsqu'ils parvinrent au milieu du premier set, George lança une balle haute vers laquelle Henri bondit afin de la renvoyer derrière son adversaire et ainsi gagner le point, mais il tomba sur le carreau avec un bruit sourd, laissant échapper un cri terrible.

Toutes les femmes de la cour hurlèrent, George sauta par-dessus le filet et arriva le premier au côté du roi.

— Seigneur ! Qu'a-t-il ? cria Anne, levée de son siège.

Le visage de George était livide.

— Faites venir un médecin ! rugit-il.

Un page partit en courant vers le château. Anne et moi nous précipitâmes vers l'endroit où Henri, écarlate, lançait des jurons de douleur. Il tendit le bras vers moi, s'empara de ma main et s'y accrocha.

— Damnation, Marie, débarrassez-vous de tous ces gens !

Je me tournai vers George.

— Que personne n'approche.

Je surpris le regard embarrassé que Henri lança à Anne et compris qu'il souffrait moins dans son corps que dans son orgueil.

— Partez, Anne, ordonnai-je avec douceur.

Elle ne protesta pas, recula jusqu'à la porte du tripot où, avec le reste de la cour, elle attendit d'apprendre ce qui avait terrassé le roi.

— Où se situe la douleur ? m'enquis-je avec angoisse, terrifiée à l'idée qu'il m'indique sa poitrine ou son ventre et m'apprenne souffrir d'un mal irréparable.

— Mon pied, gémit-il. Quel idiot ! Il a glissé quand j'ai couru ; je crois qu'il est cassé.

— Votre pied ? répétai-je, rassurée au-delà des mots. Mon Dieu, Henri, j'ai cru que vous étiez mort !

Il leva les yeux et sourit à travers ses grimaces.

— Mort à la paume après avoir abandonné les joutes pour ménager ma santé ?

— Non ! Mais j'ai pensé... c'est arrivé si soudainement... vous tombâtes si vite... balbutiai-je, le soulagement étouffant mes paroles.

— Et cela, de la main même de votre frère ! conclut-il avec malice, et nous éclatâmes tous trois de rire, le roi, la tête reposant sur mes genoux, la main dans celle de George, tiraillé entre la douleur et l'incohérente pensée que les Boleyn avaient tenté de l'assassiner au jeu de paume.

Les envoyés français, sur le point de partir une fois leur traité signé, se virent offrir un grand bal masqué en guise d'adieu. Celui-ci devait prendre place dans les appartements de la reine, sans qu'elle nous y eût conviés, sans même qu'elle le voulût. Lorsqu'elle apprit de la bouche même du maître des festivités le désir du roi que les réjouissances prissent place chez elle, elle sourit comme si cela reflétait ses propres désirs puis le laissa prendre les mesures dont il avait besoin pour les tentures et les décors. Les femmes de la reine devaient porter des robes tissées d'or ou d'argent et danser avec le roi et ses compagnons, eux aussi déguisés.

Je me souvins des nombreux bals passés, lors desquels, si souvent, la reine avait suivi son époux du regard alors qu'il dansait avec ses dames d'atour ou avec moi. Cette fois, elle et moi le regarderions danser avec Anne. Pas un instant, son visage ne trahit le moindre ressentiment, pas même lorsque, écrasant le dernier petit lambeau de son autorité, le maître de danse nomma les femmes auxquelles le roi distribuait les rôles : la reine, pantin dans ses propres appartements, n'avait rien à dire.

N'ayant nulle part où aller tandis qu'ils clouaient les draperies sur des panneaux de bois, la souveraine se retira dans sa chambre d'audience privée tandis que nous essayions nos robes et pratiquions nos pas de danse. Le soir venu, Catherine, échappant au bruit et au désordre, se réfugia tôt dans son lit alors que nous faisions bombance dans la grand-salle.

Le jour suivant, les envoyés français arrivèrent à midi pour le banquet. La reine s'assit à la droite de Henri, mais ce dernier avait les yeux fixés sur Anne. Les trompettes résonnèrent et les serviteurs, scintillants dans leur éclatante livrée, défilèrent dans un ordre parfait pour apporter les plats. Ce fut un festin d'absurdes proportions : toutes les espèces d'animaux avaient été cuisinées afin de montrer la fortune du roi et la richesse de son royaume. Le clou apparut sur un plat d'argent : il s'agissait d'un paon entier, cuit et présenté orné de son magnifique plumage, à l'intérieur duquel se trouvait un cygne, lui-même farci d'un poulet qui avait en son centre une alouette. Le travail de l'écuyer tranchant consista à obtenir une tranche parfaite de chaque oiseau sans déranger la beauté du plat. Henri goûta de tout ; j'aperçus Anne en revanche qui refusait tout ce qui lui était offert.

Le roi envoya à Anne le cœur du plat, l'alouette. Elle leva les yeux, jouant admirablement la surprise, puis hocha la tête en guise de remerciement. Elle goûta alors la viande en souriant, et je vis les lèvres de Henri trembler de désir.

Après le repas, nous quittâmes la salle en compagnie de la reine pour nous changer. Dans notre chambre, Anne et moi nous aidâmes mutuellement à lacer les corps de cotte de nos robes tissées d'or. Elle se plaignit comme je serrai ses liens.

— Trop d'alouette, assénai-je sans pitié.

— Avez-vous vu comme il m'observe ?

— Tout le monde l'a vu.

Elle repoussa sa coiffe plus en arrière, laissant apparaître sa chevelure noire, puis redressa le « B » d'or qu'elle portait toujours autour du cou.

— Voyez-vous ce que dévoile ma coiffe ainsi mise en arrière ?

— Un visage plein de suffisance.

— Un visage dénué de toute ride auréolé de cheveux noirs et brillants, sans un seul fil gris.

Elle recula d'un pas devant le miroir pour admirer sa robe dorée. « Vêtue comme une reine », murmura-t-elle.

On frappa à la porte. Jane Parker passa sa tête par l'entre-bâillement.

— On échange des secrets ? lança-t-elle avidement.

— Non, nous passons nos robes, répliquai-je pour couper court.

Elle ouvrit la porte et se glissa à l'intérieur, vêtue d'une robe d'argent coupée bas qui montrait sa poitrine. Lorsqu'elle vit la façon dont Anne portait sa coiffe, elle s'avança aussitôt vers le miroir et repoussa la sienne. Ma sœur me lança un clin d'œil derrière son dos.

— Il vous favorise plus que toute autre, déclara-t-elle à Anne sur le ton de la confidence. Chacun peut voir qu'il vous désire.

— En effet.

Jane se tourna vers moi.

— Ne trouvez-vous étrange de partager la couche d'un homme qui désire votre sœur ?

— Non, répondis-je sèchement.

Mais rien n'arrêterait cette fille dans ses réflexions gluantes comme une traînée de bave derrière une limace.

— Lorsque vous le quittez pour rejoindre Anne, il doit rêver de vous posséder toutes deux, nues ensemble dans votre lit !

— Ce que vous dites est répugnant ! m'exclamai-je. Sa Majesté s'en trouverait fort offensée.

Elle me renvoya un sourire qui se fût trouvé davantage à sa place dans un bordel que dans la chambre d'une dame.

— Bien sûr, un seul homme pénètre chez les deux sœurs la nuit ; il s'agit de mon époux, qui préfère votre chambre à ma couche.

— Dieu bon ! Qui l'en blâmerait ? intervint Anne. Je préférerais dormir avec un ver de terre que vous entendre chuchoter toute la nuit à mon oreille ! Allez donc hanter les chambres de commodités, Jane Parker, votre vil esprit y sera à son aise ! Marie et moi partons danser.

Les envoyés français aussitôt partis, le cardinal Wolsey, comme s'il avait attendu la quiétude nécessaire, créa un tribunal secret où il reçut témoins, procureurs et accusés. Bien entendu, il y siégeait comme juge ; il semblait dès lors qu'il agissait seul et non sur instruction. Incroyablement, le tribunal demeura secret. Personne, excepté ceux que l'on acheminait discrètement par bateau à Westminster, n'en sut rien.

Le tribunal secret de Wolsey à Westminster avait pour but de juger Henri pour son union illégitime avec l'épouse de son frère décédé : une accusation si absurde que les magistrats durent sûrement se pincer lorsqu'ils virent leur roi avancer tête baissée comme un pénitent, accusé de péché par son propre chancelier. Henri confessa qu'il avait épousé la femme de son frère sur la base d'une mauvaise dispense papale avant de nourir de « graves doutes ». Sans battre un cil, Wolsey ordonna que l'affaire fût portée devant un légat du pape – lui-même, en l'occurrence, l'image même de l'impartialité –, ce qu'accepta le roi, qui nomma un avocat avant de se retirer de la procédure. Le tribunal convoqua des théologiens destinés à apporter la preuve qu'il était illégitime d'épouser la femme de son frère mort. Mon oncle, grâce à son réseau d'espions, eut enfin vent de ce tribunal secret. Aussitôt, il nous appela Anne, George et moi, dans ses appartements de Windsor.

— Un divorce à quelle fin ? demanda-t-il, la voix tremblante d'excitation.

Anne se pâma presque à la nouvelle.

— Il cherche à évincer la reine pour me demander de prendre sa place !

— Vous demanda-t-il en mariage ? s'enquit mon oncle.

Elle le regarda dans les yeux.

— Non, cela lui est pour l'instant impossible. Mais je gagerais notre fortune qu'il me demandera ma main dès qu'il sera libre.

Mon oncle hocha la tête.

— Combien de temps le pouvez-vous garder ?

— Le temps que cela prendra, lui renvoya Anne. Le tribunal est en session maintenant. Une fois le jugement rendu, la reine est écartée, le roi est enfin libre *et voilà**! J'entre en scène !

Malgré lui, il sourit de son assurance.

— *Voilà** ! Vous entrez en scène, répéta-t-il.

— Ainsi vous êtes disposé à me soutenir, poursuivit Anne qui voulait conclure un accord. La famille m'assiste auprès du roi, nous unissons nos forces pour mon seul bénéfice. Marie m'abandonne la place ; je suis la fille Boleyn sur laquelle vous misez.

Mon oncle interrogea mon père du regard, qui nous dévisagea, Anne et moi, avant de déclarer en haussant les épaules :

— Je doute du succès de l'une comme de l'autre, car il cherchera certainement plus haut qu'une fille du peuple. Il est évident que ce ne sera pas Marie, qui a connu son âge d'or mais pour qui à présent il demeure froid.

Mon sang se glaça à ouïr cette analyse dénuée d'amour. Mais mon père, sans même m'accorder un regard, poursuivit :

— Je ne crois cependant pas davantage que sa passion envers Anne prenne le pas sur une princesse française.

Mon oncle réfléchit un instant.

— À laquelle apporterons-nous notre soutien ?

— À Anne, recommanda ma mère. Il en est fou et, s'il parvient à se débarrasser de son épouse ce mois-ci, je crois qu'il la prendra.

Les yeux de mon oncle se posèrent tour à tour sur ma sœur et sur moi, comme un homme qui, ayant deux pommes en main, ne sait laquelle manger.

— Très bien.

Anne laissa échapper un petit soupir de soulagement. Oncle Howard repoussa sa chaise et se mit debout.

— Et moi ? demandai-je avec embarras.

Ils me dévisagèrent tous comme si, un instant, ils avaient oublié ma présence.

— Dois-je partager sa couche s'il me fait mander ou bien dois-je refuser ?

La suprématie d'Anne éclata alors ; mon oncle, le chef de la famille, l'autorité personnifiée, se tourna vers ma sœur pour entendre son opinion.

— Elle ne peut refuser, répondit celle-ci. Nous ne voulons pas d'une garce dans le lit du roi qui capture son attention. Marie doit demeurer sa maîtresse la nuit et il continuera de tomber amoureux de moi le jour. Mais soyez terne, Marie, comme une épouse sans éclat.

— Je ne sais si je le peux, rétorquai-je avec irritation.

Anne émit son gargouillis affriolant.

— Ne vous sous-estimez point, gloussa-t-elle avec un sourire sournois à l'encontre de mon oncle, vous pouvez vous montrer merveilleusement terne.

Je vis mon oncle réprimer un sourire et sentis mes joues s'empourprer de rage. George se pencha vers moi ; sa présence réconfortante contre mon épaule me rappelait que protester ne m'apporterait rien de bon.

Anne leva vers mon oncle un sourcil interrogateur, ce dernier indiqua d'un hochement de tête que nous pouvions partir. Elle ouvrit le chemin, m'obligeant à la suivre, comme j'avais toujours craint devoir le faire un jour. Je gardai les yeux baissés tandis qu'elle nous menait dehors au soleil, par-delà les cibles de tir à l'arc, en direction des jardins, des terrasses abruptes et des douves au-delà desquelles se découpaient la petite ville puis la rivière. George serra ma main mais je le sentis à peine, dévorée par la fureur d'avoir été écartée au bénéfice de ma sœur. Ma propre famille avait décidé que je serais la putain quand elle serait l'épouse.

— Ainsi, je serai reine, déclara Anne d'un ton rêveur.

— Et moi, le beau-frère du roi d'Angleterre, renchérit George, comme s'il pouvait à peine y croire.

— Et moi ? crachai-je.

Ni la favorite du roi, ni le centre d'attention de la cour, je perdais cette place que je m'efforçais d'atteindre depuis l'âge de douze ans. J'en étais réduite à demeurer la catin de l'année précédente.

— Vous serez ma dame d'atour, répondit alors Anne avec douceur ; vous serez l'autre fille Boleyn.

Nul ne savait ce que soupçonnait la reine des menaces qui planaient sur elle : elle demeurait de marbre en ces jours de printemps tandis que le cardinal, dans toutes les universités d'Europe, cherchait des preuves pour accabler une épouse innocente. Comme pour défier le sort, la reine entreprit de broder une nappe d'autel, un projet grandiose destiné à durer des années. Voulait-elle démontrer par là qu'elle vivrait et périrait reine d'Angleterre ?

Elle requit mon aide ; je devais encadrer des petits anges de ciel bleu. Le dessin avait été effectué par un artiste florentin qui, obéissant à la mode nouvelle, avait esquissé des corps lascifs et voluptueux à demi cachés par les ailes duveteuses des anges tandis que les bergers, autour du berceau, arboraient des visages vifs et expressifs. Les personnages semblaient vivants comme au théâtre, et brillaient de mille feux. Comme j'étais soulagée de n'avoir point à suivre ces lignes minuscules de mon aiguille ! Longtemps avant la complétion de mon carré de ciel, Wolsey aurait rendu sa sentence qui serait confirmée par le pape ; la reine, divorcée du roi, partirait pour un couvent où les nonnes pourraient coudre difficiles drapés et ailes de plumes tandis que nous autres, les Boleyn, refermerions notre piège sur un roi devenu célibataire. J'avais terminé un long écheveau de bleu et emportais mon aiguille à la lumière de l'étroite fenêtre lorsque j'aperçus au-dehors la tête brune de mon frère qui gravissait en hâte les escaliers entourant les douves.

— Que se passe-t-il, lady Carey ? s'enquit la reine derrière moi d'une voix dénuée d'expression.

— Mon frère qui entre en courant, Votre Majesté ; puis-je descendre le voir ?

— Bien sûr, acquiesça-t-elle avec calme ; si la nouvelle est d'importance, apportez-la-moi aussitôt, Marie.

Aiguille encore en main, je me hâtai de descendre l'imposant escalier de pierre qui menait à la grand-salle. Comme j'y parvenais, George ouvrait la porte à la volée.

— Qu'avez-vous ? m'enquis-je.

— Le pape a été capturé, haleta-t-il. Où est père ?

— Avec ses secrétaires, sans doute.

George se mit à courir, je le suivis et parvins à agripper sa manche mais il se dégagea.

— Attendez, George ! Capturé par qui ?

— Par des mercenaires à la solde de Charles d'Espagne, jeta-t-il par-dessus son épaule. On raconte qu'ils ont ravagé la Ville sainte et capturé Sa Sainteté.

Je m'arrêtai net, George fit de même et se retourna vers moi.

— Ils vont le libérer, affirmai-je, les yeux agrandis par le choc. Ils ne peuvent être si...

Je m'interrompis, à court de mots.

— Réfléchissez ! m'enjoignit mon frère. Le pape est prisonnier des Espagnols : qu'est-ce que cela signifie ?

Je secouai la tête.

— Le Saint Père est en danger, balbutiai-je. Captif…

George éclata de rire.

— Sotte que vous êtes !

Il me prit par la main et m'entraîna à sa suite à l'étage supérieur, vers le cabinet de travail des secrétaires, par la porte duquel il passa sa tête.

— Mon père est-il céans ?

— Il se trouve dans les appartements du roi avec Sa Majesté, répondit une voix.

George fit volte-face et redescendit les marches en courant. Je relevai mes jupes et trottai derrière lui.

— Je ne comprends pas, George.

— Qui peut accorder le divorce au roi ? demanda George, marquant une pause dans la grand-salle.

Il leva vers moi des yeux brillants d'émoi. Au-dessus de lui, comme gardant l'accès aux escaliers, je marquai un moment d'hésitation.

— Le pape, murmurai-je.

— Qui détient le pape ?

— Charles d'Espagne, m'apprenez-vous.

— Qui est la tante de Charles d'Espagne ?

— La reine.

— Croyez-vous que le pape sera en mesure d'accorder son divorce au roi ?

Je demeurai muette. D'un bond, George grimpa les deux marches qui nous séparaient et m'embrassa à pleine bouche.

— Petite sotte ! dit-il avec chaleur. Quelle nouvelle désastreuse ! Jamais le roi ne se débarrassera d'elle, voici nos espoirs réduits à néant.

Je m'emparai de sa main avant qu'il ne s'enfuie encore.

— Pourquoi donc montrez-vous tant de joie, George ?

Il éclata d'un rire insensé.

— Ce n'est point de la joie mais de la démence ! hurla-t-il presque. Je commençai à croire en cette folie qui ferait d'Anne son épouse et la reine d'Angleterre. Dieu merci, je suis à présent redevenu sain d'esprit, c'est pourquoi je ris. Laissez-moi aller, petite sœur, je tiens la nouvelle d'un batelier chargé d'un message pour le cardinal ; il me faut l'annoncer à père avant quiconque.

Il partit. J'entendis la porte de la grand-salle qui s'ouvrit à grand fracas, les bottes de George qui résonnèrent sur les dalles de la terrasse puis l'aboiement d'un chien qu'il écarta d'un coup de pied. Le

battant se referma, me laissant dans le silence. Je me laissai lourdement tomber sur une marche, mon aiguille encore en main, et songeai à la situation des Boleyn, à présent que le pouvoir était de
nouveau passé entre les mains de la reine.

George ne m'ayant pas donné d'instruction concernant la souveraine, je jugeai plus prudent de lui taire la nouvelle. Parvenue devant
la porte, je lissai le corps de cotte de ma robe puis tâchai de me com-
poser un visage vide de toute émotion.

Elle savait déjà. Je le vis à la nappe d'autel rejetée sur le côté.
La reine se tenait à la fenêtre, le regard perdu vers l'Italie et Rome,
où son jeune neveu, qui avait promis de l'aimer et de la protéger,
entrait en triomphe. Entendant mes pas, elle me lança un regard
prudent par-dessus son épaule puis émit un petit rire en voyant
mon expression.

— Vous avez appris la nouvelle ? devina-t-elle.

— Oui, Votre Majesté.

— Cela va tout changer, déclara-t-elle.

— Je le sais.

— Votre sœur se trouvera dans une difficile position, ajouta-t-elle
avec malice.

Incapable de me retenir, je laissai échapper un gloussement.

— Elle qui s'est décrite comme une vierge ballottée dans la tempête ! bredouillai-je dans un éclat de rire.

La reine mit la main devant la bouche.

— Anne Boleyn ? Ballottée ?

Je hochai la tête.

— Elle offrit au roi un camée orné d'une jeune femme debout
dans un bateau bousculé par les flots en furie.

La reine enfonça son poing dans sa bouche.

— Chut ! Chut !

Nous entendîmes du bruit derrière la porte. En un instant, la
souveraine reprit sa place, tira à elle le large cadre de sa broderie
puis pencha sa lourde coiffe au-dessus de son travail. Elle
m'indiqua d'un geste de poursuivre à mon tour et je m'exécutai.
Lorsque les gardes ouvrirent la porte, la reine et moi travaillions
industrieusement et en silence.

Le roi, seul, entra dans la pièce, me vit, hésita un instant puis
continua d'avancer, comme heureux de m'avoir pour témoin de ce
qu'il allait dire à sa fidèle épouse.

— Il semble que votre neveu ait commis le plus abominable des
crimes, entama-t-il sans préambule, la voix dure et furieuse.

— Votre Majesté, le salua-t-elle d'une profonde révérence.

— Je dis, le plus abominable des crimes, madame.

— De quoi s'agit-il ?

— Ses armées ont capturé le Saint-Père ; c'est un acte blasphématoire, un péché contre saint Pierre lui-même.

Un léger froncement de sourcils creusa le visage las de la reine.

— Je suis certaine qu'il va bien vite relâcher Sa Sainteté pour le remettre sur son trône, affirma-t-elle. Pourquoi agirait-il autrement ?

— Parce qu'il nous tient en son pouvoir avec le pape entre ses mains, comme de vulgaires pions qu'il peut déplacer à son aise !

Je ne pouvais quitter Henri des yeux ; je ne le reconnaissais pas. Il n'était pas furieux à sa manière habituelle mais semblait habité par une rage froide et dangereuse.

— C'est un jeune homme fort ambitieux, déclara la reine avec douceur, comme vous l'étiez à son âge.

— Je ne cherchai point alors à commander à l'Europe entière ni à détruire les desseins d'hommes plus puissants que moi ! répondit-il d'un ton mordant.

Elle leva les yeux vers lui et sourit avec confiance.

— En effet, acquiesça-t-elle. C'est presque comme si la main de Dieu le guidait, n'est-ce pas ?

Mon oncle décréta qu'il nous fallait agir comme encore au faîte de notre gloire : les Boleyn n'avaient essuyé aucun revers. Les rires, la musique et le badinage se poursuivirent donc dans les appartements d'Anne – que nul ne considérait plus comme les miens, bien qu'ils m'eussent jadis été offerts et meublés pour moi. J'étais devenue l'ombre de ma sœur. Cette dernière y régnait, ordonnant que l'on jouât aux cartes ou exigeant du vin, et levait la tête en affichant ce sourire confiant lorsque le roi pénétrait dans la pièce.

Il me fallut accepter cette seconde place avec grâce. Le roi me possédait la nuit mais, tout le jour, il n'appartenait qu'à Anne. Pour la première fois, je me sentais comme une putain ; et c'était ma propre sœur qui me déshonorait ainsi.

La reine, abandonnée la plupart du temps, poursuivait son travail sur la nappe d'autel ; elle passait des heures devant son prie-Dieu et s'entretenait continuellement avec son confesseur, John Fisher, évêque de Rochester. Nous prîmes l'habitude d'observer ce dernier, raillant son pas tranquille quand il descendait la colline pour rejoindre son bateau sur le cours d'eau, la tête inclinée.

— Elle doit avoir péché comme diable, remarqua Anne.

Tout le monde attendit la plaisanterie.

— Pourquoi cela ? l'encouragea George.

— Parce qu'elle se confesse chaque jour des heures durant, s'exclama Anne. Dieu sait ce que cette femme a pu faire, elle passe plus de temps à genoux que moi à table !

Un rire flagorneur fit écho. Anne frappa dans ses mains pour commander la musique, les couples s'alignèrent. Je demeurai à la fenêtre, suivant des yeux l'évêque qui s'éloignait. De quoi discutaient-ils, la reine et lui ? Se pouvait-il que, avertie de ce qu'ourdissait le roi, elle espérât retourner l'Église d'Angleterre contre son souverain ?

Je me glissai entre les danseurs et me rendis dans les appartements silencieux de la souveraine. Nulle musique ne résonnait derrière les portes closes, elles qui jadis demeuraient toujours grandes ouvertes aux visiteurs.

La salle d'audience était vide, la nappe d'autel déployée sur des chaises. Le ciel se détachait sur un coin ; jamais il ne couvrirait la surface prévue sans personne pour travailler avec elle. Où trouvait-elle le courage de s'atteler, seule, à la broderie de cette immensité vierge ? Aucun feu ne brûlait dans l'âtre, la pièce était froide. Un instant, prise d'une véritable appréhension, je la crus partie, emmenée par ordre du roi qui, las d'attendre, avait perdu la tête et ordonné à ses soldats de la mener au couvent.

J'entendis alors un tout petit bruit, pitoyable comme les sanglots d'un enfant.

Sans réfléchir, attirée par le désir de soulager le désespoir contenu dans ces pleurs, j'ouvris la porte de sa chambre privée.

La reine, agenouillée auprès du lit, étouffait ses gémissements en mordant la riche courtepointe. Le roi se tenait à côté d'elle, bras croisés comme un bourreau sur la pelouse de la Tour. Il me lança un regard vide lorsqu'il entendit la porte s'ouvrir, comme s'il ne me reconnaissait pas.

— Il me faut dès lors vous annoncer que notre union se trouvait contraire à la loi et doit être annulée.

La reine leva du lit un visage maculé de larmes.

— Nous avions une dispense.

— Le pape ne peut offrir de dispense à la loi de Dieu, répondit le roi d'une voix ferme.

— Ce n'est point la loi de Dieu…, chuchota-t-elle.

— Disputer plus outre ne sert à rien, madame, l'interrompit Henri qui craignait son intelligence. Vous ne serez bientôt plus mon épouse, ni la reine. Vous devez vous retirer.

Elle secoua la tête et gémit :

— Je suis votre épouse et la reine devant Dieu, rien ne peut défaire cela.

Il se dirigea vers la porte, pressé de s'éloigner de son agonie.

— Vous l'apprîtes de ma propre bouche, madame ; je pris cette peine. Vous ne pourrez m'accuser d'avoir manqué d'honnêteté à votre endroit, déclara-t-il sur le seuil de la pièce.

— Je vous aimai toutes ces années, s'écria-t-elle. Qu'ai-je jamais fait qui vous offensât ?

Je me collai contre le mur pour le laisser sortir mais, à l'ultime moment, il changea d'avis et se retourna.

— Vous ne m'avez point donné de fils, l'accusa-t-il.

— J'ai essayé ! Dieu m'en est témoin, Henri ! Il n'est point de mon fait que notre fils n'ait vécu ; le Seigneur appela notre prince au ciel.

La douleur contenue dans sa voix le troubla, mais il s'éloigna cependant en répétant :

— Vous deviez me donner un fils, pour le bien de l'Angleterre ; vous le savez, Catherine.

Le visage livide, elle lui lança :

— Vous devez accepter la volonté de Dieu !

— C'est Dieu Lui-même qui guide ma décision ! hurla Henri en faisant volte-face. Dieu, Qui m'ordonne de renoncer à cette union maudite et pécheresse ! Alors seulement, j'obtiendrai un fils. Je le sais, Catherine, et vous…

— Oui ? s'écria-t-elle en se redressant, son courage soudain rassemblé. Que me réservez-vous ? Un couvent, la vieillesse, la mort ? Je suis princesse d'Espagne et reine d'Angleterre ; que pouvez-vous offrir au lieu de cela ?

— C'est la volonté de Dieu, répéta-t-il, obstiné.

Elle éclata d'un rire sauvage.

— La volonté de Dieu que vous vous détourniez de votre épouse légitime pour épouser une putain ? La sœur de votre putain ?

Je retins ma respiration, mais Henri avait franchi le seuil de la porte et s'éloignait.

— C'est la volonté de Dieu, et la mienne, cria-t-il une ultime fois avant de faire claquer la porte.

Je me collai au mur, souhaitant désespérément qu'elle ne s'aperçût pas de ma présence, moi qu'elle avait nommée la catin de son époux. Mais elle leva la tête de ses mains et dit simplement :

— Aidez-moi, Marie.

Je m'avançai en silence. Elle tendit le bras puis, s'appuyant sur moi, se mit debout. Je m'aperçus qu'elle tenait à peine sur ses jambes.

— Vous devriez vous reposer, Votre Majesté, murmurai-je.

— Je n'en ai point le temps ; aidez-moi à m'agenouiller devant mon prie-Dieu et donnez-moi mon rosaire.

— Votre Majesté…

— Marie, coassa-t-elle d'une voix que ses irrépressibles sanglots avaient rendue rauque, il me détruira, déshéritera notre fille, ruinera son pays et conduira son âme en enfer. Je dois prier pour lui, pour moi, pour notre pays. Ensuite j'écrirai à mon neveu.

— Jamais ils ne vous laisseront lui faire parvenir une missive.

— Je connais le moyen de la lui envoyer.

— N'écrivez rien qui puisse être retenu contre vous !

Elle s'immobilisa en entendant la peur dans ma voix. Puis elle se para d'un sourire amer.

— Pourquoi ? demanda-t-elle enfin. Je ne puis être accusée de trahison : je suis reine d'Angleterre, je *suis* l'Angleterre. Nul ne peut me forcer à divorcer, je suis l'épouse du roi. Le souverain s'est pris de folie au printemps, mais se remettra à l'automne. Il me faut seulement survivre à l'été.

— L'été des Boleyn, dis-je, pensant à Anne.

— L'été des Boleyn, répéta-t-elle ; ce sera l'affaire d'une saison.

Elle posa ses mains marquées par l'âge sur le velours brodé de son prie-Dieu et inclina la tête, déjà sourde et aveugle au monde qui l'entourait. Je sortis en refermant doucement la porte derrière moi.

George, tapi dans l'ombre comme un assassin, m'attendait dans la salle d'audience de la reine.

— Oncle Howard veut vous voir, déclara-t-il brièvement.

— Je ne puis y aller, George. Je vous en supplie, inventez une excuse pour moi.

— Allons, suivez-moi.

Traversant le rayon de lumière qui pénétrait dans la salle par la fenêtre ouverte, je cillai sous l'éclat lumineux. Au dehors, j'entendis une chanson suivie du rire insouciant d'Anne.

— Je vous en prie, George, dites-lui que vous n'avez pu me trouver.

— Il vous savait auprès de la reine et m'ordonna de vous attendre. Je secouai la tête.

— Je ne la trahirai point.

George traversa la pièce en trois enjambées, me prit le coude et m'entraîna sans ménagement vers la porte. Il marchait si vite qu'il me fallut courir pour rester à sa hauteur.

— Qui est votre famille ? gronda-t-il, les dents serrées, dévalant l'escalier.

— Les Boleyn, les Howard.

— Qu'appelez-vous votre foyer ?

— Hever et Rochford.

— Quel est votre royaume ?

— L'Angleterre.

— Et votre souverain ?

— Henri.

— Alors, servez-les. Dans cet ordre. M'avez-vous entendu une seule fois mentionner la reine espagnole dans cette liste ?

— Non.

— Souvenez-vous-en.

Je tentai de lutter et criai :

— George !

— Chaque jour j'ignore mes propres désirs pour le bien de cette famille ! jura-t-il d'une voix basse et sauvage. Je danse au service d'une sœur ou de l'autre puis joue le maquereau du roi. Je renie mes appétits, mes passions, mon âme ! Maintenant, vous venez !

Il me poussa vers la porte des appartements privés d'oncle Howard, qu'il ouvrit sans frapper. Mon oncle était assis derrière son bureau, le soleil tombait sur ses papiers, un petit bouquet de roses se trouvait devant lui sur la table. Il leva les yeux à notre entrée et enregistra ma respiration saccadée et la détresse peinte sur mon visage.

— Je dois savoir ce qu'il advint entre le roi et la reine, déclara-t-il sans préambule. Une servante affirme que vous étiez présente.

Je hochai la tête.

— Je suis entrée car je l'ai entendue pleurer.

— Elle a pleuré ? demanda-t-il d'un ton incrédule.

J'acquiesçai d'un signe.

— Racontez.

Un instant, je demeurai silencieuse. Sa voix claqua comme un fouet.

— Racontez !

— Le roi lui annonça qu'il considère leur union comme invalide et cherche à la faire annuler.

— Et elle ?

— Elle lui lança le nom d'Anne sans qu'il nie.

Un éclair de joie sauvage illumina le visage de mon oncle.

— Que faisait-elle, lorsque vous la laissâtes ?

— Elle priait.

Mon oncle se leva, fit le tour de son bureau et s'approcha lentement de moi. Il s'empara de mes mains et demanda, très doucement :

— Voulez-vous voir vos enfants cet été, Marie ?

Mon désir de me trouver à Hever avec eux me fit chanceler. Fermant un instant les yeux, je les imaginai contre moi, dans mes bras, m'enveloppant de la douce odeur de leur peau chauffée par le soleil.

— Servez-nous bien en cette affaire et je vous autoriserai à demeurer tout l'été à Hever tandis que la cour sera en voyage. Nul ne viendra troubler votre quiétude. Mais, pour cela, Marie, vous me communiquerez exactement ce que vous savez des plans de la reine.

Je poussai un petit soupir.

— Elle a dit qu'elle écrirait à son neveu, qu'elle connaissait le moyen de lui faire parvenir une lettre.

— Découvrez la façon dont elle achemine ses courriers vers l'Espagne puis venez m'en informer. Réussissez cela et vous serez auprès de vos enfants la semaine suivante.

Je ravalai le sentiment de trahison qui s'infiltrait dans mon cœur comme du fiel. Il retourna à son bureau, s'assit et s'empara d'une liasse de papiers devant lui.

— Vous pouvez disposer, dit-il avec indifférence.

La reine écrivait à son écritoire lorsque je revins dans ses appartements.

— Ah, lady Carey, pouvez-vous allumer une autre chandelle pour moi ? Je distingue à peine mes mots.

J'enflammai une bougie que je posai devant sa page. Je vis qu'elle écrivait en espagnol.

— Faites venir señor Felipez, voulez-vous ? me demanda-t-elle. J'ai une commission pour lui.

J'hésitai, mais elle leva la tête de sa missive et me fit un petit signe impératif. Après une révérence, j'allai à la porte où se tenait un garde.

— Faites chercher señor Felipez, ordonnai-je.

Il arriva un instant plus tard. Valet de chambre de la reine, chargé de l'aiguière, cet homme d'âge mûr était venu d'Espagne lorsque Catherine s'était unie. Il était demeuré à son service et, malgré son mariage avec une Anglaise puis la naissance de leurs enfants, il n'avait jamais perdu son accent espagnol ni son amour pour son pays d'origine.

Je le fis entrer. La reine leva les yeux vers moi :

— Laissez-nous, m'enjoignit-elle.

Je la vis plier la lettre avant de la sceller de son propre sceau, le grenadier d'Espagne.

Je quittai la pièce puis attendis, assise sur la banquette de la fenêtre, la sortie du vieux serviteur qui glissait la missive sous son pourpoint. Je courus alors chez oncle Howard et lui avouai tout.

Señor Felipez quitta la cour le jour suivant ; mon oncle me rejoignit alors que je me promenais sur le chemin tortueux qui menait au château de Windsor.

— Vous pouvez partir pour Hever, m'annonça-t-il brièvement, votre travail est terminé.

— Monsieur ?

— Nous attraperons señor Felipez lorsqu'il s'embarquera à Douvres pour la France, expliqua-t-il loin de la cour afin que le bruit de son arrestation ne revienne pas aux oreilles de la reine. La lettre à son neveu une fois entre nos mains, la preuve de sa trahison sera faite, elle devra accepter le divorce pour se sauver. Le roi sera libre de se remarier. Cet été.

Je me souvins de la reine qui croyait devoir survivre à l'été pour retrouver la sécurité.

— Promesse d'union d'abord, épousailles royales et couronnement cet automne, poursuivit mon oncle.

Je déglutis, pétrifiée à l'idée de ma sœur reine d'Angleterre quand je deviendrais la putain abandonnée du roi.

— Et moi ?

— Pour l'heure, votre travail est terminé. Vous reviendrez servir Anne comme dame d'atour lorsqu'elle sera reine ; elle aura alors besoin de sa famille autour d'elle.

— Puis-je partir aujourd'hui ? fut tout ce que je parvins à demander.

— Si vous trouvez quelqu'un pour vous escorter.

— Puis-je demander à George ?

— Oui.

Je lui offris une révérence et me détournai.

— Votre action avec Felipez nous offre le temps dont nous avions besoin, me lança mon oncle tandis que je m'éloignai. La reine se croit sur le point de recevoir de l'aide, mais elle est seule.

— Je suis heureuse de servir les Howard, répondis-je brièvement, alors que j'eusse avec joie enterré tous les Howard, à l'exception de George, au plus profond du caveau de famille, sans le moindre frémissement de regret.

Mon frère, après avoir tout le jour chevauché avec le roi, ne se montra aucunement disposé à remonter en selle.

— J'ai bu et joué la nuit dernière, ma tête me pèse, et Francis est impossible… Il s'interrompit avant de reprendre : je ne survivrais pas à un voyage à Hever aujourd'hui, Marie.

Je pris ses mains entre les miennes, le forçai à me regarder dans les yeux, sans empêcher mes larmes de couler sur mes joues.

— George, je vous en supplie, menez-moi à mes enfants ; oncle Howard pourrait changer d'avis.

— Cessez donc de pleurer ! gémit-il, je déteste cela, vous le savez. C'est d'accord, je vous emmène. Envoyez quelqu'un aux écuries faire seller nos chevaux, nous partons à l'instant.

Anne se trouvait dans notre chambre lorsque je fis irruption pour empaqueter quelques affaires dans un sac et veiller à ce que le coffre qui serait envoyé par chariot à ma suite fût bien fermé.

— Où allez-vous ?

— À Hever, j'ai la permission d'oncle Howard.

— Mais… et moi ? demanda-t-elle.

Au ton désespéré de sa voix, je la dévisageai avec soin.

— Quoi, et vous ? Vous avez tout. Que diable pourriez-vous vouloir de plus ?

Elle se laissa tomber sur la chaise devant le petit miroir et prit sa tête entre ses mains.

— Il est follement amoureux de moi, souffla-t-elle. Mon temps s'écoule à l'attirer tout en le retenant. Lorsqu'il danse avec moi, je sens sa dureté contre moi. Il rêve de me posséder.

— Et alors ?

— Je dois le garder comme ça, le laisser mijoter comme un pot de sauce sur un brasero. S'il déborde, je serai brûlée, mais s'il refroidit et part tremper son bâton ailleurs, j'aurai une rivale. C'est pour cette raison que j'ai besoin de vous ici.

— Tremper son bâton ? répétai-je, incrédule.

— Oui.

— Il ne reste que quelques semaines, repris-je en secouant la tête. Selon oncle Howard, vous serez fiancée cet été puis unie à l'automne. J'ai joué mon rôle, je pars.

Elle ne me demanda pas même de quel rôle il s'agissait. La vision des choses d'Anne ressemblait à ce qu'éclairait une lanterne aux caches baissées : une seule direction, celle qu'elle suivait.

— Encore quelques semaines, reprit-elle pensivement, ensuite j'aurai tout.

Été 1527

près que George m'eut accompagnée à Hever, j'y demeurai sans aucune nouvelle de lui ni d'Anne tandis qu'ils voyageaient avec la cour au cœur du paysage anglais. Je n'en avais cure : j'avais mes enfants et ma maison pour moi seule, personne ne me tenait sous surveillance, me comparant à ma sœur, cherchant dans ma pâleur une éventuelle jalousie à son encontre. J'étais libérée des cent yeux d'Argus de cette cour avide de scandales, loin de la lutte continuelle entre le roi et la reine. Mieux que tout cela, je n'éprouvais plus ce besoin de compter les points dans mon ambiguë relation avec Anne.

Mes enfants parvenaient à un âge où tout le jour pouvait s'écouler dans une succession de petites activités : nous pêchions dans les douves avec des morceaux de lard au bout de cordes, sellions ma jument afin que chacun s'y assît à tour de rôle pour une promenade, partions en expédition dans les jardins pour ramasser des fleurs ou dans le verger cueillir des fruits. Je commandai un jour un chariot tapissé de foin dont je pris moi-même les rênes, pour nous rendre à Edenbridge. Je ne me lassai pas de les regarder, agenouillés à la messe ou tombant de sommeil en fin de journée, la peau rougie par le soleil. J'oubliai la cour, le roi, les courtisans, les favoris.

En août, je reçus une lettre d'Anne, apportée par son domestique le plus sûr, Tom Stevens, né et élevé à Tonbridge.

— De la part de ma maîtresse, à vous remettre en main propre, m'annonça-t-il avec déférence, un genou à terre dans la grand-salle.

— Merci, Tom.

— Nul autre que vous ne doit en prendre connaissance.

— Très bien.

— Je monterai la garde à votre côté pendant que vous la lirez puis la jetterai au feu afin que nous la regardions se consumer, Milady.

Je souris mais commençai à me sentir mal à l'aise.

— Ma sœur se porte-t-elle bien ?

— Comme un jeune agneau dans le pré.

Je rompis le sceau et dépliai les pages.

Réjouissez-vous pour moi, car mon destin est scellé. Je serai reine d'Angleterre. Cette nuit, il me demanda de l'épouser et me promit d'être libre dans le mois, quand Wolsey parlera au nom du pape. J'ai fait aussitôt venir père et oncle Howard, disant que je voulais partager mon bonheur avec ma famille, afin qu'il ne puisse se dédire. Il m'a offert une bague ; certes, il me faut la garder cachée encore mais c'est une bague de fiançailles l'engageant à s'unir à moi. J'ai fait l'impossible, conquis le roi et changé le destin de la reine. J'ai renversé l'ordre des choses. Rien ne sera plus jamais pareil pour toute femme dans ce pays.

Nous serons unis dès que Wolsey annoncera l'annulation de leur mariage ; la reine l'apprendra le jour de notre union, pas avant. Elle est destinée à se rendre dans un couvent en Espagne. Je ne la veux pas dans mon pays.

Réjouissez-vous pour moi et notre famille. Je n'oublierai pas que vous m'avez apporté votre aide et vous vous apercevrez posséder une véritable sœur et amie en Anne, reine d'Angleterre.

Je posai lentement la lettre sur mes genoux. Le triomphe d'Anne éclatait derrière chacun des mots griffonnés à l'encre noire. La fin de ma vie comme favorite à la cour d'Angleterre était consommée. Je perdais, Anne gagnait. Une nouvelle vie commençait pour elle, où elle devenait, comme elle l'avait déjà signé elle-même : « Anne, reine d'Angleterre. » Et je ne serais presque rien.

Je tendis la missive à Tom qui la posa au centre même des braises rougeoyantes. Le parchemin se tordit, se teinta de brun puis de noir. Je pouvais encore lire les mots : « J'ai renversé l'ordre des choses. Rien ne sera plus jamais pareil pour toute femme dans ce pays. »

Anne avait raison. Nulle épouse, combien obéissante, combien aimante, ne se trouverait plus en sécurité, car si une femme comme la reine Catherine d'Angleterre pouvait être répudiée sans raison, ce sort pouvait s'appliquer à toutes.

La lettre partit soudain en flammes, jaunes et vives ; je l'observai se transformer en cendres. Tom s'empara d'un tisonnier pour la réduire en poudre.

— Merci, dis-je, m'éveillant de ma torpeur. Rendez-vous à la cuisine, ils vous donneront de quoi manger.

Je sortis de ma poche une pièce d'argent que je lui donnai. Il s'inclina, me laissa seule. Je suivis des yeux les petits flocons de cendre blanche tourbillonnant dans la fumée qui s'élevait en volutes blanches vers le ciel de la nuit.

— La reine Anne, murmurai-je, la reine Anne d'Angleterre.

Un matin, j'aperçus un cavalier avec une escorte. Je me hâtai de descendre, espérant voir George. Mais le cheval qui entra en caracolant dans la cour appartenait à mon époux, William. Ce dernier sourit de ma surprise.

— Ne me blâmez point d'être le messager du malheur.

— Anne ? demandai-je.

Il hocha la tête.

— Battue.

Je le menai dans la grand-salle où je le fis asseoir dans la chaise de ma grand-mère, la plus proche du feu, et lui offris un verre de vin.

— Racontez-moi, ordonnai-je lorsque j'eus vérifié que la porte était fermée.

— Vous souvenez-vous de Francisco Felipez, le serviteur de la reine ?

Je hochai la tête sans un mot.

— Il requit un sauf-conduit pour se rendre en Espagne depuis Douvres, mais c'était un leurre. Porteur d'une lettre de la souveraine pour son neveu, il dupa le roi, quittant Londres directement pour l'Espagne par bateau spécialement affrété ce matin-là. Lorsqu'ils comprirent l'avoir perdu, il était loin ; l'enfer éclata alors.

Mon cœur battait la chamade. Je mis la main sur ma gorge, comme pour le ralentir.

— Quelle sorte d'enfer ?

— Wolsey se trouve encore en Europe mais le pape, averti, ne le reconnaîtra point comme émissaire. Nul cardinal ne le soutiendra, la paix est rompue. Nous sommes de nouveau en guerre avec l'Espagne. Henri envoya son secrétaire en toute hâte à Orvieto, droit à la prison du pape, pour lui demander d'annuler lui-même le mariage, autorisant Henri à épouser toute femme qu'il souhaite, même une dont il a possédé la sœur, même une qu'il a possédée, autrement dit une putain ou la sœur d'une putain.

J'eus un hoquet de peur.

— Il veut obtenir permission d'épouser une femme qu'il a possédée ? Seigneur Dieu, pas moi ?

William éclata d'un rire bref.

— Non, Anne : il nourrit l'intention de la voir partager sa couche avant le mariage. Les filles Boleyn ne sortent guère louablement de cette situation, n'est-ce pas ?

Je remuai dans mon fauteuil, mal à l'aise devant le ton railleur de mon époux.

— Et maintenant ?

— Tout repose sur le Saint-Père, qui lui-même prend avis auprès du neveu de la reine, au palais d'Orvieto. Il me semble très improbable qu'il délivre une bulle papale pour légitimer le comportement le plus immoral que l'on puisse imaginer : s'accoupler avec une femme, puis avec la sœur de cette dernière, pour enfin épouser l'une des deux. D'autant plus improbable qu'il s'agit ici d'un roi dont l'épouse légitime jouit d'une réputation intacte et dont le neveu détient le pouvoir en Europe.

— Alors, la reine a gagné ?

Il hocha la tête.

— Une fois de plus.

— Comment Anne agit-elle ?

— Votre sœur est un véritable enchantement ; elle rit et chante tout le jour. Elle suit la messe avec le roi, l'accompagne à cheval, parcourt les jardins à son bras, le regarde jouer à la paume, demeure assise à ses côtés lorsque ses secrétaires lui lisent des missives, fait des jeux de mots, lit de la philosophie, dispute comme un théologien, danse toute la nuit, établit des chorégraphies pour les bals masqués, prépare les divertissements et est la dernière au lit.

— Vraiment ?

— Une parfaite maîtresse, conclut-il, qui ne s'arrête jamais. Elle doit être morte de fatigue.

Le silence s'installa. Il termina sa coupe.

— Ainsi nous sommes de retour à notre situation initiale, murmurai-je avec incrédulité.

Il m'adressa son chaud sourire.

— Non, me corrigea-t-il, votre situation a empiré car, à présent, vous avancez à découvert. Vous sembliez auparavant briguer richesses et palais, comme nous tous quoique avec un peu plus d'avidité ; mais l'on sait maintenant que les Howard visent le trône. Tout le monde va vous haïr.

— Pas moi, répliquai-je avec ferveur. Je reste ici.

Il secoua la tête.

— Vous m'accompagnez à Norfolk.

— Que voulez-vous dire ?

— Le roi ne souhaite plus faire usage de vous, mais ce n'est point mon cas. Vous êtes encore mon épouse, nous demeurerons ensemble chez moi.

— Les enfants…

— … logeront avec nous. Nous vivrons comme je l'entends. Il marqua une pause et répéta : comme *je* l'entends.

Je me levai, soudain effrayée par cet homme que j'avais épousé et que je ne connaissais pas vraiment.

— Ma famille reste puissante, l'avertis-je.

— Estimez-vous-en heureuse, répliqua-t-il, car, sans cela, je vous eusse répudiée sans regret. L'époque ne profite guère aux épouses, madame, je crois que vous et les Howard vous apercevrez vite qu'il y a un revers à cette médaille que vous frappez.

— Je ne fis rien d'autre qu'obéir à ma famille et à mon roi.

Ma voix demeura ferme, je ne voulais pas qu'il sache que j'avais peur.

— Eh bien, à présent, vous obéirez à votre époux, conclut-il avec une douceur trompeuse. Comme je suis aise que vous possédiez toutes ces années d'exercice…

Anne,
William dit que les Boleyn sont perdus ; il nous emmène, moi et les enfants, à Norfolk. Par pitié, parlez en mon nom au roi avant que je ne sois entraînée au loin sans pouvoir revenir.
M.

Je me glissai au bas des escaliers de pierre qui menaient à la cour, par-delà le cabinet de mon père. Faisant signe à l'un des hommes appartenant aux Boleyn, je lui confiai mon billet avec mission de partir à la recherche de la cour qui voyageait entre Beaulieu et Greenwich.

— Assurez-vous qu'elle parvienne à mademoiselle Anne, ajoutai-je, c'est important.

Nous dînâmes dans la grand-salle. William se montra aussi urbain qu'à son habitude, alimentant la conversation d'un flot constant de nouvelles et de rumeurs ayant trait à la cour.

Lorsque les serviteurs eurent apporté les chandelles, William fouilla dans son pourpoint et en sortit un billet. Je reconnus aussitôt mon écriture : il s'agissait de ma lettre pour Anne. Il la jeta sur la table devant moi.

— Vous faites preuve d'un certain manque de loyauté, remarqua-t-il.

— Vous ne montrez guère de politesse en arrêtant mes serviteurs pour lire mes lettres.

Il me sourit.

— *Mes* serviteurs, *mes* lettres, me corrigea-t-il. Vous êtes mon épouse, tout ce qui est à vous m'appartient. Et je surveille ce qui m'appartient.

Assise en face de lui, je posai mes mains à plat sur la table puis inspirai profondément pour me calmer. Je ne comptais peut-être que dix-neuf années, mais j'étais une Howard qui, quatre années et demie durant, avait été la maîtresse du roi.

— Écoutez-moi, mon époux, rétorquai-je d'une voix ferme. Vous reçûtes avec joie terres, titres, richesses et faveur du roi ; nous savons tous comment celles-ci vous furent octroyées. Je n'en ai point honte, vous non plus. Toute personne en notre position en eût profité, et nous savons tous deux que garder les bonnes grâces du roi n'est pas de tout repos.

William afficha un air surpris devant ma véhémence.

— Les Howard ne se déclareront pas vaincus aussi aisément ; la partie est loin d'être terminée et, si vous connaissiez mon oncle aussi bien que moi, vous ne montreriez point tant de hâte à le croire défait.

William hocha la tête.

— Certes, nos ennemis nous talonnent ; oui, les Seymour se préparent déjà à attirer l'attention du roi avec l'une de leurs filles. Mais en ce moment, libre de l'épouser ou non, le souverain ne désire que ma sœur. Anne est en pleine ascension et tous les Howard – dont vous êtes, mon époux – servent au mieux leurs intérêts en soutenant sa montée.

— Elle en fait trop, m'objecta-t-il, celle-ci ne pourra que se rompre. Elle travaille avec trop d'ardeur à garder sa place à ses côtés. Avec un peu d'attention, chacun s'en apercevrait.

— Qui s'en soucie, tant que le souverain ne le voit point ?

William rit avant de répondre :

— Parce qu'elle ne peut poursuivre bien longtemps à ce rythme et, à présent que Wolsey a échoué, il lui faudra peut-être le garder des mois, des années.

J'hésitai un instant à la pensée d'Anne, vieillie et prétendant s'amuser.

— De quel autre choix dispose-t-elle ?

— Aucun, répondit-il avec un sourire carnassier. Mais, vous et moi, nous irons chez moi pour y vivre comme un couple uni. Je veux un fils qui me ressemble, et non un petit Tudor blond. Je veux une fille qui ait mes yeux noirs. Et vous allez me les donner.

J'inclinai la tête.

— Je me montrerai irréprochable.

Il haussa les épaules.

— Vous supporterez tout traitement que je juge bon de vous donner. Vous êtes mon épouse, n'est-ce pas ?

— Oui.

— Souhaitez-vous peut-être une annulation canonique, à présent que le mariage semble passer de mode ? Vous pourriez être enfermée dans un couvent si vous le désirez ?

— Non.

— Alors, allez m'attendre dans mon lit, jeta-t-il négligemment, je monterai dans un instant.

Je m'immobilisai. Je n'avais pas pensé à cela. Il me dévisagea par-dessus le rebord de sa coupe de vin.

— Quoi ?

— Cela peut-il attendre que nous arrivions à Norfolk ?

— Non, dit-il.

Je me dévêtis lentement, étonnée de ma propre réticence. J'avais partagé la couche du roi une douzaine de fois sans en ressentir le moindre désir, je n'étais plus une vierge de treize ans que l'on glissait dans le lit d'un époux en lui ordonnant que fût consommée son union. Mais je ne possédais pas encore ce cynisme qui m'eût préparée à m'accoupler avec un homme se déclarant à demi mon ennemi.

Il prit son temps. Je grimpai dans le lit puis, à son entrée, feignis le sommeil. Je l'entendis se déplacer dans la pièce puis se déshabiller avant de me rejoindre. Je sentis le poids des couvertures se soulever lorsqu'il les mit autour de ses épaules nues.

— Ainsi, vous ne dormez pas ?

— Non, admis-je.

Dans le noir, il tendit les mains vers moi, trouva mon visage, caressa mon cou, mes épaules et m'enserra la taille. J'étais vêtue de ma chemise de lin mais la froideur de ses mains transperçait le fin tissu. J'entendis sa respiration s'accélérer un peu. Il m'attira à lui, j'obéis sans opposer de résistance et m'offris comme je m'étais offerte à Henri. Un instant, je songeai que je ne savais comment satisfaire tout autre homme que Henri.

— Ne le voulez-vous point?

— Je suis votre épouse et vous obéirai en tout, répondis-je d'un ton égal, craignant qu'il ne cherche à me piéger dans un refus qui lui permettrait de me répudier.

Le petit soupir de déception qu'il laissa échapper m'apprit qu'il avait souhaité une réponse plus enthousiaste.

— Dormons, alors.

Mon soulagement fut tel que je demeurai muette, n'osant dire un mot de peur qu'il changeât d'avis. Totalement immobile, j'attendis qu'il me tourne le dos, remonte la courtepointe sur ses épaules et s'immobilise à son tour. Alors, seulement, je laissai se dénouer ce nœud qui me serrait l'estomac. Je dérivai vers le sommeil; j'avais survécu à une autre nuit, je me trouvais toujours à Hever, les Howard possédaient encore toutes les cartes en main. Le lendemain nous appartenait.

Un coup frappé à la porte nous réveilla. Je sortis du lit avant que William n'ouvrît l'œil et ne fût en mesure de prendre ma main. Ouvrant la porte, je lançai sèchement : « Chut! Milord est endormi! », comme s'il s'agissait de mon seul souci et non de quitter son lit le plus tôt possible.

— Un message urgent de la part de mademoiselle Anne, m'annonça le serviteur qui me tendit un pli.

J'avais terriblement envie de me couvrir d'une cape pour déchiffrer le message loin de William mais ce dernier, bien éveillé, s'assit dans le lit.

— Notre chère sœur, railla-t-il. Que nous apprend-elle?

Il ne me resta d'autre choix que d'ouvrir la lettre devant lui en priant qu'Anne, une fois dans sa vie, eût pensé à d'autre qu'elle-même.

Ma sœur,
Le roi et moi vous prions, vous et votre époux, de nous rejoindre à
Richmond, où nous requérons votre présence.
Anne

227

William tendit une main impérieuse ; je lui donnai le pli.

— Elle a deviné que je quittai la cour pour vous chercher. D'un trait de plume, vous voici libérée de moi, conclut-il amèrement lorsqu'il eut lu la note.

Derrière la dureté de son ton, je sentis sa douleur. Les cornes du cocu sont difficiles à porter, il en était affublé depuis cinq ans déjà. Lentement, je me dirigeai vers le lit et lui tendis la main.

— Je suis votre épouse légitime, déclarai-je doucement. Je ne l'oubliai jamais, quoique nos vies nous éloignassent fort l'un de l'autre. S'il nous fallait vivre comme mari et femme, William, vous trouveriez en moi une bonne épouse.

Il plongea ses yeux dans les miens avant de répondre :

— Est-ce une Howard qui s'exprime, qui craint un renversement et pense qu'une vie passée comme lady Carey représente une plus sûre gageure que de devenir « l'autre fille Boleyn » quand la première aura consommé sa ruine ?

Il avait si précisément deviné que je dus détourner la tête plutôt que de risquer qu'il lût la vérité dans mes yeux.

— Oh, William ! le réprimandai-je.

Il m'attira à lui, me prit le menton et tourna mon visage vers le sien.

— Très chère épouse, railla-t-il.

Je fermai les yeux pour échapper à son examen scrutateur et, à ma grande surprise, sentis un tendre baiser sur mes lèvres. Le désir déferla en moi comme un torrent enfin libéré. Je passai mes mains autour de son cou mais il me repoussa doucement.

— Je ne fis hier guère montre de galanterie, déclara-t-il avec douceur, aussi n'est-ce point le bon moment. Mais peut-être quelque part, bientôt ; qu'en pensez-vous, petite épouse ?

Je lui souris, cachant mon soulagement de ne pas me rendre à Norfolk.

— Quelque part, bientôt, répétai-je. Dès que vous le voudrez, William.

Automne 1527

À Richmond, Anne était reine de fait, sinon de nom. Elle vivait dans de splendides appartements, se faisait servir par ses dames d'atour, resplendissait dans de nouvelles robes et se parait de bijoux magnifiques. Elle accompagnait le roi en tout lieu et prenait place sur un siège qui lui était propre à côté du souverain lorsque ses conseillers discutaient avec ce dernier des affaires de l'État. Mais, lors des repas, quand apparaissait la reine légitime, Anne se trouvait reléguée au même rang que ses semblables tandis que, sur l'estrade, Catherine s'asseyait avec une majesté digne.

Je devais partager la chambre de ma sœur, en partie pour éteindre les rumeurs insinuant qu'elle était la maîtresse du roi, en vérité pour l'aider à le tenir à distance. Il la désirait farouchement, insistant à chaque instant qu'étant fiancés légitimes ils pouvaient partager la même couche. Anne utilisait toutes les ruses dont elle disposait pour défendre sa virginité : elle affirmait que jamais elle ne se pardonnerait de la perdre avant le mariage, qu'elle voulait plus que tout se présenter intacte en leur nuit de noces, qu'il devait l'aimer pour la pureté de son âme, quoique Dieu, lui affirmait-elle les yeux au ciel, fût témoin du désir qu'elle ressentait pour lui.

— Combien de temps cela peut-il prendre, nous cracha-t-elle, à George et à moi, pour qu'un maudit secrétaire chevauche jusqu'à Rome, obtienne une signature et revienne ? Combien de temps, pour l'amour de Dieu ?

Nous étions réfugiés dans notre chambre à coucher, le seul endroit où nous jouissions de quelque intimité dans tout le palais. Partout ailleurs, nous nous trouvions au centre d'une incessante attention ; pas un regard qui n'observât Anne sans tenter de deviner si l'intérêt du roi à son endroit s'essoufflait ou s'il l'avait enfin possédée.

Anne marchait de long en large dans le petit espace, incapable de s'arrêter ni de cesser de marmonner. George s'empara de sa main pour la forcer à s'immobiliser.

— Anne, calmez-vous ; nous devons suivre la course des bateliers d'un instant à l'autre.

Son corps fut parcouru de tremblements, puis ses épaules s'affaissèrent soudain et elle murmura :

— Je suis si fatiguée.

— Je sais, mais il est possible que la situation s'éternise. Vous vous êtes engagée à décrocher la lune, préparez-vous à rivaliser d'habileté.

— Si seulement elle pouvait mourir ! explosa-t-elle soudain.

Le regard de George se baissa aussitôt sur le lourd plancher de bois.

— Chut. Cela pourrait arriver, la calma-t-il, ou peut-être Wolsey a-t-il réussi et remonte le cours d'eau à l'heure où nous parlons. Vous pourriez vous trouver unie demain, dans le lit du roi le soir et grosse de lui le matin suivant. Apaisez-vous, Anne, tout repose sur le fait que vous gardiez votre belle apparence.

— Et la tête froide, ajoutai-je tranquillement.

— Vous osez me donner des conseils ?

— Il ne supportera pas des crises de colère, l'avertis-je. Jamais Catherine ne leva un sourcil devant lui, sans parler de la voix. Il vous autorisera davantage car il est fou de vous, mais ne tolérera pas une de vos scènes.

Elle sembla sur le point d'exploser, puis hocha la tête.

— Je le sais. C'est pourquoi j'ai besoin de vous deux.

Nous nous rapprochâmes d'elle ; George tenait encore ses mains entre les siennes, je posai les miennes sur sa taille.

— Nous sommes là, Anne, tous unis, Boleyn et Howard. C'est notre fortune ou notre ruine qui repose sur vous. Vous menez la danse, ma sœur, mais nous avançons tous à votre suite.

Elle se tourna vers l'immense psyché qui reflétait la lumière des jardins et du fleuve au-dehors. Elle rajusta sa coiffe, redressa son collier de perles, observa son reflet puis afficha ce petit sourire prometteur et malicieux.

— Je suis prête, déclara-t-elle.

Nous ouvrîmes le double battant de la chambre comme si elle était déjà reine. Alors qu'elle avançait, tête haute, George et moi échangeâmes le regard de deux joueurs qui viennent d'avancer leur pion avant de lui emboîter le pas.

Mon époux, qui suivait la course depuis la barge royale, me sourit puis m'invita à m'installer à son côté. George rejoignit les jeunes gens de la cour, parmi lesquels se trouvait Francis Weston. Anne, je le vérifiai discrètement, avait repris son ascendant sur le roi : assise à sa droite, elle lui décochait ses magnifiques petits regards en biais et penchait gracieusement la tête de côté.

— Venez vous promener avec moi dans les jardins avant le dîner, me glissa mon époux à l'oreille.

Aussitôt, ma curiosité fut en éveil.

— Pourquoi ?

Il rit.

— Ah, vous, les Howard ! Parce que je vous le demande et aime votre compagnie. Parce que nous sommes mari et femme.

Il regarda vers la rivière qui étincelait sous le soleil de l'après-midi. Les embarcations des nobles, offrant un tableau coloré avec leurs rameurs en livrée, s'alignèrent sur la ligne de départ. Le roi prit une écharpe de soie écarlate et la donna à Anne, qui s'avança au bord de la barge royale et l'éleva haut au-dessus de sa tête. Un instant, elle garda la pose, consciente des regards fixés sur elle. La tête penchée en arrière, le visage dégagé par sa coiffe, la peau rose de plaisir, la taille serrée dans une robe vert foncé, elle était l'essence même du désir. Elle abaissa gracieusement le bras et les bateaux s'élancèrent. Oubliant de jouer la reine, Anne se pencha sur la rambarde afin de suivre des yeux le bateau des Howard, qui dépassait celui des Seymour.

— Allez Howard ! cria-t-elle soudain.

Comme s'ils avaient entendu ses encouragements par-dessus les acclamations qui s'élevaient de la rive, le bateau fit un bon en avant. Je bondis sur mes pieds, mêlant mes encouragements à ceux de la foule. La barge royale s'inclina dangereusement alors que ses occupants, oubliant toute dignité, s'amassaient d'un côté pour hurler leur soutien à la maison de leur choix. Le roi lui-même riait comme un petit garçon, le bras passé autour de la taille d'Anne. Attentif à ne pas encourager quiconque, il était cependant visible qu'il désirait une victoire qui enchantât la créature debout à ses côtés.

Les rameurs des Howard accélérèrent encore le rythme, faisant jaillir l'eau et la lumière, gagnant d'une demi-longueur sur les Seymour. Un puissant roulement de tambour retentit ; les trompettes sonnèrent, pour les Seymour, le glas de leurs espérances : nous avions gagné ! Notre famille était la plus puissante et notre fille se trouvait au bras du roi, les yeux fixés sur le trône d'Angleterre.

Le cardinal Wolsey revint au pays, sans l'annulation et dès lors frappé de disgrâce. Il s'aperçut qu'il ne pouvait plus s'entretenir seul à seul avec Henri. L'homme qui avait exercé un contrôle absolu sur toute chose, depuis la quantité de vin servi aux banquets jusqu'aux conditions de paix avec la France et l'Espagne, dut faire son rapport devant Anne et Henri, assis côte à côte comme deux monarques. La fille qu'il avait grondée pour immoralité le toisait, à la droite du roi d'Angleterre, les yeux plissés par le mépris.

Le cardinal, trop habile courtisan pour laisser la surprise transparaître sur son visage, s'inclina avec grâce devant Anne puis entreprit de faire son rapport. Anne sourit, écouta, se pencha vers Henri afin de déverser quelque poison dans son oreille, puis écouta plus avant.

⚜

— L'idiot! tempêta-t-elle dans notre petite chambre.

Assise sur le lit, je la suivais des yeux qui arpentait la pièce comme l'un de ces lions que j'avais vus à la Tour.

— Un idiot! répéta-t-elle. Nous n'arriverons à rien!

— Que dit-il?

— Que c'est une affaire sérieuse que d'écarter la tante de l'homme qui détient le pape et la moitié de l'Europe entre ses mains. Qu'avec l'aide de Dieu Charles d'Espagne sera défait par l'Italie et la France auxquelles l'Angleterre devrait promettre son soutien sans pour autant risquer de perdre un homme ou une flèche.

— Alors, il nous faut attendre? Non! Vous tous pouvez attendre! s'écria-t-elle en levant les bras au ciel. Mais il me faut prétendre faire des progrès quand je n'en fais point, rendre Henri plus amoureux, l'inciter à croire qu'il obtiendra ce qu'il désire! Il s'est vu promettre la crème, l'or et le miel, je ne puis lui proposer d'« attendre ». Comment vais-je continuer?

— Vous réussirez, répondis-je, cherchant à l'apaiser, souhaitant que George fût présent. Vous continuerez à faire merveille, Anne.

Elle grinça des dents.

— Je deviendrai vieille et exténuée avant de réussir.

Avec douceur, je la forçai à se tourner vers son grand miroir vénitien.

— Regardez, ordonnai-je.

Anne puisait toujours du réconfort à contempler sa propre beauté. Elle marqua une pause et inspira profondément.

— Vous êtes merveilleuse, poursuivis-je, le roi vous prête l'esprit le plus vif du royaume et affirme qu'eussiez-vous été un homme il vous eût nommée cardinal.

— Cela doit être du goût de Wolsey, remarqua-t-elle, un petit sourire narquois aux lèvres.

Je lui rendis son sourire. Nos deux visages se reflétaient côte à côte, offrant comme toujours un contraste de beautés, de complexions, d'expressions.

— À n'en pas douter.

— Il ne peut pas même s'entretenir avec le roi sans un rendez-vous maintenant, se vanta-t-elle. J'y ai veillé. Rien ne se décide hors de ma présence. Je suis au centre du pouvoir, il en est exclu.

— Vous agîtes avec brio, lui soufflai-je, les mots me brûlant la bouche autant qu'ils l'apaisaient. Vous avez des années devant vous, Anne.

Hiver 1527

William et moi glissâmes dans une routine presque domestique, bien qu'elle évoluât autour des désirs du roi et d'Anne. Ma sœur et moi vivions encore dans les appartements que nous partagions. Aux yeux du monde, nous demeurions les dames d'atour de la reine.

Mais, de l'aube au couchant, Anne accompagnait le roi comme une jeune épouse, un conseiller, un meilleur ami. Elle ne revenait dans notre chambre que pour changer de robe ou voler un instant de repos tandis qu'il suivait la messe ou partait à cheval en compagnie de ses gentilshommes. Allongée en silence sur le lit, les yeux fixes et vides de toute étincelle de vie, elle semblait mourir d'épuisement.

J'appris à la laisser seule lorsqu'elle se trouvait dans cet état. Il lui fallait se reposer de cette interminable représentation publique. Elle charmait sans relâche non seulement le roi, mais toute la cour à l'affût d'une hésitation ou d'un signe de lassitude qui déclencherait une tempête de rumeurs précipitant sa ruine et la nôtre.

Lorsqu'elle se trouvait auprès du roi, William et moi passions un peu de temps ensemble. Il me courtisait, ce qui était l'action la plus étrange et la plus délicate qu'un époux eût jamais entreprise à l'égard d'une épouse infidèle. Il me fit parvenir des petits bouquets de fleurs ainsi que de jolies petites baies d'if toutes roses. Il m'envoya un délicat bracelet d'or, m'écrivit de charmants poèmes qui louaient mes prunelles grises et ma chevelure blonde et qui me demandaient la grâce d'une faveur, comme à sa dulcinée. Je trouvai des notes glissées dans le cuir des étriers de ma monture, des sucreries déposées entre les draps de mon lit et chaque fois que, côte à côte, nous partagions un banquet de la cour, assistions à une compétition de tir à l'arc ou suivions une partie de jeu de paume, il se penchait vers moi et chuchotai à mon oreille :

— Venez à ma chambre, femme.

Je gloussais alors comme une jeune maîtresse puis m'éloignais de la foule. Un instant plus tard, il s'éclipsait à son tour et nous nous retrouvions dans l'espace confiné de sa chambre à coucher située dans la partie ouest du palais de Greenwich. Il me prenait alors dans ses bras et me disait, d'une voix pleine de promesses :

— Nous ne disposons que d'une heure tout au plus, mon amour, aussi tout sera pour vous.

Il m'allongeait sur son lit, délaçait mon corps de cotte, me caressait puis me contentait de toutes les manières possibles jusqu'à ce que je crie de joie : « Oh, William ! Ô mon amour ! Vous êtes le meilleur de tous ! »

À cet instant, affichant le sourire plein de fierté de l'homme glorifié, il se déversait en moi puis s'écroulait contre mon épaule avec un soupir tremblant.

Mon attitude, guidée par le désir, se teintait d'une infime part de calcul. Si Anne échouait, entraînant les Boleyn dans sa chute, je me fusse contentée d'un époux qui m'aimât et possédât un beau manoir à Norfolk, un titre et une fortune. Par ailleurs, les enfants portaient son nom, il pouvait les conduire chez lui à tout instant, si tel était son plaisir. Je louerais le Diable lui-même d'être le meilleur de tous, si cela me conservait mes enfants.

Anne se montra d'humeur enjouée lors des fêtes de Noël ; elle dansa et joua jour et nuit avec une énergie que rien ne semblait pouvoir entamer.

Le souverain l'inondait de présents et d'honneurs ; il ne dansait qu'avec elle et Anne se voyait couronnée à chaque bal masqué. Mais toujours, Catherine s'asseyait à la table royale en souriant comme si ces honneurs émanaient d'elle, comme si Anne la représentait avec sa bénédiction. Et la princesse Marie, pâle et mince, prenait place auprès de sa mère, les traits détendus, comme amusée par celle qui convoitait le trône avec tant d'adresse.

— Dieu ! que je la hais ! jura Anne qui se dévêtait pour la nuit. Elle est leur vivante image à tous deux, cette face de lune.

J'hésitai. Discuter avec Anne ne servait à rien. La princesse Marie devenait une jeune fille d'une rare beauté, dotée d'un visage plein de caractère et de détermination, de point en point semblable à celui de sa mère. Lorsqu'elle posait les yeux sur Anne ou moi, son regard semblait littéralement nous traverser comme un panneau de verre vénitien ; nous étions à ses yeux totalement dénuées de substance et elle ne voyait en nous ni des rivales dans l'affection de son père ni même un danger pour le trône de sa mère.

La princesse jouissait d'un esprit vif ; âgée de onze années seulement, elle se montrait capable de faire un bon mot en anglais, en français, en espagnol ou en latin. Anne, certes instruite, enviait toutefois l'éducation donnée à cette petite princesse. En outre, la jeune Marie arborait la même prestance que sa mère, née pour prétendre à un rang dont Anne et moi ne pouvions que rêver. Elle affichait une assurance et une grâce inimitables qui provenaient de la confiance absolue de son importance et de la place qui lui était destinée. Comment Anne ne l'eût-elle point haïe ?

— Elle n'est rien, affirmai-je pour la réconforter. Laissez-moi vous brosser les cheveux.

Un petit coup discret fut frappé à la porte et George se glissa dans la pièce sans nous laisser le temps de répondre.

— Je vis dans la terreur d'être aperçu par mon épouse, annonça-t-il en guise d'excuse, agitant une bouteille de vin et trois gobelets d'étain. La danse a aiguisé son appétit, elle m'ordonna de la rejoindre en sa couche. Elle serait furieuse de me trouver ici.

— Cette femme voit tout, l'avertit Anne, elle saura où vous vous trouvez.

— Quelle espionne elle eût fait... spécialiste de la fornication.

Je gloussai et le laissai me verser une mesure de vin.

— Vous retrouver ne nécessiterait guère de qualités exceptionnelles, objectai-je, vous êtes toujours ici.

— C'est le seul endroit où je puis être moi-même.

— Pas au bordel ? m'enquis-je.

Il secoua la tête.

— Je n'y vais plus ; j'y ai perdu appétit.

— Êtes-vous amoureux ? demanda Anne avec cynisme.

À ma surprise, il détourna le regard et rougit.

— Qu'y a-t-il, George ? le pressai-je.

— Rien que je puisse vous dire, rien que je n'ose faire.

— Quelqu'un de la cour ? s'enquit Anne, intriguée.

Il tira une chaise devant le feu et plongea son regard dans les braises.

— Jurez d'abord de n'en parler à personne ni même d'en discuter ensemble ; je ne veux point de vos commentaires derrière mon dos.

Nous balançâmes à accepter, mais la curiosité l'emporta.

— D'accord, acquiesça Anne en notre nom. Nous jurons.

Le jeune et beau visage de mon frère se décomposa ; il l'enfouit dans la manche richement brodée de son pourpoint.

— J'aime un homme, déclara-t-il simplement.

— Francis Weston, dis-je aussitôt.

Son silence m'apprit que j'avais deviné juste.

Le visage d'Anne afficha une horreur stupéfaite.

— Le sait-il ?

Il secoua la tête, son front fit crisser le velours rouge de sa manche.

— Quelqu'un d'autre le sait-il ?

De nouveau, sa tête brune remua de gauche à droite.

— Alors n'en parlez jamais à quiconque, l'avisa-t-elle. Que ce soit la première et dernière fois que vous l'évoquiez, même devant nous. Qu'il sorte de votre esprit ; jamais, jamais plus, vous ne le regarderez à nouveau.

Il leva les yeux vers elle.

— Je sais que c'est sans espoir.

Mais il ne s'agissait pas d'un conseil pour son bénéfice, à lui.

— Vous me mettez en danger, rectifia-t-elle. Si vous nous couvrez de honte, le roi ne m'épousera pas.

— Est-ce tout ce qui importe ? cracha-t-il, soudain furieux. Je suis uni à un serpent et ne connaîtrai jamais le bonheur, un amour maudit me pousse au péché mais rien, *rien* ! ne compte davantage que la réputation sans taches de mademoiselle Anne Boleyn !

Elle se jeta aussitôt sur lui, toutes griffes dehors, et il attrapa ses poignets avant de voir son visage lacéré.

— Regardez-moi ! siffla-t-elle. N'ai-je point oublié mon seul amour, mon cœur ne s'est-il brisé ? Ne m'avez-vous affirmé, alors, que le jeu en valait la chandelle ?

Il la repoussa mais rien ne l'aurait arrêtée.

— Regardez Marie ! Ne l'avons-nous pas arrachée à son époux ? C'est votre tour à présent de renoncer à quelqu'un, de perdre le grand amour de votre vie, comme j'ai perdu le mien, comme Marie perdit le sien. Ne larmoyez pas devant moi sur votre cœur brisé ! Vous avez assassiné mon amour, nous l'avons enterré ensemble !

George luttait pour la repousser, je la tirai en arrière. La volonté de combattre l'abandonna soudain et nous nous immobilisâmes, comme les acteurs d'un tableau vivant : moi emprisonnant sa taille, George qui lui tenait les poignets, elle les mains tendues à quelques pouces de son visage.

— Dieu tout-puissant ! Quelle sorte de famille sommes-nous devenus ? murmurai-je.

237

— Tout ce qui importe, ce sont les sommets auxquels cette famille s'élèvera, rétorqua Anne d'un ton dur.

George croisa son regard puis hocha lentement la tête, comme un homme qui prête serment.

— Oui, soupira-t-il. Je ne l'oublierai pas.

— Vous renoncerez à votre amour, stipula-t-elle, sans plus jamais mentionner son nom.

Muet, il acquiesça de nouveau.

— Vous vous souviendrez que rien ne compte que mon ascension au trône.

— Je m'en souviendrai.

Tremblante, je libérai la taille d'Anne ; quelque chose dans cette promesse chuchotée ressemblait à un pacte, non avec Anne, mais avec le Diable.

— Ne le dites pas comme ça.

Ils me regardèrent tous deux, le même regard noir, le nez long et droit, la bouche pleine d'arrogance.

— Le trône compterait-il plus que la vie ? ajoutai-je, cherchant à alléger l'atmosphère.

Aucun des deux ne sourit.

— Oui, affirma Anne, laconique.

Été 1528

*A*nne dansa, monta à cheval, chanta, joua, navigua sur la rivière, marcha dans les jardins et participa à des tableaux vivants comme si elle n'avait aucun souci au monde. Elle devint de plus en plus pâle ; les ombres sous ses yeux se creusèrent et elle se mit à utiliser de la poudre pour les camoufler. Elle perdit du poids ; il me fallut rembourrer ses robes pour donner l'illusion d'une poitrine aussi plantureuse qu'auparavant.

Son regard croisa le mien dans la psyché tandis que je laçai son corps de cotte. Elle semblait des années plus âgée que moi.

— Je suis si fatiguée, chuchota-t-elle, les lèvres aussi livides que son teint.

— Je vous avais avertie, rétorquai-je sans bienveillance.

— Vous auriez agi de même si vous aviez possédé esprit et beauté pour le garder.

Je me penchai en avant, mon visage se refléta tout près du sien. Je voulais qu'elle fût en mesure d'observer l'éclat de mes yeux et de ma peau à côté de ses traits tirés par la fatigue.

— Je ne possède ni esprit ni beauté ? répétai-je.

Elle se leva pour se diriger vers le lit.

— Je vais me reposer, grogna-t-elle, vous pouvez disposer.

Je l'aidai à se coucher puis descendis en courant l'escalier de pierre qui menait aux jardins. Quelle magnifique journée ! Le chaud soleil dardait ses rayons sur la rivière qui scintillait de mille feux. Les coches d'eau qui faisaient la navette d'une rive à l'autre se faufilaient entre les gros navires qui attendaient la marée pour hisser les voiles et partir en mer. Un vent léger soufflait en aval, apportant une odeur de sel et d'aventure dans les jardins impeccablement taillés. Apercevant mon époux qui flânait en compagnie de deux autres hommes sur la terrasse au-dessous, je lui fis un signe de la main.

Aussitôt, il s'excusa et vint à moi ; posant un pied conquérant sur la première marche, il leva les yeux vers moi.

— Lady Carey, vous voici aussi radieuse que jamais.

— Comment vous portez-vous, sir William ?

— À merveille. Où se trouvent Anne et le roi ?

— Ma sœur se repose dans sa chambre, le roi est sorti à cheval.

— Ainsi, vous êtes libre ?

— Comme l'oiseau dans le ciel.

Il afficha un sourire confiant.

— M'offrirez-vous le plaisir de votre compagnie lors d'une courte promenade ?

Je descendis les marches à sa rencontre, savourant la sensation de ses yeux posés sur moi.

— Certainement.

Il s'empara de ma main qu'il plaça sous son bras. Nous effectuâmes quelques pas, puis il se pencha vers moi afin de murmurer à mon oreille :

— Quelle petite chose délicieuse vous faites, mon épouse ! Promettez-moi que nous ne marcherons pas longtemps.

Je continuai de regarder devant moi mais ne pus m'empêcher de glousser.

— Quiconque m'aura vue quitter le palais saura que je ne me serai trouvée au jardin qu'un court instant.

— Songez que vous obéirez à votre mari, c'est chose admirable chez une épouse, déclara-t-il d'un air persuasif.

— Si vous me l'ordonnez, suggérai-je.

— Je vous l'ordonne absolument, conclut-il avec une feinte fermeté.

Du dos de la main, je caressai le revers doublé de fourrure de son pourpoint.

— Que puis-je faire d'autre qu'obéir ?

— Parfait.

Il m'entraîna alors vers l'une des petites portes qui jalonnaient l'enceinte du jardin. À peine fut-elle refermée qu'il me prit dans ses bras pour m'embrasser, puis me mena à sa chambre. Nous y fîmes l'amour tout l'après-midi tandis qu'Anne, l'autre fille Boleyn, aussi favorisée que fortunée, demeurait allongée sur son lit de célibataire, la peur au ventre.

Ce soir-là eut lieu un divertissement. J'y participai comme danseuse, tandis qu'Anne, comme à l'accoutumée, avait reçu le rôle principal. Elle affichait une pâleur inhabituelle qui tranchait avec sa robe brodée d'argent, se révélant tellement l'ombre de sa beauté d'antan que même ma mère le remarqua. De l'endroit où j'attendais de réciter mon texte puis de danser ma partie dans le ballet, je la vis me faire signe de la rejoindre.

— Anne est-elle souffrante?

— Pas plus qu'à l'habitude, répondis-je d'un ton bref.

— Lui ordonnez-vous de prendre du repos? Si elle perd sa beauté, elle perd tout.

— Elle s'allonge sur son lit pour se reposer, mère, déclarai-je avec prudence, mais elle ne peut se débarrasser de sa peur. Pardonnez-moi, c'est mon tour de danser.

Elle me laissa partir. Je fis le tour de la pièce avant d'exécuter mon entrée. Je représentais l'étoile de paix qui descendait du ciel d'occident afin de bénir le monde. Il s'agissait d'une forme de référence à la guerre en Italie, j'avais appris les mots latins sans me préoccuper d'en étudier le sens. Anne afficha une grimace et je sus avoir mal prononcé quelque chose. J'eusse dû en ressentir quelque honte mais mon époux, William, me fit un clin d'œil et étouffa un petit rire, sachant pertinemment que, au lieu d'apprendre mon texte ce tantôt, je m'étais trouvée au lit avec lui.

Lorsque le spectacle prit fin, une poignée d'étranges gentilshommes entrèrent dans la pièce, portant masques et dominos, et choisirent une partenaire pour danser. La reine se montra stupéfaite : qui pouvaient-ils être? Anne sourit lorsque le plus corpulent d'entre eux l'invita à danser. Ils virevoltèrent jusqu'à minuit et Anne, aussi livide que sa robe, rit de sa propre surprise lorsque vint le temps de se démasquer et qu'elle découvrit le roi.

Nous nous rendîmes à notre chambre. Elle trébucha dans les escaliers et, lorsque je tendis la main pour la soutenir, je sentis sa peau froide et trempée de sueur.

— Anne, êtes-vous souffrante?

— Seulement fort lasse, répondit-elle d'une petite voix.

Dans notre chambre, son visage, une fois débarrassé de la poudre qui le recouvrait, prit l'aspect du vélin. Elle tremblait et ne voulut ni se laver ni se peigner. Elle avança en vacillant vers le lit, claquant des dents. J'ouvris la porte et envoyai un domestique à la recherche de George. Ce dernier arriva quelques instants plus tard.

— Il faut faire venir un médecin, décrétai-je. Ce n'est point la fatigue qui l'affecte ainsi.

Son regard se posa sur Anne, recroquevillée dans le lit sous une pile de couvertures, la peau jaunie, les dents qui claquaient de froid.

— Seigneur, la suette[1]! souffla-t-il, nommant la maladie la plus terrifiante après la peste.

— Je le crois, acquiesçai-je d'un air sombre.

Il me dévisagea, la peur au fond des yeux.

— Qu'adviendra-t-il de nous si elle périt?

La suette attaqua sans faire de quartiers : une demi-douzaine des personnes ayant participé au bal masqué s'alitèrent. Une jeune fille succomba tandis que la propre chambrière d'Anne se consumait de fièvre dans l'une des pièces qu'elle partageait avec une dizaine d'autres. Alors que j'attendais qu'un médecin envoyât des remèdes pour ma sœur, je reçus un message de William m'enjoignant de ne l'approcher en aucun cas mais de prendre un bain d'eau mêlée d'esprit d'aloès, car il avait la suette et priait Dieu qu'il ne me l'eût point donnée.

Je me rendis cependant à sa chambre à coucher, où je lui parlai depuis l'embrasure de la porte. Sa peau affichait cette même teinte jaunâtre que celle d'Anne, lui aussi était enfoui sous des piles de couvertures sans cesser pourtant de trembler de froid.

— N'entrez pas, m'ordonna-t-il. Pas un pas de plus.

— S'occupe-t-on bien de vous? demandai-je.

— Oui. Je vais partir pour Norfolk en litière ; je veux rentrer chez moi.

— Attendez quelques jours, le suppliai-je. Vous partirez lorsque vous serez remis.

Il me dévisagea depuis le lit, le visage déformé par la douleur.

— Folle que vous êtes. Je ne dispose point du luxe de pouvoir attendre. Prenez soin des enfants à Hever.

— Bien entendu, acquiesçai-je sans comprendre.

— Avons-nous conçu un autre enfant? s'enquit-il alors.

— Je ne le sais pas encore.

William ferma les yeux un instant, comme en prière.

---

1. Suette anglaise, ou *Sudor Anglicus*, sorte de fièvre pernicieuse foudroyante et épidémique originaire d'Angleterre au xve siècle. (*N.d.T.*)

— Eh bien, l'avenir se trouve entre les mains de Dieu, déclara-t-il. J'eusse cependant aimé engendrer un Carey.

— Il sera temps de l'entreprendre lorsque vous aurez recouvré la santé.

Il m'offrit un léger sourire.

— Je vais y songer, petite épouse, prononça-t-il avec tendresse, malgré ses dents qui claquaient.

— William, reviendrez-vous dès l'instant que vous serez remis ?

— Oui, promit-il. Quant à vous, rendez-vous à Hever et demeurez auprès des enfants.

— Je ne sais quand on me laissera partir.

— Quittez la cour aujourd'hui, conseilla-t-il. Le chaos régnera aussitôt qu'ils auront appris combien de gens ont attrapé la suette, en ville et à la cour. Henri va détaler comme un lièvre, croyez-moi, mon aimée. Nul ne vous cherchera pendant une semaine, vous serez alors en sécurité avec les enfants à la campagne. Trouvez George et dites-lui de vous emmener. À l'instant.

J'hésitai un instant, tentée de faire ce qu'il m'ordonnait.

— Marie, pour l'amour de Dieu, écoutez-moi ! Partez pour Hever. Ne serait-ce un grand mal si la suette enlevait père et mère aux enfants ?

— Que voulez-vous dire ? Vous n'allez pas mourir ?

— Bien sûr que non, me rassura-t-il d'un sourire épuisé, mais j'aimerais vous savoir en sécurité lors de mon voyage vers mon foyer. Trouvez George ; dites-lui que je vous ordonne de partir et qu'il doit veiller à votre sûreté.

J'avançai d'un pas dans la pièce.

— N'avancez pas plus près ! gronda-t-il. Partez !

Son intonation était si grossière que je tournai les talons et m'en fus de la pièce de fort mauvaise humeur, claquant la porte derrière moi pour qu'il sache qu'il m'avait offensée.

Ce fut la dernière fois que je le vis.

George et moi nous trouvions à Hever depuis presque une semaine lorsque Anne arriva seule ou peu s'en fallait, en litière. Elle s'évanouissait presque d'épuisement mais ni George ni moi n'eûmes le courage de la soigner. Une femme d'Edenbridge s'en chargea ; elle fit monter à la chambre d'Anne d'énormes quantités de nourriture et de vin dont nous espérions qu'au moins une partie était destinée à notre sœur. Le pays entier était atteint de la maladie ou terrifié à l'idée de la contamination. Deux servantes quittèrent le château pour soigner leurs parents dans des villages avoisinants et périrent. Chaque jour s'écoulait pour George et moi dans la crainte que la mort s'emparât de nous.

Aux premiers signes de la maladie, le roi avait trouvé refuge au palais de Hunsdon. Pire pour nous, la reine Catherine et la princesse Marie se portaient bien. La famille royale voyagea tout l'été, comme les seuls êtres bénis de Dieu dans un océan de maladie, de souffrance et de mort.

Anne combattit pour sa vie comme elle avait lutté pour conquérir le roi ; toute sa détermination lui fut nécessaire pour remporter cette gageure presque impossible. Des lettres d'amour lui parvinrent du souverain, marquées de Hunsdon, Tittenhanger, ou Ampthill, lui recommandant un remède ou un autre, lui jurant qu'il ne l'oubliait pas et l'aimait encore. Mais, dans le pays immobilisé par la terreur et le désespoir, le divorce semblait abandonné. La crainte d'Anne du temps qui s'enfuyait ne signifiait rien pour le roi dont la plus grande peur au monde était la maladie. Pour le moment, miraculeusement bénis d'une bonne santé, les souverains demeuraient unis.

La bonne étoile des Boleyn nous protégea, les enfants et moi, de la suette. Je reçus une note de la mère de William qui m'annonça que ce dernier, en réponse à ses souhaits, avait atteint son foyer avant de s'éteindre. C'était une missive courte et froide, qui à la fin me félicitait ironiquement d'être redevenue une femme libre.

Je lus la lettre dans le jardin, assise sur mon banc préféré qui faisait face aux douves et aux murs de pierre du château. Je pensai à l'homme que j'avais trompé et qui, au cours de ces derniers mois, s'était montré un époux et un amant si charmant. Je regrettai de ne point lui avoir offert ce qu'il méritait : il avait épousé une enfant, s'était vu abandonner par une jeune fille et lorsque, femme, je lui étais revenue, mes baisers s'étaient toujours teintés d'un élément de calcul.

À présent, sa mort me rendait ma liberté. Si je parvenais à échapper à un second mariage, peut-être réussirais-je à acquérir un petit manoir sur les terres de ma famille, dans le Kent ou l'Essex, un domaine qui m'appartînt, où planter des récoltes que je regarderais pousser. Je rêvais de devenir cette femme, maîtresse d'elle-même plutôt qu'amante, épouse, ou sœur. Bien sûr, il me faudrait persuader un homme – père, oncle ou souverain – de m'accorder une pension, mais il me serait alors possible d'élever mes enfants sous mon propre toit.

— Vous ne pouvez possiblement désirer une telle insipidité ! s'exclama George lorsque je lui présentai mes desseins.

Nous cheminions dans la forêt, suivis des enfants qui se cachaient derrière les arbres. Nous devions jouer le rôle d'un couple de daims et George avait glissé des branchettes dans son chapeau. De temps en temps s'élevaient les petits gloussements d'excitation de Henri qui courait d'un arbre à l'autre sans aucune discrétion mais se croyait aussi invisible qu'inaudible. Je songeais à l'enthousiasme de son père pour les déguisements ; lui aussi pensait étonner les gens avec les stratagèmes les plus simples.

— Vous fûtes la favorite, poursuivit George. Pourquoi refuser un grand mariage ? Père ou oncle Howard n'auraient que l'embarras du choix en Angleterre. Et, quand Anne sera reine, vous pourriez même vous unir à un prince français.

— C'est même travail pour une femme, qu'il prenne place dans un château ou dans une masure, répliquai-je amèrement. Il consiste à ne rien gagner pour soi afin de tout donner à son époux et maître, à qui l'on obéit promptement, comme un domestique. J'ai servi la reine Catherine ces dernières années, j'ai vu ce qu'il advint de sa vie : avilie, humiliée, insultée, n'ayant d'autre recours que s'agenouiller sur son prie-Dieu, supplier d'obtenir un peu d'aide, puis se lever et sourire à la femme qui triomphait d'elle. Je ne trouve pas cela fort attrayant, George.

Derrière nous, Catherine bondit en avant avec un petit cri d'excitation et agrippa ma robe.

— Attrapée ! Je vous ai attrapée !

George fit volte-face et la prit dans ses bras. Il la lança en l'air avant de me la tendre ; comme elle grandissait, ma petite fille de quatre ans dont le corps ferme sentait le soleil et les feuilles !

— Quelle habile chasseuse vous faites ! la complimentai-je.

— Et elle ? demanda George. Refuseriez-vous à la nièce de la reine d'Angleterre d'occuper le rang qui lui est dû ?

J'hésitai.

— Si seulement les femmes possédaient davantage et pouvaient jouir de leur bien ! soupirai-je. Être une femme à la cour, c'est observer un maître pâtissier travailler aux cuisines : on est entouré de bonnes choses mais il est interdit d'y toucher.

— Pensez à Henri, alors, déclara George d'un air tentateur. Votre enfant est le neveu du roi d'Angleterre, connu de tous comme étant son fils. Si – Dieu me pardonne – Anne n'engendre pas de mâle, votre garçon serait en mesure de réclamer le trône d'Angleterre. Votre Henri est fils de roi, Marie, il pourrait être son héritier !

L'idée ne m'enthousiasma guère. Anxieusement, je cherchai des yeux mon petit garçon qui luttait pour rester à notre hauteur et chantonnait à mi-voix quelque chanson de chasse de sa composition.

— Dieu le garde, fut tout ce que je répondis. Dieu le garde.

Automne 1528

Anne survécut à sa maladie, l'air sain de Hever renforça sa santé. Lorsqu'elle sortit de sa chambre, je ne voulus toutefois m'asseoir auprès d'elle, trop effrayée à l'idée de transmettre la suette à mes enfants. Elle essaya de railler mes craintes mais sa voix dérapa quelque peu. Abandonnée par le roi lorsqu'il avait fui la cour, elle se trouvait mortellement offensée qu'il eût passé l'été en compagnie de la reine Catherine et de la princesse Marie.

Elle était déterminée à le rejoindre dès que l'épidémie prendrait fin. J'espérai qu'elle m'oublierait, dans sa course effrénée au trône.

— Vous m'accompagnerez, ordonna Anne d'une voix ferme.

Nous avions pris place devant les douves du château, Anne sur le banc de pierre, George étalé sur l'herbe devant elle. J'étais assise sur le tapis de verdure, adossée au banc, suivant des yeux mes enfants qui barbotaient avec leurs petits pieds dans l'eau.

— Marie ! La voix d'Anne était sèche.

— Je vous ai entendue, répondis-je sans tourner la tête.

— Regardez-moi !

Je levai les yeux vers elle.

— Vous devez rentrer avec moi, je ne puis poursuivre sans vous.

— Je ne vois pas…

— Moi, je vois, me coupa George. Il lui faut une compagne de lit à qui elle puisse se fier, qui n'ira point rapporter à la reine qu'elle pleure ou apprendre à Henri qu'elle est furieuse. Chaque jour, elle joue un rôle et a besoin d'acteurs qui lui donnent la réplique. Mais tout ne peut se dérouler sur scène ; elle a besoin d'un entourage qui lui permette de se montrer au naturel.

— Oui, acquiesça Anne, surprise. C'est exactement cela. Comment le savez-vous ?

— Parce que Francis Weston est cela pour moi, répondit-il avec franchise. J'ai besoin d'une personne dont je ne sois ni le frère, ni le fils, ni l'époux.

— Ni l'amant, l'aiguillonnai-je.

Il secoua la tête.

— Un ami, voilà tout. Mais, parce que j'ai besoin de lui, je sais combien Anne a besoin de vous.

— Eh bien, moi, j'ai besoin de mes enfants, rétorquai-je, têtue.

— Je vous le demande comme à ma sœur.

Quelque chose dans sa voix me força à la regarder plus attentivement. La maladie avait brisé un peu de son arrogance et, un instant, elle afficha une expression perdue, avide d'affection. Très lentement, en un geste totalement inhabituel, Anne tendit la main vers moi.

— Marie… je ne peux y parvenir toute seule, chuchota-t-elle. J'ai failli en mourir et, à présent, je dois revenir à la cour et tout recommencer.

— Ne pouvez-vous garder le roi sans ce colossal effort ?

Elle se laissa aller contre le dossier du banc et ferma les yeux. Elle cessa de ressembler à une jeune fille pétrie de détermination, irradiant beauté et vivacité, mais eut l'air exténué d'une personne ayant entrevu les profondeurs de sa propre peur.

— Non. Le seul moyen que je connaisse est d'être la meilleure qui soit.

Je tendis la main, touchai la sienne et sentis ses doigts agripper les miens.

— Je vous aiderai.

— Bien, répondit-elle avec calme. J'ai véritablement besoin de votre aide ; restez auprès de moi, Marie.

Au palais de Bridewell, où nous rejoignîmes la cour, les jeux avaient encore changé. Le pape, las des continuelles demandes de l'Angleterre, envoyait à Londres un théologien italien, le cardinal Campeggio, afin de résoudre une fois pour toutes le sujet du mariage du roi. La reine semblait accueillir la venue du légat avec sérénité. Elle était épanouie. Sa peau brillait de l'éclat apporté par le soleil d'été et du bonheur qu'elle avait tiré de la compagnie de sa fille. Le roi et elle avaient discuté des causes de la maladie qui avait balayé le pays, prévu des mesures de prévention et ordonné que fussent dites dans les églises des prières qu'ils avaient composées. Ils s'étaient inquiétés de ce royaume qu'ils dirigeaient depuis si longtemps et Anne avait perdu un peu de son attrait en devenant une simple malade parmi tant d'autres. Une fois de plus, aux yeux du roi qui se voyait perdu dans un monde dangereux, la reine représentait sa seule constante amie.

Je constatai ces changements aussitôt que je me présentai devant elle, dans ses appartements. Elle portait une nouvelle robe de velours rouge sombre qui convenait à la chaude couleur de sa peau. Sans avoir retrouvé sa jeunesse, elle affichait ce sang-froid plein de confiance en elle qu'Anne n'apprendrait jamais.

Elle nous accueillit, ma sœur et moi, avec un sourire légèrement ironique. Elle s'enquit de mes enfants et s'informa de la santé d'Anne sans laisser paraître un seul instant la moindre déception que cette dernière n'eût point définitivement quitté son royaume.

En théorie, nous demeurions ses dames d'atour, mais la salle de réception et chambre privée qui nous avaient été allouées se montraient presque aussi spacieuses que celles de la reine. Ses dames d'atour oscillaient entre ses appartements, les nôtres et ceux du roi. La sévère discipline de la cour s'effritait, le temps semblait s'immobiliser. Les souverains vivaient en termes de tranquille courtoisie. Le légat du pape était en chemin depuis Rome mais son voyage prenait un temps démesuré. Anne était de retour mais il se pouvait que la passion du roi pour elle se fût refroidie après un été heureux. Nul n'osant prédire dans quelle direction soufflerait le vent, un flot constant de courtisans offraient leur respect à la reine avant de rendre visite à Anne, croisant un groupe qui effectuait le chemin inverse. Des rumeurs affirmaient même que Henri allait me revenir, à moi et notre pouponnière. Je n'y accordai aucune attention jusqu'à ce qu'il me fût rapporté que mon oncle avait ri avec le roi à propos de son charmant petit garçon à Hever.

Mon oncle n'agissait jamais par hasard. Anne nous reçut, George et moi, dans sa chambre d'audience et, comme un juge, exigea de savoir.

— Que se passe-t-il ?

Je secouai la tête mais George eut l'air fuyant.

— George ?

— Comme l'adage est vrai, qui affirme que les étoiles qui montent descendent en proportion, répondit-il de façon sibylline.

— Expliquez-vous ! ordonna-t-elle d'un ton glacial.

— Ils ont tenu une réunion de famille.

— Sans moi ?

George leva la main comme un escrimeur défait.

— J'y fus convoqué mais n'ai point dit une parole.

Anne et moi lui tombâmes sur le dos en un éclair.

— Ils se sont réunis sans nous ? Que disent-ils ? Que veulent-ils à présent ?

George nous repoussa toutes deux.

— Ils se montrent indécis sur l'attitude à suivre. Anne n'a rien su de cette réunion car ils ne souhaitaient point l'offenser ; à présent que vous voilà veuve, Marie, et que l'intérêt de Henri à l'égard d'Anne s'est émoussé, ils se demandent s'il est possible de le rapprocher de nouveau de vous.

— Son intérêt ne s'est en rien émoussé, je ne me laisserai point supplanter ! gronda Anne avant de s'attaquer à moi. Espèce de garce ! C'est votre idée, bien sûr !

Je secouai la tête.

— Je n'ai rien fait.

— Vous revîntes à la cour !

— Sur votre insistance ! J'ai à peine regardé le roi et ne lui ai pas adressé deux phrases.

Elle se détourna de moi et plongea tête la première sur le lit, comme si elle ne pouvait supporter notre présence un instant de plus.

— Mais vous avez son fils, gémit-elle.

— C'est cela seul qui les guide, affirma George avec bonté. Marie engendra son fils et se trouve à présent libre de se marier. La famille pense que le roi pourrait fort bien se contenter d'elle. La dispense s'appliquant autant à l'une qu'à l'autre, il peut l'épouser s'il le désire.

Anne releva la tête des coussins, le visage maculé de larmes.

— Je ne veux pas de lui ! intervins-je, exaspérée.

— Quelle importance ? jeta-t-elle amèrement. S'ils vous l'ordonnent, vous me prendrez ma place.

— Comme vous avez pris la mienne, lui rappelai-je.

Elle s'assit sur le lit.

— Vous ou moi deviendrons peut-être reine d'Angleterre, déclara-t-elle avec amertume, mais nous ne serons jamais rien aux yeux de notre propre famille.

Les semaines qui suivirent, Anne entreprit de reconquérir le roi, l'éloignant de la reine, l'arrachant à sa fille. Lentement, la cour comprit qu'il lui revenait : elle régnait de nouveau sans partage.

J'observai ces jeux de séduction avec le détachement d'une veuve. Henri offrit à Anne sa propre demeure à Londres, Durham House, dans le Strand. Il lui octroya, pour la saison de Noël, des appartements qui surplombaient la cour d'exercice au palais de Greenwich. Le conseil du roi déclara publiquement que la reine ne devait se vêtir de manière trop raffinée ni sortir pour être vue du peuple. Il devint apparent pour chacun qu'il ne s'agissait que d'une question de temps avant que le cardinal Campeggio n'accordât le divorce. Henri épouserait alors Anne et je rentrerais chez moi auprès de mes enfants.

Je demeurais la confidente et principale compagne d'Anne ; un jour de novembre, elle nous demanda de l'accompagner au bord du fleuve en crue au pied du palais de Greenwich.

— Vous souhaitez sans doute savoir ce qu'il adviendra de vous à présent que vous n'avez pas d'époux, commença Anne en s'asseyant sur un banc.

— J'ai pensé vivre avec vous tant que vous aurez besoin de moi, avant de m'en retourner à Hever, avançai-je avec prudence.

— Il est de mon pouvoir de recommander au roi qu'il vous y autorise, affirma-t-elle négligemment.

— Merci.

— Je puis aussi lui demander de vous assurer subsistance, ajouta-t-elle. William ne vous a presque rien laissé, vous savez.

— Je le sais.

— Le roi octroyait à William une pension de cent livres par an ; celle-ci vous pourrait être transmise.

— Merci, répétai-je.

— En fait, déclara Anne avec légèreté, relevant son col contre le vent froid, je songe adopter le petit Henri.

Stupéfaite, je parvins seulement à la fixer d'un regard ébahi.

— Mais vous ne l'aimez pas vraiment, articulai-je enfin, formulant la première pensée qui me vint à l'esprit. Vous n'avez jamais joué avec lui.

Avec un soupir impatient, Anne détourna le regard vers la rivière et les toits désordonnés de la ville, au-delà.

— Non, bien entendu. Je ne cherche point à l'adopter parce que je l'aime.

Lentement, mon cerveau se remit à fonctionner.

— Vous voulez un fils, un Tudor, le fils de Henri. En vous épousant, le roi obtient un mâle dans la même cérémonie.

Elle hocha la tête.

Je me détournai et fis quelques pas ; mes bottes de cavalière crissaient sur le gravier gelé. Je réfléchis furieusement.

— De cette manière, vous me retirez mon fils, ce qui me rend moins désirable aux yeux de Henri. En devenant la mère du fils du roi, vous m'ôtez ma seule chance d'attirer son attention.

George s'éclaircit la gorge puis s'adossa contre le muret de la digue, les bras croisés sur sa poitrine, l'image même du détachement. Je m'attaquai à lui.

— Vous le saviez ?

Il haussa les épaules.

— Elle me l'apprit lorsque tout fut terminé. Elle s'arrangea pour obtenir l'accord du roi et ensuite seulement en parla à père et oncle Howard. Ce dernier considéra l'affaire comme un coup excellent.

Je m'aperçus que ma gorge était sèche et je déglutis.

— Un coup excellent ? soufflai-je.

— Votre subsistance est assurée, raisonna-t-il, et votre fils se rapproche du trône. Tous les avantages se concentrent sur Anne, c'est un bon calcul.

— C'est *mon* fils ! coassai-je, la voix étouffée par le chagrin. Il n'est pas à vendre comme une oie de Noël que l'on mène au marché.

George passa un bras autour de mes épaules puis me força à lui faire face.

— Personne ne le vend, nous en faisons un prince pour lui offrir la possibilité de devenir le futur roi d'Angleterre, expliqua-t-il. Vous devriez être fière.

Je fermai les yeux, la brise du fleuve caressa la peau glacée de mon visage. Je crus un instant que j'allais vomir ou m'évanouir. J'aspirai à une attaque fulgurante et salvatrice, qui les forcerait à me ramener à Hever pour m'y laisser à jamais avec mes enfants.

— Et Catherine ? Que devient ma fille ?

— Vous pouvez la garder, déclara Anne. Ce n'est qu'une fille.

— Et si je refuse ?

Je plongeai les yeux dans ceux, noirs et honnêtes, de George. J'avais confiance en lui, bien qu'il m'eût caché ceci.

— Vous ne pouvez refuser, m'apprit-il en secouant la tête. L'acte est signé et scellé. C'est fini.

— George, chuchotai-je, c'est mon petit garçon. Vous savez ce que mon fils représente pour moi.

— Vous continuerez à le voir, me consola George, vous serez sa tante.

Ce fut comme un coup de poing. Je titubai et serais tombée sans le bras secourable de George. Je me tournai vers Anne qui restait silencieuse, un petit sourire suffisant accroché aux lèvres.

— Il vous faut tout, n'est-ce pas ? crachai-je, secouée d'une haine farouche. Vous avez le roi d'Angleterre sous votre coupe mais vous voulez aussi mon fils ! Vous ressemblez au coucou dévorant les oisillons du nid. Jusqu'où devrons-nous aller pour satisfaire votre ambition ? Vous serez notre mort à tous, Anne !

Elle détourna le visage.

— Je dois devenir reine, répondit-elle simplement. Votre devoir consiste à m'y aider. Votre fils peut jouer son rôle dans l'avancement de cette famille, qui, en retour, l'aidera à gravir les échelons vers le trône. Vous connaissez les règles, Marie. Seul un idiot s'insurge quand les dés sont jetés et affichent un résultat.

— Les dés sont pipés avec vous ! rétorquai-je. Jamais je n'oublierai ceci, Anne. Sur votre lit de mort, je vous rappellerai que vous m'avez volé mon fils parce que vous aviez peur de ne pouvoir en faire un vous-même !

— Je puis parfaitement engendrer un mâle, répondit-elle, piquée. Vous avez réussi, pourquoi n'y parviendrais-je pas ?

J'éclatai d'un rire triomphant.

— Parce que vous et le roi vieillissez chaque jour, assénai-je avec méchanceté. J'étais tellement fertile avec lui que j'engendrai deux enfants, l'un après l'autre, dont un mâle, le plus beau que la terre eût jamais porté. Vous savez, aux tréfonds de votre âme, que jamais vous n'engendrerez un garçon comparable à mon Henri. Vous ne pouvez que me voler mon fils, Anne, parce que vous savez que vous n'en concevrez jamais un à vous !

Elle était tellement livide qu'elle sembla la proie d'une nouvelle attaque de suette.

— La paix ! intervint George. Arrêtez, toutes les deux !

— Ne répétez jamais cela, siffla-t-elle. Vous cherchez à me maudire. Mais, si je tombe, vous tomberez avec moi, Marie, ainsi que George et tous les autres. Que je ne vous entende jamais répéter ces paroles ou je vous ferai enfermer dans un couvent et vous ne reverrez jamais vos enfants !

Elle bondit de son siège et s'enfuit dans un tourbillonnement de brocart bordé de fourrure. Je l'observai s'éloigner en songeant qu'elle faisait une bien dangereuse ennemie. Anne avait l'oreille d'oncle Howard, du roi ; si elle voulait s'approprier mon fils, ma fille, ma vie, il lui suffisait d'en informer l'un ou l'autre et ma condamnation s'ensuivrait.

George posa une main sur la mienne.

— Je suis désolé, murmura-t-il d'un air maladroit. Mais, de cette manière, au moins, vos enfants restent à Hever où vous pouvez leur rendre visite.

— Elle s'approprie toujours tout. Jamais je ne lui pardonnerai cela.

Printemps 1529

Dans le réfectoire du monastère des Blackfriars, cachées derrière une draperie, Anne et moi assistions à un événement unique dans l'histoire de l'Angleterre : ici, des preuves seraient avancées, lors de cette audience extraordinaire, qui légitimeraient ou invalideraient l'union du roi et de la reine d'Angleterre.

La cour séjournait au palais de Bridewell – à côté du monastère. Les souverains dînaient chaque soir côte à côte dans la grand-salle après avoir passé le jour au tribunal de Blackfriars pour suivre les interventions de doctes témoins qui insinuaient que leur union, ces vingt années d'affection partagée, n'avait jamais été licite.

Quelle triste journée ! La reine, défiant les ordres du conseil de se vêtir de façon ordinaire, portait une robe d'un raffinement extrême, faite de velours rouge s'ouvrant sur un jupon de brocart d'or, les manches bordées d'une riche fourrure de zibeline. Sa coiffe écarlate encadrait un visage à l'expression fougueuse et animée ; elle semblait prête à combattre.

Lorsqu'il fut demandé au roi de s'exprimer, il annonça qu'il avait nourri des doutes quant à la validité de leur mariage dès les premiers temps. La reine l'interrompit alors – ce que nulle autre personne au monde eût osé faire – et objecta, avec raison, qu'il avait gardé ses doutes sous silence pendant fort longtemps. Le roi éleva la voix afin de poursuivre, mais chacun put voir qu'il était nerveux.

Il affirma qu'il avait ignoré ses propres hésitations à cause de la grande amour qu'il vouait à la reine mais qu'il ne pouvait davantage aller à leur encontre. Anne, à mon côté, se tendit comme un coursier retenu pendant la chasse. « Fadaises ! », chuchota-t-elle passionnément.

Le crieur appela alors la reine ; une, deux, trois fois, mais elle l'ignora superbement. Elle traversa le tribunal, la tête haute, droit vers Henri assis sur son trône, et s'agenouilla devant lui. Anne tendit le cou derrière la draperie :

— Que fait-elle ? demanda-t-elle. Elle ne peut pas faire ça !

J'entendis distinctement la reine, malgré la distance qui nous séparait. Ses paroles résonnèrent dans le silence, son accent plus prononcé que jamais.

— Hélas, Sire, commença-t-elle avec douceur, en quoi vous offensai-je ? Je prends Dieu et le monde à témoin que je vous honorai comme loyale, humble et obéissante compagne, ces vingt années, dont vous eûtes de nombreux enfants bien qu'il plût à Dieu de les rappeler à lui. Et, lorsque je vins à vous, j'étais fille, sans qu'un homme ne m'eût jamais touchée...

Henri remua sur son siège et regarda les magistrats du tribunal, les implorant de l'interrompre, mais elle ne le quitta pas un instant des yeux.

— S'il en fut ainsi ou non, je le laisse à votre conscience.

— Elle ne peut s'adresser au roi en public ! gronda Anne d'un air incrédule. Elle doit appeler ses avocats afin qu'ils avancent leurs preuves.

— Elle le fait, cependant, répondis-je.

Pas un bruit ne troublait le silence dans la salle, chacun écoutait la reine. Henri, au fond de son siège, pâlissait d'embarras, l'air d'un gros enfant gâté admonesté par un ange. Je m'aperçus que je souriais en la regardant, bien que la cause de ma famille sombrât à chacune de ses paroles. Je souriais, ravie, parce que Catherine d'Aragon parlait au nom des bonnes épouses que l'on pouvait répudier simplement parce que leur époux se prenait de fantaisie pour une autre. Elle défendait les femmes, dont l'existence difficile s'écoulait entre la cuisine, la chambre, l'église et l'accouchement.

Catherine remit sa cause entre les mains de Dieu et de la loi. Une immense clameur s'éleva lorsqu'elle acheva de parler ; les cardinaux frappèrent de leur marteau pour rétablir le silence, les greffiers se mirent à crier, sans succès. L'excitation se propagea vers les gens massés au-dehors et, par-delà les portes barrées du monastère, les paroles de la reine, répétées à l'envi, volèrent de lèvres en lèvres, jusqu'à ce que le peuple, d'une seule voix, clamât son soutien à Catherine, la véritable reine d'Angleterre.

À mes côtés, Anne éclata en sanglots dans lesquels le rire se mêlait aux larmes :

— Elle sera ma mort ou je serai la sienne ! jura-t-elle. Dieu me vienne en aide, elle périra avant de consommer ma fin !

Été 1529

$\mathcal{A}$nne eût dû jouir de son triomphe. Le tribunal du cardinal Campeggio destiné à juger le mariage royal était enfin en session et sa décision semblait une certitude, quelque persuasive que la reine se fût montrée. Le cardinal Wolsey s'affichait comme l'ami d'Anne et son plus fervent soutien. Le roi d'Angleterre demeurait aussi amoureux que jamais tandis que la reine, après son unique moment de gloire, s'était retirée, faillant même à réapparaître à la cour.

Mais Anne n'éprouvait aucune joie. Lorsqu'elle apprit que je partais à Hever y visiter mes enfants, elle fit irruption dans la chambre comme si tous les suppôts de l'enfer étaient à ses trousses.

— Vous ne pouvez m'abandonner. Le tribunal du cardinal siège encore, j'ai besoin de vous.

— Anne, je ne sers à rien ; je n'en comprends pas la moitié et, le reste, je ne veux pas l'entendre.

— Croyez-vous que je le veuille ? demanda-t-elle.

— Cela doit être ainsi, car vous ne quittez point le tribunal, répondis-je d'un ton raisonnable. Mais ils auront bientôt terminé. Ils jugeront que la reine fut bien unie au prince Arthur et leur union consommée ; de ce fait le mariage entre elle et Henri sera invalide. En quoi vous serais-je utile ?

— Parce que j'ai peur ! explosa-t-elle soudain. Ne me laissez pas seule, Marie.

— Mais, Anne, poursuivis-je sur le ton de la persuasion, il n'y a rien à craindre : le tribunal est placé sous l'autorité de Wolsey, qui appartient corps et âme au roi, et de Campeggio, à qui le pape ordonna de veiller au dénouement de cette affaire. Le verdict ne laisse aucun doute. Si vous n'aimez point le palais de Bridewell, logez dans votre nouvelle demeure de Londres. Si vous ne voulez coucher seule, appelez vos six dames de compagnie. Si vous craignez que le roi ne succombe aux charmes de quelque nouveau minois, ordonnez-lui de la renvoyer : il vous obéit en tout, tout le monde vous obéit en tout.

— Pas vous !

Sa voix était pleine de ressentiment.

— Je n'y suis point obligée, n'étant que l'autre fille Boleyn, sans argent, ni époux, ni avenir, sauf celui que vous voudrez m'accorder. Je n'ai pas d'enfants, à moins d'être autorisée à les voir. Pas de fils..., ma voix trembla un instant. Mais je suis autorisée à leur rendre visite, Anne, et rien ne m'en empêchera, pas même vous.

— Le roi pourrait vous en empêcher, m'avertit-elle.

Je me tournai pour lui faire face, ma voix devint dure comme le fer.

— Écoutez bien, Anne. Si vous lui demandez de me priver de mes enfants, je me pendrai avec votre gaine d'or dans votre nouvelle demeure de Durham, vous serez maudite à jamais. Certaines choses sont plus importantes que tout, même vous. Je verrai mes enfants cet été.

— *Mon* fils, corrigea-t-elle.

Je ravalai ma fureur et refoulai l'envie de la pousser par la fenêtre pour que se brise son petit cou égoïste sur les dalles de pierre de la terrasse au-dessous. J'aspirai une goulée d'air, retrouvant mon empire sur moi-même.

— Je sais, acquiesçai-je d'une voix ferme. C'est auprès de lui que je me rends.

J'allai faire mes adieux à la reine, seule dans ses appartements silencieux, brodant l'immense nappe d'autel. J'hésitai sur le seuil de la porte.

— Votre Majesté, je viens vous présenter mon congé, je vais passer l'été auprès de mes enfants.

Elle leva les yeux. Nous étions toutes deux conscientes que je n'avais plus à demander sa permission pour m'absenter de la cour.

— Vous êtes bienheureuse de les pouvoir voir autant, répondit-elle.

— Oui.

Je savais qu'elle pensait à la princesse Marie, que l'on gardait loin d'elle depuis le Noël précédent.

— Mais votre sœur a pris votre fils, poursuivit-elle.

Je hochai la tête sans répondre.

— Mademoiselle Anne cherche à avoir toutes les cartes en main. Elle veut mon époux ainsi que votre fils : une suite royale.

Je n'osai lever les yeux, craignant qu'elle ne lût le profond ressentiment se peindre sur mon visage.

— Je serai heureuse de m'éloigner cet été, déclarai-je enfin, Votre Majesté est bien bonne de se dispenser de mes services.

La reine Catherine me toisa avec un sourire narquois.

— Votre absence ne sera guère remarquée dans cette foule assemblée autour de moi.

Je ne sus que répondre, embarrassée dans le silence de ces pièces que j'avais jadis connues bruissant d'une heureuse activité.

— J'espère servir Votre Majesté dès mon retour à la cour en septembre, articulai-je avec soin.

Elle posa son aiguille sur le côté pour me dévisager.

— Bien sûr, que vous me servirez. Je serai là, cela ne fait aucun doute.

— En effet, acquiesçai-je, traître jusqu'au bout des ongles.

— Vous demeurâtes toujours courtoise et respectueuse à mon endroit, déclara Catherine. Même en vos jeunes et folles années, vous étiez une brave fille, Marie.

Je ravalai ma culpabilité.

— J'eusse souhaité faire davantage et, en certaines occasions, ne point devoir servir d'autres personnes que Votre Majesté.

— Faites-vous allusion à Felipez ? demanda-t-elle, désinvolte. Chère Marie, je savais que vous parleriez. Je vous laissai voir la note et le messager car je voulais qu'ils surveillent le mauvais port en croyant le capturer. Le message parvint à mon neveu. Je vous donnai le rôle de Judas, sachant que vous me trahiriez.

Mon visage prit une teinte rouge sombre, je m'abîmai dans une révérence.

— Je ne saurais requérir votre pardon, chuchotai-je, mortifiée.

— La moitié des dames d'atour rapportent chaque jour la moindre de mes actions au cardinal, au roi, ou à votre sœur, déclara la reine en haussant les épaules. Je ne me fie à personne et mourrai déçue par mes amis. Mais je ne serai point déçue par mon époux : mal avisé, ébloui pour le moment, il reviendra à la raison. Il sait qu'il ne peut avoir d'autre épouse que moi.

Je me relevai.

— Je crains que cela ne soit, Votre Majesté. Il donna sa parole à ma sœur.

— Sa parole n'est point libre de se donner car il est un homme marié, répliqua-t-elle avec simplicité.

Il n'y avait rien à ajouter.

— Que Dieu bénisse Votre Majesté.

Elle sourit, avec une mine un peu triste. Savait-elle, comme moi, qu'elle ne se trouverait plus à la cour à mon retour ? Elle leva la main au-dessus de ma tête pour me bénir tandis que je plongeais dans une ultime révérence.

— Que Dieu vous accorde une longue vie remplie de joies en vos enfants, dit-elle.

Hever chauffait sous le soleil ; Catherine avait appris à écrire nos noms, à épeler son petit livre et à chanter une chanson en français. Henri, déterminé à demeurer ignorant, ne voulait pas même se débarrasser du petit chuintement qui lui faisait prononcer « y » pour les « r ». J'eusse dû le corriger avec plus de sévérité, mais je tirais trop de joie de ses charmants zozotements lorsqu'il se nommait « Henyi » ou m'appelait sa « chéyie ». Je ne parvins non plus à lui apprendre que j'étais sa mère uniquement par la grâce de Dieu tandis que, par volonté du roi, il était devenu le fils d'Anne.

George demeura deux semaines avec nous, aussi soulagé que moi de s'éloigner de la cour qui attendait, comme des chiens encerclant une biche blessée, que la reine tombât à terre, terrassée par le tribunal qui lui enjoindrait de quitter ce pays qu'elle était venue à considérer comme le sien. Mais George reçut alors un pli envoyé par notre père.

George,
Tout va de travers. Campeggio annonça ce jour ne pouvoir prendre de décision sans le pape. Le tribunal est ajourné, Henri est vert de fureur et votre sœur ne se possède plus.
Nous sommes sur le point de commencer notre périple d'été, sans la reine qui demeurera seule, en disgrâce.
Vous et Marie devez accompagner Anne, nul autre que vous ne sachant apaiser son tempérament.
Boleyn.

— Je n'irai pas, refusai-je catégoriquement.

Nous étions assis tous deux dans la grand-salle après dîner. Grand-mère Boleyn s'était retirée, les enfants dormaient dans leur propre petit lit après une journée de course, de cache-cache et de chat perché.

— Je dois la rejoindre, dit George.

— Ils m'ont promis que je pouvais passer l'été avec mes enfants.

— Si Anne a besoin de vous…

— Anne a toujours besoin de moi, de vous, de tout le monde, le coupai-je. Elle cherche l'impossible : désunir un homme marié à une honnête femme, pousser une reine au bas de son trône. Bien sûr qu'il lui faut une armée ! Il en faut toujours une au traître, pour son insurrection !

George glissa un œil vers les portes bien fermées de la grand-salle.

— Attention.

— Nous sommes à Hever, déclarai-je d'un haussement d'épaules, c'est la raison pour laquelle j'aime me trouver ici : on y peut parler. Dites-leur que j'étais souffrante, que j'ai peut-être la suette, que j'ai promis de vous rejoindre dès que je serais rétablie.

— Il s'agit de notre avenir.

Je secouai la tête.

— Nous avons perdu. Tout le monde le sait à part nous. Catherine gardera le roi, comme elle le devrait en toute justice. Anne deviendra sa maîtresse en titre, sans monter sur le trône d'Angleterre. La suite appartient à la prochaine génération ; faites-vous donner une jolie petite fille par votre épouse et jetez-la au milieu de cette horde de loups pour voir lequel s'en emparera le premier.

Il éclata d'un rire bref.

— Nous ne pouvons tous déclarer forfait ! Je partirai demain.

— Nous avons perdu, répétai-je. Il n'y a nulle honte à se rendre, lorsque la défaite est totale.

Chère Marie,

George me raconte que vous ne venez pas à la cour parce que vous croyez ma cause perdue. Soyez prudente en vos paroles ! Le cardinal Wolsey se voit retirer sa demeure, ses terres, sa fortune et la chancellerie : il est ruiné car il a échoué à me servir. N'oubliez pas que vous aussi me devez obéissance, je ne tolérerai pas de servante dont le cœur m'est à demi acquis.

J'ai le roi sous ma coupe, qui m'obéit au doigt et à l'œil. Je ne serai pas vaincue par deux vieillards qui manquent de courage. Vous parlez trop tôt de ma défaite. J'ai engagé ma vie à devenir reine d'Angleterre : je le deviendrai.

Anne

Venez à Greenwich à l'automne sans faillir.

Automne 1529

Tout ce dont Anne avait menacé Wolsey se réalisa. Notre oncle Howard et le duc de Suffolk, beau-frère du roi, eurent le plaisir de lui retirer le Grand Sceau d'Angleterre avant de se partager son immense fortune.

— J'avais dit que je le ferais tomber, remarqua Anne avec suffisance.

Nous lisions dans la chambre d'audience de sa nouvelle demeure, Durham House. Debout à la fenêtre et en tordant le cou, Anne parvenait tout juste à apercevoir York Place, où le cardinal vivait jadis en maître suprême, où elle-même avait courtisé Henry Percy.

Un coup retentit à la porte. Anne me regarda afin que je réponde pour elle.

— Entrez ! criai-je.

L'un des pages du roi se présenta, un beau jeune homme d'une vingtaine d'années. Je lui souris et ses yeux brillèrent d'être l'objet de mon attention.

— Sir Harold ? demandai-je poliment.

— Le roi supplie sa douce maîtresse d'accepter ce présent, énonça le jeune homme en pliant un genou devant Anne avant de lui tendre une petite boîte.

Elle la lui prit des mains et l'ouvrit, puis émit un petit ronronnement de satisfaction.

— Qu'est-ce donc ? m'enquis-je, incapable de contenir ma curiosité.

— Des perles, répondit-elle avant de se tourner vers le page. Dites au roi que son présent m'honore. Dites-lui… Elle s'interrompit et sourit comme en réponse à une plaisanterie intime, dites-lui que je lui serai en effet douce maîtresse et non point cruelle.

Le jeune homme hocha la tête avec solennité, se releva, s'inclina profondément devant Anne et m'accorda un petit salut galant, puis s'éclipsa de la pièce. Anne referma la boîte.

— Que signifiait votre message de lui être douce et non cruelle ? m'enquis-je.

— Je ne puis me donner à lui, répondit-elle aussitôt, prompte comme un charlatan qui connaît ses boniments par cœur. Nous eûmes des mots ce matin car il voulait m'emmener dans sa chambre après la messe et je refusai.

— Qu'avez-vous dit?

— J'ai perdu patience, avoua-t-elle. Je lui lançai au visage qu'il me voulait traiter comme une putain, qu'il souhaitait nous déshonorer et détruire toutes les chances que nous avions d'obtenir de Rome l'annulation canonique. Si l'on me croit sa garce, jamais je ne supplanterai Catherine. Je ne vaudrais pas mieux que vous.

— Vous avez perdu votre calme? répétai-je, allant à l'essentiel. Comment réagit-il?

— Il battit en retraite, répondit Anne. Il quitta la pièce comme un chat ébouillanté par une casserole. Mais remarquez ceci: il ne supporte pas que je sois fâchée contre lui et gémit en mon giron comme un jouvenceau.

— Pour le moment, l'avertis-je.

— Oh, ce soir, vêtue à ravir, je chanterai et danserai pour lui seul.

— Et après dîner?

— Je le laisserai me toucher, m'apprit-elle avec réticence. Il caressera mes seins, glissera une main sous ma jupe. Jamais je ne retire ma robe, toutefois. Je n'ose pas.

— Lui donnez-vous du plaisir?

— Oui. Il insiste là-dessus et je ne sais comment lui refuser. Mais parfois..., dit-elle en se levant de sa banquette et arpentant la pièce, lorsqu'il a baissé ses trousses et se pousse dans ma main, je le hais de m'utiliser ainsi. Quand il jaillit comme une grosse baleine stupide, je ne puis m'empêcher de penser, devant cette... saleté, cette souillure, que... j'ai besoin d'un bébé! Tout ce gâchis dans ma main quand cela devrait se trouver dans mon ventre! acheva-t-elle d'un cri.

— Il aura toujours de la semence, objectai-je, pragmatique.

Le regard qu'elle me lança en retour était hanté.

— Mais pas moi! Cela fait trois ans qu'il attend. Comment garderai-je ma beauté s'il nous faut attendre encore? Comment resterai-je fertile?

— Ne vous estime-t-il pas moins de vous plier à ces jeux de putain? lui demandai-je, changeant de sujet.

— Il me faut trouver de quoi entretenir son désir pour moi, répondit Anne en secouant la tête.

— Il existe d'autres choses, avançai-je.

— Parlez.

— Vous pouvez le laisser vous regarder.

— Me regarder faire quoi?

— Vous toucher. Il adore ça. Cela le fait presque sangloter de concupiscence.

— Quelle honte! s'exclama-t-elle, l'air intensément mal à l'aise.

J'émis un rire bref.

— Vous vous dévêtez, un vêtement après l'autre, très lentement. En dernier, vous soulevez votre chemise de corps, puis mettez vos doigts sur votre con et l'écartez pour qu'il le voie.

Elle secoua la tête.

— Je n'oserais pas…

— Vous pouvez le prendre dans votre bouche, poursuivis-je, cachant mon amusement quand je la vis reculer.

— Quoi?

Elle me regarda avec un dégoût non dissimulé.

— Vous vous agenouillez devant lui et le prenez dans votre bouche. Il adore cela aussi.

— Vous l'avez fait? demanda-t-elle, les narines pincées.

Je la regardai droit dans les yeux.

— J'étais sa putain, ce qui fit de notre père un homme riche et concéda son intendance à notre frère, déclarai-je d'une voix glaciale. Quand Henri s'allongeait sur le dos, je m'étalais sur lui et l'embrassais depuis la bouche jusqu'à ses parties, que je léchais comme une chatte lape du lait. Ensuite je prenais sa verge dans ma bouche et la suçais comme une sucrerie.

Le visage d'Anne affichait un mélange de curiosité et de répulsion.

— Aimait-il cela?

— Oui, répondis-je avec une franchise brutale, plus que toute autre chose. Vous pouvez vous imaginer aussi haute que vous voulez mais, si vous voulez le garder à l'aide d'artifices utilisés par les putains, apprenez-en quelques-uns.

Un instant, je crus qu'elle allait s'emporter, mais elle resta muette et hocha la tête.

— Je suis certaine que jamais la reine n'agit de cette manière, remarqua-t-elle avec aigreur.

— Non, répondis-je, laissant un instant libre cours à mon continuel ressentiment, elle fut son épouse bien-aimée à laquelle il s'unit par amour. Vous et moi ne sommes que des catins.

Les artifices dont Anne apprit à jouer avec le roi apaisèrent ce dernier, mais la rendirent, elle, plus irritable que jamais. J'ouvris un jour la porte de sa chambre alors que sa voix enflait comme un orage sur le point d'éclater.

Henri, face aux battants, me lança un regard presque suppliant. Effarée, je fixai Anne qui l'invectivait. Elle avait le dos tourné et n'entendit pas même le déclic de la porte, plongée dans une fureur qui la rendait aveugle et sourde à toute autre chose.

— … et m'apercevoir qu'elle, *elle* ! continue de broder vos chemises et se raille de moi, les apportant devant moi pour me demander d'enfiler ses aiguilles, devant les dames d'atour, comme si j'étais quelque servante !

— Jamais je ne lui demandai…

— Non ? Se rend-elle dans votre chambre la nuit pour dérober vos chemises ? Le valet de chambre les vole-t-il pour les lui donner ? Êtes-vous un somnambule qui les lui apportez par accident ?

— Anne, elle est mon épouse ; elle reprise mes chemises depuis vingt années. Je ne supposai point que vous y objecteriez, je lui intimerai de ne plus s'en occuper.

— Vous ne saviez pas que j'y objecterais ? Pourquoi ne point retourner dans son lit à présent ! Je couds aussi bien qu'elle et même mieux, car je ne suis si vieille que je doive demander à quelqu'un d'enfiler mes aiguilles ! Mais vous ne m'apportez pas vos chemises et me faites affront devant la cour entière ! Vous pouvez tout aussi bien clamer : voici mon épouse, à qui je me fie, et voici ma maîtresse, utile à mes nuits.

— Devant Dieu…, commença le roi.

— Devant Dieu, vous m'avez blessée, Henri !

Désarçonné par le tremblement de sa voix, il lui ouvrit les bras mais elle secoua la tête.

— Non ! Vous n'effacerez pas mes larmes d'un baiser. C'est trop important, plus que tout !

Main sur les yeux, elle s'enfuit vers sa chambre à coucher où elle se précipita sans un regard en arrière. Dans le silence qui s'ensuivit, nous entendîmes la porte se refermer et la clé tourner dans la serrure.

Le roi et moi nous entre-regardâmes.

— Dieu m'est témoin que jamais je n'eus l'intention de la blesser.

Henri secoua la tête et poursuivit :

— Je vais apprendre à la reine qu'elle ne reprisera plus mes chemises.

— C'est une sage décision, acquiesçai-je avec bonté.

— Lorsque Anne sortira, lui direz-vous mon chagrin de lui avoir causé peine et que jamais cette offense ne sera répétée?

— Oui, Majesté.

— Je vais faire appeler un orfèvre qui lui confectionnera un bel objet, poursuivit-il, puisant du réconfort à cette pensée, et elle oubliera bientôt que cette querelle prît jamais place.

— Elle retrouvera sa joie après quelque repos ; il est si difficile pour elle d'attendre de s'unir à vous. Elle vous aime tant.

Un instant, il eut l'air du jeune homme jadis amoureux de Catherine.

— Oui, c'est la raison de sa fureur : parce qu'elle m'aime tant.

— Bien sûr, renchéris-je.

La dernière chose que je voulais était que Henri s'aperçût combien la colère d'Anne était disproportionnée.

— Je dois me montrer patient avec elle, déclara-t-il tendrement. Elle est encore très jeune, ne connaît presque rien du monde.

Je serrai les lèvres, me souvenant de la jeune fille que j'avais été lorsque ma famille m'avait dépêchée dans son lit, m'interdisant toute protestation, sans parler d'accès de fureur.

— Je vais lui faire parvenir des rubis, conclut-il, symboles d'une femme vertueuse.

— Elle appréciera grandement, affirmai-je avec conviction.

Elle récompensa Henri avec davantage qu'un sourire. Elle rentra dans sa chambre, très tard, la robe de travers et la coiffe à la main. Je m'étais endormie sans l'attendre, au contraire de ce qu'elle faisait jadis pour moi. Elle m'éveilla puis m'ordonna de délacer son corps de cotte.

— J'ai fait ce que vous m'avez conseillé, il a adoré! s'exclama-t-elle.

— Ainsi vous êtes amis de nouveau, remarquai-je en passant son jupon par-dessus sa tête.

— Père va devenir comte, déclara Anne avec une satisfaction tranquille. Comte de Wiltshire et Ormonde. Je serai lady Anne Rochford, et George lord Rochford. Père retourne en Europe pour y négocier la paix. Notre frère, lord George, l'accompagne et devient ainsi l'un des ambassadeurs favoris du roi.

J'eus un hoquet face à cette avalanche de faveurs.

— Quel bonheur pour lui!

— Oui.

— Et moi? m'enquis-je. Qu'y a-t-il pour moi?

Anne se laissa tomber sur le lit pour me laisser lui retirer ses chaussures et rouler ses bas.

— Vous restez veuve lady Carey, l'autre fille Boleyn. Je ne peux pas tout faire, vous savez.

Noël 1529

La cour se réunit à Greenwich, où la reine devait recevoir les honneurs tandis qu'Anne demeurait invisible.

— Que se passe-t-il ? demandai-je à George.

Je m'assis sur son lit tandis que, depuis la banquette sous la fenêtre, il surveillait son domestique qui faisait ses malles en vue de son voyage vers Rome. De temps en temps, George levait la tête et criait : « Pas la cape bleue, elle est mangée par les mites. » Ou bien : « Je déteste ce chapeau, donne-le à Marie pour le jeune Henri. »

— Que voulez-vous dire ?

— Je reprends résidence dans mes anciens appartements et suis appelée à servir la reine, comme les autres dames d'atour, tandis qu'Anne s'installe, seule, dans ses appartements au-dessus de la cour d'exercice.

— Le roi attend bon nombre de gens venus de la ville qui les regarderont festoyer pendant les jours de Noël, expliqua George. Il ne peut permettre que marchands et commerçants le disent incapable de se contenir. Il veut que l'on sache qu'il a choisi Anne pour le bien de l'Angleterre et non par convoitise.

Je lançai un regard nerveux au serviteur.

— Joss est un brave homme, déclara George. Il n'entend guère, Dieu merci. N'est-ce pas, Joss ?

L'homme ne tourna pas la tête. George éleva la voix.

— Laisse-nous, Joss. Tu termineras plus tard.

Le serviteur sursauta, s'inclina puis sortit.

George abandonna la banquette et vint s'allonger sur le lit. J'attirai sa tête pour qu'elle repose sur mes genoux et m'adossai confortablement contre la tête de lit.

— Cette union prendra-t-elle jamais place ? demandai-je avec langueur.

Il ouvrit les yeux et me regarda.

— Dieu seul le sait, répondit-il. Le tribut à payer est lourd : le bonheur d'une reine, la sécurité du trône, le respect du peuple, la sainteté de l'Église… Il me semble parfois que nous avons œuvré nos vies entières pour Anne sans même savoir ce que nous y avons gagné.

— Vous hériterez de deux comtés.

— Je voulais partir en croisades contre les infidèles, soupira-t-il, puis rentrer chez moi auprès d'une épouse magnifique dans un château où l'on m'eût révéré pour mon courage.

— Je voulais semer un champ, planter un verger de pommiers et posséder des moutons, m'écriai-je à mon tour.

— Folies ! conclut George, puis il ferma les yeux.

Il s'endormit en quelques instants. Je suivis des yeux la montée régulière de sa poitrine puis reposai ma tête contre le brocart qui recouvrait la tête de lit avant de glisser à mon tour dans le sommeil.

À demi assoupie, j'entendis s'ouvrir la porte. Entrouvrant un œil, j'examinai la personne qui passait sa tête par la porte entrebâillée. Jane, l'épouse de George qui à présent se nommait lady Jane Rochford, darda sur nous son regard sournois.

Elle resta impassible en nous découvrant tous deux sur le lit. Quant à moi, paralysée par une frayeur incompréhensible, je l'observai à travers mes cils.

Je savais qu'elle se repaissait d'un spectacle dont elle ne perdait pas une miette : la tête de George sur mes cuisses, tournée vers mon ventre, mes jambes écartées sous ma robe. Mon visage auréolé de ma chevelure en désordre, ma coiffe jetée sur la banquette de la fenêtre. Elle nous observa comme pour accumuler des preuves, puis disparut aussi silencieusement qu'elle était entrée.

Je secouai aussitôt George dont je couvris la bouche de la main pour étouffer ses protestations.

— Chut ! Jane était là et elle est peut-être encore de l'autre côté de la porte !

— Que voulait-elle ?

— Elle ne prononça pas une parole ; elle ouvrit la porte, nous observa endormis ensemble sur le lit, puis partit à pas de loup.

— Elle ne voulait pas m'éveiller.

— Peut-être, acquiesçai-je, la voix incertaine.

— Qu'avez-vous ?

— Elle semblait… étrange, à l'affût. En la voyant nous observer, je me sentis presque…

Je m'interrompis, incapable de trouver les mots justes.

— Presque sale, conclus-je enfin, comme si nous faisions quelque chose de mal. Comme si nous étions... trop proches.

— Nous sommes frère et sœur ! s'exclama George.

— Nous étions endormis sur un lit.

— Que pourrions-nous faire d'autre que dormir, sur un lit ? L'amour ? Je gloussai.

— Elle me donne le sentiment que je ne devrais pas même me trouver dans votre chambre.

— Vous en avez cependant le droit, affirma-t-il d'un ton résolu. Où donc, sinon ici, nous serait-il possible de nous entretenir sans que la moitié de la cour, elle incluse, rôde et nous espionne ? Elle est jalouse et donnerait la rançon d'un roi pour partager ma couche en cet instant, mais je préférerais mettre ma tête dans un piège à loup que sur ses genoux.

Je souris.

— Ne lui accordez-vous donc aucune importance ?

— Pas la moindre, répondit-il en fermant les yeux. Elle est mon épouse, soumise à mon bon vouloir. Grâce à cette nouvelle mode qui fait rage en matière de mariage, je pourrais même la chasser afin d'en épouser une plus jolie.

Anne refusa catégoriquement de passer Noël à Greenwich sans y être le centre de l'attention générale. Bien que Henri essayât de lui expliquer qu'il agissait ainsi pour le bien de leur cause, elle s'emporta contre lui et l'accusa de préférer avoir la reine à ses côtés.

— Je m'en irai ! lui lança-t-elle. Je ne souffrirai pas ici de votre négligence. Je célébrerai Noël à Hever, ou peut-être irai-je retrouver mon père, en France, où je fus toujours fort admirée.

Il devint livide, comme si elle l'avait poignardé.

— Anne, mon seul amour, ne dites point de ces choses.

Elle fondit sur lui.

— Votre seul amour ? Vous ne voulez pas même de moi à vos côtés le jour de Noël !

— Je vous y désire ce jour-là comme tous les autres jours. Mais Campeggio fait son rapport au pape et je veux que chacun sache que je renvoie la reine pour les raisons les plus pures.

— Me considérez-vous impure ? s'enquit-elle, s'emparant du mot.

La vivacité d'esprit dont elle avait fait preuve dans l'art du badinage et qui l'avait tant séduit le laissait à présent sans défense.

— Ma bien-aimée, vous êtes un ange à mes yeux, roucoula-t-il. J'ai annoncé à la reine que je voulais vous épouser parce que vous êtes la meilleure que le pays puisse offrir.

— Vous vous entretenez de moi avec elle ?

Elle émit un petit cri oppressé et posa la main sur son cœur.

— Ah non ! C'est une insulte de trop ! Que répond-elle ? Que je n'étais pas sa meilleure servante ? Que je ne suis pas digne de repriser vos chemises ?

Henri laissa tomber sa tête entre ses mains.

— Anne !

Elle se détourna vers la fenêtre en un tourbillon de soie. Je gardai le visage baissé sur mon livre. Subrepticement, nous – le roi et l'ancienne maîtresse de celui-ci – l'observâmes. L'espace de quelques sanglots, ses épaules tremblèrent, puis la tension se relâcha. Elle se retourna vers lui, les yeux brillants de larmes, les joues rosies par la colère. Elle avait l'air exalté. Elle marcha à lui et s'empara de ses mains.

— Pardonnez-moi, mon amour, roucoula-t-elle.

Il la contempla comme s'il n'y pouvait croire. Il ouvrit les bras et elle se glissa sur ses genoux.

— Pardonnez-moi, chuchota-t-elle encore.

Aussi discrètement que possible, je me levai de ma chaise ; Anne m'indiqua d'un signe de tête de partir. Comme je refermais la porte derrière moi, j'entendis ma sœur dire :

— Je me rendrai à Durham House et vous payerez pour m'avoir obligée à fêter Noël là-bas.

La reine m'accueillit dans ses appartements avec un léger sourire de triomphe. Elle pensait, pauvre femme, que l'absence d'Anne signifiait que son influence diminuait. Elle n'avait pas entendu, comme moi, la liste de pénitences imposées par Anne à son amant. Elle ne savait pas, au contraire du reste de la cour, que la politesse de Henri à son égard lors des fêtes de Noël obéissait à une pure question de formes.

Elle s'en aperçut bien assez tôt. Il ne dîna jamais seul avec elle dans ses appartements. Il ne lui parla jamais à moins que quelqu'un ne les observât. Il ne dansa pas une fois avec elle. En vérité, il déclina la plupart des danses et regarda à peine les danseurs. De nouvelles filles à la cour virevoltaient sous ses yeux dans les bras de leur partenaire, de jeunes beautés destinées à charmer le roi et, qui sait, à conquérir le trône. Mais on ne pouvait divertir le roi qui, l'air vide à côté de son épouse, rêvait à sa maîtresse.

Cette nuit-là, la reine s'agenouilla longuement devant son prie-Dieu. Lorsqu'elle se releva, j'étais la seule de ses dames d'atour encore éveillée.

— Les voici, tel Pierre, prêtes à me renier, murmura-t-elle en observant la demi-douzaine de femmes qui la négligeaient en cette triste période.

— J'en suis navrée, répondis-je.

— Sa présence ou son absence ne fait aucune différence, ajouta-t-elle avec une sagesse désolée.

Elle inclina la tête sous le poids de sa coiffe, je m'avançai pour en retirer les épingles puis la fit glisser de sa tête. Ses cheveux étaient gris à présent.

— Ce n'est qu'une passion qu'il surmontera, poursuivit-elle, plus pour elle-même que pour moi. Il se lassera d'Anne comme il s'est lassé des autres ; Bessie Blount, vous.

Je ne répliquai pas.

— Je prie pour qu'il ne succombe pas à la tentation. S'il ne commet de péché contre la Sainte Église alors qu'elle le tient en ses rets, il me reviendra.

— Votre Majesté, intervins-je doucement. Avez-vous songé où aller, s'il ne vous revenait pas, s'ils annulaient votre union ?

La reine Catherine tourna vers moi ses yeux bleus et fatigués, comme si elle me voyait pour la première fois. Elle tendit les bras, me laissant délacer la partie supérieure de sa robe puis se tourna afin que je la fasse glisser de ses épaules. Sa peau était à vif à cause du frottement causé par son cilice de crin.

— Je ne me prépare point à la défaite, répondit-elle simplement. Ce serait me trahir moi-même. Dieu me ramènera Henri et nous serons heureux ensemble, une fois encore. Ma fille, dont la grand-mère était Isabelle de Castille, régnera. Elle sera la meilleure reine que ce royaume aura jamais connue, tandis que le roi demeurera Sire Loyal à mon lit de mort, comme il le fut jadis en ma jeunesse.

Elle se dirigea vers sa chambre privée. La chambrière, qui somnolait devant le feu, bondit pour s'emparer de la robe et coiffe royales que je tenais dans les bras.

— Dieu vous bénisse, me dit la reine. Renvoyez les autres au lit, à présent. J'escompte que, au matin, vous m'accompagnerez toutes à la messe ; j'aime que mes dames soient pieuses.

Été 1530

Je parcourus la route qui menait à Hever entourée d'une armée de domestiques, l'étendard des Howard flottant devant moi. Les voyageurs croisés en chemin se précipitaient dans le fossé pour nous laisser passer. Les haies et l'herbe en bord de route étaient couvertes de poussière, mais, un peu plus loin, le foin était doux, déjà fauché et ficelé dans les champs, tandis que blé et orge arrivaient au genou et commençaient à grossir. Les champs de houblon verdissaient, l'herbe qui tapissait les vergers de pommiers se parsemait de pétales blancs comme de la neige.

Je chantai sur le chemin, m'abandonnant à la joie de parcourir la campagne anglaise, vers mes enfants. Les hommes obéissaient aux ordres d'un gentilhomme de mon oncle, William Stafford, qui chevaucha à mon côté une bonne partie du chemin.

— Cette poussière est abominable, remarqua-t-il. Dès que nous quitterons la ville, j'ordonnerai aux hommes d'avancer derrière vous.

Je lui lançai un regard à la dérobée. C'était un bel homme au visage ouvert et honnête. Je supposai qu'il s'agissait d'un Stafford que la disgrâce puis l'exécution du duc de Buckingham avaient ruiné. Il affichait certes l'expression d'un homme bien né, élevé pour soutenir son rang.

— Je vous remercie de m'escorter ; voir mes enfants m'est très important.

— Je pense que rien n'importe davantage. Si je possédais épouse et enfants, je ne les quitterais point.

— Pourquoi ne vous êtes-vous jamais uni ?

Il m'offrit un sourire.

— Je n'ai point rencontré de femme que j'aimasse assez.

Intriguée, je m'aperçus que je désirais m'enquérir de ce qu'une femme aurait dû faire pour lui plaire. Il faisait montre de stupidité en attachant tant de soins au choix d'une épouse. La plupart des hommes s'unissaient à une femme qui leur apportait la fortune ou un rang. Et, cependant, William Stafford ne semblait pas stupide.

Lorsque nous fîmes un arrêt pour dîner, il me souleva de selle puis me tint un instant contre lui pour m'aider à garder l'équilibre.

— Comment vous portez-vous ? demanda-t-il avec douceur. Vous demeurâtes longtemps en selle.

— Je vais bien. Dites aux hommes que nous ne nous attarderons pas, je veux poursuivre ma route avant que ne tombe la nuit.

Il me guida vers l'auberge.

— J'espère qu'ils disposeront d'une nourriture de qualité pour votre dîner. Ils m'ont promis un poulet, mais je crains qu'il ne s'agisse d'une vieille oie famélique.

Je ris.

— Je mangerais même cela, j'ai tellement faim. Vous joindrez-vous à moi ?

Un instant, je crus qu'il allait accepter, mais il s'inclina et répondit :

— Je dînerai avec les hommes.

— À votre guise, dis-je, piquée de son refus.

Je pénétrai dans l'auberge au plafond bas, réchauffai mes mains au feu et glissai un discret regard par la fenêtre sertie de plomb. Dans la cour de l'écurie, William Stafford observait les hommes retirer les selles des chevaux et étrier leur monture avant de recevoir leur dîner. « Un bel homme, pensai-je ; quelle pitié qu'il ait de si mauvaises manières. »

Cet été-là, je décidai de couper les boucles d'or de Henri et de vêtir mes enfants de façon appropriée. S'il n'en avait tenu qu'à moi, je les eusse laissés une année de plus dans leurs vêtements d'enfants, mais grand-mère Boleyn, fort capable d'écrire à Anne que je n'élevais pas son pupille correctement, insistait qu'ils se vêtissent en adulte.

Les cheveux de Henri, plus doux que plume d'oiseau, lui tombaient sur les épaules en longues boucles dorées qui encadraient son adorable visage. Quelle mère les eût vues couper sans une larme ? Je voulais le garder tel qu'il était, sans qu'il change sa façon de tendre vers moi ses bras dodus pour être soulevé ou sa manière instable de courir sur ses petites jambes.

Lui, bien sûr, envisageait les choses autrement : il voulait une épée, monter son propre poney, se rendre à la cour de France, comme George, pour y apprendre à se battre. Il rêvait de croisades et de joutes ; il désirait grandir, enfin, tandis que je n'aspirais qu'à le garder dans mes bras.

William Stafford nous rendit visite à notre endroit favori, sur le banc de pierre qui faisait face aux douves et au château. Henri, après avoir couru toute la matinée, dormait profondément, blotti dans mes bras, pouce en bouche. Catherine pataugeait dans l'eau, pieds nus.

William Stafford s'aperçut aussitôt que mes yeux étaient remplis de larmes, mais il hésita à peine. Parlant doucement afin de ne pas éveiller mon garçon, il déclara :

— Je suis navré de vous déranger, lady Carey, je venais vous annoncer notre départ pour Londres et vous demander si vous aviez quelque message à faire porter.

— Vous trouverez des fruits et des légumes pour ma mère, dans la cuisine.

Il hocha la tête puis hésita, irrésolu.

— Pardonnez-moi, poursuivit-il avec hésitation, vous pleuriez, je le vois. Puis-je vous aider en quelque manière ? Votre oncle vous confia à mes soins, il est de mon devoir de m'enquérir si l'on vous fit offense.

Sa réflexion amena un sourire sur mes lèvres.

— Henri doit être sevré, expliquai-je, et je ne veux pas que mes enfants grandissent. Un époux eût lui-même coupé ses boucles sans ma permission, mais, dans le cas présent, je dois y veiller moi-même.

— Votre époux vous manque-t-il ? demanda-t-il avec curiosité.

— Un peu... Nous nous côtoyâmes fort peu.

Je me demandai quelle connaissance Stafford possédait de mon union, qui n'en avait guère été une. Ce fut tout ce que je parvins à dire qui fût à la fois honnête et délicat ; son petit hochement de tête ne m'indiqua pas s'il m'avait comprise ou non.

— Je parlai du temps présent, précisa-t-il, prouvant qu'il était plus subtil que je ne l'avais cru. Maintenant que vous n'avez plus la faveur du roi, ne serait-ce point le moment d'engendrer un autre enfant avec un époux et de recommencer ?

J'éprouvais de la réticence à discuter de mon avenir avec un simple gentilhomme, guère plus qu'un vulgaire aventurier comme il en foisonnait dans la maison de mon oncle.

— Ce n'est pas une situation très confortable pour une jeune femme comme vous, reprit-il, qui comptez vingt-deux ans et deux enfants. Une vie entière vous attend et, cependant, votre avenir dépend de façon indissociable de celui de votre sœur. Vous êtes son ombre, vous qui, jadis, brilliez comme la favorite de tous.

Je faillis m'étouffer devant la vision qu'il m'offrait de mon avenir et ce résumé, aussi sombre que précis, de ma vie.

— Telle est la destinée des femmes, déclarai-je, incitée à l'honnêteté. Pas celle que l'on choisirait, je vous l'accorde, mais les femmes sont les jouets de la fortune. Mon époux eût-il vécu, de grands honneurs lui eussent été accordés, comme à mon frère ou à mon père, et j'aurais partagé sa prospérité. Je demeure malgré tout Boleyn et Howard et ne suis point sans revenus. J'ai des espérances.

— Vous pourriez vivre comme une sorte d'aventurier, tout comme moi, remarqua-t-il. Pendant que votre famille vous oublie, se rassemblant autour d'Anne et de son avenir incertain, vous pourriez suivre votre propre voie, bâtir votre propre fortune, utiliser votre liberté.

Je tournai mon attention vers lui.

— Est-ce pour demeurer libre que vous n'êtes point marié ?

Il me sourit, ses dents blanches se découpèrent sur son visage bruni.

— Je ne dois ma subsistance à nul homme, ne rends de devoir à nulle femme. Je sers votre oncle et porte sa livrée mais ne me considère point comme son serf. Je naquis Anglais et libre, je poursuis mon propre chemin.

— Vous êtes un homme, objectai-je, les choses diffèrent pour les femmes.

— Oui, reconnut-il. Sauf pour celle qui m'épousera ; nous poursuivrons notre chemin ensemble.

Je ris doucement et attirai mon petit Henri plus près de moi.

— Votre chemin se paverait d'embûches si vous deviez vous unir en désobligeant votre seigneur et sans la bénédiction des parents de votre compagne.

Cela ne refroidit nullement Stafford.

— Il existe pires débuts. Je préférerais une femme qui me confiât sa vie plutôt qu'un père me liant avec dot et contrat.

— Qu'obtiendrait-elle en retour ?

Ses yeux plongèrent dans les miens.

— Mon amour. J'aimerai une femme libre comme un oiseau qui viendra à moi par amour, qui me désirera et ne se souciera de rien autant que de moi.

— Votre épouse sera folle, déclarai-je sèchement.

Il se retourna vers moi et sourit.

— Il est heureux alors que je n'aie point encore rencontré de femme dont je veuille, répondit-il avec un salut.

Je hochai la tête. J'avais remporté cet échange verbal, semblait-il, sans toutefois que le sujet fût résolu.

— J'espère demeurer un moment sans époux, dis-je d'une voix où perçait, même à mes propres oreilles, l'incertitude.

— Je l'espère également, répondit-il étrangement. Je vous fais mes adieux, lady Carey.

Il s'inclina et s'apprêta à partir.

— Vous vous apercevrez que Henri demeurera votre petit garçon, qu'il soit vêtu de sa robe ou de hauts-de-chausse, ajouta-t-il avec bonté. J'aimai ma mère jusqu'à sa mort, que Dieu la bénisse, et restai son petit garçon – quoi que je fisse.

Contre toute attente je pus, une fois coupées les boucles de Henri, admirer l'exquise rondeur de sa tête ainsi que sa nuque tendre et vulnérable. Il cessa de ressembler à un bébé, devenant un petit garçon charmant et délicat dont j'aimais saisir le visage au creux de mes mains pour en sentir la chaleur. Dans ses vêtements d'adulte, il ressemblait à un prince et, malgré moi, je me mis à l'imaginer assis, un jour, sur le trône d'Angleterre. Fils du roi, adopté par la femme qui prendrait peut-être le titre de reine d'Angleterre, il était de sur-croît le plus majestueux petit garçon que j'eusse jamais observé. À l'image de son père, il se tenait les mains sur les hanches, comme le maître du monde. Toutefois, doux comme nul autre, il accourait dans mes bras lorsque je l'appelais, obéissant à ma voix avec autant de confiance qu'un faucon au sifflet. Cet été-là, observant l'enfant, j'entrevis l'homme qu'il deviendrait et cessai de pleurer le bébé qu'il n'était plus.

Je compris toutefois que je désirais un autre enfant, un bébé que l'on ne considérerait pas comme un pion à avancer vers le trône mais qui serait aimé et voulu pour lui-même. Je me demandais à quoi cela ressemblerait de devenir la compagne d'un homme qui, amoureux de moi, attendrait avec impatience l'enfant que nous aurions conçus ensemble. Cette pensée, lorsque je revins à la cour, me plongea dans une humeur sombre et maussade.

William Stafford, qui me servit d'escorte en chemin vers le palais de Richmond, insista pour nous voir partir tôt afin que les chevaux se reposent à la mi-journée. J'embrassai mes enfants pour leur dire au revoir puis sortis dans la cour où Stafford me souleva vers ma selle. Je pleurai à cause du chagrin que j'éprouvais à les laisser et, à mon grand embarras, une de mes larmes tomba sur son visage levé vers moi. Il la cueillit mais, au lieu de frotter ses mains sur ses chausses, il leva son doigt à ses lèvres.

— Que faites-vous ?

Il eut aussitôt l'air coupable.

— Vous n'auriez pas dû laisser tomber une larme sur moi.

— Vous n'auriez point dû la lécher, rétorquai-je aussitôt.

Il ne répondit rien et resta immobile. Puis il ordonna : « À cheval ! », en se détournant de moi pour enfourcher sa propre monture. La petite troupe de cavaliers s'éloigna de la cour du château, je me retournai et fis signe à mes enfants qui me regardaient partir, agenouillés sur la banquette derrière la fenêtre de leur chambre.

Nous franchîmes le pont-levis et les sabots de nos chevaux tonnèrent comme l'orage sur les planches de bois, puis nous parcourûmes la longue route qui traversait le parc. William Stafford éperonna son cheval et vint se placer à mes côtés.

— Ne pleurez pas, dit-il brusquement.

Je lui lançai un regard de biais, le souhaitant à mille lieues de moi.

— Je ne pleure pas.

— Vous pleurez, affirma-t-il. Je ne puis escorter une femme en larmes jusqu'à Londres.

— Je ne suis pas une femme en pleurs ! répliquai-je avec irritation. Je déteste laisser mes enfants. Je ne les verrai pas pendant une année, je crois avoir le droit d'en éprouver quelque chagrin !

— Non, objecta-t-il d'un ton ferme, et je vais vous expliquer pourquoi. Selon vous, une femme se doit d'obéir à sa famille. La vôtre vous commande de vivre loin de vos enfants et même d'abandonner votre propre fils à votre sœur. Se battre semble plus logique que gémir. Mais, si vous choisissez d'être une Boleyn, soyez heureuse de votre obéissance.

— J'aimerais chevaucher seule, énonçai-je froidement.

Il éperonna aussitôt son cheval et ordonna aux hommes de passer derrière. Ceux-ci demeurèrent à six pas de moi et je parcourus tout le chemin jusqu'à Londres dans le silence et la solitude, comme je l'avais ordonné.

Automne 1530

*L*a cour se trouvait à Richmond, Anne était tout sourire après un été passé à la campagne avec Henri. Ils avaient chassé chaque jour et le roi lui avait offert d'innombrables cadeaux. Il avait commandé à son bourrelier d'exécuter une magnifique selle double afin qu'elle s'assît en croupe derrière lui, les bras passés autour de sa taille, la tête posée sur son épaule. En tout lieu, on leur avait affirmé que le pays les admirait, que le peuple encourageait leurs desseins. Les villes les avaient accueillis avec des discours affirmant leur loyauté, des poèmes, des bals masqués, des tableaux vivants. Chaque demeure les avait reçus sous une pluie de pétales en étalant sous leurs pieds des herbes fraîchement coupées. Partout, Anne et Henri s'étaient vu assurer qu'ils formaient un couple béni à qui l'avenir souriait.

Mon père, de retour de France, décida de ne rien annoncer qui dérangeât ce tableau idyllique.

— S'ils sont heureux ensemble, que Dieu en soit remercié, déclara-t-il à mon oncle.

Nous observions Anne, qui s'apprêtait à tirer sa flèche sur la terrasse au bord du fleuve. Archère de talent, il semblait qu'elle allait remporter le prix. Une seule autre femme, lady Élisabeth Ferrers, paraissait en mesure de la battre.

— Un changement appréciable, grogna mon oncle. Votre fille possède un tempérament de chat d'écurie.

Mon père émit un petit rire.

— Elle tient cela de sa mère ; toutes les Howard s'emportent vite. Votre sœur et vous partageâtes certainement plus d'un combat, étant enfants.

Oncle Howard refusa de se laisser entraîner sur cette note intime et répliqua d'une voix glaciale :

— Une femme devrait connaître sa place.

Mon père et moi échangeâmes un regard rapide. Les tempêtes récurrentes qui résonnaient dans la maison Howard étaient célèbres.

Oncle Howard avait ouvertement entretenu une maîtresse dès l'instant où son épouse lui avait donné un fils. Ma tante tempêtait de n'avoir jamais été davantage que la blanchisseuse de la pouponnière. La haine qu'ils se vouaient l'un à l'autre représentait un véritable spectacle à la cour, surtout lors des occasions officielles au cours desquelles ils devaient afficher une apparente unité. Il tenait alors l'extrême bout de ses doigts tandis qu'elle détournait la tête de lui comme si ses chausses et sa fraise exhalaient une odeur nauséabonde.

— Nous ne sommes pas tous bénis de votre bienheureuse expérience en matière de femmes, déclara mon père.

Mon oncle lui lança un regard surpris. À la tête de la famille depuis longtemps, il était accoutumé à la déférence. Mais mon père jouissait à présent du titre de comte et sa fille, qui à cet instant tirait une flèche se fichant droit au centre de la cible, régnerait peut-être un jour prochain.

Anne se tourna, ravie de sa performance. Henri, incapable de rester loin d'elle plus d'un instant, bondit de sa chaise, se hâta vers les cibles et l'embrassa sur la bouche devant toute la cour. Les courtisans sourirent et applaudirent, lady Élisabeth dissimula sa déception et reçut un petit bijou du roi tandis qu'Anne se vit offrir une coiffe qui avait la forme d'une couronne d'or.

— Une couronne, murmura mon père.

D'un geste plein de confiance, Anne retira sa propre coiffe, laissant sa chevelure noire cascader de son front en boucles épaisses. Henri s'avança d'un pas, posa la couronne sur sa tête. Il y eut un instant de silence absolu.

La tension fut rompue par le bouffon du roi. Gesticulant derrière le roi, il piailla à l'endroit d'Anne :

— Mademoiselle Anne ! En visant la cible, vous n'en touchâtes point l'œil mais un autre endroit, le c…

Henri se précipita sur lui avec un rugissement de rire en levant sa manchette, que le fou évita avec adresse. La cour explosa de rire et Anne, merveilleusement cramoisie, la petite couronne d'archer scintillant sur le chef, secoua la tête aux paroles du bouffon, le pointa du doigt puis enfouit un visage rouge de confusion sous l'épaule de Henri.

Je partageais avec Anne une chambre à coucher dans le deuxième plus bel appartement de Richmond, venant immédiatement après celui de la reine. Une règle tacite semblait concéder à Anne tout lieu qu'elle souhaitait habiter – à l'exception des propres appartements de la souveraine bien que cette dernière ne s'y trouvât jamais – et à lui permettre de les décorer presque aussi somptueusement que ceux du roi.

Anne était étendue de tout son long sur le lit ouvragé, sans se soucier de froisser sa robe.

— Bel été ? me demanda-t-elle paresseusement. Les enfants se portent-ils bien ?

— Oui, répondis-je brièvement.

Jamais plus je ne m'entretiendrais avec elle de mon fils. Elle avait abandonné le droit d'être sa tante lorsqu'elle avait requis celui de devenir sa mère.

— Vous observiez le concours de tir à l'arc avec notre oncle, poursuivit-elle. De quoi parlait-il ?

— Il disait que le roi et vous étiez heureux.

— Je lui ai appris mon souhait de détruire Wolsey, qui s'est retourné contre moi et a pris le parti de la reine.

— Anne, il a perdu la chancellerie, n'est-ce point suffisant ?

— Il correspond avec la reine. Je veux qu'il disparaisse.

— Mais il était votre ami.

Elle secoua la tête.

— Nous jouions tous deux un rôle pour ne point déplaire au roi. Wolsey me faisait parvenir quelques poissons de son étang, je lui offrais de menus cadeaux. Toutefois, je n'eus garde d'oublier la façon dont il s'adressa à moi au sujet de Henry Percy. Nous fûmes ennemis et jaloux l'un de l'autre dès l'instant où je revins de France. Il ne mesura pas l'étendue de mon pouvoir, mais y parviendra à sa mort. Je possède sa maison, je lui prendrai la vie.

— C'est un vieil homme qui a perdu toute sa fortune, ainsi que les titres qui faisaient sa fierté et sa joie. Il se retire au siège de son archevêché à York. Si vous voulez votre vengeance, laissez-le y pourrir.

Anne secoua la tête.

— C'est insuffisant ; le roi l'aime encore.

— Le roi ne peut-il aimer que vous ? Wolsey le guida comme un père pendant des années.

— C'est exact. Il ne doit aimer que moi.

Je montrai ma surprise.

— En êtes-vous venue à le désirer ?

Elle me rit au nez.

— Non ! Mais je veux qu'il ne voie ni ne parle à nul autre que moi ou ceux en qui je puisse me fier. Et en qui puis-je me fier ?

Je ne répondis pas.

— Vous : peut-être. George : toujours. Père : en principe. Mère : parfois. Oncle Howard : si cela l'arrange. Ma tante : non, elle soutient Catherine. Le duc de Suffolk peut-être, mais non son épouse Marie Tudor qui ne supporte pas de me voir m'élever si haut. C'est tout. Quelques hommes s'émeuvent à ma vue : mon cousin sir Francis Bryan, Francis Weston à cause de son amitié pour George. Sir Thomas Wyatt, qui m'est encore affectionné.

Elle leva un autre doigt en silence et nous sûmes toutes deux qu'elle pensait à Henry Percy, époux contraint et forcé, malade de détresse dans son Northumberland.

— Dix, conclut-elle doucement. Dix personnes qui me souhaitent bonne fortune contre un monde qui se réjouirait de ma chute.

— Mais le cardinal ne peut rien contre vous à présent ; il a perdu tout pouvoir.

— Alors, le moment est parfaitement choisi : il est mûr pour être détruit.

Le complot, échafaudé par le duc de Suffolk et oncle Howard, porta la marque d'Anne. Mon oncle possédait la preuve d'une lettre envoyée au pape par Wolsey et Henri, qui avait été disposé à rappeler son vieil ami à de hautes fonctions, se tourna une fois de plus contre lui et ordonna son arrestation.

À Anne revint le choix du lord envoyé l'arrêter, ultime geste de ma sœur envers l'homme qui l'avait appelée une sotte et une opportuniste. Henry Percy de Northumberland se rendit chez Wolsey à York ; il lui apprit qu'il était accusé de trahison et devait se rendre à Londres. Il ne lui était pas permis de séjourner dans son magnifique palais de Hampton Court, à présent propriété du roi, ni dans sa superbe demeure londonienne de York Place, depuis lors rebaptisée Whitehall et appartenant à Anne. Tel un traître, il attendrait son procès à la Tour.

Henry Percy dut ressentir une joie cruelle à conduire vers Anne l'homme qui les avait séparés, à présent malade d'épuisement et de désespoir. Ce ne fut guère la faute du jeune homme que Wolsey parvînt à s'échapper en mourant au bord de la route, et la seule satisfaction d'Anne lui vint du fait que le garçon qu'elle avait aimé avait appris à son vieil ennemi que l'heure de sa vengeance était enfin venue.

Noël 1530

La reine rejoignit la cour à Greenwich pour Noël et Anne célébra ses fêtes rivales dans le palais du cardinal décédé. Le roi, ce n'était un secret pour personne, s'éclipsait après avoir dîné avec la souveraine et se faisait conduire à Whitehall où il prenait un autre souper avec Anne. Il se faisait parfois accompagner de courtisans soigneusement choisis, dont j'étais. La nuit s'écoulait alors, pleine de joie, et notre retour sur la rivière, emmitouflés contre le vent mordant, se faisait sous des étoiles et une lune blanche qui nous éclairaient le chemin.

Je repris mon service auprès de la reine, chez qui les changements que j'observai me bouleversèrent. Les sourires qu'elle adressait à Henri étaient dénués de joie ; il en avait banni toute trace en elle, peut-être à jamais. Elle possédait toujours cette dignité majestueuse mais ne brillerait jamais plus de l'éclat d'une femme aimée de son époux.

Un jour, nous brodions ensemble, assises devant la cheminée de son appartement. La nappe d'autel s'étalait devant nous. Je travaillais sur le ciel bleu encore inachevé tandis que, contrairement à son habitude, elle avait abandonné l'azur pour une autre couleur. Je pensai qu'elle devait être bien lasse si elle abandonnait une tâche inachevée ; elle était femme à persister, quoique cela lui coûtât.

— Avez-vous vu vos enfants cet été ? demanda-t-elle.

— Oui, Votre Majesté, répondis-je. Catherine porte des robes longues à présent ; elle apprend le français et le latin. Quant à Henri, ses boucles sont coupées.

— Les allez-vous envoyer à la cour de France ?

Je ne pus réprimer un élan d'angoisse.

— Il est trop tôt ! Ils sont encore tellement jeunes.

Elle me sourit.

— Lady Carey, vous savez qu'il importe peu qu'ils soient jeunes ou qu'ils nous soient chers. Ils doivent apprendre leur devoir, comme vous l'avez fait, comme je l'ai fait.

J'inclinai la tête.

— Votre Majesté a raison, je le sais, concédai-je doucement.

— Une femme doit connaître son devoir afin de pouvoir le remplir et vivre en l'état que Dieu a jugé bon de lui attribuer, déclara la reine.

Je savais qu'elle pensait à ma sœur qui, loin de vivre en l'état que Dieu avait jugé bon de lui attribuer, jouissait en lieu et place d'une position que sa beauté et son esprit vif avaient conquise et qu'un combat incessant lui permettait de garder.

Un coup retentit à la porte et l'un des hommes de mon oncle apparut sur le seuil.

— Un présent de la duchesse de Norfolk, ainsi qu'une note, annonça-t-il.

Je me levai pour recevoir un joli panier où des oranges étaient présentées dans leurs feuilles vert sombre. Le pli, marqué du sceau de mon oncle, était posé au-dessus.

— Lisez la lettre, m'enjoignit la reine.

Je posai les fruits sur la table et ouvris la lettre : « *Votre Majesté, ayant reçu un baril d'oranges fraîches du royaume où vous vîtes le jour, je prends la liberté de vous en faire parvenir les plus belles avec mes compliments.* »

— Comme c'est aimable, apprécia la reine avec calme. Voulez-vous les déposer dans ma chambre, Marie, puis écrire une réponse à votre tante pour la remercier en mon nom ?

Je soulevai le panier. À l'entrée de sa chambre, je me pris les pieds dans un tapis. Les oranges se renversèrent et roulèrent au sol comme les billes d'un écolier. Je jurai à voix basse puis me hâtai de les empiler dans le panier avant que la reine ne vît le désordre que j'avais causé.

Je vis alors quelque chose qui me glaça. Au fond du panier se trouvait un papier froissé. Je le dépliai. Il était couvert de petits chiffres, sans un seul mot. C'était un code.

Je demeurai là un long moment, à genoux, les oranges autour de moi. Lentement, je remis les fruits en place puis déposai le panier sur un coffre. Puis j'enfournai la note dans ma poche et revins dans la pièce auprès de la femme que j'avais aimée plus que toute autre au monde. Je m'assis à son côté pour broder en silence, songeant au désastre imminent que j'avais dans ma poche, et à ce que je devais en faire.

Je n'avais pas le choix, je ne l'avais jamais eu : Boleyn et Howard, je devais fidélité à ma famille. Sans elle, je ne possédais rien : nul moyen d'élever mes enfants, aucun avenir, aucune protection. Je me rendis dans les appartements de mon oncle et déposai la note sur la table.

Il déchiffra le code en une demi-journée. La conspiration n'affichait rien de bien compliqué : un message d'espoir de la part de l'ambassadeur d'Espagne chuchoté à l'oreille de ma tante, transmis par cette dernière à la reine. J'avais été l'instrument qui ôtait à la souveraine un peu de réconfort.

Lorsque la nouvelle transparut, après une violente querelle au cours de laquelle mon oncle accusa son épouse de trahison, querelle qui fut suivie d'une réprimande de ma tante par le souverain, je me rendis auprès de la reine. Elle se trouvait dans ses appartements et observait les jardins par la fenêtre. Quelques personnes chaudement emmitouflées de fourrure avançaient vers la rivière où des coches d'eau les attendaient ; ils se rendaient à la cour rivale de ma sœur. La reine, silencieuse et seule, les observait partir.

Je tombai à genoux devant elle.

— J'ai donné la note de la duchesse à mon oncle, confessai-je sans préambule. Je l'ai trouvée parmi les oranges, où je la découvris par accident. Je semble toujours vous trahir, sans toutefois jamais en avoir l'intention.

Elle accorda un bref regard à ma tête inclinée, comme si cela n'avait guère d'importance.

— Je ne connais personne qui eût agi différemment, observat-elle. Vous devriez être à genoux devant Dieu, non devant moi, lady Carey.

— Je vous supplie de me pardonner, plaidai-je sans me relever. Mon destin m'impose d'appartenir à une famille dont les intérêts vont à l'encontre des vôtres. En un autre temps, jamais vous n'auriez eu à vous plaindre de moi.

— Sans la tentation, vous eussiez résisté. Sans qu'il fût dans votre intérêt de me trahir, vous me seriez demeurée loyale... Partez, lady Carey, vous ne valez guère mieux que votre sœur, qui poursuit son dessein telle une fouine sans jamais regarder d'un côté ou de l'autre. Rien n'empêchera les Boleyn d'obtenir ce qu'ils briguent, je le sais maintenant. Parfois, je pense qu'elle ne s'arrêtera pas même à ma mort pour parvenir à ses fins. Et je sais que vous lui apporterez votre aide, combien que vous m'aimiez, combien que je vous aie aimée lorsque vous étiez ma petite servante.

— Elle est ma sœur, m'écriai-je passionnément.

— Et je suis votre reine, répliqua-t-elle d'un ton glacial.

Mes genoux me faisaient mal sur le plancher mais je ne voulais bouger.

— Elle tient mon fils et le roi est à ses ordres, gémis-je.

— Partez, répéta la reine. Les fêtes de Noël s'achèvent, nous ne nous reverrons pas avant Pâques. Bientôt, le pape rendra son verdict : il annoncera au roi que ce dernier doit honorer son union avec moi, votre sœur entreprendra alors la manœuvre suivante. À quoi dois-je m'attendre, pensez-vous ? Une accusation de trahison ou bien du poison dans mon dîner ?

— Elle n'oserait pas, chuchotai-je.

— Elle oserait, rétorqua la reine d'une voix atone. Et vous l'y aideriez. Partez, lady Carey, je ne désire plus vous voir avant Pâques.

Je me levai et reculai ; sur le seuil de la porte, je plongeai dans une profonde révérence, lui cachant mon visage trempé de larmes. Pleine de honte, je quittai sa chambre, refermai la porte et la laissai seule regarder les courtisans qui appareillaient en riant pour aller rendre hommage à son ennemie.

Les jardins blancs de givre étaient calmes à présent que la cour les avait quittés. Je glissai mes mains froides dans les profondeurs fourrées de mes manches et errai au hasard, les yeux au sol, les joues striées de larmes. Soudain, une paire de bottes défraîchies apparut devant moi.

Je relevai lentement les yeux. De belles jambes, un pourpoint chaud, une cape de futaine brune, un visage souriant : William Stafford.

— N'allez-vous point chez votre sœur avec toute la cour ? demanda-t-il en guise de salutations.

— Non, répondis-je sèchement.

Il envisagea mon visage défait avec plus de soin.

— Vos enfants se portent-ils bien ?

— Oui, répondis-je.

— Qu'y a-t-il alors ?

285

— J'ai mal agi, avouai-je doucement, plissant les yeux devant l'éclat du soleil d'hiver qui se reflétait sur l'eau, le regard fixé sur la cour joyeuse qui s'éloignait.

Il attendit.

— J'ai découvert à propos de la reine un secret que j'ai communiqué à mon oncle.

— A-t-il pensé que vous aviez mal agi?

J'eus un rire bref.

— Oh non, en ce qui le concerne, j'ai tous les mérites.

— Le message secret de la duchesse, devina-t-il aussitôt. Tout le monde en parle. Elle est bannie de la cour. Mais nul ne sait comment elle fut découverte.

— Je... commençai-je avec hésitation.

— Je n'en toucherai mot à personne, me promit-il.

Il s'empara familièrement de ma main glacée, la plaça sous son bras et m'entraîna près du fleuve. Le soleil chauffait nos visages tandis que ma main, coincée entre son bras et son corps, se réchauffait déjà.

— Qu'auriez-vous fait, vous qui n'écoutez que vous-même et vous enorgueillissez d'être votre propre maître? demandai-je.

Stafford me lança un regard en biais des plus ravis.

— Je n'osais espérer que vous vous souvinssiez de nos entretiens.

— Cela ne signifie rien, répliquai-je, rougissant quelque peu.

— Bien entendu.

Il réfléchit un instant et reprit, plus sérieux:

— Je pense que j'aurais agi comme vous l'avez fait. Si le neveu de la reine avait préparé une invasion, il eût été essentiel de déchiffrer cette note.

Nous marquâmes une pause aux portes des jardins.

— Nous échapperons-nous quelques instants? proposa-t-il d'un air tentateur. Nous pourrions nous rendre au village pour boire une chope de bière et manger une poignée de châtaignes grillées.

— Non. Je dois assister au dîner ce soir, même si la reine m'a congédiée jusqu'à Pâques.

Il se tourna et nous remontâmes l'allée en silence. Il s'arrêta aux portes du château.

— Je vous laisse ici, déclara-t-il. J'étais en route vers la cour de l'écurie lorsque je vous ai vue. Mon cheval s'est mis à boiter, je veux vérifier qu'ils parent correctement son sabot.

— En effet, je ne vois pas du tout pourquoi vous vous attardâtes pour moi, rétorquai-je avec une pointe de provocation dans la voix.

Il me regarda droit dans les yeux et mon souffle s'accéléra.

— Oh, je crois que vous savez parfaitement pourquoi je me suis arrêté pour vous voir, répliqua-t-il lentement.

— Milord Stafford... commençai-je.

— Je déteste l'odeur de l'onguent qu'ils appliquent sur le sabot, me coupa-t-il en hâte.

Il s'inclina devant moi et s'éclipsa avant que j'eusse le temps de rire, de protester ou même de reconnaître qu'il m'avait piégée à badiner avec lui quand j'avais eu l'intention de le piéger, lui.

Printemps 1531

$\mathcal{A}$ vec la mort du cardinal, l'Église comprit vite qu'elle avait perdu – bien qu'il eût grandement profité d'elle – son plus ardent défenseur. Henri taxa l'Église d'un énorme impôt qui amena le clergé à admettre que le pape pouvait bien demeurer leur chef spirituel, leur maître sur terre se montrait beaucoup plus proche et plus puissant.

Mais le roi n'eût jamais réussi seul : les penseurs les plus éclairés soutenaient Henri dans son combat, des hommes dont Anne lisait les écrits qui exigeaient que l'Église retournât à sa pureté originelle. Le peuple d'Angleterre, ignorant de théologie, soutenait l'idée d'une Église anglaise. Celle de Rome semblait une institution étrangère, dominée par un empereur étranger. Il valait mieux que l'Église répondît à Dieu d'abord puis au roi d'Angleterre, comme toute autre chose dans le pays. Comment, sinon, eût-il été roi ?

Nul laïc ne disputa cette théorie tandis que, au sein de l'Église, seul l'évêque Fisher, le confesseur de la reine, éleva une protestation lorsque Henri se proclama le chef suprême de l'Église d'Angleterre.

— Refusez qu'il se montre à la cour, conseilla Anne à Henri.

Ils étaient assis dans l'embrasure d'une fenêtre, dans la salle d'audience du palais de Greenwich. Elle baissa la voix, et poursuivit :

— Il se glisse à toute heure dans la chambre de la reine où ils chuchotent des heures durant. Qui sait quels secrets ils complotent ?

— Je ne puis lui dénier les rites de l'Église, répondit le roi d'un ton raisonnable. Elle ne comploterait pas dans un confessionnal !

— Il est son espion, décréta Anne d'une voix ferme.

Le roi lui tapota la main.

— Paix, là, ma douce, la calma-t-il. Je suis à la tête de l'Église d'Angleterre, et déciderai de mon propre mariage.

— Fisher s'élèvera contre nous, s'inquiéta-t-elle.

— Fisher n'est point le chef suprême de l'Église, répéta Henri.

Il lança un regard à l'un des pétitionnaires.

— Que voulez-vous ? Approchez.

L'homme s'avança, évoquant une querelle à propos d'un testament. Père, qui l'amenait à la cour, se tenait en arrière et l'écoutait présenter sa pétition. Anne quitta doucement sa place aux côtés de Henri et s'avança vers père dont elle toucha la manche avant de lui chuchoter quelque chose. Puis elle revint auprès du roi en souriant.

J'étalai des cartes à jouer et cherchai du regard un gentilhomme qui acceptât de faire le quatrième. Sir Francis Weston s'avança et s'inclina devant moi.

— Puis-je gager mon cœur ? s'enquit-il.

George nous observait tous deux en souriant.

— Vous n'avez rien à gager, lui rappelai-je. Vous jurâtes l'avoir perdu lorsque vous me vîtes vêtue de ma robe bleue.

— Je le récupérai lorsque vous dansâtes avec le roi, quoique brisé.

— C'est un vieux carreau brisé et non un cœur. Perdu sans cesse, il vous faut le rechercher, intervint Henri.

— Il ne trouve jamais sa cible, répliqua sir Francis. Je suis un piètre tireur à côté de Votre Majesté.

— Vous êtes également un piètre joueur, déclara Henri avec espoir. Jouons un shilling le point.

Quelques nuits plus tard, l'évêque Fisher tomba malade et manqua périr. Trois hommes invités à sa table moururent empoisonnés, quelques serviteurs furent indisposés. Quelqu'un avait soudoyé son cuisinier pour qu'il versât du poison dans sa soupe.

Je ne demandai pas à Anne si ses chuchotements à l'oreille de père étaient liés à la maladie de l'évêque et à la mort de trois innocents. Croire sa sœur et son père coupables d'assassinat n'était pas aisé. Je me remémorai l'ombre qui avait traversé son visage lorsqu'elle avait juré haïr Fisher autant qu'elle avait haï le cardinal. Celui-ci était mort à présent, et le dîner de Fisher s'était vu assaisonné de poison. Il me semblait que cette histoire, qui avait débuté comme un badinage d'été, sombrait lentement en eaux trop troubles pour moi. La ténébreuse devise d'Anne : « Ainsi sera, groigne qui groigne », ressemblait à une malédiction qu'elle jetait sur les Boleyn, sur les Howard, sur le pays lui-même.

La reine se trouva au centre de la cour pour les fêtes de Pâques, comme elle l'avait prédit. Le roi dîna chaque soir en sa compagnie, sourire aux lèvres, afin que le peuple déduisît que c'était une honte qu'un homme dans la force de l'âge fût piégé par cette femme plus âgée et à l'air si grave. Elle se retirait tôt et je la suivais toujours, lasse des rumeurs et des scandales incessants de la cour, de la malignité des femmes, du charme de ma sœur. Je craignais cette cour à présent ô combien moins fiable que celle que j'avais rejointe lorsque, jeune épousée, j'avais nourri de grandes aspirations pour mon mari et ma vie avec lui.

La reine accepta mon service sans émettre de commentaire, sans jamais mentionner ma trahison passée. Une seule fois, elle me demanda si je ne préférais pas me trouver dans la grand-salle à regarder les divertissements ou à danser.

— Non, répondis-je.

J'avais ramassé un livre que je m'apprêtais à lui lire tandis qu'elle brodait la nappe d'autel. Le ciel bleu arrivait à sa fin, il n'en manquait qu'un petit carré, elle avait travaillé avec une vitesse et une précision remarquables.

— Ne vous intéressez-vous pas à la danse ? Une jeune veuve comme vous-même ne possède-t-elle aucun soupirant ?

Je secouai la tête.

— Non, Votre Majesté.

— Votre père cherchera bientôt un autre parti pour vous, poursuivit-elle, énonçant l'évidence. Vous en a-t-il entretenue ?

— Non ; et les choses sont…

Il était impossible de terminer ma phrase en bon courtisan. Je balbutiai :

– …fort peu résolues pour nous.

La reine Catherine émit un petit rire sincère.

— Je n'avais pas pensé à cela, admit-elle. Quelle gageure pour un jeune homme ; qui sait jusqu'où il pourrait s'élever ou tomber avec vous ?

J'affichai un sourire blême et lui montrai le dos du livre.

— Souhaitez-vous que je lise, Votre Majesté ?

— Croyez-vous que je sois en sécurité ? me demanda-t-elle abruptement. Vous m'avertiriez si ma vie était en danger, n'est-ce pas ?

— En quel danger ?

— Le poison.

Je frissonnai, comme si cette soirée de printemps était soudain devenue humide et froide.

— Les temps sont funestes et bien obscurs, remarquai-je.

— En effet, répondit-elle, quoiqu'ils eussent si bien commencé.

Elle ne parla de sa peur du poison à nulle autre que moi mais dès lors se mit à offrir un peu de sa nourriture à sa chienne, Flo, avant de manger elle-même. L'une des femmes – Jane, une fille Seymour – le déplora comme un mauvais dressage. Une autre remarqua en riant que l'amour de la petite Flo était tout ce qui restait à la reine. Je ne dis rien, quant à moi. J'eusse avec joie vu la reine tester sa nourriture sur l'une d'elles ; perdre Jane Seymour n'eût guère été dramatique.

Dans ce climat, lorsqu'ils apportèrent la nouvelle que la princesse Marie était souffrante, la première pensée de la reine fut que la jolie petite fille avait été empoisonnée.

— Mon Dieu, il annonce qu'elle est très malade, ne gardant rien dans l'estomac depuis huit jours, déclara-t-elle, lisant la lettre du médecin.

Oubliant l'étiquette, je lui pris la main.

— Ce ne peut être le poison, chuchotai-je vivement. Nul ne tirerait bénéfice de sa mort.

— Elle est mon héritière, gémit la reine, le visage aussi blanc que le papier. Anne l'empoisonnerait-elle afin de me pousser au couvent ?

Je secouai la tête, incapable d'évaluer avec certitude jusqu'à quelle extrémité Anne pouvait mener les choses.

— Je dois me rendre auprès d'elle.

Elle s'approcha à grands pas de la porte qu'elle ouvrit à la volée.

— Où se trouve le roi ?

— Laissez-moi y aller, intervins-je.

— Oui, articula-t-elle dans un sanglot de douleur. Je ne puis pas même courir à lui pour lui demander de me laisser voir notre fille. Que ferai-je si cette femme refuse ?

Un instant, je demeurai coite, tant il m'était impossible d'envisager la pensée de la reine d'Angleterre suppliant ma sœur de la laisser se rendre au chevet de sa fille, une princesse royale.

— Ce n'est pas sa parole qui compte, Votre Majesté. Le roi aime la princesse Marie, il ne souhaitera la voir souffrante sans sa mère pour la soigner.

Anne savait déjà. Elle savait tout à présent. La princesse Marie était malade de désespoir. La petite fille vivait dans la seule compagnie de

ses domestiques et de son confesseur, elle passait des heures agenouillée à prier Dieu que son père retrouve son amour pour sa mère.

Cette nuit-là, lorsque le roi rendit visite à la reine, sa réponse était
toute préparée.

— Partez auprès de la princesse, si tel est votre désir. Vous
pouvez demeurer là-bas avec ma bénédiction et mes remerciements.
Ainsi, adieu.

Les joues de la reine se drainèrent de leur couleur.

— Jamais je ne vous abandonnerais, mon époux, murmura-t-elle.
Je pensais à notre enfant ; ne souhaitez-vous vous assurer qu'elle
reçoit des soins appropriés ?

— Ce n'est qu'une fille, jeta-t-il cruellement. Vous ne montrâtes
point tant de hâte à prendre soin de notre fils.

Elle eut un petit hoquet de souffrance mais il poursuivit :

— Alors ? Venez-vous dîner, madame, ou bien partez-vous ?

Elle reprit ses esprits avec difficulté. Elle se redressa, prit le bras
qu'il lui offrait et se laissa mener au dîner comme une reine. Mais
elle ne pouvait jouer la comédie comme lui. Elle parcourut la grand-
salle du regard et aperçut ma sœur à sa table, entourée de sa petite
cour. Anne adressa à la reine un sourire radieux et la souveraine sut
à qui elle devait la cruauté du roi. Elle baissa la tête et effrita un morceau de pain sans en manger.

Cette nuit-là, beaucoup de gens plaignirent le roi, jeune et beau,
d'être uni à cette femme de l'âge de sa mère qui, de plus, était
morose comme le péché.

La reine Catherine lutta pied à pied. L'observer rassembler son
courage afin de braver son mari eût rempli toute femme de honte,
hormis ma sœur. Quelques jours après qu'elle eut appris que la princesse Marie était souffrante, elle dînait avec le roi en privé. Se trouvaient avec eux les dames d'atour de la reine, les compagnons du
roi, deux ambassadeurs, Thomas Cromwell – qui à ce moment était
partout – et Thomas More, l'air de quelqu'un qui aurait vivement
souhaité être ailleurs.

Ils apportaient fruits et vins sucrés lorsque la reine se tourna vers
le roi et lui demanda, comme une simple requête, de renvoyer Anne
de la cour, qu'elle nomma « une impudente créature ».

Abasourdie, je ne pus croire que la reine défiât Sa Majesté en
public, elle dont l'avenir se trouvait en ce moment même entre les

mains du pape. Puis j'en saisis les raisons : c'était pour la princesse Marie. Elle voulait qu'il se sentît écrasé de honte et la laissât se rendre auprès de la princesse. Elle risquait tout pour voir sa fille.

Le visage de Henri s'empourpra de colère. Je baissai les yeux et priai Dieu que sa rage ne se tournât pas vers moi. Lançant un regard de côté, je vis l'ambassadeur Chapuys faire de même. Seule la reine, mains serrées sur les accoudoirs de sa chaise, garda la tête haute, les yeux fixés sur le visage furieux de son mari.

— Par Dieu ! tonna Henri. Jamais je ne renverrai lady Anne de la cour ! Elle est femme honnête et respectable !

— Elle est votre maîtresse, observa tranquillement la reine. C'est un scandale aux yeux de Dieu.

— Jamais ! rugit Henri, et je tressaillis ; il était aussi terrifiant qu'un ours blessé. Elle est femme d'une vertu absolue !

— Non, rétorqua la reine avec calme. En pensées comme en paroles, sinon en actes, elle se montre impudente, éhontée et de nulle compagnie pour une femme de bien ou un prince chrétien.

— Que diable voulez-vous donc de moi ? lui cracha-t-il au visage.

Elle ne baissa pas les yeux. Sans ciller, elle demeura assise sur sa chaise, comme un petit mur de pierre sur lequel se précipitait une monstrueuse vague de printemps.

— Je veux voir la princesse Marie, expliqua-t-elle calmement.

— Partez ! beugla-t-il. Pour l'amour de Dieu, partez et restez-y !

Lentement, Catherine secoua la tête.

— Je ne vous abandonnerais pas même pour ma fille, quoique vous me brisiez le cœur, déclara-t-elle posément.

S'ensuivit un long et douloureux silence. Je levai les yeux. Des larmes coulaient sur son visage ; elle venait d'abdiquer sa chance de voir son enfant, même si la princesse se mourait.

Henri la dévisagea un moment avec une haine absolue. La reine tourna la tête et fit un signe à un domestique derrière elle.

— Du vin pour Sa Majesté, ordonna-t-elle froidement.

Le roi bondit sur ses pieds et repoussa sa chaise qui hurla sur le plancher de bois. L'assistance se leva en même temps que lui. Henri retomba alors sur son fauteuil, comme exténué. Nous l'imitâmes également, emplis d'incertitude quant à l'attitude à adopter. La reine Catherine le regarda ; elle semblait aussi vidée que lui par leur querelle.

— Je vous en prie, dit-elle tout doucement.

— Non, répliqua-t-il.

Une semaine plus tard, elle le lui requit encore. Je n'assistai pas à la scène, mais Jane Seymour me raconta, les yeux écarquillés d'horreur, que la reine n'avait pas cillé lorsque le roi s'était laissé allé à la fureur.

— Comment ose-t-elle ? demanda-t-elle.

Je regardai le jeune visage de Jane et pensai : « Avant d'avoir mon fils, j'étais aussi stupide que cette niaise. »

— Elle veut voir sa fille, répondis-je avec amertume, vous ne pouvez comprendre.

Lorsque les docteurs annoncèrent que la princesse approchait de la mort et s'enquérait sans cesse de la venue de sa mère, Henri relâcha enfin la reine, qui eut la permission de la rejoindre au palais de Richmond. Je descendis dans la cour de l'écurie pour la voir partir.

— Que Dieu bénisse Votre Majesté et la princesse.

— Au moins, je puis être avec elle, fut tout ce qu'elle répondit.

Je hochai la tête puis reculai d'un pas. La troupe s'ébranla. L'étendard royal flottait en tête, suivi d'une demi-douzaine de cavaliers, puis venaient la reine accompagnée de quelques-unes de ses femmes et enfin l'arrière-garde.

William Stafford, qui m'observait lever la main en signe d'adieu, traversa la cour à grands pas pour me rejoindre.

— Votre sœur, affirme-t-on, jure que la reine ne reviendra pas à la cour et qu'elle renonce à la couronne par amour pour sa fille.

— Je ne sais cela, ni quoi que ce soit d'autre, déclarai-je, butée.

Il rit, ses yeux bruns et brillants posés sur moi.

— Vous semblez fort ignorante, ce jour. Ne vous réjouissez-vous donc point de l'ascension de votre sœur ?

— Pas à ce prix, répondis-je brièvement, puis je me détournai et m'éloignai de lui.

J'avais à peine parcouru une demi-douzaine de pas lorsqu'il me rattrapa.

— Je ne vous ai pas vue depuis des jours, lady Carey. Me recherchez-vous jamais ?

J'hésitai.

— Non, bien sûr ; je ne vous recherche pas.

Il aligna son pas sur le mien.

— Je ne m'y attends point, déclara-t-il avec un soudain sérieux. Je sais que vous êtes bien au-dessus de moi, madame.

— En effet, renchéris-je peu gracieusement.

— Oh, je le sais, m'assura-t-il encore, mais je croyais que nous nous appréciions l'un l'autre.

— Je ne puis jouer à ce jeu avec vous, déclarai-je franchement. Vous servez mon oncle, je suis la fille du comte de Wiltshire…

— Un honneur plutôt récent, me coupa-t-il doucement.

Je fronçai les sourcils, distraite par l'interruption.

— Que l'honneur date d'aujourd'hui ou remonte à cent ans ne fait aucune différence, affirmai-je. Je suis fille de comte et vous n'êtes rien.

— Mais vous, Marie, jolie Marie Boleyn ; si vous oubliez vos titres, ne pensez-vous jamais à moi ?

— Jamais, répondis-je d'une voix froide, et je le laissai, debout sous l'arche des écuries.

Été 1531

La cour emménagea à Windsor, où la reine amena la princesse Marie, aussi pâle que maigre, afin qu'elle s'y repose tout l'été en sa compagnie. Le roi se montra tendre envers son seul enfant légitime. Son attitude à l'égard de son épouse s'adoucissait ou durcissait selon qu'il se trouvât avec ma sœur ou au chevet de leur fille. La reine, quant à elle, ne semblait jamais trop lasse pour accueillir le souverain d'un sourire et d'une révérence.

Elle sourit en me voyant entrer un jour avec un bouquet de roses précoces.

— J'ai pensé que la princesse Marie les aimerait auprès d'elle, déclarai-je, elles sentent fort bon.

La reine Catherine s'empara des fleurs et s'exclama :

— Vous êtes une femme de la campagne ; aucune autre de mes dames d'atour ne penserait jamais à cueillir des fleurs pour les apporter à l'intérieur.

— Mes enfants adorent orner leur chambre de fleurs, expliquai-je. Ils fabriquent des couronnes ou des colliers de marguerites et, lorsque je souhaite la bonne nuit à Catherine, je trouve souvent des boutons d'or sur son oreiller, tombés de ses cheveux.

— Le roi vous autorise-t-il à vous rendre à Hever pendant que la cour voyagera ?

— Oui, répondis-je en souriant. J'y demeurerai tout l'été.

— Ainsi nous serons avec nos enfants, vous et moi. Reviendrez-vous à la cour cet automne ?

— Oui, promis-je. Je reviendrai servir Votre Majesté, si elle veut bien de moi.

— Tout recommencera alors, soupira-t-elle. Reine à Noël, abandonnée quand vient l'été.

Je hochai la tête. Elle regarda par les fenêtres qui s'ouvraient sur les jardins. Au loin, le roi marchait aux côtés d'Anne, sur les rives du fleuve.

— Quel est le secret de son emprise sur lui, selon vous?

— Ils se ressemblent, répondis-je, laissant mon antipathie à leur endroit se glisser dans ma voix. Aucun des deux ne s'arrêtera à rien pour obtenir ce qu'il veut et gardera, avec une détermination inébranlable, les yeux sur sa cible. Et, à présent que leurs désirs coïncident, ils sont... Je marquai une pause, cherchant le mot juste. Formidables, terminai-je.

— Je peux être formidable, énonça la reine.

Je lui lançai un regard de biais. N'eût-elle été la reine, j'aurais passé mon bras autour de ses épaules pour la serrer contre moi.

— Qui le sait mieux que moi? Je vous vis tenir tête au roi encoléré et vous opposer à deux cardinaux ainsi qu'au conseil privé. Mais vous servez Dieu, vous aimez le roi et adorez votre enfant. Vous ne vous laissez point guider par cette unique question : « Qu'est-ce que *je* veux? »

Elle secoua la tête.

— Ce serait péché d'égoïsme.

Je regardai les deux silhouettes au bord du fleuve, les deux plus grands égoïstes qu'il m'eût été donné de rencontrer.

— En effet.

Je me dirigeai vers les écuries afin de m'assurer qu'ils avaient chargé les coffres et préparé mon cheval pour notre départ le matin suivant. J'y trouvai William Stafford qui vérifiait les roues du chariot.

— Merci, dis-je, un peu surprise de le trouver là.

Il se redressa avec un grand sourire.

— Je dois vous escorter. Votre oncle ne vous l'a-t-il point appris?

— Je suis certaine qu'il mentionna un autre nom.

Son sourire s'élargit.

— En effet, mais il ne sera pas en mesure de chevaucher demain, étant ivre.

— Ivre à présent, indisposé demain?

— J'eusse dû dire qu'il allait être pris de boisson.

— Prédisez-vous donc l'avenir?

— Je puis prédire que je verserai le vin, se gaussa-t-il. Ne puis-je donc point vous escorter, lady Carey? Vous savez que je veillerai à votre sûreté.

— Vous le pouvez, bien sûr, dis-je avec nervosité. C'est seulement que...

Stafford était silencieux, j'avais l'impression qu'il m'écoutait de tous ses sens.

— Seulement quoi? m'encouragea-t-il.

— Je ne voudrais pas vous voir blessé, déclarai-je enfin. Vous ne sauriez être davantage à mes yeux qu'un homme au service de mon oncle. Je ne puis risquer de graves ennuis avec ma famille.

— Est-ce donc si important? N'aimeriez-vous point compter un ami véritable, même mal né, plutôt que vivre comme une grande dame solitaire aux ordres de sa sœur?

Je me détournai de lui, exaspéré comme toujours à l'idée d'être au service d'Anne.

— Acceptez-vous que je vous escorte à Hever demain? demanda-t-il, rompant délibérément le charme.

— À votre guise, répondis-je brutalement. Un homme en vaut un autre.

Il étouffa un fou rire mais ne discuta pas plus outre. Je le quittai, souhaitant presque qu'il me rattrapât pour se défendre de ne ressembler en rien aux autres hommes.

Je montai à ma chambre où je trouvai Anne, rayonnante, qui ajustait son chapeau de cavalière devant le miroir.

— Nous partons, annonça-t-elle. Venez nous dire adieu.

Je la suivis dans les escaliers, prenant soin de ne pas marcher sur la longue traîne de son riche habit de velours cramoisi.

Nous sortîmes par les doubles portes. Henri était déjà en selle, je notai avec horreur que ma sœur avait fait attendre le roi en ajustant son chapeau. Elle sourit. Elle pouvait tout se permettre. Deux jeunes gens se précipitèrent pour l'aider à monter en selle ; elle joua un instant la coquette, choisissant qui aurait le privilège de mettre ses mains en coupe sous sa botte.

Le roi lança le signal du départ et la troupe s'ébranla. Anne, par-dessus son épaule, me fit un signe de la main.

— Dites à la reine que nous sommes partis, lança-t-elle.

— Comment? m'étouffai-je. N'avez-vous pas pris congé?

Elle rit.

— Non! Apprenez-lui notre départ!

J'aurais voulu courir à elle, l'empoigner par les cheveux et la frapper pour sa malfaisance. Mais je demeurai immobile, sur le pas de la porte, les saluant de la main. Lorsque les cavaliers, les chariots, les soldats et toute la maisonnée eurent disparu de ma vue, je rentrai lentement au château.

La porte claqua derrière moi, rompant le silence irréel qui régnait à l'intérieur. Plus de tapisseries tendues sur les murs, plus de tables. La lumière du soleil, filtrée par les fenêtres, éclaboussait le sol nu d'une tache jaune où dansait la poussière. Jamais je ne m'étais trouvée dans un palais abandonné. L'endroit résonnait toujours d'ordres criés aux domestiques, de gens qui sollicitaient quelque faveur au milieu des musiciens, de l'aboiement des chiens, du murmure des courtisans.

Je gravis les escaliers vers les appartements de la reine, mes talons résonnèrent sur les dalles de pierre. Je frappai à la porte et même le son du bout de mes doigts contre le bois sembla anormalement fort. La reine se tenait à la fenêtre, les yeux fixés sur la route qui serpentait au pied du château, sur l'époux qui avait été le sien, sur ses anciens amis, serviteurs, biens, meubles et même sur les linges de sa maisonnée qui s'éloignaient à la suite d'Anne Boleyn montée sur son immense monture noire.

— Il est parti sans même me dire au revoir, remarqua-t-elle d'un air pensif. Jamais il n'avait agi ainsi. Quelle que fût la situation, il ne partait pas sans ma bénédiction.

Une troupe de cavaliers galopa avec fracas aux côtés des chariots transportant les bagages, hurlant aux conducteurs de serrer les rangs. Le bruit des roues s'élevait dans l'air chaud. Rien n'était épargné à la reine.

Un bruit de bottes se fit entendre dans les escaliers, on frappa sèchement à la porte entrouverte. J'allai répondre. L'un des hommes du roi apportait un pli qui arborait le sceau royal.

Elle se tourna aussitôt, le visage éclairé par la joie, et traversa la pièce en courant pour s'emparer du parchemin.

— Là ! Il n'est point parti sans rien dire. Il m'a écrit ! s'exclama-t-elle en allant à la lumière pour rompre le cachet.

Je vis son visage se drainer de ses couleurs, ses yeux perdre leur éclat et sa bouche se mettre à trembler. Elle se laissa tomber sur la banquette, je claquai la porte au nez du messager puis courus m'agenouiller auprès d'elle.

La reine posa sur moi des yeux remplis de larmes.

— Je dois quitter le château, chuchota-t-elle. Il nous bannit, notre fille et moi.

Le messager frappa à la porte et passa prudemment la tête par l'entrebâillement. Je bondis sur mes pieds pour le tancer de son impertinence mais la reine posa une main sur ma manche.

— Une réponse ? s'enquit-il, sans même ajouter « Votre Majesté ».

— Où que j'aille, je demeurerai son épouse et prierai pour lui, déclara-t-elle d'une voix ferme. Dites au roi que je lui souhaite un bon voyage pour lequel je suis navrée de ne point avoir offert ma bénédiction. Mandez-lui également de m'envoyer un message pour me dire qu'il est en bonne santé.

Le messager hocha la tête, me lança un rapide regard d'excuse puis se retira.

Peu après, par la fenêtre, nous le vîmes monter en selle et s'élancer sur la route où il disparut bientôt, à la suite d'Anne et de Henri qui, loin devant, chevauchaient main dans la main en direction de Woodstock.

— Jamais je n'aurais cru que cela se terminerait ainsi, murmura la reine d'une petite voix. Jamais je n'aurais cru qu'il partirait sans même me dire au revoir.

Ce fut un bel été pour les enfants et moi. Henri ayant cinq ans et sa sœur sept, je décidai qu'ils devaient posséder leur propre poney. Malheureusement, je n'en trouvai aucun qui fût suffisamment petit et docile. J'avais fait part de mon projet à William Stafford alors que nous chevauchions vers Hever. Sans guère de surprise, je le vis revenir, une semaine plus tard et sans invitation, remontant l'allée sur sa monture élancée, flanqué de deux petits poneys bien gras.

Les enfants et moi nous promenions dans la prairie qui s'étalait au pied du château. Je lui fis un signe de la main et il quitta l'allée pour longer les douves à notre rencontre. Dès que Henri et Catherine virent les poneys, ils poussèrent des cris d'excitation.

— Attendez de les voir, les avertis-je. Nous ne savons pas si nous voulons les acheter.

— Vous avez raison de vous montrer prudente, je suis un tel escroc, déclara William Stafford en glissant de sa selle.

Il me prit la main et la porta à ses lèvres.

— Où les avez-vous trouvés ?

Catherine caressait le museau du petit poney gris tandis que Henri, caché derrière mes jupes, observait l'autre, d'une jolie robe baie, avec un mélange d'excitation intense et de peur.

— Oh, sur le pas de la porte, répondit William avec insouciance. Je peux les renvoyer si vous ne les aimez pas.

Un cri de protestation s'éleva aussitôt derrière moi.

— Non !

William Stafford mit un genou à terre.

— Sortez de là, petit, commanda-t-il avec bienveillance. Jamais vous ne ferez un bon cavalier en vous cachant derrière votre mère.

— Est-ce qu'il mord ?

— Vous devez le nourrir avec votre main bien à plat, expliqua William, joignant le geste à la parole. Ainsi, il ne peut pas mordre.

— Est-ce qu'il galope comme le cheval de maman ? s'enquit Catherine.

— Pas aussi vite, mais il galope, acquiesça William, qui ajouta : et il peut sauter.

— Puis-je sauter avec lui ? béa Henri, les yeux comme des soucoupes.

William se redressa et me sourit.

— Vous devez d'abord apprendre à vous tenir en selle, à aller au pas, au trot puis au galop. Après cela, vous pourrez continuer avec la joute et le saut.

— M'apprendrez-vous ? demanda Catherine avec espoir. Demeurerez-vous avec nous pour nous montrer ?

Le sourire de William afficha un triomphe éhonté.

— Si votre mère me le permet.

Les deux enfants se tournèrent aussitôt vers moi.

— Dites oui ! supplia Catherine.

— S'il vous plaît ! m'exhorta Henri.

— Je puis vous enseigner à monter, protestai-je.

— Mais pas à jouter ! s'exclama Henri. Et vous montez de côté. Je dois monter à califourchon, parce que je suis un garçon, n'est-ce pas, monsieur ?

William me toisa par-dessus la tête de mon fils qui sautillait comme un bouchon de liège dans l'eau.

— Qu'en dites-vous, lady Carey ? Puis-je demeurer cet été et enseigner à votre fils comment monter à cheval ?

Je ne le laissai pas deviner mon amusement.

— Oh, très bien. Allez dire dans la maison de vous préparer une chambre.

Chaque matin, William Stafford et moi marchions un long moment, les enfants à nos côtés, sur leur poney. Après le déjeuner, nous attachions ces derniers à de longues longes pour les mener à différentes allures, Catherine et Henri accrochés à leur crin comme des tiques.

William montrait à l'égard des enfants une patience inaltérable. Je le soupçonnai toutefois de faire en sorte qu'ils n'apprissent pas trop vite et ne devinssent prêts à monter seuls qu'à la fin de l'été.

— N'avez-vous point de maison en propre où vous rendre ? demandai-je un soir que nous revenions vers le château, chacun d'entre nous menant un poney.

Le soleil s'abîmait derrière les tours, le château ressemblait à un palais de conte de fées avec ses fenêtres qui scintillaient d'une lumière rosée.

— Mon père vit à Northampton.

— Êtes-vous son unique fils ?

Il sourit à ma question lourde de sens.

— Non, je suis un cadet, donc un bon à rien, Milady. Mais j'ai le projet de devenir le propriétaire d'une petite ferme dotée de terres, dans l'Essex.

— Où trouverez-vous l'argent ? demandai-je avec curiosité. Vous ne pouvez beaucoup prospérer au service de mon oncle.

— J'ai servi sur un navire et empoché une petite prime il y a quelques années. Je trouverai ensuite une femme disposée à vivre dans une jolie maison au milieu de ses propres champs et qui saura que rien – ni la puissance des princes ni la malignité des reines – ne peut l'atteindre.

— Les reines et les princes peuvent toujours vous atteindre, répliquai-je.

— Sauf si vous êtes trop petit pour les intéresser, reprit-il. Notre danger serait votre fils ; s'ils le considéraient comme l'héritier du trône, ils ne nous quitteraient pas des yeux.

— Si Anne engendre un fils, elle renoncera au mien.

Sans m'en apercevoir, j'avais suivi le cheminement de ses pensées.

— Mieux, même, elle le voudra loin de la cour. Nous l'élèverions comme un petit écuyer de campagne. C'est peut-être la meilleure vie qui soit ; je n'aime pas la cour, surtout ces dernières années.

Nous atteignîmes le pont-levis et aidâmes les enfants à descendre de selle. Ils coururent vers la maison tandis que William et moi menions leurs poneys aux écuries. Deux garçons en sortirent pour nous les prendre des mains.

— Venez-vous dîner ? demandai-je négligemment.

— Bien entendu, répondit-il, puis il s'inclina devant moi avant de disparaître.

Cette nuit-là, agenouillée pour ma prière du soir pendant laquelle, comme toujours, je laissais mon esprit vagabonder, je me fis la remarque que je l'avais laissé s'adresser à moi comme si j'avais été cette femme habitée du désir de vivre dans une jolie maison au milieu de ses propres champs, mariée à William Stafford.

Chère Marie,
Nous résiderons à Richmond cet automne puis à Greenwich cet hiver. Jamais plus la reine ne se trouvera sous le même toit que le roi. Elle vivra dans l'ancienne maison de Wolsey, à More, dans le comté de Hertfordshire. Le roi lui accorde sa propre cour, lui ôtant toute raison de se plaindre d'être mal traitée.
Vous ne faites plus partie de son service, vous ne servirez que moi.
Le roi et moi partageons l'avis que le pape, dans la terreur de ce que le roi pourrait faire à l'Église d'Angleterre, tranchera en notre faveur dès que la cour reviendra en automne. Je me prépare pour un mariage automnal suivi d'un couronnement. Ainsi sera : groigne qui groigne !
Notre oncle fait montre de froideur à mon endroit, et le duc de Suffolk a presque pris parti contre moi. Henri l'envoya au loin cet été, je me réjouis qu'une leçon lui fût donnée. Trop de gens m'envient et me surveillent ; je vous veux à Richmond à mon arrivée, Marie. Vous n'avez point autorisation de visiter la reine Catherine d'Aragon, ni de demeurer à Hever. J'agis pour vous autant que pour moi ; vous m'aiderez.
Anne

Automne 1531

Cet automne-là, je constatai que la reine avait enfin été détrônée. Anne convainquit Henri que rien ne l'astreignait à sauvegarder les apparences mais qu'ils devaient au contraire faire front ensemble, avec audace, défiant quiconque de s'élever contre eux.

Henri se montra généreux. Catherine d'Aragon vivait un train royal à More, où elle accueillait des ambassadeurs en visite comme si elle demeurait une reine aimée et honorée. Son service comptait plus de deux cents personnes, dont cinquante dames de compagnie. Pas les meilleures, bien entendu, qui servaient Anne. Cette dernière et moi-même prîmes grand plaisir à nous débarrasser d'une demi-douzaine de filles Seymour, riant à la pensée du visage de sir John Seymour lorsqu'il s'en apercevrait.

— Enverrons-nous la femme de George auprès de la reine ? suggérai-je. Il serait plus heureux sans elle.

— Je préfère l'avoir sous les yeux. Je veux la reine uniquement entourée de personnes insipides.

— Vous ne pouvez encore la craindre. Vous l'avez totalement détruite.

Anne secoua la tête.

— Je ne serai en sécurité qu'à sa mort, dit-elle.

— Comment pourrait-elle vaincre ? demandai-je. Il ne veut pas même la voir.

— Vous ne savez pas combien de gens me haïssent, chuchota Anne, et je dus m'approcher pour l'entendre. Lorsque nous voyageons, l'été, nous ne nous arrêtons plus dans les villages. Le peuple ne me voit plus comme une jolie fille qui chevauche aux côtés du roi mais comme la femme qui a détruit le bonheur de la reine.

— Non !

Elle hocha la tête et poursuivit :

— Catherine, à Londres, donna un banquet au palais Ely. Au-dehors, les gens lui crièrent leur bénédiction et lui promirent de ne jamais plier le genou devant moi.

— Il ne s'agit que d'une poignée de domestiques grincheux.

— Et si c'était davantage ? demanda Anne d'un air sombre. Quels sont les sentiments du roi, croyez-vous, accoutumé aux louanges depuis toujours, quand il les entend me huer et me maudire ?

— Le peuple pliera, la calmai-je. Les prêtres prêcheront que vous êtes son épouse et, lorsque vous engendrerez un fils, vous deviendrez celle qui a sauvé le pays.

— Oui, acquiesça-t-elle, tout dépend de cela, n'est-ce pas ? Un fils.

Anne avait raison de craindre la foule. Juste avant Noël, nous remontâmes le fleuve depuis Greenwich pour dîner avec les Trevelyan. Il ne s'agissait pas d'une sortie de la cour ; personne ne connaissait nos intentions. Le roi soupait en privé avec quelque ambassadeur de France, et Anne se piqua d'aller à Londres. Je partis avec elle, accompagnée de quelques gentilshommes du roi et d'une ou deux dames de compagnie. Il faisait froid sur la rivière et nous étions chaudement emmitouflés de fourrure. Nul, sur les rives, n'eût pu voir nos visages tandis que le bateau s'arrêtait aux escaliers des Trevelyan pour nous laisser débarquer.

Mais quelqu'un reconnut Anne et, avant même que débutât le dîner, un serviteur accourut dans la grand-salle et chuchota à lord Trevelyan qu'une foule se dirigeait vers sa demeure. Anne se leva aussitôt, le visage aussi blanc que ses perles.

— Partez, conseilla Sa Seigneurie fort peu galamment. Je ne puis garantir votre sécurité.

— Pourquoi cela ? s'enquit Anne. Fermez vos portes.

— Pour l'amour de Dieu, ils sont des milliers ! Il ne s'agit pas d'une bande d'apprentis mais d'une foule entière.

La peur, qui durcissait sa voix, gagna toute l'assemblée.

— Ils jurent qu'ils vont vous pendre aux chevrons. Regagnez Greenwich, lady Anne.

— Le bateau est-il prêt ?

Quelqu'un partit en courant appeler les bateliers.

— Nous pouvons certainement les repousser et leur donner une leçon ! intervint Francis Weston. De combien d'hommes disposez-vous, lord Trevelyan ?

— J'ai trois cents hommes, répondit Sa Seigneurie.

— Armons-les et...

— La foule compte huit mille personnes, leur nombre grossit à chaque rue.

Il y eut un silence stupéfait.

— Huit mille personnes marchent contre moi dans les rues de Londres ? chuchota Anne.

— Vite ! la pressa lady Trevelyan. Pour l'amour de Dieu, allez à votre bateau !

Anne lui arracha sa cape des mains, je pris la première que je vis. Les femmes qui nous avaient accompagnées sanglotaient de terreur. Anne traversa en courant les jardins plongés dans l'ombre. Elle se jeta dans le bateau, j'étais juste derrière elle. Francis et William nous suivirent, les autres lancèrent les aussières dans la barge qu'ils poussèrent de l'embarcadère, refusant de venir avec nous.

— Gardez vos têtes baissées ! cria l'un d'eux.

— Et amenez l'étendard royal !

Ce fut un moment plein de honte. L'un des bateliers sortit son couteau et coupa les cordelettes, de peur que le peuple d'Angleterre vît le propre drapeau du roi. Il lutta un instant et l'oriflamme lui échappa des mains avant de s'envoler par-dessus bord pour couler dans les eaux sombres.

— Laissez cela ! Aux rames ! cria Anne, le visage caché dans ses fourrures.

Je tombai à ses côtés et nous nous accrochâmes l'une à l'autre. Elle tremblait de tout son corps.

La foule apparut alors que nous nous éloignions du bord. Les éclats de leurs torches se reflétaient dans l'eau noire. Ils criaient des insultes à ma sœur, chaque hurlement haineux suivi d'un rugissement d'approbation. Anne se blottit plus au fond du bateau et s'accrocha à moi, les yeux fous.

Les bateliers ramaient comme des possédés, sachant qu'aucun d'entre nous ne survivrait à une attaque du bateau par cette température. Que la foule s'aperçût de notre présence à bord et ils lanceraient des pavés, nous poursuivraient sur les rives, affréteraient d'autres bateaux pour nous aborder.

— Plus vite ! siffla Anne.

Nous avancions avec irrégularité, trop effrayés pour frapper du tambour, cherchant à nous abriter dans le silence et les ténèbres. Je me penchai par-dessus la rambarde. Je vis la foule s'arrêter, hésiter, comme s'ils cherchaient à percer la nuit du regard et devinaient, avec le sixième sens surnaturel d'une bête sauvage, que la femme qu'ils cherchaient étouffait des sanglots de terreur à quelques mètres d'eux.

La procession poursuivit sa route vers la demeure de Trevelyan. Sur la rive, les torches semblaient s'étirer sur des lieues. Anne s'assit et repoussa sa capeline, le visage défait.

— Croyez-vous qu'il me protégera contre cela ? demanda-t-elle férocement. Contre le pape, oui, surtout s'il empoche les dîmes de l'Église. Contre la reine, oui, s'il y gagne un fils. Mais contre son propre peuple qui vient me chercher, la nuit, avec des torches et des cordes ? Croyez-vous qu'il restera à mes côtés ?

Noël se célébra dans le calme, cette année-là, à Greenwich. La reine fit parvenir au roi une magnifique coupe d'or qu'il lui renvoya avec un message glacial. Son absence nous pesait d'instant en instant, comme dans une maison délaissée par une mère aimée qui ne veille plus sur ses enfants.

Anne se montra vive, enchanteresse et résolument charmante. Elle dansa, chanta, et offrit au roi un ensemble de fléchettes à la mode de Gascogne. Henri lui donna une pleine pièce remplie des tissus les plus onéreux pour la confection de ses robes. Il lui mit en main la clé de la chambre et l'observa y pénétrer et s'exclamer de plaisir devant les riches drapés de couleurs tendus d'un pilier à l'autre. Il la couvrit, et tous les Howard également, de présents. Mais, malgré tout, on aurait davantage dit une veillée funèbre qu'une célébration de Noël. La présence pondérée de la reine manquait à chacun. Tous se demandaient ce qu'elle faisait dans sa demeure, jadis propriété du cardinal, son ennemi jusqu'à ce qu'il trouve le courage d'admettre qu'elle était dans son droit.

Rien ne parvint à détendre l'atmosphère, quoique Anne se tuât presque à la tâche. J'allumai une chandelle une nuit et l'approchai de son visage. Elle avait les yeux fermés, ses longs cils noirs contrastant avec ses joues livides. Sa chevelure était attachée sous un bonnet de nuit aussi blanc que sa peau. Les ombres sous ses yeux étaient sombres et creusées, elle semblait frêle. Ses lèvres exsangues, relevées en un sourire, murmuraient des présentations, des plaisanteries, des répliques. De temps en temps, elle tournait la tête sur l'oreiller avec cette charmante impatience et riait, un horrible son venu d'une femme qui s'obstinait, jusque dans ses rêves, à galvaniser des festivités.

Elle se mit à boire du vin dès le matin. La boisson apportait des couleurs à son visage et une brillance à son regard, la libérait de son intense fatigue et de sa nervosité. Elle me lança une bouteille un jour qu'oncle Howard lui rendit visite à l'improviste.

— Cachez-la ! siffla-t-elle avant de se tourner vers lui, le dos de la main devant la bouche pour qu'il ne détectât pas l'odeur dans son haleine.

— Anne, vous devez arrêter, l'adjurai-je lorsqu'il partit. Les gens finiront par s'en apercevoir et l'apprendront au roi.

— Je ne puis m'arrêter, rétorqua-t-elle d'un air sombre. Pas un seul instant. Je dois me conduire comme la femme la plus heureuse qui soit. La femme qui épousera l'homme qu'elle aime et deviendra reine d'Angleterre. Je suis merveilleusement heureuse, nulle femme au monde n'est plus heureuse que moi.

Pour le retour de George, prévu à la nouvelle année, Anne et moi décidâmes d'organiser un dîner privé et commandâmes aux cuisiniers ce qui se trouvait de meilleur. L'après-midi s'écoula à guetter par la fenêtre l'arrivée du bateau de George remontant la rivière avec l'étendard des Howard flottant au vent. Je le discernai la première et, sans en faire part à Anne, sortis de la pièce puis dévalai les escaliers. George débarqua et me prit dans ses bras en murmurant :

— Mon Dieu, ma sœur, comme je suis heureux d'être rentré.

Lorsque Anne s'aperçut avoir perdu sa chance d'être la première, elle attendit dans ses appartements, devant le magnifique chambranle cintré de la cheminée, où il s'inclina puis lui baisa la main et ensuite seulement la prit dans ses bras. Nous congédiâmes les dames d'atour, redevenant enfin les Trois Boleyn.

George nous livra ses nouvelles pendant le dîner puis voulut apprendre ce qui s'était passé pendant son absence de la cour. Anne s'exécuta, mais lui dissimula une partie de la vérité : elle ne lui dit pas qu'elle ne pouvait se rendre à Londres sans une escorte armée ni traverser de paisibles petits villages. Elle ne raconta pas le bal masqué intitulé « L'Envoi du cardinal en Enfer » qu'elle avait organisé la nuit de la mort du cardinal Wolsey, dont la paillardise et le triomphal mauvais goût avaient choqué tous ceux qui y avaient assisté. Elle ne mentionna pas l'évêque Fisher qui avait presque péri par le poison. Je sus alors qu'elle avait honte de la femme qu'elle devenait. Elle ne voulait pas que George s'aperçût à quel point l'ambition avait rongé son âme.

— Et vous? me demanda George. Quel est son nom?

— De quoi parlez-vous? s'enquit Anne, perplexe.

— Marie resplendit comme une laitière au printemps. Je gagerais une fortune qu'elle est amoureuse.

Je devins écarlate.

— C'est bien ce que je pensais, conclut mon frère avec satisfaction. Qui est-ce?

— Marie n'a pas d'amant, affirma Anne.

— Un homme ne pourrait-il la courtiser sans votre permission, madame la reine?

— Qu'il s'en garde, répliqua-t-elle sans l'ombre d'un sourire, j'ai des projets pour Marie.

George émit un petit sifflement.

— Seigneur, Anne, on jurerait que vous êtes déjà ointe.

Elle se précipita sur lui.

— Lorsque je le serai, je saurai qui sont mes amis! Marie est ma dame d'atour, je veille au bon ordre de ma maison.

— Pour l'amour de Dieu, Anne! Nous sommes de la même famille, Marie vous laissa sa place. Vous ne pouvez agir comme une princesse de sang et nous traiter comme vos sujets.

— Vous êtes mes sujets, se contenta-t-elle de répondre. J'ai fait renvoyer ma propre tante de la cour, le beau-frère du roi, la reine elle-même. Doutez-vous que je puisse envoyer qui que ce soit en exil? Non. Vous m'avez peut-être aidée à arriver où je suis...

— Aidé? Nous vous avons poussée, sacrebleu!

— Mais je serai bientôt reine, mère du prochain roi d'Angleterre, vous serez à mon service. Souvenez-vous-en, George, je ne vous le répéterai pas.

Anne se leva et se dirigea vers la porte. Elle se tint devant, immobile et, lorsque aucun d'entre nous ne se leva, elle l'ouvrit à la volée avant de se retourner sur le seuil.

— Ne m'appelez plus *Annamaria*, ordonna-t-elle, ni elle *Marianne*. Elle est Marie, l'autre fille Boleyn, une presque rien, et je suis Anne, la future reine.

Elle s'en fut sans se préoccuper de refermer la porte derrière elle. Nous entendîmes ses pas qui se dirigeaient vers sa chambre à coucher, puis sa porte qui claqua.

— Seigneur, quelle sorcière! jeta George avec dégoût en refermant la porte. Depuis combien de temps est-elle ainsi?

— Elle se croit intouchable.

— L'est-elle?

— Je le pense. Il est très amoureux.

— L'a-t-il déjà possédée ?

— Non.

— Dieu tout-puissant ! Que font-ils ?

— Tout, sauf l'acte.

— Cela doit le rendre fou, dit George avec une sombre satisfaction.

— Elle aussi, soupirai-je. Presque chaque nuit, il l'embrasse et la touche tandis qu'elle le caresse des cheveux et de la bouche.

— S'adresse-t-elle à tout le monde de la manière dont elle m'a parlé ?

— Bien pire, ce qui lui coûte des amis. Charles Brandon se déclare contre elle, oncle Howard ne sait que faire d'elle. Ils se sont querellés sans réserve, deux fois depuis Noël. Elle se croit tellement en sécurité grâce à l'amour du roi qu'elle pense n'avoir besoin d'aucune autre protection.

— Je ne le tolérerai pas et le lui dirai, décréta George.

J'affichai un air d'inquiétude fraternelle mais mon cœur fit un bond à la pensée d'un abîme s'ouvrant entre Anne et George. Avoir mon frère de mon côté représenterait un véritable avantage dans le combat pour regagner le tutorat de mon fils.

— Dites-moi à présent qui a attiré votre attention ? demanda-t-il.

— Il est homme de nulle importance, répondis-je. Je ne me confierais à personne qu'à vous, George, alors gardez le secret.

— Je le jure sur l'honneur, promit-il en s'emparant de mes mains et m'attirant plus près de lui. Êtes-vous amoureuse ?

— Oh non, l'assurai-je, reculant à cette pensée, mais il s'intéresse à moi, c'est agréable.

— J'eusse cru la cour remplie d'hommes qui s'intéressaient à vous.

— Oh, ils écrivent des poèmes et déclarent se mourir d'amour, mais il se montre un peu plus… réel.

— C'est pitié que vous ne puissiez simplement le posséder, déclara George avec une candeur toute fraternelle.

Je songeai au sourire de William Stafford.

— Oui, murmurai-je, mais c'est ainsi.

Printemps 1532

George, qui ignorait la haine que le peuple vouait à Anne, nous invita à nous rendre, en sa compagnie, dans une petite auberge pour y déjeuner. À ma grande surprise, Anne accepta. Elle se vêtit d'une robe sombre, enfonça très bas son chapeau de cavalière et laissa de côté son collier distinctif avec le « B » d'or.

Heureux de son retour en Angleterre et de chevaucher en compagnie de ses sœurs, George ne remarqua pas le comportement et l'habit discrets d'Anne. Mais, lorsque nous arrivâmes à l'auberge, la vieille souillon qui aurait dû nous servir glissa un regard de biais à Anne avant de s'éloigner. Un instant plus tard, le maître des lieux nous annonça, en s'essuyant les mains sur son tablier, que le pain et le fromage qu'il avait voulu nous servir étaient gâtés et qu'il n'aurait rien d'autre à nous offrir.

Anne calma George d'un geste et proposa de nous rendre au monastère tout proche, où nous dînâmes plutôt bien. Le roi était un objet de terreur à présent dans chaque abbaye et monastère du pays. Seuls les domestiques, moins politiques que les moines, nous lançaient, à Anne et à moi, des regards méfiants et se demandaient en chuchotant laquelle était l'ancienne putain et laquelle la nouvelle.

Sur le chemin du retour, avec le froid soleil dans le dos, George éperonna son étalon pour chevaucher à mes côtés.

— Tout le monde sait, alors, dit-il simplement.

— De Londres aux confins du pays, répondis-je.

— Personne ne jette son chapeau en l'air en hurlant des vivats?

— Personne.

— J'eusse cru une jolie Anglaise du goût du peuple. Salue-t-elle de la main quand elle passe? Donne-t-elle l'aumône?

— Oui, mais les femmes sont prises d'une affection têtue envers Catherine, affirmant que, si le roi répudie une épouse loyale et honnête parce qu'il se pique de changement, alors nulle femme n'est à l'abri.

George demeura un instant silencieux.

— Le peuple fait-il davantage que murmurer?

— Nous fûmes pris dans une émeute à Londres. Elle est haïe, George, et il se dit toutes sortes de choses à son propos.

— Des choses?

— Qu'elle séduisit le roi par sorcellerie et l'aurait frappé d'impuissance avec toute autre femme qu'elle, afin de l'obliger à l'épouser. Elle aurait même détruit les enfants dans le ventre de la reine et condamné le trône d'Angleterre à la stérilité.

George pâlit et sa main droite conjura le mauvais sort – le pouce entre l'index et le majeur exécutant le signe de croix.

— Le roi en a-t-il eu vent?

— Le pire lui est tu... pour le moment.

— Il n'en croirait pas un mot, n'est-ce pas?

— Il n'affirme guère autre chose lui-même : il dit qu'il est possédé, qu'elle l'a ensorcelé, qu'il ne peut penser à une autre femme. Ce sont paroles d'amoureux, mais cependant... dangereuses.

George hocha la tête.

— Elle devrait se montrer plus charitable sans s'exhiber de façon aussi... sensuelle!

Je levai la tête. Même à cheval, sans autre compagnie que sa famille, Anne oscillait sur sa selle d'une manière qui vous donnait envie de la prendre par la taille.

— C'est une Boleyn et une Howard, répliquai-je d'une voix froide. Sous ce grand et beau nom, nous sommes toutes des chiennes en leur chaleur.

William Stafford attendait aux portes du palais de Greenwich. Il toucha son chapeau et reçut en retour mon petit sourire secret. Lorsque Anne eut mené la petite troupe à l'intérieur, il m'attira sur le côté.

— Je vous attendais, déclara-t-il en guise de salut.

— J'ai vu.

— Je n'aime pas vous voir partir sans moi, le pays n'est guère sûr pour les Boleyn.

— Mon frère prenait soin de nous, et puis quel bonheur d'aller simplement, sans escorte!

— Oh, cela, je puis vous l'offrir : de la simplicité en abondance.

Je ris.

— Je vous remercie.

Il laissa sa main sur ma manche pour me garder près de lui.

— Lorsque le roi et votre sœur se marieront, vous vous unirez à un homme de leur choix.

Je regardai son visage carré et buriné.

— Et alors?

— Si vous voulez d'un homme qui possède un joli manoir et quelques champs, hâtez-vous. Attendre rendra les choses plus difficiles.

Je me détournai un instant, puis lui souris, un sourire de biais, au travers de mes cils.

— Mais aucun homme ne m'a demandée en mariage, lui dis-je doucement.

Pour une fois, il ne sut que dire.

— Mais je croyais… commença-t-il.

Un petit rire ravi m'échappa. Je lui fis une profonde révérence puis m'éloignai vers le château. Jetant un œil en arrière, je le vis jeter son chapeau au sol et le piétiner. Je connus alors la joie qu'éprouve toute femme dont s'éprend un homme charmant.

Je ne le vis pas la semaine suivante, m'attardant cependant partout où il pouvait me trouver, examinant même un matin les deux cents hommes en livrée de mon oncle lors d'une sortie de celui-ci. Je me comportais comme une idiote mais, après tout, quel mal y avait-il à taquiner un bel homme?

Deux semaines plus tard, il n'avait toujours pas réapparu. Mon oncle et moi regardions le roi et Anne jouer au croquet un chaud matin d'avril lorsque je demandai avec insouciance :

— Avez-vous toujours cet homme, William Stafford, à votre service?

— Oui, répondit mon oncle, mais je lui ai accordé un congé d'un mois. Il se pique de se marier, aussi s'est-il rendu auprès de son père s'en entretenir et acheter une demeure pour sa nouvelle épouse.

Je sentis le sol se dérober sous mes pieds.

— Je croyais qu'il était déjà marié, affirmai-je au hasard.

— Oh non, c'est un coureur de jupons, jeta mon oncle, l'esprit occupé par le roi et Anne. L'une des dames de la cour, fort éprise, a voulu tout abandonner pour vivre avec lui parmi les poules. Pouvez-vous imaginer cela !

— Insensé ! balbutiai-je, la bouche sèche.

— Il est promis à quelque fille de la campagne, sans nul doute, ajouta mon oncle. Il s'unira ce mois-ci puis reviendra. C'est un honnête homme. Il vous a mené à Hever, n'est-ce pas ?

— Deux fois, répondis-je. Il trouva des poneys aux enfants.

— Il est bon pour ces choses-là, approuva mon oncle. J'en ferai peut-être mon grand écuyer.

Il marqua une pause puis tourna soudain vers moi son regard perçant.

— Il n'osa point vous courtiser, n'est-ce pas ?

Le regard que je lui renvoyai affichait une totale indifférence.

— Un homme de votre service ? Non, bien sûr.

— Bien, approuva mon oncle. Le drôle n'aurait pas une chance.

— Pas avec moi, renchéris-je.

Anne et moi nous apprêtions à aller au lit, bonnets de nuit sur la tête et chambrières congédiées, lorsque le grattement familier à la porte se fit entendre.

— Ce ne peut être que George, déclara Anne. Entrez !

Notre charmant frère passa la tête par l'ouverture, un pichet de vin dans une main et trois verres dans l'autre.

— Je viens prier au sanctuaire de la beauté, sourit-il, un peu ivre.

— Venez, nous sommes merveilleusement belles, lançai-je.

Il repoussa la porte du pied.

— Surtout à la lumière des chandelles, approuva-t-il. Dieu bon ! Henri doit devenir fou à la pensée d'avoir possédé l'une, de vouloir l'autre et de ne pouvoir avoir aucune.

Anne n'aimait guère se faire rappeler que le roi avait été mon amant.

— Il se montre fort attentif à mon égard.

George me regarda en roulant des yeux, puis jeta une autre bûche dans le feu. Un bruit retentit de l'autre côté de la porte. George s'en approcha d'un bond et l'ouvrit en grand, découvrant Jane Parker qui se relevait en hâte de la position qu'elle avait dû adopter pour regarder par la serrure.

— Ma chère épouse ! railla George. Si vous me voulez dans votre lit, il n'est nul besoin de ramper jusqu'aux appartements de ma sœur, il vous suffit de demander.

Elle rougit jusqu'à la racine des cheveux puis son regard se posa sur Anne et moi, dans le lit, en robes de nuit. Quelque chose dans sa façon de me regarder me fit tressaillir, comme si j'avais fait quelque chose de mal.

— Je passai et entendis des voix, expliqua-t-elle maladroitement. Je craignis que quelqu'un dérangeât lady Anne. J'allai frapper afin de m'assurer que Sa Seigneurie allait bien.

— Vous alliez frapper avec votre oreille ? ironisa George.

— Oh, laissez, George, intervins-je soudain. Tout va bien, Jane. George est venu partager un verre avec nous et nous souhaiter la bonne nuit. Il sera dans votre chambre dans un instant.

Elle ne sembla nullement reconnaissante de mon intervention.

— Il peut venir ou non, comme il lui plaira, déclara-t-elle. Qu'il demeure céans toute la nuit, si tel est son plaisir.

— Laissez-moi, ordonna alors Anne avec indifférence.

George s'inclina et referma la porte au nez de son épouse. Il s'y adossa puis, sans se préoccuper qu'elle pût entendre, éclata de rire.

— Quel serpent ! s'écria-t-il. Marie, ne vous abaissez donc point à lui répondre, suivez plutôt l'exemple d'Anne : « Laissez-moi. » Dieu bon ! C'était extraordinaire : « Laissez-moi. »

Il revint près du feu et nous versa du vin. Il me tendit la première coupe, la seconde à Anne puis leva la sienne à notre santé.

Anne, le visage grave, n'imita pas son geste.

— La prochaine fois, observa-t-elle, vous me servirez en premier.

— Comment ? demanda-t-il, perplexe.

— La première coupe de vin que vous versez me revient et lorsque vous ouvrez la porte de ma chambre, enquérez-vous auprès de moi si je veux bien admettre un visiteur. Je vais être reine, George, apprenez à me servir comme telle.

Il ne s'emporta pas contre elle, comme il l'avait fait à son retour d'Europe. Il avait mesuré l'étendue de son pouvoir ; elle ne se souciait pas de se quereller avec quiconque ni d'être haïe, tant qu'elle avait l'oreille du roi. Et elle pouvait ruiner un homme si elle le décidait.

George reposa sa coupe devant l'âtre et grimpa dans le lit, à quatre pattes, le visage à quelques pouces de celui d'Anne.

— Ma petite reine à venir, ronronna-t-il.

Le visage d'Anne s'adoucit.

— Ma petite princesse, chuchota-t-il avant de l'embrasser doucement sur le nez puis sur les lèvres. N'agissez point en mégère envers moi ; nous savons tous que vous êtes la première dame du royaume, mais soyez douce pour moi, Anne, nous en serons tellement plus heureux.

Sans le vouloir, elle sourit.

— Vous devez me montrer tout le respect qui m'est dû, l'avertit-elle.

— Je m'allongerai sous les sabots de votre cheval, lui promit-il.

— Et ne jamais prendre de libertés.

— Je mourrais plutôt.

— Alors je serai douce pour vous, annonça-t-elle.

Il se pencha en avant et l'embrassa de nouveau. Elle ferma les yeux, ses lèvres sourirent puis s'entrouvrirent. George s'approcha plus près d'elle, leva la main vers ses épaules nues et lui caressa la nuque. J'observai, fascinée et horrifiée, ses doigts se perdre dans la masse noire de ses cheveux et tirer la tête en arrière pour mieux l'offrir à son baiser. Elle ouvrit soudain les yeux avec un petit soupir.

— Assez.

Elle le repoussa doucement. George revint à sa place auprès du feu et nous prétendîmes tous qu'il ne s'était agi de rien de plus qu'un baiser fraternel.

Le jour suivant, Jane Parker fit montre d'une assurance inhabituelle. Elle me sourit, offrit une révérence et tendit sa cape à Anne alors que celle-ci s'apprêtait à se promener avec le roi.

— J'eusse cru vous voir fâchée, ce jour, Milady.

— Pourquoi?

— La nouvelle, répondit Jane.

— Quelle nouvelle? demandai-je, afin qu'Anne n'apparût pas trop curieuse.

Jane me répondit sans la quitter des yeux.

— La comtesse de Northumberland divorce de Henry Percy.

Anne chancela et devint livide.

— Oh! criai-je afin d'attirer l'attention sur moi. Un divorce? Quel scandale!

Anne s'était remise, mais Jane avait remarqué son trouble.

— Elle affirme, insinua ma belle-sœur, que leur union ne fut jamais valide car il existait un contrat préalable. Elle dit que, tout ce temps, il vous était uni, lady Anne.

Anne releva la tête et sourit à Jane.

— Lady Rochford, vous ne cessez de m'étonner. La nuit dernière, vous rampiez furtivement afin d'écouter à ma porte, à présent les mauvaises nouvelles se bousculent dans votre bouche comme asticots sur un chien mort. La comtesse de Northumberland, si elle est malheureuse en son mariage, mérite notre pitié à tous.

Un murmure s'éleva parmi les femmes présentes, trahissant davantage leur curiosité que leur sympathie.

— Mais affirmer que Henry Percy m'était promis est tout simplement faux. Quoi qu'il en soit, le roi m'attend et vous me retardez.

Anne attacha sa cape et sortit de la pièce, suivie de deux ou trois femmes. Les autres, contrairement à l'étiquette, firent cercle autour de Jane Parker.

— Jane, le roi voudra vous voir servir Sa Grâce, énonçai-je avec venin.

Elle n'eut d'autre choix que de suivre Anne, et les autres lui emboîtèrent le pas.

Relevant alors mes jupes, je courus comme une écolière vers les appartements de mon oncle.

Il était assis à son bureau, bien que l'après-midi fût peu avancé. Près de lui se tenait un secrétaire qui écrivait des mémorandums sous sa dictée. Oncle Howard fronça les sourcils lorsqu'il me vit passer la tête par l'ouverture de la porte, mais il me fit signe d'entrer.

— Qu'y a-t-il ? grogna-t-il. Je suis occupé. Je viens d'apprendre les réticences de Thomas More à soutenir le roi contre la reine. Je ne m'attendais pas à ce qu'il bondît de joie mais j'espérais que sa conscience s'en accommoderait. Je donnerais mille couronnes pour que Thomas More ne se déclare pas contre nous.

— Il s'agit d'autre chose, mais c'est important, déclarai-je d'une voix tendue.

Mon oncle fit signe au secrétaire de se retirer.

— Anne ? s'enquit-il.

Je hochai la tête. Nous avions fait commerce d'Anne et notre commerce était en crise.

— Jane vient de nous apprendre que la comtesse de Northumberland demande à divorcer de Henry Percy parce qu'il était promis à Anne, énonçai-je d'une traite.

— Damnation ! jura mon oncle.

— Le saviez-vous ?

— Je savais qu'elle y songeait, mais je pensais qu'elle invoquerait l'abandon, la cruauté, la sodomie. Comment Jane l'a-t-elle appris ? s'enquit-il avec irritation.

— Jane sait tout. Elle écoutait à la porte d'Anne hier soir.

— Qu'aurait-elle pu entendre? demanda-t-il, l'espion en lui toujours en éveil.

— Rien. Nous buvions une coupe de vin avec George.

— Nul autre que George? demanda-t-il sèchement.

— Vous ne pouvez douter de la chasteté d'Anne.

— Elle tend continûment ses filets autour des hommes.

Même moi, je ne pouvais ignorer cette injustice.

— Elle tend ses filets autour du roi, comme vous le lui ordonnâtes.

— Où se trouve-t-elle maintenant?

— Dans le jardin, en compagnie du roi.

— Rejoignez-la immédiatement et dites-lui de tout nier, au sujet de Henry Percy : pas de fiançailles, pas de promesse d'union, seulement un garçon et une fille dans la fleur de l'âge, qui se portaient une grande affection. Un petit page badinant avec une dame d'atour qui ne répondit jamais à ses avances. Vous avez compris?

— Certains affirmeront autre chose, l'avertis-je.

— Ils sont tous achetés, répondit-il. Sauf Wolsey, et il est mort. Les autres, Percy en tête, assureront le roi qu'Anne est aussi chaste que la Vierge Marie. Seule sa maudite épouse veut tellement rompre son union qu'elle est prête à tout risquer.

— Pourquoi le hait-elle tant?

Il aboya d'un rire bref.

— Dieu tout-puissant, Marie, vous êtes la plus stupide créature qui soit ! Parce qu'il *était* marié à Anne, la comtesse le sait. Il est mélancolique depuis, ce n'est guère étonnant qu'elle ne veuille plus être sa femme. Partez maintenant, allez trouver votre sœur, ouvrez grand vos jolis yeux et mentez pour nous.

Je rejoignis le roi et Anne sur les rives du fleuve. Elle lui parlait avec sérieux, il penchait le visage vers elle comme s'il ne voulait risquer de rater un seul mot. Elle leva la tête lorsqu'elle me vit arriver.

— Marie vous le dira, déclara-t-elle. Elle était alors ma compagne de lit, lorsque je n'étais qu'une jeune fille nouvellement arrivée à la cour.

Henri leva vers moi un visage frappé de tristesse.

— La comtesse de Northumberland répand des calomnies contre moi afin de s'extirper d'une union dont elle est lasse, expliqua Anne.

— Que raconte-t-elle?

— Elle rapporte un vieux scandale affirmant que Henry Percy fut amoureux de moi.

Je souris au roi avec toute la chaleur et l'assurance dont je pus me parer.

— Bien sûr qu'il l'était, Votre Majesté. Rappelez-vous l'arrivée d'Anne à la cour : tout le monde était amoureux d'elle.

— La rumeur fait état de fiançailles, dit Henri.

— Avec le comte d'Ormonde ? demandai-je vivement.

— Ils ne parvinrent à s'entendre sur la dot et le titre, expliqua Anne.

— Je voulais dire entre vous et Henry Percy, persista-t-il.

— Rien n'eut lieu que quelques poèmes et chansons entre un garçon et une fille à la cour, affirma-t-elle.

— Il était le page le plus paresseux que possédât jamais le cardinal, ajoutai-je, écrivant poème après poème. Il est fort dommage qu'il épousât une femme dépourvue de sens de l'humour. Mais, la merci à Dieu, elle n'entend guère la poésie sinon elle se fût enfuie plus tôt encore !

Anne rit mais nous ne parvînmes pas à distraire Henri de ses pensées.

— Elle jure qu'un contrat préalable fut signé, qui vous engageait l'un envers l'autre, persévéra-t-il.

— Je vous ai affirmé que ce ne fut point le cas, le contredit Anne d'une voix qui se faisait aiguë.

— Pourquoi l'affirmer si ce n'est point vrai ? s'entêta Henri.

— Pour se débarrasser de son mari ! rétorqua Anne, qui retira sa main du bras de Henri. Que suggérez-vous ? poursuivit-elle, la colère la submergeant comme une vague impossible à endiguer. Me qualifiez-vous d'impure, quand devant Dieu je jure n'avoir jamais regardé d'autre homme que vous ? M'accusez-vous d'être promise à un autre ? vous qui m'avez distinguée et courtisée quand vous étiez encore marié ? Lequel d'entre nous est plus susceptible d'être bigame ? Un homme dont l'épouse, servie par une cour entière, visitée par tous, vit dans une magnifique demeure dans le Hertfordshire, ou bien une fille qui jadis reçut un poème écrit pour elle ?

— Mon union est invalide ! cria Henri.

— Mais elle eut lieu ! vociféra Anne. Dieu est témoin de l'or que vous dépensâtes alors, de votre bonheur d'alors, tandis qu'à moi rien ne me fut octroyé, ni promesse ni anneau, rien ! Et vous me tourmentez pour ce rien !

— Par la Sang Dieu, jura-t-il, m'écouterez-vous ?

— Non ! hurla-t-elle, hors d'elle. Vous êtes un idiot et je suis folle, amoureuse d'un idiot. Je ne vous écouterai pas mais, vous,

vous prêterez attention au premier ver de terre qui vous versera du poison dans l'oreille !

— Anne !

— Non ! hurla-t-elle encore, et elle se dégagea brusquement.

En deux rapides enjambées, il la rattrapa. Elle le frappa, heurtant les épaules rembourrées de son pourpoint. Les courtisans tressaillirent d'horreur. Henri attrapa les mains d'Anne qu'il bloqua derrière son dos ; il la tint de façon que le visage de ma sœur fût aussi proche du sien que s'ils faisaient l'amour, son corps pressé contre elle. Je vis la concupiscence troubler son regard dès l'instant qu'il l'eut contre lui.

— Anne, répéta-t-il, cette fois d'une voix différente.

— Non, reprit-elle, mais elle souriait.

— Anne.

Elle ferma les yeux, pencha la tête en arrière et le laissa l'embrasser sur les yeux et les lèvres.

— Oui, chuchota-t-elle.

— Dieu tout-puissant, murmura George à mon oreille. Est-ce ainsi qu'elle joue avec lui ?

Je hochai la tête alors qu'elle se tournait dans ses bras et qu'ils se mettaient à marcher hanche contre hanche, se tenant par la taille. Ils ressemblaient à un couple qui eût préféré se trouver dans leur chambre plutôt qu'au bord du fleuve. Leurs visages rayonnaient de désir et de satisfaction, comme si leur querelle les avait vidés, telle une tempête d'amour physique.

— Toujours la fureur d'abord, suivie de la réconciliation ?

— Oui, répondis-je. Ils imitent ainsi la fureur de l'amour, ne trouvez-vous pas ? Ils crient et pleurent puis terminent dans les bras l'un de l'autre.

— Il doit l'adorer, remarqua George. Elle sort de ses gonds puis se blottit contre lui. Seigneur ! C'est une putain pleine de passion, n'est-ce pas ? Moi-même, son frère, je la posséderais à l'instant. Elle rendrait un homme fou.

Je hochai la tête.

— Elle se rend toujours, mais pousse les choses au-delà de leur limite.

— C'est un jeu dangereux face à un souverain tout-puissant.

— Que peut-elle faire d'autre ? demandai-je. Il lui faut stimuler son excitation, comme un château qu'il assiège encore et encore.

George passa mon bras sous le sien et nous suivîmes le couple royal sur le chemin.

— Que devient la comtesse de Northumberland ? s'enquit-il. Obtiendra-t-elle jamais son annulation sous le prétexte que Henry Percy était déjà promis à Anne ?

— Autant attendre de devenir veuve, répliquai-je crûment. Rien ne doit entacher Anne. La comtesse demeurera unie à un homme amoureux d'une autre ; elle eût mieux fait de ne point être comtesse et d'épouser un homme qui l'aimait.

— Ne parlez-vous que d'amour ces jours-ci ? demanda George. Est-ce là l'opinion de cet homme de nulle importance ?

Je ris comme si je n'en avais cure.

— Il est parti, affirmai-je, bon débarras. Cet homme était rien moins qu'insignifiant, ainsi que j'eusse dû m'en douter.

Été 1532

L'homme de nulle importance, William Stafford, reprit en juin son service auprès de mon oncle. Il m'apprit son retour et proposa de m'escorter à Hever dès que je serais disposée à partir.

— J'ai déjà demandé à sir Richard Brent de me servir d'escorte, lui déclarai-je froidement.

J'eus le plaisir de le voir interloqué.

— Je croyais que vous m'autoriseriez à rester pour sortir les enfants à cheval.

— C'est fort aimable à vous, dis-je d'un ton glacial. Peut-être l'été prochain.

Je m'éloignai de lui avant qu'il ne pût répondre quelque chose qui m'eût retenue. Je sentis son regard posé sur moi et espérai lui avoir rendu la monnaie de sa pièce pour m'avoir courtisée alors qu'il avait toujours prévu d'en épouser une autre.

Sir Richard ne demeura que quelques jours, ce qui nous soulagea tous deux. Il ne me prisait guère à la campagne, distraite par mes enfants, intéressée par mes métayers. Il me préférait à la cour, où je ne m'occupais que de badinage. Fort heureusement, il fut appelé par le roi pour préparer un voyage royal vers la France.

— Je suis navré d'avoir à vous laisser, déclara-t-il, debout au soleil près des douves, attendant que son cheval lui fût amené.

Les enfants laissaient tomber des brindilles dans l'eau d'un côté du pont-levis et attendaient de les voir apparaître de l'autre côté.

— Il n'y a guère de courant, cela prendra un temps fou, les avertis-je en riant.

— William nous a fabriqué des bateaux avec des voiles qui allaient partout où soufflait le vent, me répondit Catherine, sans quitter sa branchette des yeux.

Je tournai de nouveau mon attention vers mon chevalier déconfit.

— Vous nous manquerez, sir Richard. Soyez bon de transmettre mes amitiés à ma sœur.

— Je lui dirai que la campagne vous agrée comme le velours vert à un diamant, dit-il.

— Merci. Savez-vous si toute la cour doit partir pour la France?

— Le roi, lady Anne, les nobles et les dames d'atour, compta-t-il. Je suis quant à moi chargé de veiller aux relais.

— Je suis certaine qu'ils ne pouvaient trouver gentilhomme plus compétent en ce domaine, le saluai-je, car vous me menâtes ici en grand confort.

— Je pourrais vous ramener, offrit-il.

Je baissai les yeux vers la petite tête bouclée de mon fils.

— Je demeurerai ici quelque temps encore, j'aime la campagne en été.

Je n'avais pas réfléchi à mon retour à la cour, heureuse avec mes enfants dans la paix et le soleil de mon petit château. Mais, à la fin du mois d'août, je reçus une note sèche de mon père : George venait me chercher le jour suivant.

Ce fut un misérable souper. Mes enfants étaient pâles et avaient les yeux agrandis à l'idée de notre séparation. Je leur souhaitai une bonne nuit en les embrassant puis restai assise près de Catherine qui lutta longtemps contre le sommeil, sachant qu'à son réveil j'aurais disparu.

Je commandai à mes servantes d'empaqueter mes robes puis veillai à ce que tout fût déposé sur le gros chariot. J'ordonnai à l'intendant de charger le cidre et la bière destinés à mon père ainsi que les pommes et autres fruits qui formeraient un élégant présent pour le roi. Je cherchai dans la bibliothèque les quelques livres qu'Anne avait désirés et les rangeai avec mon petit coffre à bijoux. Puis je me couchai et pleurai sur mon oreiller, parce que mon été avec mes enfants se terminait brutalement.

En selle et prête à partir, j'aperçus la colonne d'hommes qui remontait l'allée vers le pont-levis ; mais, à la place de George, je le vis, lui.

— William Stafford, l'accueillis-je d'une voix froide. J'attendais mon frère.

— Je vous ai gagnée, déclara-t-il, retirant son chapeau et s'inclinant. J'ai joué aux cartes avec sir George et gagné le droit de vous ramener au château de Windsor.

— Mon frère manqua donc à sa parole. En outre, je n'apprécie point d'être gagée à la table d'une quelconque taverne, lançai-je avec désapprobation.

— La taverne n'avait rien de quelconque, répondit-il d'un air mutin. De plus, il perdit encore un fort beau diamant ainsi qu'une danse avec une jolie fille.

— Je veux partir à présent, intervins-je sans délicatesse.

Il s'inclina, enfonça son chapeau sur la tête et fit signe aux hommes de tourner bride.

— Nous dormîmes à Edenbridge la nuit dernière, nous sommes donc frais et dispos pour le voyage, annonça-t-il.

Mon cheval se mit au pas à côté du sien.

— Pourquoi n'avez-vous pas passé la nuit ici ?

— Trop froid, répondit-il brièvement.

— Pourtant, l'une des meilleures chambres vous fut toujours réservée.

— Pas le château.

J'hésitai.

— Moi ?

— Glaciale, confirma-t-il. Et je ne sais ce que je fis pour vous offenser. Un moment, nous nous entretenons des joies de la vie à la campagne et le moment suivant vous vous transformez en flocon de neige.

— Je n'ai pas la moindre idée de ce que vous voulez dire.

— Brrr! fit-il, et il envoya la colonne au trot.

Il maintint ce rythme punitif jusqu'à midi, puis ordonna une halte. Il m'aida à descendre de ma selle et ouvrit la barrière d'un champ près du cours d'eau.

— Faisons quelques pas avant le déjeuner, proposa-t-il.

— Je suis trop lasse pour marcher, refusai-je, boudeuse.

— Asseyez-vous céans, alors, dit-il en étalant sa cape au sol, à l'ombre d'un arbre.

Je ne pouvais disputer plus outre. Je pris place sur sa cape, m'adossai contre l'écorce et laissai mon regard vagabonder sur la rivière. Quelques canards glissaient doucement sur l'onde tandis qu'un couple de poules d'eau évoluait entre les roseaux. William s'absenta quelques instants puis revint avec deux tasses de petite bière. Il m'en donna une et avala une gorgée de la sienne.

— À présent, lady Carey, annonça-t-il en croisant les bras, je vous supplie de me dire en quoi je vous ai offensée.

Il me vit sur le point de nier et leva la main.

— Je vous taquine, madame, mais jamais je n'eus l'intention de vous causer quelque chagrin.

— Vous badiniez ouvertement avec moi, l'accusai-je, fâchée.

— Je ne badinais point, je vous courtisais, me corrigea-t-il. Si vous y voyez une objection, je puis faire de mon mieux pour cesser, mais je veux savoir pourquoi.

— Pourquoi avez-vous quitté la cour ? demandai-je brusquement.

— Je me rendis auprès de mon père pour lui réclamer l'or qu'il me promit pour mon union, afin d'acheter une ferme dans l'Essex. Je vous ai tout dit de cela.

— Projetez-vous donc de vous marier ?

Il fronça les sourcils un instant, puis son visage s'éclaira soudain.

— Jolie tête de linotte que vous êtes ! Avec vous, bien sûr ! s'écria-t-il. Je tombai amoureux de vous dès le premier instant et me creuse depuis la cervelle pour trouver un endroit où créer un foyer qui soit digne de vous. Lorsque je m'aperçus combien vous aimiez la vie à Hever, je pensai qu'en vous offrant une jolie ferme vous accepteriez. Vous m'accepteriez, moi.

— Mon oncle affirma que vous achetiez une maison pour épouser une fille, hoquetai-je.

— C'est vous, la fille ! cria-t-il encore. Vous et nulle autre !

Je crus qu'il allait m'étreindre et levai la main devant moi pour l'en empêcher. Il se reprit aussitôt :

— Non ? demanda-t-il.

— Non, dis-je, secouée.

— Pas de baiser ? s'enquit-il.

— Pas un seul, répondis-je, essayant de sourire.

— Et la petite ferme ? Elle fait face au sud. Nichée au creux d'une colline, elle est entourée d'une bonne terre. Il s'agit d'une jolie bâtisse dotée de colombages et d'un toit de chaume, avec des écuries. On y trouve un jardin potager, un verger au pied duquel coule un ruisseau, un petit enclos pour votre jument et un champ pour vos vaches.

— Non, répétai-je, de plus en plus incertaine.

— Pourquoi pas ?

— Parce que je suis une Howard et une Boleyn, et que vous n'êtes personne.

William Stafford ne cilla pas devant ma brusquerie.

— Vous ne seriez plus personne non plus en m'épousant, déclara-t-il. Cela peut apporter un grand réconfort. Votre sœur sera-t-elle plus heureuse, selon vous, lorsqu'elle deviendra reine ?

Je secouai la tête.

— Je ne puis échapper à ce que je suis.

— Quelle vie préférez-vous ? me demanda-t-il doucement, connaissant la réponse. L'hiver à la cour, ou bien l'été à Hever avec vos enfants ?

— Anne ne nous laisserait pas élever le fils du roi dans une ferme.

— Lorsqu'elle engendrera son propre fils, elle ne voudra plus jamais voir Henri, déclara-t-il avec sagesse. Quittez leur monde et vous serez oubliée en trois mois. Choisissez, mon aimée ; vous n'avez nul besoin de demeurer toute votre vie l'autre fille Boleyn, vous pourriez devenir l'unique madame Stafford.

— Je ne sais comment faire les choses, émis-je faiblement après un silence.

— Quelles choses ?

— Faire du fromage. Plumer les poulets.

Lentement, comme s'il avait voulu se garder de m'effaroucher, il s'agenouilla devant moi. Il s'empara de ma main et la porta à ses lèvres avant de la retourner pour en embrasser la paume puis le poignet.

— Je vous apprendrai à plumer les poulets, me promit-il avec bonté. Nous serons heureux.

— Je ne dis pas oui, chuchotai-je, fermant les yeux sous la sensation de ses baisers sur ma peau et de la chaleur de son souffle.

— Et vous ne dites pas non, acquiesça-t-il.

Au château de Windsor, Anne se trouvait dans sa salle d'audience, entourée de tailleurs, de mercières et de couturières. De riches rouleaux d'étoffes étaient jetés sur des chaises et déroulés sur les banquettes de la fenêtre. L'endroit ressemblait plus à la guilde des drapiers un jour de foire qu'à la chambre d'une reine. Je songeai un instant à la maisonnée soigneusement tenue de la reine Catherine, qui eût été choquée au-delà des mots à la vue de la richesse dévergondée des soies, des velours et des brocarts.

— Nous partons pour Calais en octobre, m'annonça Anne, deux couturières s'affairant à épingler sur elle de magnifiques drapés. Commandez-vous de nouvelles tenues.

J'hésitai.

— Quoi ? jappa-t-elle.

Je ne voulais pas parler devant les marchands et les dames d'atour, mais je n'avais pas le choix, semblait-il.

— Je ne puis me permettre de nouvelles tenues, déclarai-je doucement. Vous savez comment mon époux m'a laissée, Anne : je n'ai qu'une petite pension, ajoutée à ce que père m'accorde.

— Il payera, affirma-t-elle. Prenez mon vieil habit de velours rouge et celui avec le jupon d'argent ; vous les ferez ajuster pour vous.

Lentement, je me rendis dans sa chambre et soulevai le lourd couvercle d'un de ses nombreux coffres à vêtements.

Elle me fit signe de m'adresser à l'une des couturières.

— Madame Clovelly peut la défaire et la remettre à neuf. Mais assurez-vous que la robe obéisse à la mode. Je ne veux rien de mal vêtu ou d'espagnolisé chez mes dames d'atour. La cour de France doit admirer notre raffinement.

Je me tins devant la couturière qui prit mes mesures ; Anne posa un instant les yeux sur moi puis ordonna brusquement :

— Laissez-nous. Sauf madame Clovelly et madame Simpter.

Elle attendit que la pièce fût vide pour chuchoter :

— La situation empire, c'est pour cela que nous sommes rentrés si tôt. Impossible de parcourir le pays. Partout, nous ne trouvâmes qu'agitation.

— Comment cela ?

— Des villageois qui hurlaient des insultes. Dans un bourg, une demi-douzaine de jeunes gens me jetèrent des pierres, alors que le roi chevauchait à mes côtés !

— Ils ont lapidé le roi ?

Elle hocha la tête.

— Dans une autre bourgade, on brûlait mon effigie sur un feu de joie.

— Que fit le roi ?

— Il se montra d'abord furieux et voulut y envoyer ses soldats. Mais la même chose se reproduisit dans chaque village, ils étaient trop nombreux. Que faire, si le peuple se met à combattre les soldats du roi ?

La couturière m'indiqua d'une légère pression aux hanches de me tourner. Je m'exécutai machinalement. Élevée dans une ère de paix, je ne pouvais envisager que les Anglais se soulevassent contre leur souverain.

— Que dit notre oncle ?

— Il dit qu'il nous faut remercier Dieu de ne craindre que le duc de Suffolk comme ennemi, parce que, lorsqu'un monarque est lapidé et insulté dans son propre royaume, la guerre civile est rapide à suivre.

— Suffolk est notre ennemi?

— Ouvertement, confirma-t-elle d'un ton bref. Il m'accuse d'avoir coûté l'Église au roi et affirme que je lui ferai aussi perdre le pays.

Je me tournai une fois de plus ; la couturière s'agenouilla et hocha la tête.

— Puis-je emporter ces robes? demanda-t-elle dans un souffle.

— Prenez-les, acquiesçai-je.

Elle rassembla les tissus et son sac à couture puis quitta la pièce. La couturière qui ourlait la robe d'Anne exécuta le dernier point puis coupa le fil.

— Mon Dieu, Anne, repris-je. En fut-il ainsi partout?

— Ils me tournèrent le dos dans un village, me huèrent dans un autre. Sur les routes de campagnes, les gamins chargés d'effrayer les corbeaux me crièrent des insultes, et les petites gardiennes d'oies crachèrent à ma vue. Dans les bourgs, les femmes derrière les étals du marché jetèrent poissons puants ou légumes pourris devant nous. Dans les châteaux où nous passâmes la nuit, une foule nous suivit, grondante, hurlant des injures. Elle secoua la tête. C'était pire qu'un cauchemar. Nos hôtes nous accueillaient alors, bouche bée en apercevant la moitié de leurs serfs hurler contre leur roi légitime. Nous ne pouvons plus voyager, ni à Londres ni à travers le pays. Il nous faut demeurer cachés dans nos propres palais, où les gens ne peuvent nous atteindre. Et maintenant, ils appellent Catherine « la Bien-aimée ».

— Comment réagit le roi?

— Il affirme qu'il n'attendra pas la décision de Rome. Dès que mourra l'archevêque Warham, il lui nommera un successeur qui nous unira, que Rome se décide en notre faveur ou non.

— Et si Warham perdure? demandai-je nerveusement.

Anne aboya d'un rire bref.

— Oh, ne prenez pas cet air, je ne lui enverrai point de soupe! C'est un vieil homme, qui est resté alité presque tout l'été. Il mourra bientôt. Henri nommera Cranmer, qui nous unira.

Je secouai la tête, incrédule.

— Aussi simplement que ça? Après tout ce temps?

— Oui. Si le roi était davantage un homme, il m'eût épousée il y a cinq ans et nous compterions déjà cinq fils. Mais il lui fallait prouver à la reine et au pays qu'il était dans son droit. C'est un idiot.

— Vous feriez mieux de ne dire cela à personne d'autre que moi, l'avertis-je.

— Tout le monde le sait, répliqua-t-elle, têtue.

— Anne, repris-je, surveillez votre langue, vous pourriez encore chuter, même maintenant.

Elle secoua la tête.

— Il va m'accorder un titre et une fortune que nul ne pourra me prendre.

— Quel titre ?

— Le marquisat de Pembroke.

— Marquise ? Je crus avoir mal entendu.

— Non. Son visage s'illumina de fierté. Pas le titre que l'on donne à l'épouse d'un marquis, mais à la personne qui détient le marquisat. Nul ne pourra m'ôter mon fief, pas même le roi.

Je fermai les yeux, terrassée par la jalousie.

— Et la fortune ?

— Je recevrai les manoirs de Coldkeynton et Hanworth, dans le Middlesex, ainsi que des terres dans le pays de Galles. Ils me rapporteront environ mille livres par an.

— Mille livres ? répétai-je, songeant à ma propre pension annuelle de cent livres.

Le visage d'Anne se mit à briller.

— Je serai la femme la plus fortunée et la plus noble de toute l'Angleterre, susurra-t-elle. Ensuite, je serai reine.

Elle rit en devinant combien son triomphe devait me sembler amer.

— Vous devez être tellement heureuse pour moi.

— Oh, je le suis.

Le matin suivant, les écuries résonnaient de bruit et d'activité : le roi partait chasser. Les chevaux furent amenés au-dehors tandis que les chiens attendaient dans un coin de la grande cour. Les piqueurs essayaient de les garder rassemblés mais ils couraient partout, flairant le sol et aboyant d'excitation. Les lads se précipitaient en tous sens avec lanières et boucles afin d'aider les lords à monter en selle. L'étalon de Henri piaffait d'impatience en attendant le roi.

Je cherchai William Stafford des yeux quand je sentis une main délicate effleurer ma hanche et une voix rauque me murmurer à l'oreille :

— On m'envoya en course, je courus tout le chemin du retour.

Je me retournai. Il était là, son corps à quelques pouces du mien. Je fermai les yeux pour m'imprégner de son odeur et, lorsque je les rouvris, je vis ses yeux noirs briller de désir pour moi.

— Pour l'amour de Dieu, reculez ! ordonnai-je d'une voix tremblante.

De mauvaise grâce, il recula d'un demi-pas.

— Devant Dieu, je dois vous épouser, murmura-t-il. Marie, pour la première fois de ma vie, je ne suis plus moi-même. Je ne puis vivre un instant de plus sans vous serrer contre moi.

— Chut, le réprimandai-je à voix basse. Aidez-moi à monter en selle.

Je croyais que là-haut la faiblesse dans mes jambes et l'étourdissement qui m'envahissait l'esprit seraient de moindre importance. Je coinçai mes genoux autour du pommeau et arrangeai mon habit d'équitation pour qu'il se déployât comme il le devait. Il tira sur ma robe pour remettre le pan en place puis prit mon pied entre ses mains et leva vers moi un visage déterminé.

— Vous devez m'épouser, déclara-t-il.

Je regardai autour de moi la richesse de la cour, les plumes des chapeaux qui virevoltaient, les velours, les soies – tous ces gens vêtus comme des princes même pour une journée à cheval.

— Ceci est ma vie, essayai-je d'expliquer. La cour de France, puis la cour d'Angleterre, depuis mon enfance. Je suis issue d'une famille de courtisans. Je ne puis devenir une paysanne sur un simple claquement de doigts.

Le hurlement des cors retentit et le roi, immense et souriant, sortit du château, Anne à ses côtés. Elle balaya la cour du regard, j'arrachai mon pied des mains de William et la fixai d'un œil innocent. Le roi s'assit lourdement sur sa selle. Tous ceux qui n'étaient pas encore en position se précipitèrent : les hommes auprès d'Anne et les femmes au plus près du roi.

— Venez-vous ? demandai-je fiévreusement.

— Le voulez-vous ?

Les cavaliers quittaient la cour, ils se bousculaient devant la large grille.

— Ce serait imprudent. Mon oncle s'est joint à nous, il voit tout.

William recula d'un pas, je vis la lumière s'éteindre de ses yeux.

— À vos ordres.

J'aurais tout donné pour sauter de mon cheval et l'embrasser afin de lui rendre son sourire. Mais il s'inclina puis s'adossa au mur et, sans une parole, sans me dire quand je le reverrais, il me laissa partir.

Automne 1532

Anne fut intronisée marquise de Pembroke avec tout le cérémonial dû à un couronnement, dans la chambre d'audience du roi au château de Windsor. Il était assis sur son trône, flanqué de mon oncle et de Charles Brandon, duc de Suffolk, tout juste pardonné et de retour à la cour afin d'assister au triomphe d'Anne. Suffolk arborait un sourire pincé tandis que mon oncle semblait déchiré entre la joie qu'il tirait du prestige de sa nièce et la haine grandissante qu'il éprouvait face à son arrogance.

Anne portait une robe de velours rouge bordée de fourrure d'hermine, blanche et duveteuse. Ses cheveux, noirs et lustrés comme la crinière d'une jument de race, s'étalaient sur ses épaules, telle une jeune fille le jour de son mariage. Lady Marie, la fille du duc, portait la robe d'apparat. Les autres dames d'atour, Jane Parker et moi-même parmi celles-ci, la suivirent dans un silence flagorneur tandis que le roi attachait la robe d'apparat sur ses épaules et posait une petite couronne d'or sur sa tête.

Pendant le banquet, George et moi, assis côte à côte, observâmes notre sœur, à côté du roi.

— Nulle autre femme n'eût réussi, déclara mon frère. Elle se montre déterminée à prendre place sur le trône.

— Ce ne fut jamais mon cas, observai-je. Je désirais seulement ne pas être délaissée.

— Oubliez cela, me conseilla George avec sa franchise habituelle. Vous et moi ne sommes plus rien. Elle demeurera la seule Boleyn dont on se souviendra jamais.

Au mot « rien », mon amertume me quitta soudain et j'affichai un grand sourire.

— Vous savez, le bonheur pourrait fort bien consister à n'être « rien ».

Nous dansâmes jusque tard dans la nuit puis Anne envoya toutes ses femmes au lit sauf moi.

— Je vais à lui.

Elle n'eut pas à expliquer.

— Êtes-vous certaine ? Vous n'êtes toujours pas mariés.

— Cranmer prendra ses fonctions d'un jour à l'autre, expliqua-t-elle. Je me rends en France en tant que consort, où Henri a insisté pour qu'ils me traitent en reine. Il m'a donné le titre de marquise et des terres. Je ne puis continuer à me refuser.

— Seigneur, vous en avez envie ! L'aimez-vous donc enfin ?

— Oh non ! s'exclama-t-elle avec impatience. Mais je me dérobe depuis trop longtemps, la folie nous guette. Parfois, son désir m'affole à tel point que je m'accouplerais au premier garçon d'écurie venu ! J'ai sa promesse, mon chemin vers le trône est tout tracé. Je veux le faire maintenant, ce soir.

Je versai de l'eau dans l'aiguière puis lui chauffai un drap pour se sécher après ses ablutions.

— Comment vous vêtirez-vous ?

— Je porterai la robe dans laquelle je dansai ce soir, ainsi que la petite couronne. J'irai à lui comme une reine. George sera là dans un instant pour m'escorter.

Elle me prit le drap des mains ; son corps, luisant dans la lumière du feu et des chandelles, resplendissait comme celui d'un animal sauvage. Un coup retentit à la porte.

— Faites-le entrer, ordonna-t-elle.

J'hésitai, elle était nue, à l'exception de sa jupe qu'elle attachait sur ses hanches.

— Allez ! ajouta-t-elle d'un ton volontaire.

Je haussai les épaules et ouvrit la porte. George recula à la vue de sa sœur, ses longs cheveux noirs étalés sur ses seins nus.

— Entrez, dit-elle négligemment, je suis presque prête.

Il me lança un regard interrogatif et choqué puis entra et se laissa tomber dans une chaise devant le feu.

Anne, tenant son corps de cotte contre ses seins et son ventre, présenta son dos à George pour qu'il la lace. Il se leva et s'exécuta, le visage sombre.

— Autre chose ? s'enquit-il. Attacher vos chaussures ? Cirer vos bottes ?

— Ne me voulez-vous donc point caresser, moi qui suis digne d'un roi ? le taquina-t-elle.

— Vous êtes digne d'un bordel, répliqua-t-il brutalement. Prenez votre cape, si vous venez.

— Mais je *suis* désirable, poursuivit-elle, opiniâtre.

George hésita.

— Pourquoi diable me le demander à moi ? La moitié de la cour avait les jambes tremblantes ce soir. Que vous faut-il de plus ?

— Je veux vous entendre dire que je suis la meilleure, George, énonça-t-elle, soudain sérieuse. Ici, devant Marie.

Il ricana.

— Ah, cette vieille rivalité ! Anne, marquise de Pembroke, la plus fortunée et désirée de la famille. Votre succès nous éclipsa tous deux et éclipsera bientôt celui de notre oncle et de notre père révérés. Vous en faut-il davantage ?

Elle s'était mise à rayonner devant ses louanges mais, à cette question, elle eut soudain l'air apeuré, comme si elle se souvenait des malédictions des poissonnières et des cris de « putain ! » vociférés par les commerçants.

— Je veux que chacun le sache, dit-elle.

— Vous mènerais-je au roi ? la coupa George, pragmatique.

Anne posa la main sur son bras et minauda :

— Ne souhaiteriez-vous plutôt me mener à votre chambre ?

— Seulement si je voulais être décapité pour inceste.

Elle eut son petit rire de gorge.

— Soit, allons chez le roi. Mais, souvenez-vous, George, vous êtes mon courtisan, comme les autres.

Elle revint à l'aube, comme moi jadis, emmitouflée dans ses vêtements. George et moi la déshabillâmes et la mîmes au lit. Elle était trop lasse pour parler.

— Ainsi, c'est fait, murmurai-je alors qu'elle fermait les yeux.

— Plusieurs fois, selon moi, renchérit George. Je sommeillai devant la porte et, une ou deux fois, ils m'éveillèrent de leurs cris et halètements. Plaise à Dieu qu'on en tire un héritier.

— L'épousera-t-il véritablement ? Ne se lassera-t-il pas d'elle à présent qu'il l'a possédée ?

— Non, pas avant six mois. Qu'elle en retire également un peu de plaisir à son tour. Elle se montrera peut-être plus douce envers lui et – plaise à Dieu – envers nous.

— Plus douce envers vous ? Ce serait en partageant votre lit.

George s'étira, bâilla et me sourit paresseusement du haut de sa taille élancée.

— Sur qui d'autre que moi eût-elle pu aiguiser ses armes, ce soir ? Cela s'estompera et, alors, avec l'aide de Dieu, elle aura un bébé dans le ventre, un anneau au doigt et une couronne sur la tête. *Vivat Anna !* Et, groigne qui groigne, tout sera terminé.

Je laissai Anne endormie et me rendis dans les appartements de mon oncle, espérant y trouver William Stafford. Le château s'éveillait. Dehors se succédaient les chariots qui apportaient des cordées de bois pour les cheminées, du charbon, des fruits et des légumes en provenance du marché ainsi que de la viande, du lait et du fromage venus des fermes. Dans les appartements de mon oncle résonnait le bourdonnement d'une large maisonnée s'apprêtant à commencer la journée. Les servantes avaient terminé de balayer et de nettoyer les sols de la chambre d'audience et les valets nourrissaient les feux de bois et soufflaient sur les braises pour en tirer des flammes.

Les hommes de mon oncle étaient logés dans une demi-douzaine de petites pièces derrière la grand-salle, ses soldats dormaient dans la salle des gardes. William aurait pu être n'importe où.

La porte des appartements privés de mon oncle s'ouvrit et George en émergea en hâte.

— Bien, m'accueillit-il en me voyant. Anne dort-elle encore ?

— Elle dormait quand je suis partie.

— Éveillez-la. Apprenez-lui que le clergé s'est soumis au roi mais que Thomas More a démissionné. Le roi recevra sa lettre ce matin, durant la messe.

— Thomas More ? répétai-je. Je le croyais de notre côté ?

Mon frère émit un sifflement réprobateur devant mon ignorance.

— Il a promis au roi de ne jamais commenter l'annulation en public. Mais ce qu'il en pense est évident. C'est un avocat, un homme de logique, il n'y a guère de chance qu'une déformation de la vérité puisse le convaincre.

— Ne voulait-il point réformer l'Église ? demandai-je encore, pataugeant dans cet océan de politique où ma famille nageait comme un poisson.

— Certes, mais non la voir mise en pièces et soumise au roi, répondit aussitôt mon frère. Thomas More connaît Henri depuis l'enfance, il le sait incapable d'agir en chef spirituel. Henri, l'héritier de saint Pierre ? Mon frère eut un rire bref. C'est une idée ridicule !

— Je croyais que vous la souteniez ?

— Bien sûr ! Cela signifie que Henri peut juger son propre mariage et épouser Anne. Cependant, seul un idiot y trouverait la moindre justification apportée par la loi, la morale, ou le sens commun. Mais n'ayez crainte, Marie, Anne comprend tout cela. Allez seulement la réveiller et dites-lui que More démissionne. Ajoutez que notre oncle lui demande de rester calme.

Je me tournai pour lui obéir lorsque, à cet instant précis, William Stafford entra dans le hall. Il s'inclina profondément devant moi.

— Lady Carey, salua-t-il, puis à mon frère : lord Rochford.

— Allez ! m'ordonna mon frère en me poussant légèrement, ignorant William.

Je ne pus rien faire d'autre que me hâter de sortir de la pièce sans même avoir eu la possibilité de toucher la main de William ou de lui dire bonjour.

Anne et le roi restèrent enfermés la plus grande partie de la matinée, mon père et mon oncle avec eux, ainsi que Cranmer et le secrétaire Cromwell, tous attachés à la cause d'Anne, tous déterminés à voir le roi s'emparer du pouvoir et des profits de l'Église d'Angleterre. Anne et le roi vinrent déjeuner en parfaite harmonie et elle s'assit à la droite du souverain, déjà reine.

Après quoi, ils se rendirent tous deux dans les appartements privés du roi et l'on renvoya tout le monde. George leva un sourcil en me regardant avec un petit sourire et chuchota : « Tant que le résultat est un petit prince, hein, Marie ? », puis il partit jouer aux cartes avec Francis Weston et quelques autres. Je sortis dans le jardin m'asseoir sous le soleil déclinant et regarder la rivière, me languissant de William Stafford.

Comme si je l'avais appelé, il apparut soudain devant moi.

— Me cherchiez-vous ce matin ? s'enquit-il.

— Non, répondis-je aussitôt, le mensonge si caractéristique du courtisan me venant aussitôt aux lèvres. Je cherchais mon frère.

— Quoi qu'il en soit, je partis à votre recherche et suis bien aise de vous avoir trouvée, déclara-t-il. Bien aise, Milady.

Je me décalai un peu et lui fis signe de prendre place à mon côté. À peine fut-il assis près de moi que je sentis mon cœur battre la chamade. Il dégageait une chaude odeur mâle et sucrée qui s'attardait dans ses cheveux et sa barbe brune.

— Je dois accompagner votre oncle à Calais, annonça-t-il. Vous offrirai-je mon assistance durant le voyage ?

— Merci, répondis-je.

Un bref silence s'ensuivit.

— Pardonnez mon attitude, hier, repris-je. Je craignais qu'Anne nous voie ensemble. Je n'ose l'offenser, elle est la tutrice de mon fils.

— Je comprends, répondit vivement William. C'est juste que... je tenais votre petite botte de cavalière et ne voulais pas la lâcher.

— Je ne puis être votre maîtresse, déclarai-je.

Il hocha la tête.

— Étiez-vous à ma recherche, ce matin ?

— Oui, confessai-je dans un souffle. Je ne pouvais vivre un instant de plus sans vous voir.

— Je musardai toute la journée aux abords de l'appartement de la marquise et dans ce jardin dans l'espoir de vous voir, avoua-t-il. J'en vins à me demander si je n'allais pas prendre une bêche pour m'occuper utilement en attendant.

— Du jardinage ? gloussai-je, imaginant la tête d'Anne à m'ouïr lui annoncer être amoureuse de l'homme qui creusait la terre du jardin. Cela n'aide guère.

— Non, acquiesça-t-il, amusé lui aussi, mais, comme je traînais tel un maquereau devant les appartements des femmes, cela me sembla le moins effroyable. Marie, qu'allons-nous faire ? Quel est votre désir ?

— Je ne sais pas, répondis-je sincèrement. J'ai l'impression d'être prise de folie. Si je comptais de véritables amis, ils m'attacheraient en attendant que cela me passe.

— Pensez-vous que cela vous passera ? demanda-t-il avec un intérêt détaché.

— Oh, oui ! affirmai-je. C'est une toquade réciproque, n'est-ce pas ? Si vous ne m'aviez rendu l'attention que je vous accordai, j'aurais tourné autour de vous un moment en vous faisant des yeux de biche.

Il sourit.

— Ne pourriez-vous quand même le faire ?

— Nous rirons de cela plus tard.

Je m'attendais à ce qu'il insiste. En vérité, je voulais l'entendre affirmer qu'il s'agissait d'un amour véritable et qu'il me fallait suivre mon cœur, quoi qu'il m'en coûtât.

Mais il hocha la tête.

— Une toquade, alors ?

— Oh ! m'exclamai-je, surprise.

William se leva.

— Dans combien de temps pensez-vous vous remettre ? s'enquit-il sur le ton de la conversation.

Je me levai également, attirée vers lui comme si chaque pouce de mon corps voulait le toucher, quoi que ma raison eût à objecter.

— Réfléchissez, m'enjoignit-il alors avec douceur, les lèvres tellement proches de mon oreille que son souffle fit trembler une de mes mèches de cheveux échappée de mon bonnet, vous seriez mon amour, mon épouse. Catherine vivrait avec nous. Ils ne vous la retireraient pas. Et, dès qu'Anne aura son propre fils, elle vous rendra Henri, notre garçon.

— Il n'est pas notre garçon, chuchotai-je, m'accrochant au bon sens avec difficulté.

— Qui lui a acheté son premier poney, lui a fabriqué son premier voilier, lui a appris à donner l'heure d'après le soleil ?

— Vous, admis-je. Mais nul autre que vous et moi n'envisagerait les choses comme cela.

— Lui, peut-être.

— Ce n'est qu'un enfant, il n'a rien à dire. Catherine non plus. Elle ne sera jamais plus qu'une autre fille Boleyn qu'ils enverront où ils le voudront.

— Cassez ce sortilège qui vous emprisonne et nous sauverons aussi les enfants ! Ne demeurez pas l'autre fille Boleyn un jour de plus ! Devenez la seule, unique et adorée Madame Stafford, qui possède ses champs et sa ferme et apprend à faire du fromage ou à plumer un poulet.

Je ris et il m'attrapa aussitôt la main. Je refermai malgré moi mes doigts sur les siens et nous restâmes ainsi un moment, les mains jointes sous le soleil couchant, et je pensai, comme une jouvencelle malade d'amour : « Je suis au paradis. »

Des pas retentirent derrière nous, je lâchai sa main, affolée. Dieu merci, ce n'était que George et non son espionne d'épouse. Son regard passa de mon visage rougissant à celui, impassible, de William, et il leva un sourcil.

— Ma sœur ?

— William m'apprenait que ma monture a un fanon luxé, déclarai-je au hasard.

— Je lui ai appliqué un cataplasme, renchérit William. Lady Carey peut emprunter l'un des chevaux du roi pendant que Jesmond se rétablit. Elle sera remise dans un jour ou deux.

— Très bien, répondit George.

William s'inclina et s'éloigna.

Je le laissai partir, sans avoir le courage de le rappeler, même devant George, à qui j'aurais confié n'importe quel autre secret.

Celui-ci me regarda le suivre du regard.

— De la concupiscence, lady Carey ? demanda-t-il d'un ton badin.

— Un peu, reconnus-je.

— S'agit-il de l'homme de rien ?

Je souris tristement.

— Oui.

— Pas question, dit-il simplement. Anne doit être immaculée jusqu'à son mariage, surtout maintenant qu'elle partage la couche du roi. Si vous éprouvez du désir pour cet homme, pardonnez-moi, mais il faudra vous asseoir dessus, ma sœur. Nous devons, jusqu'à son union, être des anges du ciel et, elle, la première des séraphins.

— Je ne vais pas rouler dans le foin avec lui, protestai-je. Ma réputation est excellente, meilleure même que la vôtre.

— Alors enjoignez-lui de cesser de vous dévorer d'un regard de braise, rétorqua George, il semble totalement envoûté.

— Vraiment ? répliquai-je, pleine d'espoir.

— Que Dieu nous vienne en aide, le feu couve ! lança George. Ordonnez-lui de le couvrir jusqu'à ce qu'Anne soit mariée et reine d'Angleterre. Après cela, vous agirez à votre guise.

Une altercation sérieuse faisait rage dans les appartements d'Anne. George et moi, de retour d'une chevauchée, nous immobilisâmes dans la salle d'audience et lançâmes un regard aux courtisans présents qui prétendaient avec talent ne rien entendre tout en n'en perdant pas une miette. Les hurlements enragés d'Anne couvraient les grognements d'Henri.

— Quel usage en a-t-elle donc ? Est-il dans son intention de revenir à la cour à Noël ? Prendra-t-elle ma place ? Allez-vous me rejeter maintenant que vous m'avez possédée ?

— Anne, pour l'amour du Ciel !

— Non ! Si vous m'aimiez vraiment, je n'aurais pas à demander ! Comment puis-je me rendre en France sans les bijoux d'une reine ?

De quoi aurons-nous l'air si vous m'emmenez comme marquise sans rien qu'une poignée de diamants?

— Ce n'est pas une poignée...

— Ce ne sont pas les joyaux de la couronne!

— Anne, certains lui furent offerts par mon père lors de son premier mariage, ils n'ont rien à voir avec moi...

— Ce sont les joyaux d'Angleterre, destinés à la souveraine. Si je dois devenir reine, alors ils me reviennent. Si elle les garde, elle demeure la reine. À vous de choisir!

Nous entendîmes tous le rugissement incrédule du roi.

— Pour l'amour de Dieu! Vous reçûtes tous les honneurs dont pourrait rêver une femme! Que vous faut-il de plus? Sa chemise?

— Oui, et davantage encore! hurla Anne en retour.

Henri ouvrit la porte à la volée et nous nous mîmes aussitôt à converser avec animation avant de nous incliner profondément, saisis par son expression.

— Je vous verrai au dîner, lança-t-il à Anne d'un ton glacial.

— Certainement pas, répliqua-t-elle d'une voix claire. Je pars pour Hever. Nul ne me traitera avec dédain.

Il revint aussitôt sur ses pas et claqua la porte derrière lui.

— Vous ne pouvez me quitter.

— Je ne serai pas une reine à moitié, articula-t-elle avec passion. Possédez-moi, aimez-moi, faites-moi vôtre. Je n'accepterai pas de demi-mesure avec vous, Henri!

Nous entendîmes le bruissement de sa robe et son petit gémissement de plaisir quand le roi l'écrasa contre lui.

— Vous aurez ses diamants et même sa barge, promit-il d'une voix rauque. Vous aurez ce que votre cœur désire, puisque vous vous rendîtes maîtresse du mien.

George s'avança soudain et lança d'un ton jovial:

— Qui veut jouer aux cartes? J'ai l'impression qu'il nous faudra attendre un moment.

Un gloussement à demi réprimé lui répondit. Quelqu'un sortit de sa poche un paquet de cartes et j'envoyai un page courir à la recherche de musiciens afin de couvrir tout soupir indiscret qui proviendrait des appartements privés d'Anne. Je m'affairai à occuper les courtisans en m'efforçant de ne pas penser à la reine, seule dans sa retraite, apprenant d'un messager du roi qu'elle devait restituer les bijoux de la couronne – ses propres bagues, bracelets, colliers, tout ce qui un jour avait constitué un gage d'amour, parce que ma sœur voulait les porter en France.

Ce fut une gigantesque expédition, la plus importante depuis l'entrevue du Camp du Drap d'or[1], et de loin aussi extravagante et ostentatoire. Il le fallait bien. Anne était déterminée à faire mieux que tout ce que la reine Catherine avait vu et fait. Nous traversâmes l'Angleterre jusqu'à Douvres comme des empereurs. Au-devant de nous, une troupe partait en éclaireur afin d'écarter tout mécontent du chemin, mais la taille du convoi et le nombre de chevaux, carrosses, chariots, soldats, hommes d'armes et serviteurs ainsi que la beauté des hommes et des femmes à cheval réduisaient le plus souvent le pays à un silence révérencieux.

La traversée s'écoula sans histoire. Les femmes demeurèrent à l'intérieur, Anne se retira dans ses quartiers où elle dormit la plus grande partie du voyage. Les hommes restèrent sur le pont, enveloppés dans leurs manteaux, guettant d'autres navires à l'horizon et partageant des cruches de vin chaud. Je montai sur le tillac et me penchai par-dessus le bastingage pour suivre des yeux le mouvement des vagues qui roulaient contre les flancs du bateau et faisaient craquer la coque de bois.

Une main chaude se posa soudain sur la mienne.

— Comment vous sentez-vous ? chuchota William Stafford à mon oreille.

Je me tournai vers lui et lui souris.

— Très bien, Dieu merci. Les marins affirment qu'il s'agit d'une traversée vraiment calme.

— Prions Dieu que cela reste ainsi, répliqua-t-il avec ferveur.

— Oh, mon preux chevalier, êtes-vous souffrant ?

— Pas vraiment, répondit-il, sur la défensive.

J'aurais voulu le prendre dans mes bras. Comme l'amour était mis à l'épreuve, quand l'aimé se révélait moins que parfait ! Jamais je n'eusse cru être attirée par un homme atteint du mal de mer et, pourtant, je rêvais de lui chercher un remède et de le réchauffer.

— Venez vous asseoir.

---

1. Entrevue entre François Ier et Henri VIII ayant pris place en 1520 dont le nom provient de la richesse et munificence des deux campements. *(N.d.T.)*

Je regardai autour de nous. Nous étions aussi peu observés qu'il était possible de l'être dans cette cour qui ne respirait que rumeurs et scandales. Je lui indiquai une voile pliée, il s'adossa au mât. Je le bordai de son manteau avec autant de soin que s'il avait été mon petit Henri.

— Ne me quittez pas, me dit-il d'une voix si plaintive qu'un instant je crus qu'il se moquait de moi.

Mais j'aperçus un regard chargé d'une innocence si limpide que je touchai sa joue de mes doigts engourdis.

— Je vais seulement nous chercher du vin chaud aux épices.

Je me rendis à la cambuse où les cuisiniers chauffaient le vin et la bière et servaient des tranches de pain. À mon retour, William me fit une place sur sa voile. Je tins le gobelet tandis qu'il mangeait son pain puis nous partageâmes le vin, gorgée après gorgée.

— Vous sentez-vous mieux?

— Bien sûr, puis-je faire quelque chose pour vous?

— Non, non, répondis-je en hâte. J'étais simplement heureuse de vous voir meilleure mine. Voulez-vous encore du vin aux épices?

— Non, merci. Je crois que je vais dormir.

— Pourrez-vous dormir adossé au mât?

— Je ne le pense pas.

— Ou bien si vous vous allongez sur la voile?

— J'ai peur de tomber en roulant.

Je regardai aux alentours. La plupart des gens se reposaient ou jouaient. Nous étions seuls.

— Voulez-vous que je vous tienne?

— Oh, oui! souffla-t-il, comme trop souffrant pour parler.

Nous changeâmes de place, je m'adossai au mât et il s'allongea, posant sa tête bouclée sur mes genoux, m'enserrant la taille de ses bras, puis il ferma les yeux.

Je lui caressai les cheveux, admirant la douceur de sa barbe brune et la finesse de ses cils. Sa tête était lourde et chaude sur mes genoux, je ressentais cette joie paisible et profonde qui m'envahissait toujours lorsque nous étions ensemble. C'était comme si, ma vie entière, mon corps se fût langui de lui et qu'enfin il m'appartenait.

Je penchai la tête en arrière et sentis l'air marin me caresser les joues. Le roulis du bateau, ses craquements assourdis, le souffle du vent étaient soporifiques. Je m'endormis.

Lorsque je m'éveillai, il avait la tête blottie au creux de mes cuisses et ses mains exploraient mon corps sous ma cape. J'ouvris lentement les yeux, il leva le visage et m'embrassa le cou, les joues, les paupières et enfin, passionnément, la bouche. La sienne était chaude, douce et exigeante, sa langue se glissa entre mes lèvres et me fit frissonner. Je voulais qu'il m'embrasse encore et m'emporte au-dessous du pont briqué pour me posséder à l'instant même et ne jamais me laisser partir.

— Y a-t-il une cabine, une couchette, un endroit quelconque où nous puissions aller ? me demanda-t-il, hors d'haleine.

— Les femmes occupent toutes les cabines, et j'ai donné ma couchette.

Il émit un petit grognement de frustration, puis il se passa les mains dans les cheveux et eut un petit rire de dérision.

— Mon Dieu ! Je suis comme un jouvenceau en rut ! Je tremble littéralement de désir.

— Moi aussi, répondis-je. Seigneur, moi aussi !

William se leva.

— Attendez ici, m'ordonna-t-il, puis il disparut dans les entrailles du bateau.

Il revint avec une coupe de bière qu'il m'offrit de boire en premier avant d'en avaler lui-même une longue gorgée.

— Marie, nous devons nous unir, annonça-t-il, ou il vous faudra accepter la responsabilité de mon insanité.

Je ris faiblement.

— Oh, mon amour.

— Dites-le encore !

Un instant, je pensai refuser puis je m'aperçus que j'étais lasse de nier la vérité.

— Mon amour.

Il sourit, satisfait.

— Venez, m'enjoignit-il, ouvrant sa cape comme des ailes et m'entraînant vers le bastingage.

J'obéis et il passa son bras et son chaud manteau autour de mes épaules, me pressant contre lui. À l'abri sous le lourd tissu, je passai ma main autour de sa taille et, invisible de tous hormis de quelques mouettes, je posai ma tête sur son épaule. Nous nous tînmes ainsi un long moment, paisiblement, nous balançant au rythme du navire.

— Voici la France, annonçai-je enfin.

Je pouvais voir au loin la masse sombre de la terre ; graduellement, je distinguai les quais, les mâts des bateaux, les murs et le château de la forteresse anglaise de Calais.

Il me relâcha avec réticence.

— Je viendrai vous chercher dès que nous serons installés.

— Je vous attendrai.

Des gens émergeaient sur le pont. Nous nous éloignâmes l'un de l'autre.

— Êtes-vous remis, à présent ? m'enquis-je, l'habituelle froideur de ma vie prenant le pas sur cette intimité passionnée.

William arbora un air confus et je compris qu'il m'avait dupée.

— Vous ne fûtes jamais souffrant ! Ce n'était qu'une ruse pour que je m'assoie à côté de vous et vous tienne dans mes bras.

Délicieusement rouge de confusion, il baissa la tête comme un écolier tancé puis j'aperçus l'éclat de son sourire.

— Mais dites-moi, madame Carey, me défia-t-il, ces dernières six heures ne furent-elles point les plus belles de votre vie ?

Je me mordis la langue et réfléchis. Quels avaient été mes moments de bonheur ? Le roi m'avait aimée, un tendre époux m'avait reprise, j'avais été une sœur brillante.

— Oui, concédai-je enfin. Ce furent les plus belles six heures de ma vie.

Le bateau s'amarra dans un concert de bruit et d'activité, puis le capitaine du port, les marins et les dockers se rassemblèrent au pied du navire pour regarder débarquer le couple royal et les acclamer tandis qu'ils touchaient le sol d'Angleterre, en France. Tout le monde se rendit à la chapelle Saint-Nicolas pour y entendre la messe en compagnie du gouverneur qui traita Anne avec autant d'égards que si elle eût été reine. Mais le roi de France ne se montra pas aussi accommodant ; Henri dut laisser Anne derrière et partir seul à la rencontre de François Ier.

— Quel imbécile, grommela Anne devant la fenêtre du château de Calais.

Henri s'éloignait à la tête de ses hommes d'armes, le chapeau à la main pour s'incliner devant les acclamations de la foule. Il se retourna sur sa selle pour faire un signe en direction du château dans l'espoir qu'elle regardait.

— Pourquoi ?

— Il eût dû savoir que la reine de France n'accepterait pas de me rencontrer : elle est espagnole comme Catherine. La reine de Navarre refusa également.

— La souveraine a-t-elle fourni une explication ? Elle se montrait si bonne avec nous quand nous étions enfants.

— Elle a dénoncé mon comportement comme scandaleux ! répliqua Anne. Comme ces femmes prennent de grands airs quand elles sont mariées ! On croirait qu'aucune n'eut jamais à lutter pour conquérir un époux.

— Ne rencontrerons-nous pas le roi François, alors ?

— Pas officiellement, puisque nulle femme ne peut m'accueillir, répondit Anne, les doigts tambourinant contre la fenêtre. La reine reçut Catherine en personne. Leur entrevue, dit-on, se déroula de façon fort amicale.

— Vous n'êtes pas reine encore, intervins-je stupidement.

Le regard qu'elle me lança était glacé.

— Je sais cela. Ces six années passées, j'eus le temps de le remarquer, merci. Mais je le serai et lui ferai regretter cet affront quand je reviendrai en France, ainsi qu'à Marguerite de Navarre, lorsqu'elle cherchera à marier ses enfants à mes fils. Je n'oublierai pas non plus combien vous vous montrez vive à me rappeler que je ne suis pas encore reine.

— Anne, je disais seulement…

— Réfléchissez avant de parler, me coupa-t-elle.

Henri invita le roi de France au château de Calais. Deux jours durant, toutes les dames d'atour, Anne à notre tête, espionnèrent le roi François par les fenêtres sans jamais rien distinguer de sa légendaire beauté que le haut de sa tête. Je m'attendais à trouver Anne dans une fureur noire à se voir ainsi exclue, mais elle restait souriante et, quand Henri lui rendait visite après dîner, elle l'accueillait avec un tel déploiement de bonne humeur que j'étais certaine qu'elle préparait quelque chose.

Elle nous fit apprendre une danse particulière dont les pas prévoyaient d'inclure les convives d'un dîner. Il était évident qu'elle avait l'intention de pénétrer dans la salle de banquet royal afin d'inviter le roi de France à danser avec elle.

Quelques-unes des plus jeunes filles se demandaient comment elle osait s'élever ainsi contre les conventions, mais je savais que son plan serait approuvé par Henri. La surprise qu'il montrerait à son entrée serait aussi contrefaite que celle affichée par la reine Catherine chaque fois qu'il s'était introduit, déguisé, dans ses appartements. Je ressentais une immense lassitude ; des années durant, nous avions prétendu ne pas reconnaître le roi et Anne s'apprêtait à présent à jouer le même jeu.

Malgré les ordres d'Anne de l'accompagner à cheval le matin et de danser l'après-midi, je trouvai, à midi, le temps de parcourir les rues de Calais où, dans une certaine taverne, William Stafford m'attendait. Il m'attira à l'intérieur, loin des regards de la ville, et plaça un gobelet de bière devant moi.

— Comment vous portez-vous, mon amour? me demanda-t-il.

Je lui souris en retour.

— Bien, et vous?

Il hocha la tête.

— Je pars avec votre oncle demain, j'ai reçu des informations sur des chevaux qui pourraient lui plaire. Mais les prix sont absurdes. Chaque fermier de France semble déterminé à tondre un Anglais cette saison, de peur de ne jamais nous voir revenir.

— Il a annoncé vouloir faire de vous son grand écuyer. Ce serait une bonne chose pour nous, n'est-ce pas? demandai-je avec espoir. Nous pourrions nous voir plus souvent.

— Et nous marier, bien sûr, rétorqua-t-il, taquin. Votre oncle serait ravi de voir son maître palefrenier épouser sa nièce. Non, mon amour, cela ne nous aiderait guère; je ne crois pas qu'une quelconque solution se trouve à la cour, pour nous.

Je restai silencieuse.

— Je vous attendrai, ajouta William avec douceur. Je sais que vous n'êtes pas encore prête.

Je levai les yeux vers lui.

— Ce n'est pas que je ne vous aime pas; ce sont mes enfants, ma famille, et Anne, plus que tout, que je ne sais comment quitter.

— A-t-elle besoin de vous? demanda-t-il, surpris.

J'eus un petit gloussement de rire.

— Seigneur, non! Mais elle ne me laissera pas partir.

Je m'interrompis, cherchant les mots permettant de lui expliquer la longue rivalité qui existait entre nous deux.

— Ses victoires sont diminuées si je n'y assiste pas. Et, si l'on m'humilie, elle mettra toute sa hargne à me venger mais, au fond de son cœur, elle éprouvera une joie indicible à me voir prendre un coup.

— Elle est diabolique, énonça-t-il, loyal à mon endroit.

Je souris.

— Pour être honnête, je lui rends jalousie pour jalousie. Cependant, jamais je ne l'égalerai et j'en suis venu à l'accepter. Elle est parvenue à garder le roi, ce dont je me montrai incapable. Toutefois, je sais à présent que je ne le souhaitais pas vraiment. Après que j'eus mon fils, je ne voulais rien d'autre que partir loin de la cour pour rester avec mes enfants. Et le roi est tellement…

— Tellement ? m'encouragea-t-il.

— Exigeant. Pas seulement en amour, mais en tout, comme un enfant. Lorsque j'eus mon propre bébé, je m'aperçus ne plus avoir de patience pour cet homme avide de distractions. Lorsque j'entrevis l'égoïsme infantile de Henri, il me devint impossible de faire montre de patience à son égard.

— Mais vous ne l'avez pas quitté.

— On ne quitte pas le roi, répondis-je simplement.

William hocha la tête.

— Lorsqu'il me préféra Anne, je n'éprouvai nul regret. À présent, quand je danse avec lui, dîne en sa compagnie, ou marche à ses côtés, je ne fais que mon travail de courtisan : je lui laisse croire qu'il est l'homme le plus délicieux du monde, je le regarde d'un œil alangui, lui souris et lui donne toutes les raisons de croire que je suis toujours amoureuse de lui.

Le bras de William vint s'enrouler autour de ma taille et il m'attira à lui.

— Mais vous ne l'êtes pas, spécifia-t-il.

— Lâchez-moi, chuchotai-je, vous me serrez trop fort.

Son étreinte se resserra encore davantage.

— Soit ! m'écriai-je. Bien sûr, que je ne l'aime pas !

— Et aimez-vous quelqu'un en particulier ? s'enquit-il sur le ton de la conversation, le bras plus que jamais agrippé à ma taille.

— Personne, répondis-je, provocante.

Une main vint forcer mon menton à se relever et son regard brun fouilla mon visage comme pour y lire dans mon âme.

— Personne d'important, précisai-je.

Le baiser qu'il déposa sur mes lèvres fut aussi léger que la caresse d'une plume.

Ce soir-là, Henri et François dînèrent sans cérémonie à Staple Hall. Anne mena les dames d'atour devant la salle du banquet. Là, nous ôtâmes nos manteaux avant d'enfiler nos dominos, masques et coiffes d'or. Sans miroir, je ne pouvais voir à quoi je ressemblais mais les autres autour de moi étincelaient et je savais que je scintillais au milieu d'elles. Anne, en particulier, dont les yeux noirs brillaient à travers les fentes de son masque d'or qui avait la forme d'un faucon, paraissait riche et sauvage, sa chevelure tombant sur ses épaules sous le voile d'or de sa coiffe.

Au signal convenu, nous entrâmes en courant et commençâmes à danser. Henri et François ne pouvaient la quitter des yeux. Je dansai avec sir Francis Weston qui me murmura de révoltantes suggestions à l'oreille sous le prétexte transparent qu'il me croyait française et vis George inviter une autre partenaire pour ne pas danser avec son épouse.

La danse s'acheva et Henri se tourna vers l'une des danseuses pour lui démasquer le visage, puis, avec cérémonie, fit de même avec toutes les autres femmes avant, finalement, de terminer par Anne.

— Ah, la marquise de Pembroke, s'exclama le roi François avec toutes les apparences de la surprise. Vous étiez mademoiselle Boleyn lorsque je vous connus, la plus jolie fille de ma cour alors, tout comme vous êtes à présent la plus jolie femme à la cour de mon ami Henri.

Anne sourit et tourna la tête vers Henri.

— Une seule fille pouvait alors se mesurer à vous, il s'agissait de l'autre fille Boleyn, poursuivit le roi de France en me cherchant des yeux.

Le moment de triomphe d'Anne prit fin, elle me fit signe d'avancer, l'air de vouloir me faire monter les marches d'un échafaud.

— Ma sœur, Votre Majesté, énonça-t-elle froidement, lady Carey.

François Ier me baisa la main.

— *Enchanté**, chuchota-t-il d'un ton séducteur.

— Dansons ! cria soudain Anne, irritée de l'attention dont je bénéficiais.

Aussitôt, les musiciens entamèrent un morceau et, le reste de la nuit, chacun s'amusa et s'appliqua à rendre Anne heureuse.

Notre visite officielle en France s'acheva sur cette soirée. Mais, le lendemain, un vent contraire se leva qui remit notre départ. Les jours qui suivirent, Anne et Henri chassèrent et se divertirent aussi bien qu'en Angleterre. Mieux même, car en France, nul ne huait Anne ni ne hurlait « putain » sur le passage de son cheval. Quant à William et à moi, nous devînmes libres de nous voir.

Chaque après-midi, nous partions à l'ouest de la ville chevaucher sur la plage qui s'étirait aussi loin que portait le regard. Les chevaux partaient soudain au galop sur le sable damé et nous les laissions faire à leur guise. Puis nous montions à l'assaut des dunes et William me soulevait de ma selle et étalait sa cape au sol. Nous nous allongions alors côte à côte et nous embrassions jusqu'à ce que je pleure presque de désir.

Plusieurs fois, je fus tentée de le laisser me posséder sans plus de cérémonie, comme une paysanne, sous le soleil et le cri des mouettes. Il m'embrassait jusqu'à ce que ma bouche fût douloureuse, parcourait mon corps entier de caresses, sans aucune retenue. Ses mains détachaient mon corps de cotte puis il caressait mes seins. Il les tétait ensuite et je criais de plaisir en pensant ne pas pouvoir le supporter plus longtemps, puis il plongeait la tête vers mon ventre et me mordait près du nombril.

Il me prenait ensuite dans ses bras et demeurait immobile un long moment jusqu'à ce que mon désir pour lui s'apaise un peu. Je me retournais sur le ventre, il se pressait alors contre mon dos, soulevait mes cheveux pour me mordiller la nuque ; je sentais son membre dur au travers de ma robe mais, comme une putain, je me soulevais contre lui comme pour le supplier de me prendre sans ma permission, car je n'avais nul droit de dire « oui ». Et Dieu m'est témoin que je ne voulais pas dire « non ».

Il donnait un violent coup de bassin, puis marquait une pause, puis recommençait encore, de plus en plus vite, et mon corps venait à la rencontre de son corps, le désirant plus que tout. Son rythme s'accélérait, je sentais le plaisir me soulever, s'emparer de moi et de ma volonté, et c'était là qu'il s'arrêtait soudain. Il émettait un petit soupir, s'allongeait de nouveau à côté de moi, me prenait dans ses bras pour m'embrasser les paupières et attendre que je cesse de trembler.

Chaque jour, quand le vent qui soufflait vers la terre gardait les navires au port, nous chevauchions entre les dunes de sable où l'amour que nous ne faisions pas ressemblait à une cour passionnée. Mon corps hurlait son consentement, mon esprit criait son désir d'être forcé. Mais William s'arrêtait chaque fois un infime instant avant ma capitulation puis m'enfermait dans ses bras pour me consoler quand, de douleur ou de désir, mon corps était parcouru de tremblements.

Le douzième jour, alors que nous marchions aux côtés des chevaux dans les dunes, William leva soudain le visage au ciel.

— Le vent a changé.

— Quoi ? demandai-je stupidement.

Encore hébétée de plaisir, je ne savais pas même que le vent existait. J'avais à peine conscience du sable qui crissait sous mes bottes, des vagues qui venaient mourir sur la plage, de la chaleur du soleil du soir sur mon visage.

— C'est un vent de terre, précisa-t-il, un vent pour naviguer.

Je posai un bras sur l'encolure de ma jument.

— Naviguer? répétai-je.

Il se tourna vers moi et éclata de rire en voyant mon expression.

— Oh, ma douce, vous êtes bien loin en cet instant, n'est-ce pas? Vous souvenez-vous que nous attendions un vent favorable pour naviguer vers l'Angleterre? C'est chose faite. Le vent a tourné. Nous partons demain.

Ses paroles s'imprimèrent enfin dans mon esprit.

— Qu'allons-nous faire?

Il enroula la bride de son cheval autour de son poignet et vint m'aider à monter en selle.

— Hisser les voiles, je suppose.

Il mit ses mains en coupe sous ma botte et me souleva. Mon corps était perclus de douleurs, après douze jours de désir inassouvi.

— Et ensuite? insistai-je. Nous ne pouvons pas nous rencontrer ainsi à Greenwich.

— Non, en effet, acquiesça-t-il plaisamment.

— Comment ferons-nous?

— Vous me trouverez aux écuries, je vous trouverai dans les jardins, comme toujours.

Il se hissa en selle avec légèreté.

— Je ne veux pas vous voir de cette façon, balbutiai-je.

William ajusta la courroie de son étrier puis se releva et m'adressa un sourire poli, presque distant.

— Je pourrais vous escorter à Hever cet été, proposa-t-il.

— Mais c'est dans sept mois! m'exclamai-je.

J'approchai mon cheval du sien; comment pouvait-il montrer autant d'indifférence?

— N'avez-vous donc pas envie de me rencontrer ainsi chaque jour?

— Vous savez bien que si.

— Alors comment ferons-nous? répétai-je.

— Je ne pense pas que cela soit possible, répondit-il avec douceur, trop d'ennemis des Howard seraient prompts à dénoncer toute légèreté de votre part, trop d'espions vivant à la solde de votre oncle lui rapporteraient mes actes. Nous jouîmes de douze jours de bonheur. Mais je ne pense pas que nous puissions recommencer en Angleterre.

— Oh.

Je tournai bride et sentis la chaleur du soleil sur ma nuque. Les vagues venaient doucement mourir et ma jument, légèrement inquiète, s'ébrouait quand l'eau atteignait ses sabots. Je ne parvenais pas à la calmer. Comme moi-même.

— Je ne resterai pas au service de votre oncle.

— Quoi?

— Je partirai pour ma ferme, où tout attend ma venue. Je possède un caractère trop indépendant pour servir un homme, même d'une grande famille comme la vôtre.

Je me redressai quelque peu. La fierté des Howard m'y aida.

— À votre guise, répliquai-je, glaciale.

Il hocha la tête puis ralentit. Nous parcourûmes ainsi le chemin qui menait à la ville : la jeune Boleyn suivie de son serviteur. Les amoureux étaient loin derrière.

Nous franchîmes la porte de la ville et chevauchâmes côte à côte dans les rues pavées jusqu'au château. Le pont-levis était encore abaissé, la herse relevée, nous entrâmes sans difficulté. Le roi et Anne étaient revenus une demi-heure plus tôt, les palefreniers abreuvaient des chevaux et les bouchonnaient avec de la paille. Il n'y avait aucune possibilité de conversation privée.

William me souleva de ma selle et, au contact de ses mains sur moi, de son corps contre le mien, j'émis un petit cri de douleur tellement mon désir pour lui était sauvage.

— Souffrez-vous ? me demanda-t-il.

— Oui! répliquai-je farouchement. Je souffre, et vous le savez bien!

Un court instant, son calme vacilla. Il s'empara de ma main et m'attira brutalement à lui.

— Ce que vous ressentez maintenant, cela fait des mois que je le ressens, gronda-t-il à voix basse. Nuit et jour, depuis le moment où je vous ai rencontrée. Pensez-y, Marie, et venez me trouver quand vous saurez que vous ne pouvez vivre sans moi.

Je tordis la main pour me dégager et reculai avant de m'éloigner, si lentement que, s'il avait chuchoté mon nom, je l'eusse entendu. Trébuchant comme une ivrogne, je passai l'arche qui menait au château, mon corps douloureux me hurlant de rester avec lui.

Je voulais pleurer dans ma chambre mais, comme je traversai le grand hall, George se leva de son siège et me dit :

— Je vous attendais, où étiez-vous passée ?

— En promenade, répondis-je sèchement.

— Avec William Stafford, m'accusa-t-il.

Je ne cachai ni mes yeux rougis ni mes lèvres qui tremblaient.

— Oui, et alors ?

— Seigneur, quelle traînée ! soupira George avec une bienveillance fraternelle. Allez effacer cette expression de votre visage, chacun peut deviner ce que vous avez fait.

— Je n'ai rien fait, justement ! m'exclamai-je avec passion.

Il hésita.

— Tant mieux. Hâtez-vous.

Je me rendis à ma chambre où je m'aspergeai les yeux et le visage d'eau fraîche. Lorsque j'arrivai dans la salle d'audience d'Anne, une demi-douzaine de femmes jouaient aux cartes et George attendait, d'humeur sombre, près de la fenêtre.

Parcourant la salle d'un rapide regard, il me prit le bras pour me mener dans la galerie de portraits attenante, déserte en cette heure.

— On vous a aperçus, annonça-t-il sans ambages.

— Aperçu quoi ?

Il s'arrêta net et me dévisagea avec un sérieux que je ne lui avais jamais vu auparavant.

— Ne jouez pas à la plus fine, m'enjoignit-il, on vous a vue sortir des dunes, les cheveux défaits, la tête posée sur son épaule, son bras passé autour de votre taille. Oubliez-vous qu'oncle Howard a des espions partout ?

— Qu'arrivera-t-il ? demandai-je anxieusement.

— Rien, si cela s'arrête là. C'est pourquoi je vous en parle, moi, et non oncle Howard ou père. Ils ne veulent pas savoir, cela n'ira pas plus loin.

— Je l'aime, George, soufflai-je.

Il baissa la tête et se mit à arpenter la salle, mon bras toujours accroché au sien.

— Cela ne fait aucune différence, vous le savez.

— Je ne dors pas, je ne mange plus, je ne pense qu'à lui. La nuit je rêve de lui, tout le jour j'attends de le voir et, quand je suis avec lui, le désir me fait tourner la tête.

— Et lui ? me demanda George, intéressé malgré lui.

Je détournai le visage pour qu'il n'y lise pas la douleur qui s'y inscrivait soudain.

— Je croyais qu'il ressentait la même chose ; mais, aujourd'hui, il dit que nous rentrons en Angleterre où il nous sera impossible de nous voir.

— Il a raison, répondit George brutalement. Et, si Anne avait veillé à la discipline, on n'eût point vu ses dames d'atour, vous incluse, errer avec quelques galants accrochés à leur train.

— Ce n'est pas un galant ! m'insurgeai-je. Je l'aime !

— Vous souvenez-vous de Henry Percy ? s'enquit George brusquement.

— Bien sûr.

— Il était amoureux, marié même. Cela l'a-t-il sauvé ? Non. Il se terre à Northumberland, uni à une femme qui le déteste, le cœur brisé. Choisissez : amoureuse au cœur brisé ou faisant contre mauvaise fortune bon cœur.

— Comme vous ?

— Comme moi, grogna-t-il d'un air sombre.

Malgré lui, il regarda sir Francis Weston qui suivait une partition de musique, penché au-dessus de l'épaule d'Anne.

— Mon désir ne compte pas, reprit George amèrement, détournant les yeux. Ma famille et Anne viennent en premier, quoi qu'elles infligent comme souffrance à mon cœur. L'amour n'existe pas pour les Howard ; nous sommes des courtisans et vivons à la cour, où l'amour n'a rien à faire.

George me pinça le bras.

— Vous devez cesser de le voir, commanda-t-il, promettez-le sur votre honneur.

— Je n'ai point d'honneur ! rétorquai-je d'une voix blanche. J'étais unie à un homme que j'ai trompé avec le roi ; il mourut avant que j'eusse l'occasion de lui dire que je parviendrais à l'aimer. À présent, j'ai rencontré un homme que je pourrais aimer de toute mon âme, et vous me demandez de ne plus le voir ? Eh bien, soit ! Je promets sur mon honneur. Nous n'avons plus d'honneur, nous autres, les Trois Boleyn.

— Bravo, répondit George, qui se pencha et m'embrassa sur la bouche. Et le cœur brisé vous va bien : vous êtes superbe.

Hiver 1532

L a cour célébra Noël à Westminster, où Anne se trouva au centre de toutes les activités. Le maître des festivités organisa des mascarades les unes après les autres, où elle fut couronnée reine de la Paix, de l'Hiver, de Noël : de tout sauf d'Angleterre, mais chacun savait que ce titre suivrait très bientôt. Le roi la mena à la Tour de Londres où elle fit son choix parmi les joyaux de la couronne, comme une princesse de sang.

Henri et elle vivaient à présent dans des appartements adjacents. Avec impudence, ils se retiraient ensemble le soir dans l'un ou l'autre et en sortaient ensemble le matin. Il lui offrit une robe de satin noir bordée de fourrure pour accueillir les visiteurs qui pénétraient dans les appartements du roi. Mon statut de compagne de lit prit fin ; pour la première fois depuis l'enfance, je dormais seule. Quel plaisir de demeurer assise devant le feu en sachant qu'Anne et sa mauvaise humeur n'allaient pas faire irruption ! Mais je souffrais de la solitude ; je rêvais la nuit devant les flammes puis passais de longs après-midi à observer la petite pluie d'hiver par la fenêtre. Comme le soleil et les dunes de Calais me semblaient loin ! Je devenais glacée, comme la neige fondue qui tombait sur les toits.

Je cherchai William Stafford parmi les hommes de mon oncle. J'appris qu'il était retourné à sa ferme pour y suivre la récolte des navets et l'abattage des vieilles bêtes. Je pensai à lui, à sa vie de fermier ponctuée de choses bien réelles tandis que je m'empêtrais à la cour, entre rumeurs et scandales, à servir deux égoïstes.

Lorsque survint le jour des Rois, Anne me demanda quels signes annonçaient à une femme qu'elle était grosse.

Nous calculâmes que sept jours encore la séparaient de son flux. Elle se montra déterminée à souffrir de nausées le matin mais, je lui affirmai qu'il était trop tôt pour savoir. La semaine qui suivit, la voyant parfois immobile, je savais qu'elle s'enjoignait de porter un enfant.

Lorsque vint son jour, elle passa la tête par la porte de ma chambre et annonça triomphalement :

— Je suis propre. Cela signifie-t-il que j'ai conçu ?

— Un jour ne prouve rien, répondis-je d'un air malgracieux. Il vous faut au moins attendre un mois.

Les jours s'écoulèrent. Elle ne parla pas au roi de ses espoirs, mais il pouvait aussi bien compter qu'un autre. Ils semblèrent bientôt flotter dans les airs, au-dessus du monde. Henri, qui n'osait lui poser la question, s'adressa à moi pour savoir si Anne avait manqué ses lunes.

— Seulement d'une semaine ou deux, Votre Majesté, répondis-je respectueusement.

— Dois-je faire venir une sage-femme ? s'enquit-il.

— Pas encore, lui conseillai-je. Il est préférable d'attendre le second mois.

Il eut l'air anxieux.

— Je ne partagerai plus sa couche.

— Montrez-vous simplement très doux, lui recommandai-je.

Il fronça les sourcils et je songeai que leur désir d'enfant allait gâcher toute la joie de leurs étreintes, avant même leur mariage.

En janvier, Anne apprit au roi qu'elle pensait porter son enfant.

Il fut touchant. Après avoir été si longtemps uni à une femme stérile, une épouse fertile semblait comme une terre arable en plein mois d'août. Ils se montrèrent dès lors très calmes l'un avec l'autre. Ils s'étaient révélés des querelleurs et des amants passionnés, mais à présent ils se voulaient amis. Anne insistait pour se reposer, terrifiée à l'idée d'entraver le bon déroulement de ce qui prenait place en secret dans son corps. Henri lui évitait tout effort et demeurait tout le temps à ses côtés, comme si sa seule présence pouvait encourager les choses.

Il avait vu trop de grossesses se terminer dans les larmes et la déception. Il avait célébré des naissances dont la joie lui avait été ravie par une mort inexplicable. À ses yeux, la fertilité d'Anne levait la malédiction que Dieu lui avait infligée pour avoir épousé la femme de son frère et il traitait celle qui devenait sa véritable première épouse avec une tendresse et un respect immenses. Il adopta en hâte une nouvelle loi qui leur permit de s'unir légalement, dans la nouvelle Église d'Angleterre.

Leur mariage eut lieu dans le secret complet, à Whitehall, la demeure londonienne d'Anne qui avait jadis appartenu à son vieil ennemi, le cardinal Wolsey. Henri Norris et Thomas Heneague, les deux amis du roi, l'assistèrent comme témoins, tandis que William Brereton le servait. George et moi reçûmes l'ordre de faire en sorte que la cour crût à un dîner intime, aussi commandâmes-nous un copieux repas pour quatre personnes servi dans la chambre du roi. La cour, observant les plats qui entraient et sortaient, en conclut qu'il s'agissait d'un repas privé pour les Boleyn et le souverain. Petite revanche que de m'asseoir dans la chaise d'Anne et de manger dans son assiette tandis qu'elle épousait le roi d'Angleterre, mais cela m'amusa. J'essayai même sa robe de satin noir et George jura qu'elle m'allait très bien.

Printemps 1533

Quelques mois plus tard, Anne, les mains en permanence posées sur son ventre rebondi, devenait publiquement l'épouse officielle du roi de par l'autorité de l'archevêque Cranmer. Ce dernier enquêta des plus brièvement sur l'union de la reine Catherine d'Aragon et du roi, la déclarant nulle et non avenue. La reine n'apparut pas. Elle s'accrochait à son recours à Rome, et ignorait la décision de l'Angleterre.

Mais un autre décret royal stipula que les disputes anglaises ne se pouvaient juger qu'en Angleterre : le recours à Rome disparut. Je me souvins avoir un jour affirmé à Henri que les Anglais auraient voulu voir les tribunaux de leur pays juger des disputes locales. Comment aurais-je alors soupçonné que la justice obéirait aux caprices du roi, tout comme l'Église deviendrait son trésor particulier, et le Conseil des ministres un ramassis de ses favoris ?

Personne ne mentionna la reine Catherine lors des fêtes de Pâques. Aucune remarque ne fut émise lorsque les maçons firent sauter le Grenadier d'Espagne, et nul ne s'enquit de ce qui allait être son titre à présent que régnait une autre reine en Angleterre. Elle semblait avoir péri d'une mort honteuse.

Anne chancelait presque sous le poids des robes d'apparat, des diamants et des bijoux. La cour la servait, mais sans aucun enthousiasme. George m'apprit que le roi voulait la couronner à la Pentecôte, qui cette année survenait en juin.

— À Londres ? m'enquis-je.

— L'événement doit reléguer le couronnement de Catherine dans l'ombre, précisa-t-il.

William Stafford ne réapparut pas. Un jour que nous suivions une partie de croquet à laquelle participait le roi, je demandai à mon oncle, en contrôlant ma voix avec soin, s'il avait nommé William Stafford son grand écuyer, car j'avais besoin d'une nouvelle jument pour la saison de chasse.

— Oh non, répondit-il, pénétrant mon mensonge à peine eût-il passé mes lèvres, il est parti après une petite discussion que j'eus avec lui à notre retour de Calais. Vous ne le reverrez plus.

Je restai impassible, aussi rompue que lui au jeu de courtisan.

— Est-il retourné à sa ferme ? m'enquis-je, l'air de ne pas y attacher d'importance.

— Oui, ou bien en croisade, répondit mon oncle. Bon débarras.

Je reportai mon attention vers le jeu et, lorsque Henri marqua un point, j'applaudis avec force et criai : « Bravo ! » Quelqu'un me proposa de parier, mais je refusai de gager contre le roi et récoltai un sourire du souverain en échange de cette petite flatterie. J'attendis la fin du jeu et lorsqu'il devint clair que Henri n'allait pas m'enjoindre de l'accompagner, je me glissai derrière la foule et me réfugiai dans ma chambre.

Le feu était éteint. La pièce, à l'ouest, était sombre le matin. Je m'assis sur le lit et me couvris les épaules d'une couverture, comme une vieille femme. J'avais froid et me sentais misérable. Je resserrai la couverture autour de moi sans parvenir à me réchauffer. Je me remémorai Calais, l'odeur de la mer, le sable qui crissait sous mes pieds et s'infiltrait dans mes vêtements quand William me caressait.

Je m'étais montrée sincère en affirmant à George être avant tout une Boleyn et une Howard. Mais, à présent, assise dans l'ombre, apercevant au-dehors les ardoises grises de la ville et le toit du palais de Westminster sous les nuages, je compris soudain mon tort. Je n'étais pas une Howard avant tout mais une femme passionnée avec un immense besoin d'amour. Je voulais la chaleur, la sueur, l'affection d'un homme que j'aimerais et à qui je confierais ma vie. Et je voulais me donner à lui non pas pour en retirer un quelconque avantage mais par pur désir.

Sans savoir ce que je faisais, je me levai et rejetai la couverture.

— William, lançai-je à la pièce vide, William.

Je descendis aux écuries où j'ordonnai que fût sellée ma jument, annonçant mon départ pour Hever afin de voir mes enfants. Mon oncle comptait certainement une paire d'yeux et d'oreilles à son service aux écuries mais j'espérais être loin avant que lui parvînt le message que sa nièce était partie sans escorte.

Quelques heures plus tard, quand tomba un crépuscule froid et gris, j'avais à peine dépassé la ville et entrai dans un petit village qui portait le nom de Canning. J'aperçus les murs d'enceinte et le guichet d'un monastère. Je heurtai le marteau et, lorsque les moines virent la qualité de ma monture, ils m'offrirent l'hospitalité d'une cellule lavée de blanc avant de me procurer une tranche de viande, du pain, un morceau de fromage et une coupe de bière en guise de souper.

Le matin suivant, je reçus le même maigre traitement pour ma première collation. Je suivis la messe le ventre gargouillant et pensai à Henri, fulminant contre la richesse de l'Église.

Je demandai des explications pour trouver Rochford. La maison et les terres appartenaient à ma famille depuis des années, mais je m'y étais rendue une seule fois, par bateau, et n'avais aucune idée de la route à suivre. Un garçon d'écurie affirma connaître le chemin et fut autorisé à m'accompagner jusqu'à Tilbury.

Jimmy était un gentil garçon qui montait à cru, ses chevilles nues éperonnant les côtes terreuses de son vieux cheval. Nous formions un couple étrange sur la route qui longeait le cours d'eau, le marmot et la grande dame. La chevauchée s'avéra difficile, sur un chemin parfois poussiéreux et empierré, parfois boueux. Lorsque la voie croisait des petits affluents de la Tamise, il fallait passer à gué dans des bourbiers. Ma monture hennissait, effrayée par les sables mouvants, et seule la tranquille persévérance montrée par la vieille carne de Jimmy la persuadait de poursuivre. Nous déjeunâmes dans une ferme d'un village nommé Rainham. La brave fermière m'offrit un œuf dur et une tranche de pain noir, tout ce que la maison pouvait se permettre. Jimmy déjeuna seulement de pain et sembla s'en contenter. Quelques pommes séchées formèrent notre dessert et je ris en imaginant le somptueux souper à Westminster.

Je n'étais pas inquiète. Pour la première fois de ma vie, j'avais l'impression d'avoir pris ma destinée en main : je n'obéissais ni à un roi, ni à un père ou un oncle mais à mes propres désirs, qui me conduisaient à l'homme que j'aimais.

Pas un instant, je n'imaginai qu'il m'eût oubliée, se fût pris d'affection pour une garce du village ou épousé une héritière choisie pour lui. Assise sur le hayon d'un chariot sans roues, observant Jimmy qui crachait dans les airs ses pépins de pomme, je découvrais la confiance.

À la nuit tombante, nous parvînmes au village de Grays. Un manoir s'élevait un peu en retrait. Un instant, j'hésitai à m'y rendre pour exiger l'hospitalité qui m'était due. Mais je craignis l'influence de mon oncle, qui s'étendait sur tout le royaume. De plus, la poussière dans mes cheveux et la saleté de mon visage m'incommodaient et

Jimmy, sale comme un enfant des rues, n'eût jamais trouvé à dormir dans une bonne maison.

— Nous irons à l'auberge, décidai-je.

Celle-ci s'avéra de meilleure qualité qu'au premier abord, enrichie du flux de voyageurs venus de la capitale qui embarquaient un peu plus loin, à Tilbury, plutôt que d'attendre que leur bateau eût atteint Londres. J'obtins un lit à rideaux dans une chambre collective et Jimmy un matelas de paille dans la cuisine. Je dînai d'un poulet, de pain blanc et d'un verre de vin. Je parvins même à faire mes ablutions dans un baquet d'eau froide. Je dormis tout habillée, mes bottes sous l'oreiller par crainte de voleurs. Au matin, en sueur, je pris conscience d'avoir été attaquée par une colonie de puces dont les piqûres me démangèrent tout le jour.

Je fus forcée de laisser partir Jimmy, qui avait promis de me montrer le chemin seulement jusqu'à Tilbury, un peu plus loin sur la route. Le chemin du retour serait long pour un jeune garçon seul. Il sauta depuis un billot de bois sur le dos de sa vieille bête et accepta la pièce que je lui lançai avec un quignon de pain et un morceau de fromage pour son déjeuner. Nous quittâmes l'auberge ensemble, puis nos chemins se séparèrent ; il m'indiqua celui qui menait à Tilbury puis Southend et reprit la route de Londres.

Je traversai un paysage vide, plat, désolé, et me fis la réflexion qu'ensemencer ces terres serait bien différent de la culture des sols fertiles du Kent. Je chevauchai à vive allure entre les marais, dardant un œil autour de moi, à l'affût de voleurs potentiels. Mais cette route déserte était mon alliée car aucun bandit m'eût perdu son temps sur une voie dénuée de voyageurs. Je ne croisai qu'un gamin qui chassait les corbeaux d'un champ, et aperçus au loin un laboureur qui retournait la boue aux confins d'un marais, une nuée de mouettes s'élevant derrière lui.

Je réduisis mon allure lorsque le chemin traversa des marécages. Le vent soufflait du fleuve et apportait l'odeur de la mer. Je traversai quelques hameaux où les maisons n'étaient guère plus que de la boue façonnée en mur et en toit. Le crépuscule tombait lorsque j'arrivai à Southend et cherchai du regard un endroit où passer la nuit.

J'allai frapper au presbytère où la gouvernante m'accueillit d'un grognement peu encourageant. Je lui appris être voyageuse demandant l'hospitalité et elle m'introduisit avec réticence dans une salle jouxtant la cuisine. Si j'avais été une Boleyn et une Howard, je l'eusse maudite pour son accueil, mais je n'étais qu'une pauvre femme qui ne comptais que quelques pièces et son inébranlable détermination.

— Merci, lui dis-je comme s'il s'agissait d'un logement adéquat, puis-je également recevoir de quoi me restaurer ?

Quelques pièces transformèrent son refus en assentiment et elle me procura un bol de porridge qui semblait avoir traîné plusieurs jours. Trop épuisée et affamée pour discuter, j'avalai le tout et m'effondrai sur la paillasse où je dormis jusqu'à l'aube.

Au matin, alors qu'elle balayait le sol et alimentait le feu pour cuisiner la collation de son maître, j'empruntai un linge puis tirai un seau du puits pour me nettoyer le visage, les mains et les pieds, tandis qu'autour de moi caquetaient des poules à l'air agressif.

Je rêvais de me laver entièrement et de me changer avec des vêtements propres, mais autant vouloir une litière pour les dernières lieues ! S'il m'aimait, un peu de saleté ne le rebuterait pas. S'il ne m'aimait pas, je me soucierais de ma crasse comme d'une guigne.

La gouvernante se montra curieuse des raisons qui me poussaient à voyager seule, ayant aperçu la valeur de ma monture et de mes habits. Je n'avouai rien et, une tranche de pain glissée dans la poche de ma robe, sellai mon cheval.

— Pouvez-vous m'indiquer le chemin de Rochford ?

— Une fois la porte franchie, tournez à gauche et suivez le chemin, vous y serez dans une heure. Qui voulez-vous rencontrer ? La famille Boleyn se trouve à la cour.

Je murmurai une réponse inintelligible. Ma peur grandissait en approchant. J'éperonnai ma monture, passai la porte de la cour et m'engageai à gauche, comme elle me l'avait indiqué, dans le soleil du petit matin.

Rochford était un hameau d'une demi-douzaine de maisons accrochées autour d'une taverne à la croisée de deux chemins. La demeure de ma famille s'élevait derrière de hauts murs de pierre dans un large parc, invisible depuis la route.

Un gamin désœuvré, adossé au mur d'un cottage, observait la route déserte balayée par le froid et le vent. S'il s'était agi d'une épreuve de conduite chevaleresque[1], elle n'aurait pu commencer sous de pires auspices. Je relevai le menton et appelai :

— La ferme de William Stafford ?

---

1. Le code de conduite, au Moyen Âge, du chevalier errant à la recherche d'actions charitables. (*N.d.T.*)

Il retira le brin de paille qu'il mâchonnait et s'avança vers moi. Je tournai quelque peu mon cheval pour qu'il ne mît pas sa main sur la bride, et il recula devant la puissance de ma monture.

— William Stafford ? répéta-t-il, étonné.

Je sortis un penny de ma poche et le tins dans ma main gantée.

— Oui.

— Le nouveau gentleman de Londres ? Il se trouve à la ferme au Pommier, indiqua-t-il. Tournez à droite vers la rivière, c'est la maison au toit de chaume avec une écurie et un pommier au bord de la route.

Je lui lançai la piécette qu'il attrapa d'une main.

— Venez-vous aussi de Londres ? s'enquit-il avec curiosité.

— Non, du Kent.

Je tournai alors bride et remontai la route, à la recherche d'une rivière, d'un pommier, et d'une maison au toit de chaume avec une écurie.

Le sol était instable au bord de la rivière. Dans une forêt de roseaux, des canards cancanèrent soudain et un héron s'éleva brusquement dans les airs, le poitrail tendu comme un arc, déployant ses ailes immenses avant de se poser un peu plus en aval. Les champs étaient délimités par de petits buissons d'aubépine et, près de l'eau, les marais déchiquetés se teintaient de jaune, sans doute cuits par le sel. Plus près de la route, le sol était sombre et verdâtre, fatigué par l'hiver, mais, au printemps, William en tirerait certainement une bonne herbe à faucher.

Plus haut, la terre était labourée. L'eau qui suintait scintillait dans chaque sillon. Au nord, j'aperçus des champs de pommiers. L'un d'eux penchait, seul, au bord de la route, le tronc d'un gris argenté et les branches épaissies par l'âge. Du houx pendait sous l'arbre et, suivant mon impulsion, j'en pris une branche. Puis je dirigeai mon cheval vers sa ferme.

Celle-ci était toute petite, comme dessinée par un enfant. Une maison basse, longue de quatre fenêtres au premier étage et de deux au rez-de-chaussée, avec une porte centrale qui ressemblait à s'y méprendre à une porte d'étable. Sans doute peu de temps auparavant, le fermier et sa famille y dormaient-ils avec leurs animaux. Accotée à la maison, une étable de pierre propre et de bonne qualité, et un petit champ où paissaient quelques vaches. Un cheval paressait à la barrière ; je reconnus celui de William qui avait galopé sur les plages de Calais. L'étalon hennit en nous voyant, ce à quoi ma jument répondit, comme si elle aussi se remémorait ces journées ensoleillées.

Au bruit, la porte de la ferme s'ouvrit. Une silhouette en émergea et m'observa, main sur les hanches et en silence, approcher de la barrière. Je glissai au bas de ma selle pour l'ouvrir, sans ouïr de sa part une seule parole de bienvenue. J'attachai les rênes au portail et, ma branche de gui en main, avançai vers lui.

Je ne sus que dire, toute ma détermination soudain brisée face à lui.

— William, murmurai-je, lui tendant la petite branche fleurie en guise de tribut.

— Quoi? demanda-t-il d'un ton froid.

Je baissai ma capuche et secouai mes cheveux. Il m'avait toujours connue propre et parfumée ; je me vis alors, sale, engoncée dans une robe que je portais depuis trois jours, piquée par les puces, poussiéreuse, sentant le cheval et la sueur, la langue désespérément nouée.

— Quoi? répéta-t-il.

— Je suis venue vous épouser, si vous voulez encore de moi, lâchai-je d'un trait.

Son expression ne trahit rien, il regarda la route derrière moi.

— Qui vous a accompagnée?

— Je suis venue seule, répondis-je en secouant la tête.

— Qu'est-il advenu à la cour?

— Tout va pour le mieux : ils sont unis, elle attend un enfant. L'avenir des Howard est au beau fixe. Je serai la tante du roi d'Angleterre.

William éclata de rire, je baissai les yeux vers mes bottes et mes habits sales, riant à mon tour. Lorsque je relevai la tête, son expression était chaleureuse.

— Je n'ai rien, m'avertit-il, et je ne suis personne, comme vous l'affirmâtes si justement.

— Je ne possède qu'une centaine de livres par an, répondis-je, qu'ils m'ôteront lorsqu'ils me sauront auprès de vous. Et, sans vous, je ne suis personne, ajoutai-je, le désir de me blottir contre lui me faisant trembler.

Il m'ouvrit alors ses bras, vers lesquels j'avançai en trébuchant. Il me rattrapa et écrasa sa bouche contre la mienne, couvrant mon visage crasseux de baisers exigeants. Il me souleva ensuite et je franchis dans ses bras le seuil de sa demeure. Nous montâmes ainsi l'escalier qui menait au premier étage vers sa chambre et son lit aux draps frais, vers le bonheur.

Bien plus tard, il rit devant mes piqûres de puces et m'apporta un baquet rempli d'eau qu'il fit chauffer près du grand feu de la cuisine. Je m'y allongeai et le laissai me peigner les cheveux. Il mit mon corps de cotte et ma robe de côté pour les laver et insista pour me vêtir de sa chemise et de ses pantalons, que je roulai sur mes chevilles, comme un marin. Il détela ma jument qui galopa de concert avec l'étalon, ruant comme une jeune pouliche. Puis il me prépara un bol de porridge au miel, me coupa une tranche de pain frais sur laquelle il étala du beurre et un épais morceau de fromage d'Essex. Le récit de mon périple avec Jimmy le fit rire mais il me gronda d'être partie sans escorte, puis nous refîmes l'amour et restâmes au lit tout l'après-midi jusqu'à ce que le ciel devînt sombre et que la faim nous reprît.

Nous dînâmes à la lueur des chandelles dans la cuisine, d'un poulet cuit à la broche. Armée d'un gant, j'eus pour tâche de tourner la broche tandis qu'il coupait le pain, tirait la bière et se rendait au cellier pour y chercher beurre et fromage.

Après le repas, nous approchâmes nos sièges du feu puis nous portâmes un toast mutuel, avant de plonger dans un silence surpris.

— En partant, déclarai-je enfin, je ne réfléchis à rien d'autre qu'à vous trouver ; ni à votre maison ni à ce que nous ferions ensuite.

— Et à présent ?

— Je ne sais pas, avouai-je. J'imagine que je m'habituerai à être l'épouse d'un fermier.

Il lança un bloc de tourbe dans le feu, qui se mit à rougeoyer.

— Avez-vous laissé un message à votre famille ? s'enquit-il.

Je haussai les épaules.

— Non, rien.

Il éclata de rire.

— Oh, mon amour, à quoi pensiez-vous donc ?

— À vous, répondis-je simplement, j'ai soudain compris combien je vous aimais. Tout ce qui importait était de vous rejoindre.

William tendit la main et me caressa les cheveux.

— Vous êtes une brave fille, me dit-il d'un ton approbateur.

— Une brave fille ? répétai-je en riant.

Il ne se démonta pas.

— Oui.

J'allai à la rencontre de sa caresse et sa main descendit vers ma nuque. Il la serra d'une solide poigne, comme une maman chat qui tiendrait son petit, et me secoua doucement.

— Vous ne pouvez rester là, souffla-t-il.

J'ouvris les yeux de surprise et il leva la main, anticipant ma réponse.

— Non pas parce que je ne vous aime pas : je vous aime et nous allons nous unir. Mais il nous faut tirer le plus de profit de la situation.

— Vous voulez parler d'or ? intervins-je, désemparée.

Il secoua la tête.

— Je veux parler de vos enfants. Si vous me choisissez sans le soutien de quiconque, jamais vous ne les reverrez.

Je serrai les lèvres de douleur et répondis :

— Anne peut me les prendre à tout instant, de toute façon.

— Ou bien vous les restituer, me rappela-t-il. Vous disiez qu'elle avait conçu ?

— Oui, mais…

— Si elle a un fils, le vôtre ne l'intéressera plus, il nous faudra être prêts à le reprendre ; vous devez vous trouver à la cour pour vous battre.

Il poursuivit, sa main chaude sur mon épaule :

— Je reviendrai avec vous, je laisserai un homme ici pour s'occuper de tout pendant une saison ou deux. Le roi m'octroiera un poste et nous resterons ensemble. Puis nous récupérerons les enfants et rentrerons ici.

Il hésita un instant et je vis une ombre traverser son visage.

— Croyez-vous qu'ils aimeront la ferme ? s'enquit-il d'un ton timide. Ils sont accoutumés à Hever ; votre propre maison de famille se trouve à côté. C'est un petit endroit, ici, pour des enfants nobles de naissance et d'éducation.

— Ils seront plus fortunés qu'aucun noble, répondis-je avec douceur, car ils vivront avec un père et une mère qui les aiment, unis par amour.

— Et vous ? poursuivit-il. Ce n'est pas Hever.

— J'ai pris ma décision quand j'ai compris que rien ne vous remplacerait. J'ai besoin de vous, je veux vivre avec vous, quoi qu'il m'en coûte.

La main sur mon épaule se crispa ; il m'attira sur ses genoux et chuchota :

— Dites-le encore, je suis en plein rêve.

— Je vous aime, murmurai-je, je ne puis vivre sans vous.

— Voulez-vous m'épouser ? me demanda-t-il.

— Oui, soufflai-je, oh oui !

Nous nous unîmes dès que ma robe et mes dessous eurent séché. Le prêtre officia d'un air absent, mais je n'en avais cure. Ma première union au palais de Greenwich avait eu le roi pour témoin, avait couvert une histoire d'adultère et s'était terminée par la mort. Ce mariage-ci, tout simple, m'apportait un avenir différent : une maison à moi avec un homme que j'aimais.

Nous rentrâmes à pied, main dans la main. Notre repas de noces consista en un jambon que William avait fumé dans sa cheminée, accompagné de pain frais.

— Il me faudra apprendre à faire tout ceci, déclarai-je, mal à l'aise, les yeux levés vers les trois autres jambons qui pendaient au plafond.

— C'est très facile, répliqua-t-il en riant, nous engagerons une fille pour vous aider. Nous aurons besoin d'une femme ou deux avec les enfants.

— Les enfants ? demandai-je, pensant à Catherine et Henri.

Il sourit.

— Nos enfants. Je veux une maison remplie de petits Stafford, pas vous ?

Nous partîmes pour Westminster le jour suivant. J'avais envoyé un message à George pour l'implorer d'annoncer à Anne et notre oncle que, craignant d'avoir la suette, j'étais partie pour Hever sans voir quiconque. Ce mensonge invraisemblable venait tard mais j'espérai que, Anne mariée et enceinte, nul ne se préoccuperait trop de moi.

Nous fîmes le trajet en bateau, nos chevaux avec nous. Je me montrai réticente à accepter que William abandonnât sa ferme pour me ramener à la cour, moi qui avais décidé de la quitter, mais il se montra inflexible.

— Jamais vous ne pourrez vivre sans vos enfants, prédit-il, et je ne veux pas de votre douleur sur la conscience.

— Vous faites donc preuve d'égoïsme, répliquai-je avec esprit.

— La dernière chose dont je veuille est une femme acariâtre, rétorqua-t-il avec bonne humeur. Souvenez-vous, j'ai fait le trajet de

Hever à Londres en votre compagnie ; je sais combien vous pouvez vous montrer morose !

Grâce à une marée montante et un vent portant, le trajet s'effectua rapidement. Nous débarquâmes à l'embarcadère de Westminster. Je promis à William de le retrouver une heure plus tard sous le grand escalier et remontai le chemin vers le château tandis qu'il détachait les chevaux.

Je me rendis aussitôt aux appartements de George. Étrangement, sa porte était close. J'y fis résonner le signal des Boleyn et attendis une réponse ; j'entendis comme une brève lutte puis la porte s'ouvrit en grand.

— Oh, c'est vous, s'écria George.

Je m'avançai dans la pièce et aperçus sir Francis Weston qui rajustait son pourpoint.

— Oh, m'exclamai-je, reculant d'un pas.

— Francis est tombé de cheval, m'apprit George. Pouvez-vous marcher, à présent, Francis ?

— Oui, je pars me reposer, déclara-t-il en me baisant la main sans commenter l'état de mes habits usés.

La porte à peine refermée, je me tournai vers mon frère.

— George, je suis désolée mais il me fallait partir ; êtes-vous parvenu à mentir pour moi ?

— William Stafford ? s'enquit-il.

Je hochai la tête.

— C'est bien ce que je pensais. Nous sommes fous !

— Nous ? répétai-je, méfiante.

— Chacun à notre manière, expliqua-t-il. Vous êtes-vous donnée à lui ?

— Oui, et il est revenu avec moi, répondis-je sans oser lui confier que nous étions mariés. Il ne peut retourner au service d'oncle Howard, lui trouverez-vous un poste dans la Maison du roi ?

— Sans doute, répondit George. Mais qu'allez-vous faire, s'il est à la cour ? On vous démasquera.

— George, je vous en prie ! Je n'ai jamais rien demandé alors que l'ascension d'Anne apporta à chacun poste, terre ou argent. Mais, à moi qui ne voulais que mes enfants, elle m'a pris mon fils.

— Très bien, capitula-t-il, mais montrez-vous discrète, plus de cavalcades seule à seul. Et pour l'amour de Dieu, ne vous faites pas engrosser! De plus, si oncle Howard vous trouve un époux, vous devrez vous unir, que vous l'aimiez ou non.

— Je me préoccuperai de cela en temps voulu, répliquai-je. Lui procurerez-vous un poste?

— Il peut servir comme garde dans la Maison du roi. Mais rappelez-lui qu'il m'est redevable de sa place et qu'il doit garder ses yeux et ses oreilles ouverts pour moi. Il m'appartient à présent.

— Non, le contredis-je avec un sourire rusé, il est à moi.

— Seigneur, quelle putain, rit George en me prenant dans ses bras.

— Suis-je en sécurité, ont-ils tous cru à mon départ pour Hever?

— Oui, nul ne s'aperçut de votre disparition pendant un jour entier. Quand ils me demandèrent si je vous avais menée à Hever sans leur permission, cela sembla une bonne idée de répondre par l'affirmative en ajoutant que vous craigniez que vos enfants fussent malades. Votre message me conforta dans ce mensonge, il est solide.

— Merci, répondis-je, soulagée. Je ferais mieux de changer de vêtements avant que l'on ne me voie.

— Jetez-les plutôt. Vous avez du tempérament, *Marianne*. Jamais je ne l'eusse cru. Je croyais que vous obéiriez toujours.

— Pas cette fois, lui lançai-je en soufflant un baiser depuis la porte.

Je retrouvai William, comme promis. Comme il était étrange de se tenir à distance, tels deux étrangers!

— George a déjà menti pour moi, je suis en sécurité. Il vous obtiendra un poste de garde dans la Maison du roi.

— Quelle ascension fulgurante, ironisa-t-il, je savais bien que vous épouser me porterait au pinacle. De fermier à garde royal en un jour.

— Et le billot le lendemain, si vous ne prenez garde à ce que vous dites, l'avertis-je.

Il rit, s'empara de ma main et la baisa.

— Je trouverai un logement au-delà des murs, nous pourrons passer nos nuits ensemble, puisque nous serons séparés le jour.

— Oui, j'aimerais cela.

— Vous êtes ma femme à présent, poursuivit-il en souriant, je ne vous laisserai pas partir.

Je trouvai Anne dans les appartements de la reine, brodant avec ses dames d'honneur une immense nappe d'autel. Je cillai devant cette scène qui me rappelait la reine Catherine, puis je remarquai les différences : les dames autour d'Anne étaient presque toutes des Howard. La plus jolie était sans conteste notre cousine, Madge Shelton, récemment présentée à la cour. Quant à la plus riche, il s'agissait de Jane Parker, l'épouse de George. L'atmosphère aussi était différente : la reine Catherine aimait nous entendre lire des passages de la Bible ou d'un livre de prières, mais Anne, qui aimait la musique, avait fait venir quatre musiciens qui jouaient tandis que l'une des dames d'atour chantait en travaillant. Enfin, une demi-douzaine d'hommes se trouvaient dans la pièce : sir William Brereton aidait Madge à trier les fils de soie par couleur ; sir Thomas Wyatt écoutait la musique, assis sous la fenêtre ; sir Francis Weston, regardant par-dessus l'épaule d'Anne, louait la finesse de sa broderie et, dans un coin, Jane Parker était plongée dans une conversation à mi-voix avec James Wyville. Jamais la reine Catherine, élevée dans la stricte étiquette d'Espagne, n'avait autorisé la présence d'hommes dans ses appartements hors des visites du roi.

Anne leva à peine la tête lorsque j'entrai, vêtue d'une nouvelle robe verte.

— Vous voilà, dit-elle d'un ton indifférent. Comment se portent les enfants ?

— Bien, répondis-je, ils ne souffraient que d'un rhume.

— Comme Hever doit être beau, remarqua sir Thomas Wyatt depuis la fenêtre. Les jonquilles sont-elles en fleur ?

— Oui, répondis-je en hâte. En boutons, corrigeai-je aussitôt.

— Mais la plus belle fleur de Hever est ici, poursuivit sir Thomas en regardant Anne.

— Elle est aussi en bouton, répondit-elle d'un ton provocant, et les femmes rirent avec elle.

Mon regard passa de sir Thomas à Anne ; jamais je n'aurais cru qu'elle abordât le sujet de sa grossesse devant des hommes.

— Comme j'aimerais être une petite abeille qui en butine les pétales, poursuivit sir Thomas.

— Vous trouveriez la fleur close, répondit Anne.

Le regard de Jane Parker passait de l'un à l'autre, comme suivant une partie de jeu de paume. Tout cela me semblait une immense perte de temps ; j'aurais tant préféré me trouver avec William...

— Quand partons-nous ? m'enquis-je, interrompant le badinage.

— La semaine prochaine, répondit Anne, désinvolte. Nous partons pour Greenwich, je crois. Pourquoi ?

— Je suis lasse de Londres.

— Vous ne tenez pas en place, déclara Anne. À peine rentrée, vous voici déjà prête à repartir. Vous avez besoin d'un homme pour vous attacher, ma sœur, vous êtes veuve depuis trop longtemps.

Je me laissai aussitôt tomber à côté de sir Thomas sur la banquette près de la fenêtre.

— Pas du tout, répliquai-je, je suis sereine comme chat endormi.

— On croirait que vous éprouvez une aversion envers les hommes, dit-elle en riant.

— Non, juste un manque d'inclination.

— Votre réputation ne fut jamais de manquer d'inclination, poursuivit Anne avec malice.

— Ni la vôtre de vous montrer docile, toutefois, vous le voyez, nous sommes toutes deux heureuses.

Elle se mordit la lèvre, cherchant une réplique incisive, mais elle abandonna, incapable d'en trouver une qui fût proche de son propre statut, guère meilleur que le mien, de maîtresse royale.

— La merci à Dieu, déclara-t-elle pieusement en reprenant son travail.

— Amen, répliquai-je.

Comme les jours s'écoulaient lentement ! Je ne voyais William que par hasard dans la journée car son emploi le maintenait auprès du roi. Ce dernier se prit d'affection pour lui et le consultait fréquemment sur des questions équestres. Quelle ironie que mon William, l'homme à qui la vie de cour convenait le moins, se vît favorisé par le souverain !

La nuit, toutefois, nous étions seuls. Dans la pièce qu'il avait louée en face du palais, j'entendais les oiseaux qui pépiaient dans le chaume. Nous possédions un petit lit sur une paillasse, une table, deux chaises, et une cheminée où réchauffer notre dîner emporté du palais, rien de plus. Cela nous suffisait.

Chaque matin, je m'éveillais imprégnée de son odeur et de la chaleur de sa peau, étourdie de bonheur. Pour la première fois, je jouissais des caresses d'un homme sans devoir prétendre les trouver à mon goût. Constatant combien nous nous aimions et partagions le même sincère appétit l'un pour l'autre, je me demandai ce que j'avais fait toutes ces années, fourvoyée dans la vanité et la luxure.

Une violente querelle opposa notre oncle à Anne et assombrit le couronnement de cette dernière. Il l'accusa de se sentir si démesurément importante qu'elle en oubliait qui l'avait placée là. Elle rétorqua que la démesure de son corps venait de ce qui s'y trouvait et qu'elle savait bien qui l'avait placé là.

— Par Dieu, Anne, vous n'oublierez pas votre famille ! jura-t-il.

— Comment le pourrais-je ? Vous êtes collés à moi comme des abeilles sur un pot de miel ! Je trébuche à chaque pas sur l'un de vous qui demande une faveur.

— Je ne demande rien, cracha-t-il, j'ai tous les droits.

— Pas sur moi ! Vous parlez à la reine.

— Je m'adresse à ma nièce, qui eût été bannie de la cour sans mon aide, pour avoir couché avec Henry Percy.

Elle bondit sur ses pieds comme pour lui sauter à la gorge.

— Anne ! Le bébé ! Restez tranquille ! criai-je.

Elle se laissa tomber dans son fauteuil.

— N'en parlez plus jamais, siffla-t-elle. Oncle ou non, si vous réveillez ce vieux scandale, je vous ferai bannir de la cour.

— Je suis comte-maréchal d'Angleterre, grinça-t-il, j'étais déjà l'un des hommes les plus importants de ce pays quand vous gisiez encore en pouponnière.

— Et, avant Bosworth, votre père[1] était un traître à la Couronne ! lança-t-elle. Soyez contre moi, je serai contre vous et vous renverrai à la Tour d'un seul mot.

— Faites donc ! aboya-t-il, puis il quitta la pièce sans la saluer.

Elle le suivit des yeux.

— Je le casserai, dit-elle tranquillement.

— Ne dites pas cela, intervins-je en hâte, vous avez besoin de lui.

— Je n'ai besoin de personne, rétorqua-t-elle froidement. Le roi m'appartient ; je possède son cœur, son désir, son fils. Je n'ai besoin de personne.

---

1. John Howard, qui soutint Richard III et mourut à ses côtés en 1485 à la bataille de Bosworth, remportée par Henri Tudor, père de Henri VIII. (*N.d.T.*)

Oncle Howard, pas encore remis de sa querelle, mena Anne à son couronnement. Comme George l'avait prévu, ce fut la plus belle cérémonie jamais vue. Anne avait ordonné que fût brûlé le grenadier d'Espagne sur la barge de la reine Catherine, remplacé par le propre blason d'Anne et ses initiales entrelacées à celles de Henri. Le peuple les railla, lisant : « HA, HA ! » La nouvelle devise d'Anne, « La Plus Heureuse », s'inscrivait partout. George, à l'ouïr la première fois, avait grommelé :

— Anne, heureuse ? Elle le sera quand elle deviendra reine des Cieux après avoir détrôné la Vierge Marie elle-même.

Nous nous rendîmes à la Tour en bateau, tel un ballet d'oriflammes d'or et d'argent ; le roi nous attendait au débarcadère. Anne, magnifiquement vêtue, une cape de fourrure sur les épaules, quitta son embarcation comme une princesse née pour devenir la plus glorieuse reine qui eût jamais existé.

Nous passâmes deux nuits à la Tour. Lors de la première, après un long dîner et des divertissements, Henri distribua des honneurs pour célébrer l'événement. Il adouba dix-huit chevaliers de l'ordre du Bain, dont mon époux. William vint à moi après que le roi eut posé son épée sur son épaule et lui eut donné le baiser d'allégeance. Nous dansâmes, espérant que nul ne remarquerait la sœur de la reine dans les bras d'un simple chevalier.

— Alors, lady Stafford, comment se portent vos ambitions ?

— Elles s'élèvent, répondis-je, vous monterez aussi haut qu'un Howard, je le sens.

— J'en suis heureux, poursuivit-il d'un ton confidentiel. Je ne voulais pas vous voir vous rabaisser en m'épousant.

— Je vous eusse épousé, même paysan, répliquai-je fermement.

Il rit.

— Mon amour, vous étiez troublée par les puces, je l'ai bien vu.

J'allai lui répondre en riant lorsque j'aperçus George, au bras de Madge Shelton, nous lancer un regard furieux. Je me calmai aussitôt.

— George nous observe.

William hocha la tête et répondit :

— Il devrait plutôt faire attention à lui et à ses mauvaises relations.

— C'est un Howard et qui plus est l'ami du roi ; bien sûr qu'il a de mauvaises relations ! répliquai-je en riant.

Il changea brusquement de cap.

— Oh, ce n'est rien, je pense.

Les musiciens achevèrent leur morceau et j'attirai William sur le côté.

— Dites-moi la vérité, à présent.

— Sir Francis Weston, dont la réputation n'est guère recommandable, se trouve constamment auprès de lui, m'apprit-il.

Je fus aussitôt sur mes gardes.

— Il s'agit seulement de l'insouciance de la jeunesse.

— C'est plus que cela, reprit William en regardant autour de lui. Ils sont amants, dit-on.

Je retins mon souffle.

— Vous le saviez?

Je hochai la tête en silence.

— Seigneur, Marie! Votre propre frère se vautre dans le péché et vous ne m'en parlez pas?

— C'est mon frère! m'exclamai-je. Je ne lui en tiens aucune rigueur!

— Lui êtes-vous plus loyale qu'à moi?

— Autant qu'à vous, rétorquai-je. Nous sommes les Trois Boleyn, William, nous connaissons de terribles secrets et avons besoin les uns des autres. Je ne suis pas encore totalement lady Stafford.

— George est un sodomite! siffla-t-il.

— Il n'en reste pas moins mon frère!

J'agrippai son bras sans craindre d'être vue puis l'entraînai dans une alcôve.

— Mon frère est sodomite, ma sœur est une putain, peut-être même une empoisonneuse, et je suis moi aussi une putain! Dites-moi maintenant si je suis assez bien pour vous! Je savais que vous n'étiez personne et suis cependant venue à vous. Mais, si vous voulez vous élever à cette cour, vous aurez du sang ou du bren sur les mains. Faites de même si vous en avez l'estomac!

William eut un hoquet face à ma véhémence, il me prit dans ses bras.

— Je ne voulais pas vous bouleverser.

— Ce sont mon frère et ma sœur; quoi qu'il advienne, ils restent ma famille.

William hocha la tête.

— Que se dit-il à son propos? demandai-je d'une voix plus ferme.

— Ce sont encore de faibles rumeurs, Dieu merci, mais on parle d'une cour secrète d'amis dépravés qui entoure votre sœur: sir Francis en fait partie, sir William Brereton et George. Ils aiment tout ce qui excite, les paris, les courses folles, les défis. Ils jouent et courtisent sans cesse dans les appartements de la reine, Anne est compromise.

Je cherchai mon frère des yeux et le vis, debout derrière le trône d'Anne, lui chuchotant quelque chose à l'oreille. En réponse, Anne renversa la tête en arrière avec un rire de gorge.

— Cette vie corromprait un saint, alors, un jeune homme...

— Il voulait être soldat, l'interrompis-je tristement, un croisé allant se battre contre l'infidèle, bouclier blanc au poing.

— Sauvons Henri de tout cela, déclara William.

— Mon fils?

— Notre fils. Offrons-lui une vie qui ait un sens, qui ne soit pas dédiée à la paresse et à la quête du plaisir. Avertissez votre frère et votre sœur que leur cercle d'intimes est l'objet de rumeurs, dont les pires concernent George.

Le jour suivant, Anne fit son entrée solennelle dans la ville. Je l'aidai à se vêtir d'une robe blanche, d'un surcot de même couleur et d'un manteau d'hermine. Elle couvrit d'un voile d'or sa chevelure noire étalée sur ses épaules. Elle entra dans Londres dans une litière tirée par deux poneys blancs, les barons des *Cinque Ports*[1] tenant un dais d'or au-dessus de sa tête. La cour, dans ses plus beaux atours, suivait à pied. Des arches se dressaient sur la voie, du vin jaillissait des fontaines, mais la procession se déroula dans un silence terrible.

— Dieu tout-puissant! murmura Madge Shelton, qui marchait à mes côtés derrière la litière d'Anne.

Les habitants de Londres étaient venus par milliers, mais sans brandir de drapeau ni acclamer le nom d'Anne. Ils examinaient avec une curiosité malsaine celle qui avait tant changé l'Angleterre et le roi, qui avait littéralement coupé le manteau de la royauté à sa mesure.

Son couronnement, le lendemain, ne valut guère mieux. Vêtue de velours cramoisi bordé d'une fourrure d'hermine d'un blanc éclatant, elle avait le visage sombre de colère.

— N'êtes-vous point heureuse, Anne? m'enquis-je en arrangeant sa traîne.

— « La Plus Heureuse », railla-t-elle, citant sa propre devise. Je suis reine, épouse du roi d'Angleterre. J'ai détrôné Catherine pour prendre sa place. Je devrais être la plus heureuse des femmes.

---

1. Lords barons ayant la charge des cinq ports du sud de l'Angleterre destinés à la défense du pays. (*N.d.T.*)

— Et il vous aime, ajoutai-je en pensant combien ma vie s'était transformée grâce à l'amour.

Anne haussa les épaules.

— Oui, oui, dit-elle avec indifférence. Si seulement je savais qu'il s'agissait d'un garçon ! ajouta-t-elle, la main sur le ventre, j'aurais tant voulu être couronnée avec un prince déjà au berceau.

Je posai une main sur son épaule.

— Ce ne sera plus long, maintenant, répondis-je, trouvant singulier qu'elle me confiât une faiblesse.

— Trois mois.

Un coup à la porte retentit, et Jane Parker entra, le visage rouge d'excitation.

— Ils vous attendent, haleta-t-elle, il est temps. Êtes-vous prête ?

— Comment ? répondit Anne, glaciale, le masque royal recouvrant ses traits.

Jane s'abîma dans une révérence.

— Pardonnez-moi, Votre Majesté ! Je voulais dire qu'ils attendent Votre Altesse.

— Je suis prête, annonça Anne en se levant.

Le reste de sa cour pénétra dans la pièce, ses femmes arrangèrent une dernière fois la traîne de son manteau et étalèrent sa longue chevelure sur ses épaules.

Et ma sœur, une Boleyn, s'en fut être couronnée reine d'Angleterre.

Je passai la nuit qui suivit le couronnement d'Anne avec William, dans ma chambre, à la Tour. Madge Shelton, qui aurait dû être ma compagne de lit, m'avait annoncé son absence. Tandis que la fête battait encore son plein, William et moi nous retirâmes discrètement et, ajoutant une grosse bûche dans le feu, nous nous déshabillâmes et fîmes lentement l'amour.

À cinq heures du matin, délicieusement las après une nuit d'ébats, nous étions affamés.

— Venez, m'enjoignit-il, allons chercher quelque chose à manger.

Mes vêtements recouverts d'un grand manteau à capuche pour cacher mon visage, nous sortîmes dans les rues de Londres. La moitié des habitants étaient affalés dans les caniveaux, ivres du vin distribué aux fontaines. Nous enjambâmes des corps inconscients jusqu'au quartier des Minories.

Nous marchions main dans la main, insoucieux d'être vus. Devant une boulangerie, William recula d'un pas pour voir si la fumée s'échappait de la cheminée.

— Je sens le pain, annonçai-je, humant l'air et riant de ma faim.

William martela la porte. Un cri étouffé nous parvint et un homme ouvrit brusquement la porte, le visage moucheté de farine.

— Puis-je acheter une miche de pain et de quoi déjeuner ? s'enquit William.

L'homme cligna des yeux dans la lumière du petit matin et répondit d'un air grognon :

— Si vous avez de l'argent, car Dieu sait que j'ai tout dépensé hier.

Nous entrâmes. À l'intérieur, il faisait chaud, une douce odeur flottait dans l'air, et tout était recouvert d'une fine pellicule de farine. William essuya une chaise pour m'y faire asseoir.

— Du pain, commença-t-il, de la bière, et des fruits pour la dame, si vous en avez. Quelques œufs durs et de la viande peut-être, ou du fromage ?

— C'est ma première fournée, grommela l'homme. J'ai à peine déjeuné moi-même, je ne vais pas couper du jambon pour la noblesse.

L'éclat d'une pièce d'argent changea tout.

— J'ai un excellent jambon dans mon saloir et un fromage tout frais du pays que fait mon cousin, roucoula-t-il. Ma femme va se lever pour vous servir sa bière, elle est bonne brasseuse, c'est la meilleure de Londres.

— Merci, sourit William en s'asseyant à côté de moi, un bras passé autour de ma taille.

— Jeunes mariés ? demanda le boulanger en sortant des miches du four et les poussant devant nous.

— Oui, répondis-je.

— Je vous souhaite que ça dure, déclara-t-il en posant ses pains sur le comptoir de bois.

— Amen, murmura William, qui m'attira vers lui, m'embrassa et chuchota :

— Je vous aimerai ainsi toute ma vie.

William me raccompagna au guichet de la Tour puis loua les services d'un batelier pour y pénétrer seul à son tour. Madge Shelton se trouvait dans ma chambre quand j'y pénétrai, trop occupée à changer de vêtements pour se demander d'où j'arrivais de si bon matin. La moitié de la cour semblait avoir dormi dans le mauvais lit : le triomphe d'Anne, maîtresse devenue épouse, servait d'exemple à toutes les jeunes filles.

Je me vêtis et me lavai le visage puis rejoignis Anne et les autres dames d'atour qui se rendaient aux matines. Ma sœur, en son premier jour de règne, était richement habillée d'une robe brun sombre ornée de bijoux, un long collier de perles enroulé deux fois autour de son cou. Elle portait encore son « B » d'or et transportait un livre de prières ferré d'or. Elle hocha la tête en me voyant et je plongeai aussitôt dans une profonde révérence, lui emboîtant le pas comme s'il s'agissait d'un honneur.

Après la messe et la première collation avec le roi, Anne entreprit de réorganiser la maisonnée. Je remarquai le nom de « Seymour ».

— Engagez-vous une Seymour comme dame d'atour ? demandai-je à Anne.

— Laquelle ? intervint George en s'emparant de la liste. Cette Agnès est paraît-il une véritable putain.

— Jane, répondit Anne. Mais je prends aussi tante Élisabeth et cousine Marie, cela fera suffisamment de Howard pour contrecarrer l'influence d'une Seymour.

— Qui l'appuie pour ce poste ? s'enquit George.

— Tout le monde appuie quelqu'un pour un poste, gémit Anne, qui recula soudain sa chaise de la table, posa les mains sur son ventre et soupira.

— Fatiguée ? demanda George, aussitôt sérieux.

— Une petite crampe. Ce n'est rien, n'est-ce pas ? demanda-t-elle en se tournant vers moi.

— J'en souffris lorsque j'étais grosse de Catherine. Mais je parvins à mon terme et la délivrance s'avéra aisée.

— Ça ne veut pas dire qu'il s'agit d'une fille ? s'enquit George, anxieux.

Je les observai, ces visages tirés, ces regards impatients : ces traits que m'avait renvoyés mon miroir toute ma vie avant que William n'efface cette expression affamée.

— Tranquillisez-vous, ordonnai-je gentiment à mon frère, rien au monde ne s'oppose à ce qu'elle accouche d'un fils magnifique, et s'inquiéter est le pire qu'elle puisse faire.

— Autant me demander de cesser de respirer, jeta Anne.

— Dieu vous accordera un fils, c'est certain, l'apaisa George.

Lentement, elle étira ses mains par-dessus la table, et George s'en empara, les serrant fort. J'observai cette ambition qui ne leur laissait aucun répit et goûtai pleinement le soulagement que mon renoncement m'avait apporté.

J'attendis un instant puis je me lançai :

— George, des rumeurs équivoques circulent à votre propos.

Il se redressa en affichant son sourire malicieux.

— Bien entendu !

— On accuse sir Francis Weston d'appartenir, tout comme vous, à un groupe abominable, persistai-je.

George se tourna vivement vers Anne mais cette dernière, ignorant visiblement de quoi il s'agissait, me dévisageait d'un air inquisiteur.

— Sir Francis est un ami loyal.

— La reine a parlé ! décréta George, cherchant à plaisanter.

— Parce qu'elle ne sait de quoi il en retourne ! rétorquai-je sèchement.

Anne afficha son inquiétude.

— Je dois être parfaite, l'avertit-elle.

— Ce n'est rien, lui répondit George, confiant. Quelques nuits passées à trop boire avec de mauvaises femmes et à parier trop gros. Jamais je ne vous causerai de discrédit, Anne, je vous le promets.

— Il y a plus, annonçai-je, ils affirment que sir Francis est l'amant de George.

Anne écarquilla les yeux et agrippa le bras de George.

— Ce n'est pas vrai, n'est-ce pas ?

— Bien sûr que non, protesta-t-il en recouvrant sa main de la sienne.

Elle tourna vers moi un visage glacial.

— Cessez de m'importuner de ces horribles histoires, Marie, vous ressemblez à Jane Parker.

— Faites attention, ordonnai-je à George, la boue que l'on vous jette nous salit tous.

— Il n'y a pas de boue, répondit-il, les yeux fixés sur le visage d'Anne.

— Je l'espère bien, répliqua-t-elle.

Nous la laissâmes se reposer et partîmes à la recherche du reste de la cour qui jouait au palet avec le roi.

— Qui a parlé de moi ? s'enquit-il.

— William, confessai-je honnêtement. Il savait que je m'inquiéterais pour vous.

— J'aime Francis, m'avoua-t-il après un court silence, aucun homme n'est plus brave, plus doux ni meilleur que lui ; je ne peux m'empêcher de le désirer.

— Vous l'aimez comme une femme ? demandai-je gauchement.

— Comme un homme, me corrigea-t-il aussitôt, avec plus de passion, oserais-je affirmer.

— George, c'est un péché mortel. De plus, il vous brisera le cœur. Si notre oncle savait... Ne pouvez-vous cesser de le voir ?

Il se tourna vers moi, sourire aux lèvres.

— Pouvez-vous cesser de fréquenter William ?

— C'est différent, protestai-je, William m'aime d'un amour vrai et honorable, et moi aussi. Mais ça...

— Vous avez la chance d'aimer quelqu'un qui est libre de vous aimer en retour, c'est tout, me coupa-t-il brutalement. Moi, je me consume de désir et j'attends qu'il s'éteigne et soit réduit en cendres, comme tout ce que j'ai jamais aimé.

— George, soufflai-je avec compassion, ô mon frère...

— Quoi ? demanda-t-il, ses grands yeux affamés de Boleyn fixés sur moi.

— Cela vous détruira.

— Oh, probablement, répondit-il avec insouciance, mais Anne et mon neveu le roi me sauveront.

Été 1533

$\mathcal{A}$nne refusa de me laisser me rendre à Hever cet été-là car sa délivrance prenait place en août. J'étais plongée dans une telle furieuse déception qu'il m'était presque impossible de me trouver dans la même pièce qu'elle, à l'écouter spéculer des heures sur la sorte de roi que deviendrait son fils. Tout le monde s'occupait d'Anne, s'inclinait devant elle et rien n'excédait l'importance accordée à son ventre. Henri ne supportait pas de s'éloigner d'elle, pas même le temps d'une chasse.

Au début du mois de juillet, George et mon père furent envoyés en France annoncer la naissance du futur roi d'Angleterre, puis à Rome y dénouer l'impasse dans laquelle nous étions engagés. Je demandai encore une fois à Anne de se passer de moi lorsqu'elle entrerait en confinement.

— Je veux aller à Hever, énonçai-je tranquillement, j'ai besoin de voir mes enfants.

Elle secoua la tête, allongée dans son lit qui avait été poussé près de la fenêtre. Celle-ci était ouverte, laissant entrer la brise venant du fleuve, mais Anne était en sueur. Sa robe était lacée serré et ses seins, comprimés par son corps de cotte, semblaient gonflés et douloureux. Son dos la faisait souffrir, même adossée aux coussins brodés de perles.

— Non, répliqua-t-elle sèchement.

Elle me vit sur le point de discuter et ajouta :

— Cessez ! Je peux vous commander comme une reine ce que je ne devrais pas à avoir à vous demander comme une sœur. Je vous ai bien rendu visite lors de votre confinement.

— Vous me volâtes mon amant tandis que je donnai naissance à son fils, répondis-je froidement.

— J'y étais obligée, vous auriez agi de même. Marie, j'ai besoin de vous, ne partez pas.

— Pourquoi avez-vous besoin de moi ?

Elle perdit toute couleur et répondit :

— Si cela me tuait ?

— Oh, Anne...

— Je ne veux pas de votre pitié, jappa-t-elle, irritée, je veux que vous soyez là pour me protéger.

— Que voulez-vous dire ?

— S'ils devaient sortir le bébé de mon corps en m'assassinant, ils le feraient, affirma-t-elle brutalement. Ils préféreraient un petit prince de Galles en vie à une reine.

— Mais comment les arrêterais-je ? murmurai-je faiblement.

Elle me lança un regard brillant à travers ses cils.

— Vous le diriez à George, qui persuaderait le roi de me sauver.

Sa vision blême du monde me décontenança, mais je pensai alors à mes propres enfants et stipulai :

— Quand votre bébé sera né et que vous irez bien, alors j'irai à Hever.

— Une fois le bébé né, vous irez au diable si vous le voulez, répondit-elle d'une voix égale.

L'attente commença. Lors de l'une de ces chaudes journées, la pire nouvelle nous parvint de Rome : le pape avait enfin pris sa décision, Henri serait excommunié.

— Quoi ? s'exclama Anne.

Lady Rochford, l'épouse de George nouvellement anoblie, rapportait la nouvelle, tel un charognard se précipitant sur une carcasse.

— Excommunié ! répéta-t-elle. Tout Anglais loyal au pape se doit de désobéir au roi. L'Espagne peut nous envahir ; il s'agira d'une guerre sainte.

Anne prit la teinte des perles autour de son cou.

— Sortez ! ordonnai-je soudain, comment osez-vous entrer ici et bouleverser la reine ?

— Certains nieront qu'elle soit la reine, répliqua Jane en se dirigeant vers la porte. Le roi va-t-il la répudier à présent ?

— Sortez ! hurlai-je sauvagement, puis je me précipitai vers Anne.

Elle avait posé la main sur son ventre, comme pour protéger le bébé de cette nouvelle catastrophique.

— Il me soutiendra, chuchota-t-elle. Cranmer lui-même nous a unis et m'a couronnée. On ne peut nier cela.

— Non, opinai-je avec une feinte fermeté.

Je pensai toutefois en mon for intérieur : « Comment défendre ce que condamne le Saint-Père ? » Le roi n'aurait d'autre choix que de se rendre. Renoncerait-il alors à Anne ?

— Mon Dieu, comme j'aimerais que George soit là, gémit Anne avec désespoir.

Deux jours plus tard, ce dernier rentra. Il apportait une lettre affolée de notre oncle qui demandait conseil. Le roi renvoya George en France avec l'ordre de rompre les négociations et de revenir au pays.

La température d'été monta, une invasion de l'Angleterre sembla imminente. Les prêtres prêchaient le calme du haut de leur chaire, se demandant quel côté soutenir. Mais beaucoup d'églises fermèrent leur porte et il devint impossible de se confesser, prier, enterrer ses morts ou baptiser ses enfants. Oncle Howard, que je n'avais jamais vu aussi terrifié, supplia le roi de le laisser retourner en France implorer le roi François de convaincre le pape de lever l'excommunication. Mais George, le plus pondéré de nous, tourna toute son attention vers Anne.

— C'est là notre sauvegarde, me dit-il calmement, rien ne garantit davantage notre sécurité qu'un petit garçon.

Il passait chaque matin assis avec Anne sous la fenêtre, s'éclipsait quand Henri arrivait, revenait aussitôt le roi parti. À l'endroit du souverain Anne demeurait fascinante et pleine de fougue ; elle ne montrait sa lassitude et sa peur qu'à George et moi. Sans surprise, les visites du roi l'épuisaient.

Henri ne partait pas chasser seul, bien sûr, et Anne, toute fascinante qu'elle demeurât, ne pouvait le retenir alors qu'il lui était interdit de partager sa couche. Le souverain se mit à courtiser ouvertement lady Margaret Steyne, et, avant peu, Anne l'apprit.

Lors d'une visite, un après-midi, il reçut un accueil glacial.

— Ainsi vous osez vous montrer, l'accueillit-elle alors qu'il s'asseyait à côté d'elle.

Henri lança un regard autour de lui ; les hommes s'éloignèrent aussitôt et s'appliquèrent à devenir sourds. Les femmes détournèrent pudiquement la tête.

— Madame ?

— J'ai appris que vous partageâtes la couche d'une fille de rien. Je ne l'accepterai ni ne le tolérerai, l'avertit-elle, elle doit quitter la cour.

Henri secoua la tête et se leva.

— Vous oubliez à qui vous vous adressez, lui dit-il, et la mauvaise humeur ne sied pas à votre condition. Je vous souhaite le bonjour, madame.

— Je suis votre épouse et la reine ! rétorqua Anne. Je ne serai pas insultée à ma propre cour. Cette femme doit partir.

— Je ne reçois d'ordre de personne !

— Nul n'a le droit de m'insulter !

— En quoi fûtes-vous insultée ? Cette femme vous a toujours marqué le plus grand respect et je demeure votre serviteur le plus obéissant. Que vous faut-il de plus ?

— Je ne la veux pas ici ! Je ne serai pas traitée ainsi !

— Madame, répliqua Henri d'un ton glacial, une femme bien meilleure que vous fut traitée de bien pire façon sans jamais s'en plaindre. Vous le savez bien, d'ailleurs.

Absorbée par sa propre colère, elle ne comprit pas aussitôt l'allusion. Puis elle descendit brusquement de son fauteuil et hurla :

— Vous osez me comparer à cette femme qui ne fut jamais votre épouse ?

— Une princesse de sang, cria-t-il en retour, qui savait que le devoir d'une femme consiste à s'occuper du bien-être de son mari.

Anne claqua la main sur son ventre.

— Vous donna-t-elle un fils ?

Après un silence, Henri répondit :

— Non.

— Princesse ou pas, elle s'est donc montrée inutile. Et elle n'était pas votre épouse.

Il hocha la tête. Henri, tout comme nous, trouvait parfois difficile de se souvenir de ce fait.

— Vous ne devriez pas vous agiter, lui dit-il.

Je m'approchai avec réticence et intervins :

— Anne, vous devriez vous asseoir, murmurai-je le plus doucement possible.

Henri se tourna vers moi avec soulagement.

— Oui, lady Carey, aidez-la à se reposer, je m'en vais.

Il salua Anne et quitta brusquement la chambre, suivi de la moitié des courtisans. Anne leva les yeux vers moi.

— Pourquoi êtes-vous intervenue ?

— Vous ne pouvez risquer la santé du bébé.

— Oh, ce bébé ! C'est tout ce qui importe à tout le monde !

George s'approcha et s'empara de la main d'Anne.

— Bien sûr, tout notre avenir en dépend. Le vôtre également, Anne. Restez tranquille à présent, Marie a raison.

— Je voulais qu'il la renvoie, répliqua Anne avec colère. Vous n'auriez jamais dû intervenir.

— Vous ne pouvez gagner ce combat, lui rappela George, car vous ne partagerez son lit qu'une fois accouchée et purifiée. Vous savez qu'il en possédera une autre dans l'intervalle.

— Et si elle se l'attachait ? gémit Anne en me glissant un regard en biais, sachant pertinemment me l'avoir pris quand j'étais en couches.

— Impossible, répliqua doucement George, vous êtes son épouse, il ne peut divorcer de vous, surtout si vous avez son fils. Votre carte maîtresse est dans votre ventre.

Elle se carra confortablement dans son fauteuil.

— Faites venir les musiciens.

George claqua des doigts et un petit page s'élança aussitôt. Anne se tourna vers moi et ajouta :

— Et dites à cette lady Margaret Steyne que je ne veux plus la voir.

Cet été-là, le maître des festivités conçut batailles, bals masqués et divertissements sur la Tamise pour Henri et la nouvelle reine. Une bataille du feu se déroula, qu'Anne suivit depuis une tente magnifique élevée pour elle sur les rives. Un bal s'ensuivit sur une plate-forme érigée au milieu du fleuve. Je dansai avec une demi-douzaine de partenaires avant de chercher mon mari des yeux.

Il m'observait, comme toujours quand nous avions la possibilité de nous échapper un instant. Après un discret signe de tête, nous nous éloignâmes dans l'ombre pour un baiser et une caresse. Parfois, à la faveur de la nuit, incapables d'attendre, nous prenions notre plaisir alors que la musique couvrait mes râles de félicité.

Amante clandestine, je percevais aussi le jeu de George. Lui aussi se plaçait au centre des choses afin d'être vu, puis reculait doucement vers l'obscurité du jardin. Sir Francis disparaissait à son tour et je les imaginai dans sa chambre, dans les tavernes de la ville, à cheval pour une chevauchée sauvage au clair de lune ou bien s'étreignant farouchement. George réapparaissait quelques instants plus tard ou disparaissait la nuit entière. Anne l'accusait de séduire les servantes, il écartait ses reproches d'un rire. Moi seule connaissais le désir démoniaque qui s'était emparé de mon frère.

En août, Anne annonça son entrée en confinement. Quand Henri lui rendit visite après la messe, il trouva les appartements en proie au désordre le plus total, les meubles soulevés et les femmes en pleine activité.

Anne, assise au centre de cette confusion, donnait des ordres. À la vue de Henri, elle inclina la tête mais ne se leva pas. Insoucieux d'étiquette, épris de sa petite reine enceinte, il s'agenouilla devant elle et posa les mains sur son gros ventre.

— Nous aurons besoin d'une robe de baptême pour notre fils, annonça Anne en guise de préambule, en possède-t-elle une?

« Elle », dans le royal vocabulaire, ne pouvait que désigner la reine disparue, dont on ne mentionnait jamais le nom; celle qui, elle aussi assise dans ce fauteuil et se préparant à entrer en réclusion, avait tourné vers Henri son doux sourire.

— La robe lui appartient, répondit le roi, car elle l'apporta d'Espagne.

— Marie l'a-t-elle portée lors de son baptême? s'enquit Anne, qui connaissait la réponse.

Henri fronça les sourcils sous l'effort.

— Oui mais, ma douce, cette robe appartenait à Catherine. Nous en commanderons une nouvelle, que les nonnes broderont pour vous.

Anne secoua la tête.

— Je veux que mon enfant soit baptisé dans la robe portée par les princes.

— Nous n'avons pas de robe royale... commença-t-il.

— Bien entendu, le coupa-t-elle, car elle l'a.

Henri savait reconnaître quand il était battu. Il pencha la tête et baisa la main agrippée au bras du fauteuil.

— Ne vous agitez pas, la supplia-t-il, vous êtes presque à terme. Je la ferai chercher, c'est promis. Notre petit Édouard Henri aura tout ce que vous voudrez.

Elle hocha la tête, retrouva son sourire et caressa la chevelure d'or qui s'inclinait devant elle.

La sage-femme entra, plongea dans une révérence et annonça:
— Votre chambre est prête, Majesté.

Anne se tourna vers Henri.

— Vous me rendrez visite chaque jour.

— Deux fois par jour, promit-il. Ce ne sera pas long, ma douce, et vous devez vous reposer pour la venue de notre fils.

Il lui baisa de nouveau la main et quitta les lieux. Je m'approchai d'Anne pour l'accompagner à sa chambre, dont les murs étaient tendus d'épaisses tapisseries qui excluaient tout bruit, lumière du soleil et air frais. Le sol était recouvert de paille mêlée de romarin et de lavande. Outre son grand lit, seules demeuraient une table et une chaise pour la sage-femme. Anne devait rester allongée un mois entier. Un feu brûlait dans la cheminée et l'air était étouffant. Des chandelles éclairaient la pièce afin qu'elle puisse lire, et le berceau se trouvait déjà au pied du lit.

— C'est une prison étouffante, souffla Anne, interdite, sur le seuil.

— Ce n'est que pour un mois, répondis-je, peut-être même moins.

— Dites à George que je veux le voir, me dit Anne par-dessus son épaule. Qu'il vienne avec quelqu'un de divertissant. Je ne vais pas me morfondre seule ici, comme si j'étais emprisonnée à la Tour.

— Nous dînerons avec vous, promis-je, reposez-vous à présent.

Anne en confinement, les journées de Henri reprirent leur cours habituel : chasse le matin suivie du déjeuner, visite à Anne, puis divertissements le soir.

— Avec qui danse-t-il ? s'enquit Anne, l'esprit toujours aussi acéré alors qu'elle gisait, lasse et lourde dans la pièce sombre.

— Nulle en particulier, répondis-je.

Madge Shelton avait attiré son regard, tout comme Jane Seymour, et lady Margaret paradait dans une demi-douzaine de robes neuves. Mais rien n'aurait d'importance si Anne accouchait d'un fils.

— Et qui chasse avec lui ?

— Ses compagnons, mentis-je.

Sir John Seymour avait offert à sa fille une superbe jument grise, sur laquelle, vêtue de bleu, Jane resplendissait.

Anne me dévisagea avec suspicion.

— Vous ne le poursuivez pas vous-même, n'est-ce pas ? demanda-t-elle d'un air mauvais.

— Je ne veux rien changer à ma vie, répondis-je en secouant la tête, attentive à ne pas penser à William, sachant qu'alors le désir se lisait sur mon visage.

— Surveillez-vous le roi pour moi ? insista Anne.

— Il attend la naissance de son fils, comme le reste de la cour. Engendrez un mâle et rien ne pourra vous atteindre, vous le savez.

Elle hocha la tête, ferma les yeux et se laissa retomber contre les coussins.

— Seigneur, je n'en peux plus.

— Amen, murmurai-je.

Sans l'œil d'aigle de ma sœur posé sur moi, j'étais libre de passer du temps avec William. Avec Madge Shelton, souvent absente, nous avions mis en place une sorte de code qui consistait à frapper à la porte et à s'éloigner aussitôt si celle-ci était fermée de l'intérieur. Madge, pourtant jeune, avait rapidement mûri à la cour. Elle savait qu'un bon mariage dépendait du délicat équilibre entre la flamme d'un homme et une réputation sans tache.

George prenait lui aussi ses aises ; lui et sir Francis, ainsi que William Brereton et Henri Norris, avaient toute liberté. Ils chassaient avec Henri le matin, se rendaient parfois sur sa demande au conseil l'après-midi, mais, la plupart du temps, ils courtisaient les filles, s'échappaient vers la ville ou disparaissaient des nuits entières. Un matin, alors que j'observai le soleil se lever sur la rivière, j'aperçus George qui revenait en barque. Il paya le batelier puis remonta lentement le chemin ; j'émergeai alors de mon siège, parmi les roses.

— George, appelai-je.

— Marie ! s'écria-t-il en faisant un écart. Est-elle souffrante ? demanda-t-il, ses pensées se tournant aussitôt vers Anne.

— Non. Où étiez-vous ?

Il haussa les épaules.

— Nous sommes allés danser, dîner et jouer avec quelques amis de Henri Norris.

— Sir Francis était-il présent ?

Il hocha la tête.

— George...

— Ne me faites pas de reproches ! me coupa-t-il. Personne ne sait, nous faisons très attention.

Je lui pris la main et plongeai le regard dans ses yeux bruns.

— George, j'ai peur pour vous.

— N'en faites rien, répondit-il en riant de son rire de courtisan. Je ne crains rien, ne cherche rien et ne vais nulle part.

Anne n'obtint pas sa robe de baptême. Ils envoyèrent à Catherine une proposition d'annulation en s'adressant à elle sous le nom de princesse douairière. Elle déchira le parchemin en rayant son titre d'un trait de plume acéré. Ils la menacèrent de la séparer à jamais de sa fille Marie, l'obligèrent à emménager dans un palais lugubre ; en vain. Elle refusa de renoncer à son statut d'épouse légitime. Dans une telle situation, la robe de baptême semblait une affaire tellement insignifiante que, lorsqu'elle refusa de s'en séparer en arguant l'avoir apportée d'Espagne, Henri n'insista pas.

Je pensai à elle, dans sa froide demeure à la frontière des Fens, séparée de sa fille comme je l'avais été de mon fils à cause de l'ambition de la même femme. Elle me manquait. Elle avait été comme une mère pour moi lors de mon arrivée à la cour et je l'avais trahie comme une fille trahit sa mère, sans cesser de l'aimer.

Automne 1533

Les douleurs d'Anne surgirent à l'aube et la sage-femme me fit aussitôt appeler. Dans la salle d'audience, je traversai une armée de clercs, avocats et officiers de la cour, tandis que devant la porte se pressaient des dames d'atour qui racontaient d'horribles histoires de délivrance. La princesse Marie se trouvait parmi elles. Je trouvai cruel qu'Anne obligeât la fille de Catherine à être témoin de la naissance de cet enfant qui allait la déshériter. Je lui adressai un petit sourire auquel elle répondit de cette révérence peu gracieuse qui lui était propre ; elle qui, jamais, ne pourrait se fier à qui que ce fût.

À l'intérieur, la scène ressemblait à l'enfer : Anne, nue depuis la taille, criait de douleur et d'effroi et s'accrochait comme une noyée à des cordes liées aux montants du lit. Les draps montraient déjà des taches de sang. Sur le feu, qui brûlait haut, les sages-femmes faisaient chauffer un chaudron tandis que d'autres récitaient des prières.

— Elle doit se reposer au lieu de lutter, m'annonça l'une des sages-femmes.

Je m'approchai du lit et m'adressai à Anne :

— Reposez-vous, ordonnai-je, cela va encore durer des heures. Que puis-je faire pour vous ?

— Accoucher, haleta-t-elle, l'esprit toujours aussi vif.

— À part cela ? dis-je en riant.

Elle avança une main vers moi et s'agrippa à mon bras.

— Mon Dieu ! Aidez-moi, je meurs de peur.

— Dieu vous aidera, répondis-je avec calme, vous engendrez le prince chrétien destiné à prendre la tête de l'Église d'Angleterre, n'est-ce pas ?

— Ne me quittez pas, souffla-t-elle, j'ai tellement peur que j'en rends presque tripes et boyaux.

— Oh, vous vomirez, répliquai-je d'un ton joyeux. Cela deviendra bien pire avant d'aller mieux.

Après une journée de travail, les douleurs se rapprochèrent : le bébé arrivait. Elle cessa de lutter, son visage prit une expression rêveuse tandis que son corps faisait son devoir. Les sages-femmes étendirent un tissu pour accueillir le bébé et je poussai un cri de joie en apercevant la tête émerger. Quelques instants plus tard, l'enfant d'Anne était né.

— Dieu soit loué ! déclara l'une des femmes.

Elle se pencha en avant, colla sa bouche à celle du bébé pour aspirer et nous entendîmes un petit cri étouffé.

— Est-ce un prince ? haleta Anne, la voix rauque après avoir tant crié. Il s'appellera Édouard Henri.

— Une fille, répondit la sage-femme d'un ton résolument joyeux.

Le corps d'Anne s'affaissa dans mes bras et je m'entendis murmurer :

— Seigneur, non.

— Une fille, répéta la sage-femme. Forte et en bonne santé, ajouta-t-elle pour nous encourager à plus de joie.

Un instant, je crus qu'Anne, blanche comme la mort, était évanouie. Je l'adossai aux coussins et écartai les cheveux collés à son front.

La sage-femme enveloppa le bébé dans son linge et lui tapota le dos. Anne et moi tournâmes la tête en entendant le vagissement énergique.

— Une fille, s'écria Anne avec horreur, à quoi est-ce bon ?

George, en apprenant la nouvelle, fit la même réflexion. Quant à oncle Howard, il m'appela oiseau de malheur et ma sœur une catin stupide. Toute la fortune des Boleyn dépendait de cette naissance. Un mâle eût fait de nous la famille la plus puissante d'Angleterre.

Henri, toujours imprévisible, ne se plaignit pas ; la petite sur ses genoux, il loua ses yeux bleus et son petit corps, admira les mains minuscules, les fossettes sur ses articulations et la perfection lilliputienne de ses ongles. Il annonça à Anne qu'il était heureux d'être le père d'une autre petite princesse et qu'ils auraient un garçon la fois suivante. Il ordonna d'ajouter « sse » dans les missives destinées à annoncer la naissance au roi de France et à l'empereur d'Espagne. Ce soir-là, je l'admirai quand il prit ma sœur dans ses bras et l'appela « ma mie ». Il était trop fier pour laisser quiconque discerner sa déception. À mes yeux, il s'agissait d'un homme d'une immense vanité, pris de dangereuses lubies mais, malgré cela – ou peut-être *à cause* de cela – il était un grand roi.

Après trente-six heures passées sans dormir, les oreilles bourdonnant encore des réflexions de mon père, de mon oncle et de mon frère, je me retirai dans ma chambre où je trouvai William, ainsi qu'une petite tourte et un pichet de bière sur la table près du feu.

— Je pensais que vous seriez lasse et affamée, m'annonça-t-il en guise de bienvenue.

Je tombai dans ses bras et enfouis mon visage dans son odeur réconfortante.

— Oh, William !

— Des ennuis ?

— Ils sont tous si fâchés ! Anne est au désespoir, nul ne regarda le bébé sauf le roi, à peine quelques instants. Seigneur, si seulement elle avait accouché d'un garçon !

Il me tapota le dos.

— Chut, mon amour, ils feront un autre enfant et, la prochaine fois, ce sera peut-être un fils.

— Une année de plus, gémis-je, avant qu'Anne soit hors d'atteinte et que je me libère d'elle.

Il m'attira vers la table, me força à m'asseoir et plaça la cuiller entre mes mains.

— Mangez, ordonna-t-il. Tout paraîtra plus rose quand vous aurez dîné et dormi.

— Où est Madge ? m'enquis-je avec crainte.

— Elle festoie dans le hall, répondit-il. La cour a préparé un banquet pour accueillir le prince et ripaillera quoi qu'il advienne. Elle ne rentrera pas de sitôt, si elle rentre.

Je hochai la tête et mangeai. Lorsque j'eus terminé, il m'attira sur le lit et me baisa les oreilles, le cou et les paupières jusqu'à ce que j'oublie Anne et son bébé. Je m'assoupis dans ses bras, tout habillée sur les couvertures, entre désir et sommeil, rêvant que William me faisait l'amour alors même qu'il ne cessa, la nuit entière, de me caresser le visage.

Aussitôt qu'Anne fut remise de ses couches, elle s'absorba dans les soins à apporter à la petite princesse Élisabeth au palais de Hatfield. Une pouponnière royale s'établit sous l'autorité de notre tante, lady Anne Shelton, la mère de Madge. La princesse Marie, que l'on avait vue sourire de la déconfiture d'Anne, fut renvoyée loin de son père et de sa place à la cour.

— Qu'elle serve Élisabeth, annonça Anne avec insouciance, et devienne sa dame d'atour.

— Anne, la repris-je, il s'agit d'une princesse de sang, il est injuste qu'elle serve votre fille.

Le regard d'Anne étincela.

— Sotte ! me fustigea-t-elle, elle doit m'obéir en tout et servir ma fille, je sais ainsi que je suis reine et que Catherine est oubliée.

— Ne pouvez-vous vous reposer ? demandai-je alors. Vous faut-il toujours comploter ?

Elle m'accorda un sourire amer.

— Pensez-vous que Cromwell, les Seymour ou l'ambassadeur espagnol se disent : « Elle l'a épousé, lui a donné une fille qui ne vaut rien, mais reposons-nous alors même que c'est à nous de jouer ? » Le croyez-vous ?

— Non, répondis-je avec réticence.

Elle m'observa un instant et reprit :

— On devrait plutôt se demander comment vous réussissez à garder cet air de plénitude et de contentement de soi quand vous devriez vous débattre avec votre maigre pension et vous étioler.

Je ne pus me retenir de glousser devant sa vision morose de ma situation.

— Je m'en sors, dis-je enfin. Mais j'aimerais me rendre à Hever pour voir mes enfants, si vous le voulez bien.

— Oh, partez donc, m'accorda-t-elle, mais soyez de retour à Greenwich pour Noël.

Je me dirigeai en hâte vers la porte avant qu'elle ne change d'avis.

— Et dites à Henri que, cette année, il commencera ses leçons avec un tuteur, il doit suivre une éducation appropriée.

Je m'immobilisai, main sur la poignée de la porte.

— Mon fils ? chuchotai-je

— *Mon* fils, me corrigea-t-elle. Il étudiera avec le fils de sir Francis Weston et celui de William Brereton, qui se montrent fort studieux. Il est temps qu'il demeure avec des garçons de son âge.

— Je ne veux pas qu'il côtoie les enfants de ces deux-là, répliquai-je aussitôt.

Elle leva un sourcil.

— Ils appartiennent à ma cour, me rappela-t-elle. Leurs fils deviendront également courtisans, peut-être même ceux du petit Henri. Il se rendra auprès d'eux, telle est ma décision.

J'eus envie de hurler mais enfonçai mes ongles dans mes paumes et suppliai doucement :

— Anne, il est petit encore, heureux en compagnie de sa sœur à Hever. Si vous souhaitez qu'il soit éduqué, je resterai là-bas et m'en chargerai…

— Vous ! Elle rit. Autant demander aux canards de lui apprendre à cancaner. Ma décision est prise, Marie, le roi se montre d'accord avec moi.

— Anne…

Elle s'adossa aux coussins et me coupa, les yeux rétrécis :

— Je suppose que vous voulez le voir cette année ? Ou bien dois-je l'envoyer immédiatement à son tuteur ?

— Non !

— Alors, partez, ma sœur, car vous me lassez.

William m'observait tandis que j'arpentais, furieuse, notre petite chambre.

— Je la tuerai ! jurai-je.

Adossé à la porte, il vérifia de l'œil que la fenêtre était bien fermée afin que nul ne pût surprendre mes imprécations.

— Mettre mon petit garçon avec les enfants de ces sodomites ! Le préparer à la vie de cour ! Ordonner d'un même élan que la princesse Marie serve Élisabeth et que mon fils soit exilé ! C'est une folle, ivre d'ambition. Et mon fils… mon fils…

Ma gorge se serra, j'allai enfouir mon visage contre les coussins de notre lit et y sanglotai à perdre haleine.

William me laissa pleurer. Il attendit de me voir lever la tête et essuyer mes joues puis s'avança vers moi et s'agenouilla au sol ; je rampai vers lui, accablée de désespoir, et il me prit dans ses bras pour me bercer comme un enfant.

— Nous le reprendrons un jour, me chuchota-t-il. Il rejoindra son tuteur puis nous le récupérerons, je vous le promets, mon aimée.

Hiver 1533

Pour Noël, Anne offrit au roi le cadeau le plus extravagant : les orfèvres l'apportèrent dans la grand-salle et s'y affairèrent la matinée entière. Quand ils apprirent à Anne que tout était prêt, elle nous fit signe, à George et à moi, de l'accompagner.

Nous courûmes au bas de l'escalier, Anne en tête qui voulait ouvrir la porte et observer notre réaction. Quelle vision ! Une fontaine d'or incrustée de diamants et de rubis, au pied de laquelle se dressaient trois statues de femmes nues, drapées elles aussi d'or, de l'eau jaillissant de leurs mamelons.

— Dieu tout-puissant, souffla George, combien cela vous a-t-il coûté ?

— C'est sans importance, répondit Anne. Grandiose, n'est-ce pas ?

— Grandiose, renchéris-je, sans ajouter « mais absolument hideux » bien que je susse, devant l'expression de George, qu'il pensait de même.

— J'ai pensé que le murmure de l'eau serait apaisant. Henri le placera dans sa salle d'audience.

— Des femmes fertiles desquelles jaillissent de l'eau, déclarai-je d'une voix rêveuse, observant les trois statues qui étincelaient.

— Un oracle, développa Anne, un rappel, un souhait.

— Plaise à Dieu que ce soit une prédiction, ajouta George d'un air sombre. Ressentez-vous déjà quelque chose ?

— Pas encore, répondit-elle, mais cela ne saurait tarder.

— Amen, déclamâmes-nous en cœur, dévots comme des luthériens.

Nos prières furent exaucées. Anne ne saigna pas en janvier, ni en février. Lorsque apparurent les premières asperges, elle en avala chaque jour car on savait qu'elles favorisaient la conception d'un garçon. Les gens se perdirent en conjectures et la reine, un demi-sourire affiché en permanence, se délecta de se trouver à nouveau au centre de l'attention générale.

Printemps 1534

Ce périple d'été de la cour, encore une fois dérangé par Anne, fut remis à plus tard. Les courtisans nous assaillaient, ma mère, George et moi, de questions : « Portait-elle de nouveau un enfant? Quand entrerait-elle en confinement? » Nul n'aimait demeurer aux environs de Londres les mois d'été, la peste courant ses rues, mais la perspective de la réclusion de la reine entraînant de possibles avancements à obtenir d'un roi rendu célibataire représentait un attrait irrésistible.

Officiellement, nous nous rendions à Hampton Court pour l'été tandis qu'un voyage en France était remis à plus tard.

Notre oncle convoqua une réunion de famille sans enjoindre à Anne, qui ne lui obéissait plus, d'y assister. Mais, poussée par la curiosité, elle fit son entrée au dernier instant. Pleine d'assurance, elle marqua une pause dans l'embrasure de la porte et oncle Howard se leva de son fauteuil à la tête de la table pour lui avancer un siège. Mais, dès l'instant que sa place se montra libre, elle s'avança majestueusement et s'y laissa tomber sans un mot de remerciement. J'émis un gloussement discret, vite réprimé, et Anne me lança un sourire complice. Rien ne lui plaisait tant que d'exercer ce pouvoir qu'elle avait acquis à un prix si élevé.

— J'ai réuni la famille afin de deviner quelles sont vos intentions, Votre Majesté, commença mon oncle d'une voix posée. Il me serait d'un grand secours de savoir si vous êtes véritablement enceinte et quand vous avez l'intention d'être confinée.

Anne leva le sourcil comme si sa question était une impertinence.

— Vous me demandez cela, à *moi*?

— J'allais le demander à votre sœur ou à votre mère, mais, puisque vous êtes là, autant vous poser la question directement.

Anne ne l'intimidait pas, il avait servi des monarques bien plus effrayants, comme Henri et le père de ce dernier.

— En septembre, répondit-elle sèchement.

— S'il s'agit encore d'une fille, cette fois, Henri montrera sa déception, observa mon oncle. Il lui fallut enfermer bon nombre d'hommes – dont, bientôt, Thomas More et Fisher – demeurés fidèles à Marie lorsqu'il déclara Élisabeth son héritière. Engendrez un mâle afin que nul ne contredise ses droits.

— Ce sera un mâle, affirma Anne.

Oncle Howard lui sourit.

— Nous l'espérons tous. Il marqua une pause puis ajouta : le roi partagera la couche d'une femme lorsque vous entrerez en confinement.

Anne leva la tête pour intervenir mais il poursuivit en levant la main :

— C'est ainsi, Anne. Cessez de le rudoyer à ce sujet.

— Je ne le tolérerai pas, lâcha-t-elle froidement.

— Il le faut, répliqua-t-il, aussi intransigeant qu'elle. De plus, j'ai choisi la fille : une Howard.

Je me sentis pâlir et George siffla entre ses dents :

— Redressez-vous !

— Qui ? s'enquit Anne, soudain alerte.

— Madge Shelton.

— Madge ! soufflai-je, mon cœur se remettant à battre.

— Elle saura l'occuper et connaît sa place, intervint mon père comme s'il rendait un jugement au lieu que de pousser une autre nièce à l'adultère et au péché.

— Et votre influence demeure intacte, cracha Anne.

Mon oncle sourit.

— Bien entendu. Cependant, puisqu'il s'agit d'une chose inévitable, ne préférez-vous pas une fille qui obéisse à nos ordres ?

— Cela dépend des ordres qui lui sont donnés, rétorqua Anne.

— Le divertir pendant votre confinement, répondit mon oncle d'une voix doucereuse, rien de plus.

— Qu'elle ne s'installe pas comme maîtresse en titre, se jetant à la face de chacun vêtue de nouvelles robes et vivant dans les plus beaux appartements, avertit Anne.

— Oui, vous devez savoir combien cela est douloureux pour une épouse, acquiesça oncle Howard.

Anne lui lança un regard meurtrier. Il sourit et ajouta :

— Elle divertira le roi pendant votre confinement et disparaîtra dès votre retour, promit-il. Je veillerai à ce qu'elle fasse un bon mariage et Henri l'oubliera aussi aisément qu'il s'en sera entiché.

Les doigts d'Anne tambourinèrent sur la table ; sa lutte intérieure était visible. Il sourit devant ses réticences et se tourna vers moi ; je ressentis aussitôt la terreur familière d'être l'objet de son attention.

— Madge partage votre lit, n'est-ce pas ?

— Oui, mon oncle.

— Exposez-lui la façon dont elle doit s'y prendre.

Il s'adressa alors à George :

— Faites en sorte que l'attention du roi reste concentrée sur Anne et Madge.

— Oui, monsieur, répondit George comme si sa seule ambition au monde était de servir de maquereau.

— Bien, énonça mon oncle en se levant pour signaler la fin de la réunion. Oh, une chose encore…

Nous attendîmes tous avec obéissance qu'il poursuive, sauf Anne, qui observait la cour au-dehors, le roi au centre de l'attention générale.

— Marie devrait être mariée, ne trouvez-vous pas ? remarqua oncle Howard.

— Je serai heureux de la voir unie avant qu'Anne n'entre en confinement. Cela prévient toute difficulté, si sa sœur échoue.

Ils ne prêtèrent aucune attention à Anne, grosse peut-être d'une fille qui diminuerait leur pouvoir, ni à ma personne, qu'ils s'apprêtaient à troquer comme une vache.

— Très bien, conclut mon oncle, je parlerai au secrétaire Cromwell, il est temps qu'elle convole.

❦

Je me précipitai dans les appartements du roi. William ne se trouvait pas dans la salle d'audience. Marc Smeaton, le musicien de sir Francis Weston, jouait du luth dans un coin. Je lui demandai :

— Avez-vous vu sir William Stafford ?

Il s'inclina devant moi et répondit :

— Oui, lady Carey, il joue à la boule.

Je hochai la tête et m'éloignai. Une petite porte s'ouvrait sur la terrasse qui surplombait les jardins. Je me dirigeai vers William qui ramassait les boules. Il se tourna vers moi et sourit, les autres joueurs me hélèrent et m'invitèrent à participer à la partie suivante.

— Très bien. Quels sont les enjeux ?

— Un shilling le jeu, répondit William, vous êtes tombée au beau milieu d'incorrigibles joueurs, lady Carey.

Je déposai ma pièce puis m'emparai d'une boule que je lançai sur l'herbe avec soin. Elle n'alla pas loin. Je laissai la place au joueur suivant et William se matérialisa à mon côté.

— Qu'y a-t-il? s'enquit-il.

— Je veux être seule avec vous au plus vite.

— Moi aussi, répliqua-t-il en riant. Je ne vous savais pas si éhontée.

— Pas pour cela! m'écriai-je, indignée, et je détournai la tête pour que nul ne me vît rougir.

Il m'était difficile de ne pas le toucher, si proche de lui. Je reculai d'un pas, prétendant vouloir observer le jeu.

Je fus très vite éliminée; William s'appliqua à perdre peu après. Nous abandonnâmes nos shillings au futur vainqueur et partîmes nous promener le long du fleuve, attentifs à ne pas nous toucher, le château s'élevant derrière nous et chaque fenêtre abritant peut-être un espion à la solde d'Anne.

— Que se passe-t-il?

— Mon oncle prépare mon mariage.

Son visage s'assombrit aussitôt.

— A-t-il déjà un prétendant en vue?

— Non, ils réfléchissent.

— Quand ils en trouveront un, nous avouerons tout et nous courberons l'échine sous la tempête.

— Oui.

Je demeurai un moment silencieuse puis j'ajoutai :

— Il m'effraie, je ne sais comment lui désobéir. Tout le monde lui obéit, même Anne.

— Ne me regardez pas comme cela, mon aimée, ou je vous prends dans mes bras ici même. Vous êtes mienne comme je suis vôtre; je ne laisserai personne vous enlever à moi.

— Ils séparèrent Henry Percy et Anne, intervins-je, qui étaient autant mariés que nous.

— C'était un jeune homme, répondit William. Il marqua une pause. Mais il nous faudra nous battre. Anne demeurera-t-elle votre alliée?

— Elle se montrera irritée, dis-je en songeant au profond égoïsme de ma sœur, mais cela ne la touche pas.

— Alors, attendons d'être acculés pour tout dévoiler et, en attendant, montrons-nous aussi charmants que possible.

— Envers le roi? demandai-je en riant, l'imaginant déployer ses qualités de courtisan.

— L'un envers l'autre, répondit-il. Qui m'importe le plus au monde ?

— Moi, soufflai-je avec une joie tranquille, et vous pour moi.

Nous passâmes la nuit suivante dans les bras l'un de l'autre, dans notre petite chambre, incapables de nous séparer un instant, même en plein sommeil. Lorsque je m'éveillai au petit matin, il était encore en moi et je sentis durcir son désir. Je m'assoupis doucement tandis qu'il m'aimait. Plus tard, nous ouvrîmes les yeux alors que le soleil entrait à flots, signe qu'il nous fallait revenir au palais.

Il m'accompagna en coche d'eau jusqu'à l'embarcadère où il me laissa pour redescendre un peu la rivière afin d'arriver une demi-heure après moi. Je pensai me glisser par la porte des jardins et arriver juste à temps pour assister à la messe matinale, mais, alors que j'atteignais mes appartements, George surgit de nulle part et s'écria :

— Dieu merci, vous êtes de retour ! Anne a pris le lit !

Je courus aux appartements de la reine, frappai à la porte et passai la tête par l'entrebaillement. Elle était seule, livide dans son lit immense.

— C'est vous, grogna-t-elle. Entrez, puisque vous êtes là.

Je m'avançai et George referma soigneusement la porte derrière nous.

— Qu'y a-t-il ? m'enquis-je.

— Je saigne, répondit-elle sèchement, et j'ai des crampes comme celles de la délivrance. Je crois que je le perds.

L'horreur de ses paroles me frappa, je me sentis incapable d'y faire face, trop consciente de mon allure échevelée et de l'odeur de William qui m'enveloppait. Le contraste de ma nuit d'amour face à ce désastre imminent me submergea, et je me tournai vers George.

— Il faut appeler une sage-femme.

— Non ! siffla Anne. Nul ne sait avec certitude si j'ai conçu ou non. Ce serait affirmer que je l'ai perdu.

— Il s'agit d'un bébé, intervins-je sèchement, m'adressant à George. Nous ne pouvons le laisser mourir par peur du scandale. Transportons-la dans une petite pièce, couvrons son visage d'un voile et appelons une sage-femme ; nous lui dirons qu'il s'agit d'une servante.

George hésita.

— S'il s'agit d'une fille, elle n'en vaut pas le risque.

— Pour l'amour de Dieu, George ! Cet enfant a une âme, il est de notre sang, nous devons le sauver si cela est possible !

Le visage implacable, il ne ressemblait en rien à mon frère bien-aimé, mais à l'une de ces âmes de fer qui signaient sans trembler un arrêt de mort.

— George ! criai-je, s'il naît une autre fille Boleyn, elle a autant le droit de vivre qu'Anne ou moi.

— D'accord, se rendit-il, je transporterai Anne. Faites appeler une sage-femme, assurez-vous de le faire discrètement. Qui enverrez-vous ?

— William.

— William ! s'irrita-t-il. Doit-il tout savoir de nous ? Comment trouvera-t-il une sage-femme ?

— Il se rendra aux bains publics, avançai-je hardiment. Et il se taira pour l'amour de moi.

George hocha la tête et se dirigea vers le lit. Je l'entendis murmurer des explications d'une voix tendre et perçus les chuchotements d'Anne en retour. Je quittai la chambre en hâte et partis à la recherche de mon époux.

Je le trouvai arrivant au château et l'envoyai aussitôt chercher une sage-femme. Moins d'une heure plus tard, il revint accompagné d'une jeune femme très propre qui transportait un petit sac.

Je la menai dans la pièce qui servait de dortoir aux pages de George. Elle recula d'un pas en entrant, apercevant Anne qui avait trouvé adéquat de cacher son visage derrière le masque d'oiseau en or qu'elle avait porté en France. On aurait dit une scène tirée d'une terrible peinture moralisatrice : le visage d'Anne incarnait l'avarice et la vanité, ses yeux perçants brillaient au travers des fentes du fier masque tandis que, au-dessous, ses cuisses blanches et vulnérables s'ouvraient sur une débâcle de sang.

La sage-femme se pencha sur elle et la toucha à peine. Elle se redressa et posa une série de questions sur les douleurs, puis proposa de fabriquer une potion qui endormirait Anne et lui permettrait peut-être de sauver l'enfant, celui-ci profitant du repos imposé au corps de sa mère pour se reposer à son tour. Elle ne semblait guère entretenir d'espoir. Le masque d'or impassible se tourna vers George sans prononcer une parole.

Un moment plus tard, Anne but un gobelet de la potion puis s'endormit. L'horrible masque semblait sauvagement triomphant. La femme se dirigea vers la porte ; George et moi la suivîmes et mon frère s'écria avec passion :

— Nous ne pouvons la perdre, rien ne peut la remplacer !

— Priez pour eux, répondit la femme, elle est entre les mains de Dieu.

George balbutia une réponse indistincte et repartit auprès d'Anne. Je le suivis, tandis que William raccompagnait la sage-femme aux portes du palais. Mon frère et moi demeurâmes assis de chaque côté du lit tandis qu'Anne dormait d'un sommeil agité.

Il nous fallut la porter à sa chambre puis annoncer qu'elle était souffrante. George joua aux cartes avec les dames d'atour comme si tout allait pour le mieux. Je restai auprès d'Anne et fis porter au roi un message lui indiquant qu'elle était lasse et le verrait avant le dîner. Ma mère nous rendit visite, alertée par mon absence et l'insouciance ostentatoire de George. Elle pâlit en avisant le sang qui tachait les draps.

— Nous avons fait au mieux, gémis-je d'un air désespéré.

— Qui le sait, à part vous ?

— Personne, pas même le roi.

Elle hocha la tête.

— C'est très bien ainsi.

Le jour s'étira, Anne, toujours inconsciente, se mit à transpirer et s'agiter en tous sens. Elle se recroquevilla soudain en gémissant. Ma mère repoussa la courtepointe et nous vîmes un flot de sang auquel se mêlait une masse flasque. Anne retomba contre les coussins avec un cri pitoyable.

Je posai une main contre son front et écoutai son cœur : il battait de façon régulière, mais elle avait les yeux fermés. Ma mère enveloppa la chose dans les draps tachés de sang et se tourna vers la cheminée où brûlait un petit feu.

— Ravivez-le, m'ordonna-t-elle. Tout cela doit disparaître avant que quiconque ait le moindre soupçon.

Je tisonnai le feu et remuai les braises. Ma mère y jeta les draps qu'elle déchira en bandes ; celles-ci se recroquevillèrent et se consumèrent avec un sifflement. Elle arriva enfin à la masse sanguinolente qui avait été le bébé d'Anne.

— Rajoutez du bois, m'enjoignit-elle.

Je la dévisageai avec horreur.

— Ne devrions-nous pas enterrer ce...

— Rajoutez du bois! cracha-t-elle. Si l'on apprend qu'elle ne peut mener un enfant à terme, nous ne valons plus rien.

Vaincue par la force de sa volonté, j'empilai des pommes de pin dans les flammes et, lorsque celles-ci prirent feu, nous y plaçâmes l'objet de tant de honte et l'observâmes partir en fumée comme un terrible sortilège.

Lorsque tout fut réduit en cendres, ma mère ajouta quelques pommes de pin supplémentaires et quelques herbes afin de purifier l'odeur qui régnait dans la pièce. Alors seulement, elle se tourna vers sa fille.

Anne, éveillée, nous observait d'un œil vitreux.

— Anne? appela ma mère.

Avec effort, ma sœur fixa son attention sur elle.

— Votre enfant est mort, énonça ma mère sans passion. Il vous faut dormir et récupérer afin de vous relever avant la fin de la journée. Vous m'entendez? Si quiconque vous pose la question, vous n'aviez pas conçu, mais vous êtes certaine qu'un enfant viendra bientôt.

Anne dévisagea mère d'un air absent. Un instant, je craignis que la potion ne l'eût rendue folle.

— Au roi aussi, poursuivit ma mère froidement, vous direz avoir fait une erreur. L'erreur est acceptable mais la fausse couche est preuve de péché.

Le visage d'Anne demeura impassible.

— Anne? demandai-je avec douceur.

Elle se tourna vers moi; en voyant mes yeux agrandis par le choc et les traînées de charbon sur mes joues, elle changea d'expression.

— Pourquoi faites-vous cette tête? m'interpella-t-elle froidement. Rien ne vous est arrivé à vous, n'est-ce pas?

— J'en informerai votre oncle, annonça ma mère, puis, sur le seuil de la porte, elle se tourna vers moi.

— Qu'a-t-elle fait? s'enquit-elle aussi froidement que si elle avait enquêté à propos d'une porcelaine cassée. Le savez-vous?

Je songeai aux jours et aux nuits passés à séduire le roi et à briser le cœur de sa femme, à l'empoisonnement de trois hommes, à la destruction du cardinal Wolsey.

— Rien qui sorte de l'ordinaire.

Ma mère hocha la tête et quitta la pièce sans un mot pour sa fille. Le regard vide d'Anne revint se poser sur moi, le visage aussi lisse que son masque de faucon d'or. Je m'approchai d'elle et lui ouvris les bras. Très lentement, elle se pencha en avant et posa sa tête sur mon épaule.

Il nous fallut toute la nuit et le jour suivant pour remettre Anne sur pied. Le roi se maintint à distance lorsqu'il eut appris qu'elle avait pris froid. Mais pas mon oncle ; il lui rendit visite sans cérémonie, comme à une simple Boleyn, ce qui enragea Anne.

— Votre mère m'a raconté, commença-t-il, comment cela s'est-il produit ? Avez-vous consulté une bonne femme pour concevoir, bu quelque potion, mangé des herbes, invoqué les esprits ?

Anne secoua la tête.

— Je ne m'y risquerai pas, affirma-t-elle, demandez à mon confesseur, Thomas Cranmer ; je tiens autant à mon âme que vous.

— Je tiens plus à mon cou, rétorqua-t-il sombrement. Me le jurez-vous ? Peut-être aurai-je à en témoigner un jour.

— Je le jure, déclara-t-elle d'un air boudeur.

— Levez-vous dès que possible et faites-en un autre ; et que ce soit un garçon, cette fois.

Le regard qu'elle lui lança était tellement haineux qu'il recula d'un pas. Elle détourna les yeux vers les riches draps tendus autour de son lit. Il attendit un instant, m'adressa son sourire grimaçant puis quitta la pièce.

Anne posa alors sur moi des yeux remplis de peur, et chuchota :

— Que se passera-t-il si le roi ne peut obtenir de fils légitime, comme avec l'autre ? Je porterai seule la responsabilité, qu'adviendra-t-il alors de moi ?

Été 1534

Ce premier jour de juillet, je fus prise de nausées, les seins douloureux. Quelque temps plus tard, William me caressa le ventre et murmura :

— Quel est votre avis, mon amour, à propos de ce petit ventre rond ?

Je détournai le visage pour lui cacher mon sourire.

— Je n'avais pas remarqué.

— Eh bien, moi, j'ai remarqué. À présent, avouez-moi depuis combien de temps vous le savez.

— Deux mois, confessai-je ; je suis partagée entre la joie et la peur, car cela nous perdra.

Il me prit dans ses bras.

— Jamais, assura-t-il. Vous nous offrez le premier petit Stafford, c'est l'occasion de réjouissance.

— Voulez-vous un garçon ? demandai-je, pensant à la préoccupation récurrente des Boleyn.

— Je veux seulement ce que vous abritez là, mon aimée, répondit-il, affable.

❧

En juillet et en août, je fus autorisée à quitter la cour pour me rendre à Hever auprès de mes enfants pendant qu'Anne et le roi sillonnaient le pays. Nous passâmes un été inoubliable mais, lorsque vint le temps de rentrer, je portais haut mon bébé ; il me fallait en informer Anne, espérant qu'elle me protégerait comme je l'avais fait en cachant sa fausse couche.

Par bonheur, lorsque j'arrivai à Greenwich, le souverain chassait, accompagné de la plus grande partie de la cour. Anne, assise sous un taud dans le jardin, écoutait quelqu'un déclamer de la poésie tandis que jouaient des musiciens.

— Ah, ma sœur, m'accueillit Anne, plissant les yeux sous le soleil. Bienvenue, Marie ; étiez-vous lasse de la campagne ?

— Oui, je suis venue chercher le soleil de votre cour.

— Joli, apprécia-t-elle en riant. Comment se porte mon fils ?

Je serrai les dents.

— Il vous envoie son affection et ses respects. J'apporte la copie d'une lettre qu'il écrivit en latin. C'est un garçon intelligent et il monte fort bien à cheval, son maître en est satisfait.

— Bien.

Le sujet épuisé, elle se tourna vers William Brereton :

— Si vous n'obtenez mieux que « baiser » pour « aimée », je décernerai le prix à sir Thomas.

— Ramier ? suggéra-t-il.

Anne éclata de rire.

— « Ma douce reine, ma belle aimée, je brûle de vous voler ramier ? »

— L'amour est impossible, remarqua sir Thomas. Rien n'y rime, en poésie comme dans la vie.

— Le mariage ? proposa Anne.

— Le mariage ne rime en rien avec l'amour, c'est l'évidence. D'abord, il compte trois syllabes, ensuite il ne chante pas.

— Mon mariage chante, remarqua Anne.

Sir Thomas inclina la tête.

— Comme tout ce qui vous concerne, convint-il.

— Le prix vous est accordé, sir Thomas, vous n'avez pas à me flatter en plus de versifier.

— Vérité n'est point flatterie, affirma-t-il, s'agenouillant devant elle.

Anne lui donna une chaînette d'or qu'elle détacha de sa ceinture et il la baisa avant de la ranger dans la poche de son pourpoint.

— À présent, annonça Anne, je vais me changer avant le retour du roi, qui sous peu souhaitera dîner. Elle se leva et parcourut les dames d'atour du regard : où est Madge Shelton ?

Le silence qui accueillit ses paroles lui répondit.

— À la chasse avec le roi, s'aventura à répondre l'une des femmes.

Anne se tourna vers moi, un sourcil levé. Moi seule savais que Madge s'était vu confier la tâche de distraire le roi uniquement lors du confinement d'Anne, mais notre cousine semblait avancer ses propres pions.

— Où est George ? demandai-je à mon tour.

C'était la question-clé, et ma sœur hocha la tête.

— Avec le roi.

J'accompagnai Anne au château. Comme je l'avais espéré, elle enjoignit à ses dames d'atour de l'attendre dans sa salle d'audience, et nous pénétrâmes seules dans ses appartements privés. La porte à peine refermée, je lui annonçai :

— Anne, j'ai besoin de votre aide.

— Quoi encore ?

Elle prit place devant son miroir d'or et ôta sa coiffe. Sa chevelure noire et lustrée cascada sur ses épaules.

— Coiffez-moi, m'ordonna-t-elle.

Je brossai lentement les boucles sombres, espérant l'apaiser.

— Je suis unie à un homme et je porte son enfant, avouai-je simplement.

Un instant, je crus qu'elle ne m'avait pas entendue. Puis elle se tourna vers moi, le visage orageux.

— Vous avez fait *quoi* ? cracha-t-elle.

— Je me suis unie.

— Sans ma permission ?

— Oui, Anne, je m'en excuse.

Elle se retourna vers le miroir et ses yeux rencontrèrent les miens.

— Qui est-ce ?

— Sir William Stafford. Il possède une petite ferme près de Rochford.

— Il n'est rien, déclara-t-elle.

Je percevais sa colère qui montait.

— Le roi l'a fait chevalier, protestai-je.

— Sir William de Rien du Tout ! martela-t-elle. Et vous portez son enfant ?

Je savais qu'elle haïrait surtout cela.

— Oui, acquiesçai-je humblement.

Elle bondit sur ses pieds et écarta mon manteau qui s'ouvrit sur mon corps de cotte délacé.

— Espèce de putain ! vociféra-t-elle.

Sa main s'éleva, je sentis ma nuque craquer et partis en arrière contre le lit. Elle se tint au-dessus de moi comme un combattant et hurla :

— Quand naîtra cet autre bâtard ?

— En mars, et ce n'est pas un bâtard.

— Croyez-vous pouvoir venir à ma cour en arborant votre gros ventre de jument pour annoncer au monde que *vous* êtes fertile quand moi je suis stérile ? Votre seule présence est une insulte envers moi, envers notre famille !

— Je l'ai épousé, me défendis-je, la voix tremblante devant sa colère. Je vous en prie, Anne, je l'aime. Ordonnez-moi de quitter la cour mais laissez-moi voir...

— C'est cela, hurla-t-elle, quittez la cour, allez au diable et ne revenez jamais plus !

— Mes enfants, soufflai-je.

— Mon neveu ne sera pas élevé par une femme qui déshonore sa famille, une sotte pétrie de luxure engrossée par le premier venu.

— Anne, répondis-je, la colère s'emparant de moi, j'ai épousé un homme bon, par amour, tout comme la princesse Marie Tudor qui s'unit au duc de Suffolk. J'obligeai ma famille lors de mon premier mariage et lui obéis en tout. À présent, c'est mon tour. Vous seule pouvez me défendre contre père et oncle Howard.

— George le sait-il ?

— Non, il ne sait rien, vous êtes la seule qui puissiez m'aider.

— Jamais ! jura-t-elle. Vous vous êtes unie par amour ? Vivez d'amour ! Partez dans sa petite ferme de Rochford et pourrissez-y. Si père, George ou moi-même nous rendons jamais à Rochford, assurez-vous de ne pas vous montrer. Vous êtes bannie de la cour, Marie, je n'ai plus de sœur !

— Anne ! criai-je, effarée.

— Dois-je appeler la garde pour vous jeter dehors ? hurla-t-elle. Je tombai à genoux.

— Mon fils, fut tout ce que je parvins à dire.

— *Mon* fils, rétorqua-t-elle. Je lui dirai que sa mère est morte ; je suis sa mère à présent. Vous avez tout perdu par amour, Marie, j'espère que cela en vaut la chandelle.

Je me levai avec maladresse, alourdie par mon gros ventre. Arrivée à la porte, j'hésitai, la main sur la poignée, espérant qu'elle changerait d'avis.

— Mon fils...

— Partez, me coupa-t-elle froidement, vous êtes morte à mes yeux, et ne vous approchez pas du roi ou je lui apprendrai quelle sorte de putain vous êtes.

Je me glissai dehors et me dirigeai vers ma chambre.

Madge changeait de vêtements devant le miroir. Elle se tourna vers moi en me voyant entrer, un large sourire aux lèvres. Mais ses yeux s'agrandirent devant mon expression.

— Êtes-vous souffrante ? s'enquit-elle.

— Ruinée.

— Oh ! s'exclama-t-elle avec la bêtise de la jeunesse.

J'eus un rire morne.

— J'ai creusé ma propre tombe.

Je jetai mon manteau sur le lit. Apercevant mon ventre proéminent, elle eut un hoquet d'horreur.

— Oui, dis-je sauvagement, je porte un enfant. Et je suis mariée, si vous voulez tout savoir.

— La reine ? demanda-t-elle dans un souffle, sachant comme nous tous que celle-ci haïssait plus que tout les femmes fertiles.

— Ne s'en trouve guère ravie.

— Votre époux ?

— William Stafford.

Son œil brilla ; elle avait avait fait preuve de plus de perspicacité que je ne l'eusse cru.

— J'en suis heureuse pour vous, il est fort beau et semble être très bon. Alors, toutes ces nuits… ?

— Oui.

— Qu'allez-vous faire ?

— Il nous faudra nous débrouiller seuls. Nous irons à Rochford, il y possède une petite ferme.

— Une ferme ? s'écria Madge, incrédule.

— Oui ! acquiesçai-je rageusement. Il existe d'autres endroits où vivre que les palais et les châteaux, d'autres activités que servir un roi et une reine. Je serai désolée d'être pauvre, mais que le diable m'emporte si cette existence me manque !

— Et vos enfants ?

Sa question me coupa le souffle. Mes genoux se dérobèrent et je m'effondrai au sol :

— La reine garde mon fils.

J'aurais pu ajouter qu'elle agissait ainsi car elle ne parvenait à en avoir un elle-même. Sœur autant que rivale, Anne me punissait de ne plus vivre à l'ombre de sa supériorité, choisissant l'unique prix que je ne payerais jamais assez.

— Au moins, je lui échappe, ainsi qu'à l'ambition de cette famille.

Madge me regarda de ses grands yeux de faon.

— Mais vers quoi vous échappez-vous ?

Anne ne perdit pas de temps à annoncer mon départ. Ni père ni mère ne vinrent me dire adieu, seul George se rendit à l'écurie, pour voir mes malles chargées sur un chariot et William m'aider à monter en selle avant de grimper à son tour sur son étalon.

— Écrivez-moi, requit mon frère, malade d'inquiétude. Êtes-vous en état de voyager ?

— Oui, affirmai-je.

— Je prendrai soin d'elle, l'assura William.

— Vous n'avez guère réussi jusqu'à présent, le rabroua George. Elle est ruinée et bannie de la cour.

Je vis les mains de William serrer ses rênes.

— La faute en revient au dépit et à l'ambition de la reine et de la famille Boleyn, répliqua-t-il avec calme. Partout ailleurs, Marie eût été autorisée à épouser un homme de son choix.

— Cessez, intervins-je en hâte.

George inclina la tête.

— Elle fut traitée sans grande bienveillance, concéda-t-il.

Il leva la tête vers William et ajouta en lui adressant son charmant sourire :

— Nous avions d'autres desseins que son bonheur.

— Je sais, répondit mon époux. Mais pas moi.

George eut l'air pensif.

— J'aimerais que vous m'appreniez le secret de l'amour. Vous voici tous deux en route pour un gouffre au bout du monde et cependant arborez l'air d'avoir reçu un comté.

Je tendis ma main à William, qui la serra dans la sienne.

— Il est l'homme que j'aime, répondis-je doucement. Aucun ne m'aimerait davantage ni ne serait plus honnête homme.

— Partez, alors, et soyez heureux ! nous salua George en soulevant son chapeau. Je ferai de mon mieux pour vous faire recouvrer votre place et votre pension.

— Je ne veux que mes enfants, répondis-je.

— Je parlerai au roi et à Anne, écrivez à Cromwell. Mais vous reviendrez, n'est-ce pas ?

Sa voix résonna étrangement, comme un petit garçon abandonné dans un endroit dangereux.

— Faites attention à vous ! dis-je soudain, évitez la mauvaise compagnie et prenez soin d'Anne !

Le chariot passa sous la herse du châtelet d'entrée et William et moi le suivîmes, chevauchant côte à côte. Je me retournai sur ma selle : George semblait très jeune et déjà loin. Il me cria quelque chose, mais je n'entendis rien par-dessus le fracas des roues et des sabots sur les pavés.

Sur la route, William laissa sa monture allonger ses foulées et nous dépassâmes le chariot, nous libérant ainsi de la poussière qu'il soulevait. Ma jument aurait aimé poursuivre son galop mais je la forçai à ralentir. Je passai le dos de mon gant sur mon visage et William me lança un regard de côté.

— Pas de regrets ? demanda-t-il avec gentillesse.

— J'ai seulement peur pour lui.

Il hocha la tête. Il connaissait trop de choses pour m'offrir un réconfort superficiel. La liaison de George avec sir Francis, leurs amis, leurs débauches : la cour commençait à en avoir vent.

— Et pour elle, ajoutai-je, pensant à ma sœur qui m'avait bannie comme une malpropre et se retrouvait avec un seul ami au monde.

William se pencha et posa sa main sur la mienne.

— Venez, me dit-il.

Nous prîmes la direction du fleuve, où un bateau nous attendait.

Nous débarquâmes à Leigh au petit matin. Les chevaux, après une longue inactivité, apprécièrent de se délier les jambes sur la route de Rochford. Les champs semblaient froids et humides dans la brume du matin, c'était le pire moment pour se rendre à la campagne. Un hiver glacé s'apprêtait à commencer à la petite ferme, mes vêtements ne sécheraient pas pendant six mois.

William me sourit.

— Redressez-vous, ma douce, le soleil se lèvera bientôt et tout ira bien.

Je répondis à son sourire puis éperonnai ma monture. Devant moi, j'aperçus le toit de chaume de sa petite ferme puis, parvenue au sommet de la colline, les jolis champs près du cours d'eau qui serpentait, ainsi que l'écurie et la grange, aussi proprettes que dans mon souvenir.

William démonta devant la barrière pour l'ouvrir. Un petit garçon apparut soudain et nous dévisagea d'un air soupçonneux avant de déclarer :

— Vous ne pouvez entrer, ceci appartient à sir William Stafford, un homme important à la cour.

— Grand merci, répondit William. Je suis William Stafford, tu diras à ta mère que tu es un bon gardien. Tu ajouteras que je suis là pour m'installer avec ma femme ; nous avons besoin de pain, lait, bacon et fromage.

— Êtes-vous vraiment sir William Stafford ?

— Oui, confirma mon mari.

— Alors elle tuera certainement un poulet, affirma-t-il avant de courir vers la ferme, un quart de lieue plus loin.

Je m'arrêtai devant l'écurie. William m'aida à descendre de selle, attacha la bride à un poteau puis me mena à la maison. La porte était ouverte et nous en franchîmes le seuil ensemble.

— Prenez place tandis que j'allume le feu, dit William en m'indiquant un fauteuil près de l'âtre.

— Pas question, répondis-je aussitôt. Je suis l'épouse d'un fermier, n'est-ce pas ? Je m'occuperai du feu tandis que vous veillerez aux chevaux.

Il hésita.

— Savez-vous allumer un feu, mon amour ?

— Sortez de ma cuisine ! rétorquai-je avec une feinte indignation, j'ai des choses à faire, ici.

Il ne me fallut que quinze minutes de dur labeur pour allumer le feu. William revint au même moment que le petit gardien qui nous apportait de la nourriture enveloppée dans un carré d'étamine. Après avoir tout étalé sur la table, nous nous en régalâmes, trinquant à notre santé et à l'avenir.

La famille qui avait servi William pendant son absence avait bien travaillé. Les haies se montraient bien taillées, les canaux d'irrigation bien dégagés, les carrés de pâturage fauchés et le foin à l'abri dans la grange. Les plus âgés des vaches et des moutons avaient été égorgés à l'automne, leur viande salée ou fumée. Nous possédions des poulets dans la cour, des tourterelles au pigeonnier, et une réserve sans fin de poissons du ruisseau. Il était agréable de vivre dans cette ferme prospère.

La mère du galapian, Megan, me rejoignait chaque jour à la ferme pour m'assister et m'enseigner les qualités qui me faisaient défaut.

Elle m'apprit à utiliser la baratte pour fabriquer beurre et fromage, à cuire du pain et à plumer poulet, colombe ou volaille sauvage.

Ma peau sécha et durcit tandis que mon visage, que j'aperçus dans un petit miroir, se tannait lentement sous le soleil et le vent. Chaque jour, je m'effondrais sur mon lit où je tombais dans un sommeil sans rêves, épuisée mais satisfaite. Car le travail accompli posait de la nourriture sur la table et j'aimais cela. Megan me demandait parfois si mes beaux vêtements de cour ne me manquaient pas et je me remémorais alors l'incessante corvée de devoir plaire à chacun. Ici, William et moi vivions libres et heureux comme deux oiseaux dans un arbre, ainsi qu'il l'avait promis.

Mon seul chagrin provenait de la perte de mes enfants ; je leur écrivais chaque semaine. Une fois par mois, j'envoyais également une missive à George ou Anne. Je fis aussi parvenir une supplique à Thomas Cromwell pour qu'il intervînt auprès de ma sœur. Mais jamais je ne m'excusai de mes actes. Comment l'eussé-je pu ? Dans ce monde où les femmes se vendaient comme des chevaux, j'avais trouvé un homme auquel je m'étais unie par amour : jamais je n'eusse suggéré que cela fût une erreur.

Hiver 1535

À Noël, je reçus une lettre de George :

Ma chère sœur,

Je vous envoie les salutations de saison et espère que ma missive vous trouvera aussi heureuse dans votre ferme que moi à la cour, peut-être même davantage.

Les choses, ici, se gâtent quelque peu pour notre sœur. Le roi monte à cheval et danse avec une fille Seymour – vous souvenez-vous de Jane, qui baisse toujours les yeux avec douceur et les lève avec surprise ? Le roi recherche sa compagnie, sous le nez de notre sœur. Elle le morigéna énergiquement mais cela n'entraîne plus chez lui de larmes ; il s'éloigne d'elle lorsqu'elle montre son déplaisir. Vous imaginez ce que cela provoque chez Anne.

Notre oncle, prenant au sérieux les errements du roi, pousse Madge Shelton dans ses bras, aussi Sa Majesté hésite-t-elle à présent entre les deux. Comme elles sont toutes deux dames d'atour, les appartements de la reine sont le théâtre de cris perpétuels et le roi part plus souvent à la chasse afin de les laisser en toute tranquillité s'écorcher la face.

Anne est effrayée. Jamais elle n'imagina qu'une reine, après qu'elle en détrôna une, puisse si aisément chanceler sur son trône. Père, mère et oncle Howard sont partisans de pousser Madge pour détourner le roi de Jane Seymour. Anne les accuse de la vouloir supplanter. Vous lui manquez, mais elle ne l'avouera jamais.

Je parle en votre faveur, mais rien ne la réconcilie avec l'idée de votre mariage d'amour. Eussiez-vous épousé un prince et fussiez-vous malheureuse, elle demeurerait votre alliée la plus sûre, mais elle n'accepte point votre bonheur quand elle est seule et apeurée.

Ma fortune grandit mais mon épouse m'accable tel un mauvais sort tandis que mon doux ami m'apporte délice et tourment. Je rêve de ce que je ne puis avoir et dois réprimer mes désirs. Je suis las. Noël

413

n'apportera rien aux Boleyn, à moins qu'Anne ne conçoive un enfant. Écrivez et donnez-moi de vos nouvelles. J'espère que vous êtes aussi heureuse que je l'imagine.

   Votre frère,
   George

William et moi célébrâmes Noël avec un gros cuissot de chevreuil, au sujet duquel je ne posai pas de questions, sachant les bois de Rochford aussi riches que mal gardés. Le travail à la ferme ne cessa pas pendant les célébrations, mais nous trouvâmes le temps d'assister à la messe de Noël, de partager un gobelet à la santé de nos voisins, de rire des pitreries des saltimbanques au village et de nous promener seuls près du fleuve alors que les mouettes criaient au-dessus de nos têtes et que le vent soufflait sur l'estuaire.

En ces dernières journées glaciales de février, je me préparai à ma délivrance. William, plus inquiet que moi, voulut accueillir la sage-femme à demeure. Je ris de son anxiété mais acceptai cependant, et une vieille femme vint s'installer dès les premiers jours de mars pour veiller sur moi.

Un beau matin, je m'éveillai dans une pièce étincelante de lumière blanche : il avait neigé toute la nuit. Notre monde se transforma en un endroit de silence presque magique. Les poulets se réfugièrent dans le poulailler, les moutons s'agglutinèrent à la barrière, paraissant sales dans la blancheur environnante, et les vaches se blottirent dans la grange. Assise à la fenêtre, mon bébé remuant dans mon ventre, je suivis des yeux, alors que les heures s'égrenaient, les flocons qui tourbillonnaient dans l'air pur.

William, sur le seuil de la porte, tapa du pied pour faire tomber la neige. Il leva les yeux et sursauta en me voyant descendre lentement l'escalier, sourire aux lèvres.

— Vous portez-vous bien ?

— Je rêvais, répondis-je, j'ai passé la matinée à regarder tomber la neige.

Il échangea un rapide regard avec la sage-femme qui cuisait du porridge sur le feu et, en deux enjambées, traversa la pièce pour me prendre le bras et m'aider à prendre place sur un siège auprès de la cheminée.

— Vos douleurs ont-elles commencé ? s'enquit-il.

— Non, fis-je en souriant, mais ce sera pour aujourd'hui, je pense.

La sage-femme versa du porridge dans un bol et me le passa avec une cuiller.

— Mangez, alors, m'encouragea-t-elle, nous aurons tous besoin de nos forces.

Ce fut une délivrance facile. Ma petite fille naquit après quatre heures de labeur et la sage-femme me la déposa sur le sein après l'avoir emmaillotée d'un linge blanc. William, qui était demeuré à mes côtés, posa sa main sur le crâne encore taché de sang et la bénit, la voix tremblante d'émotion. Puis il s'allongea près de moi ; la sage-femme nous recouvrit tous trois d'une chaude couverture et nous laissa dans les bras l'un de l'autre, profondément assoupis.

Nous nous éveillâmes deux heures plus tard aux cris de notre bébé et je la mis aussitôt au sein, retrouvant avec bonheur la sensation de la tétée. William enveloppa mes épaules d'un châle puis se rendit à la cuisine et remonta avec une coupe de bière aux épices. Il neigeait toujours et, apercevant les flocons qui tombaient, je me blottis dans la chaleur de notre lit et m'adossai aux coussins de plume, la joie au cœur.

Été 1535

M a chère sœur,
La reine m'ordonne de vous annoncer qu'elle a conçu et vous veut à ses côtés ; mais votre époux et bébé devront rester à Rochford. Votre pension est restaurée, vous pourrez voir vos enfants cet été à Hever.

J'ajouterai que nous avons besoin de vous à Hampton Court. Notre périple estival ne sera pas long, cette année, Anne entrera à l'automne en confinement, où elle aura grand besoin d'une amie, tout comme moi. Le roi semble fort épris de Madge, qui l'accompagne chaque jour dans une nouvelle robe. Un conseil de famille eut lieu il y a peu, auquel les Shelton – non les Howard – assistèrent. Vous imaginez notre réaction : Anne est encore reine mais n'est plus la favorite, ni du roi ni de sa famille.

Je vous avertirai également d'une chose avant votre arrivée. La ville est agitée d'une bien étrange humeur. L'acte de Succession[1] mena cinq hommes honnêtes à leur mort, d'autres suivront. Henri a découvert un pouvoir illimité que nul ne tempère, ni Wolsey, ni la reine Catherine, ni Thomas More. Ce n'est pas un endroit joyeux où je vous invite à vous rendre. Non, où je vous supplie de venir.

En compensation, je puis vous promettre un été avec vos enfants, si Anne se porte suffisamment bien pour vous laisser partir.

George

Je portai la lettre à mon époux qui trayait une vache, la tête appuyée contre son flanc chaud et le lait déferlant dans le sceau.

— Les nouvelles sont bonnes ? s'enquit-il, lisant la joie sur mon visage.

---

1. L'acte respectant le Serment de Succession, ratifié par le Parlement d'Angleterre en novembre 1534, requérait de chacun de reconnaître Anne Boleyn comme l'épouse légitime de Henri VIII et leurs enfants comme les héritiers du trône. (*N.d.T.*)

— Je suis autorisée à revenir à la cour. Anne porte un enfant et me veut auprès d'elle. Je verrai mes enfants cet été, à Hever.

— Dieu soit loué ! dit-il simplement.

Je m'aperçus alors combien il avait souffert pour moi.

— Suis-je également pardonné ? demanda-t-il après un moment de silence.

Je secouai la tête.

— La cour vous est interdite, mais vous pourriez quand même m'accompagner.

Il se leva de son tabouret de traite, donna une petite tape à la vache qui sortit dans le champ où l'herbe de printemps poussait, verte et drue. Il m'adressa son chaud sourire.

— Je vous accompagne, qu'ils le veuillent ou non. Nous reviendrons ici après votre visite à Hever. Quand aura lieu la délivrance de la reine ?

— En automne, mais nul ne le sait.

— Dieu fasse qu'elle le porte à terme, cette fois.

Il remplit une louche de lait.

— Goûtez, m'ordonna-t-il.

J'obéis et bus une pleine gorgée de lait chaud et mousseux.

— Délicieux ! m'exclamai-je.

— Le voulez-vous dans la baratte ?

— Oui.

— Laissez-moi le porter, déclara-t-il tendrement, et il ouvrit le chemin vers la laiterie, où notre fille, nommée Anne pour plaire à sa tante, bien enveloppée dans ses langes, dormait sur le banc.

La barge royale fut envoyée à ma rencontre. William, la nourrice et moi-même, dans nos élégants habits de cour, embarquâmes à Leigh. Nos chevaux devaient suivre plus tard. Mon époux gâcha quelque peu le faste de notre départ en hurlant ses instructions au mari de Megan qui prenait soin de notre ferme en notre absence.

— Je suis certaine qu'il se serait souvenu de tondre les moutons en remarquant leur laine trop longue, remarquai-je lorsque William s'installa sur son siège.

— Vous aurais-je fait honte ? grimaça-t-il.

— Vous êtes à présent membre de la famille royale ; il serait bon que votre comportement ne ressemblât point à celui d'un fermier ivre un jour de marché.

Il se montra totalement imperméable au repentir.

— Je vous supplie de me pardonner, lady Stafford, et vous promets d'être la discrétion même à Hampton Court. Si je dors sur un ballot de foin dans votre écurie, mon humilité vous satisfera-t-elle ?

— Je pensai retenir une petite maison en ville pour m'y rendre chaque jour.

— Et chaque nuit, ajouta-t-il avec emphase. Vos nuits sont dues à votre époux.

J'éclatai de rire et me blottis dans ses bras.

— C'est bien là que je veux me trouver, confessai-je, et en nul autre endroit.

La barge royale, sous l'impulsion des rameurs et de la marée montante, remonta la rivière à la vitesse d'un cheval au galop. La haute tour blanche et la jetée de la Tour de Londres apparurent soudain. L'activité était intense sur la voie principale de notre grande cité ; les petits coches d'eau et les barques de pêcheurs zigzaguaient devant nous.

Les visages se tournaient vers la barge royale mais peu s'éclairaient de sourires. Je me remémorai une traversée semblable avec la reine Catherine. Les hommes avaient ôté leur chapeau, les femmes salué de profondes révérences et les enfants envoyé des baisers au vent. Le peuple, alors, avait foi en la sagesse du roi, en la bonté de la reine. Mais Anne et les Boleyn avaient fêlé cette assurance. Le monarque, à présent, offrait la pitoyable image d'un homme ne cherchant qu'à assouvir ses propres intérêts, marié à une femme qui ne connaissait qu'ambition sans jamais atteindre la satisfaction.

Si Anne et Henri espéraient le pardon du peuple, la déception les attendait. Nul n'oubliait la reine Catherine, prisonnière dans son froid château, dont le bannissement, chaque jour qui s'écoulait sans le baptême d'un petit prince, semblait plus futile.

Je m'appuyai contre l'épaule de William et m'assoupis. Les pleurs de notre bébé m'éveillèrent et j'aperçus la nourrice qui s'emparait d'elle pour l'allaiter. Mes propres seins me faisaient souffrir ; William resserra son bras autour de ma taille et murmura :

— Elle est entre de bonnes mains, personne ne vous la retirera jamais.

Je hochai la tête. Comment lui apprendre que la vue de mon enfant rendait plus insoutenable l'absence de ceux que j'avais perdus ?

Nous atteignîmes Hampton Court et ses immenses grilles au crépuscule. Le joueur de tambour donna un dernier coup et les marins arrimèrent la barge pour nous permettre de débarquer.

Discrètement, mon mari, notre enfant et la nourrice prirent le chemin qui menait au village. William serra brièvement ma main et murmura avec un sourire :

— Souvenez-vous : c'est elle qui a besoin de vous.

Je hochai la tête, resserrai mon manteau, puis me tournai vers l'immense palais.

Un garde me mena aux appartements de la reine. Lorsque les sentinelles ouvrirent les portes, un silence total m'accueillit qui se transforma bientôt en une explosion d'enthousiasme. Toutes les femmes présentes vinrent me toucher les épaules, le cou, les manches de ma robe ou ma coiffe avant de s'écrier que j'avais une mine superbe, que la maternité et l'air de la campagne me seyaient à merveille et combien c'était un bonheur de me revoir. En les voyant se disputer le privilège de m'inviter à devenir leur compagne de lit, je me demandai comment elles avaient survécu sans moi, ces fidèles amies qui jamais n'avaient écrit ni supplié la reine de faire preuve de clémence.

Esquivant de mon mieux l'avalanche de questions qui pleuvaient sur moi, je cherchai George des yeux : il était absent. Le roi chevauchait en compagnie de quelques favoris, aussi vifs cavaliers qu'invétérés buveurs. Il n'était pas encore rentré et les femmes attendaient leur retour pour dîner. Anne se reposait seule dans ses appartements privés.

Je pris mon courage à deux mains, avançai jusqu'à la porte, frappai, puis entrai.

La pièce était plongée dans l'ombre. Anne priait, à genoux devant son prie-Dieu et je dus retenir une exclamation, revoyant la reine Catherine supplier le Créateur de lui accorder un fils et d'éloigner son époux des filles Boleyn. Mais le fantôme tourna la tête et je retrouvai ma sœur, pâle et les yeux embués de fatigue. Mon cœur fondit et je traversai aussitôt la pièce pour la prendre dans mes bras.

— Oh, Anne.

Elle me rendit mon étreinte et posa la tête sur mon épaule. Elle n'avoua pas s'être languie de moi, en proie au désespoir au sein d'une cour qui se détournait d'elle ; c'était inutile. Ses épaules affaissées suffisaient à avouer que la royauté n'apportait guère de joie à Anne Boleyn, ces temps derniers.

Je la poussai doucement vers un fauteuil et m'assis en face d'elle, sans attendre de permission.

— Comment vous sentez-vous ? m'enquis-je, allant droit au but.

— Bien.

Sa lèvre inférieure trembla légèrement. Son visage montrait une pâleur nouvelle et des rides bordaient sa bouche. Pour la première fois, je constatai qu'elle ressemblait à notre mère.

— Vous êtes si pâle.

— Je suis lasse, confessa-t-elle, cette grossesse m'épuise.

— Combien de mois ?

— Quatre, répliqua-t-elle aussitôt, trahissant son obsession.

— Vous irez mieux bientôt, alors, les trois premiers mois sont souvent les pires.

J'allai ajouter pour plaisanter « et les trois derniers » mais me repris juste à temps.

— Le roi est-il rentré ? demanda-t-elle.

— Il chasse, m'a-t-on dit, George avec lui.

Elle hocha la tête.

— Madge se trouve-t-elle à côté avec les autres femmes, ainsi que Jane Seymour, cette garce à face blanchâtre ?

— Oui.

— Tant qu'il ne se trouve ni avec l'une ni avec l'autre, je m'estime contente, déclara-t-elle.

— Il est important que vous restiez heureuse, dis-je doucement. Vous ne voulez d'un ventre rempli de fiel pour votre bébé.

Elle me lança un regard vif et émit un rire aigu.

— Heureuse ? Comment ne le serais-je point ? railla-t-elle, avant de demander :

— Votre époux vous a-t-il suivie ?

— Pas à la cour, répondis-je en hâte, puisque vous l'avez interdit.

— En êtes-vous encore éprise ou bien vous êtes-vous lassée de ses champs ?

Je ne mordis pas à l'hameçon et elle m'accorda un sourire amer.

— George affirme que vous êtes la seule Boleyn dotée de bon sens, lui que son épouse regarde avec un mélange de désir et de haine implacable, tandis que Henri entre dans ma chambre et en sort comme un papillon au printemps, suivi de ces deux garces avec leurs filets.

J'éclatai de rire à l'ouïr comparer Henri, de plus en plus gros, à un papillon de printemps.

— Un gros filet !

Le regard d'Anne étincela un instant et elle m'imita, de son rire joyeux et insouciant d'antan.

420

— Seigneur, je donnerais n'importe quoi pour m'en débarrasser.

— Je suis là, maintenant. Je les éloignerai de vous.

— S'il m'arrivait quoi que ce soit, vous m'aideriez, n'est-ce pas ?

— Bien sûr, répondis-je. Quoi qu'il advienne, George et moi resterons auprès de vous.

Un grand bruit retentit dans la pièce adjacente : le rugissement reconnaissable des Tudor. La joie de son époux ne fit éclore aucun sourire sur les lèvres d'Anne.

— Il voudra dîner à présent, je suppose.

Je l'arrêtai dans son mouvement comme elle se dirigeait vers la porte.

— Sait-il que vous avez conçu ?

Elle secoua la tête.

— Nul ne le sait, excepté George et vous. Je n'ose l'avouer.

Elle ouvrit la porte et nous aperçûmes Henri qui attachait un médaillon sur la nuque rougissante de Madge Shelton. Il sursauta en voyant sa femme mais termina sa tâche.

— Un petit souvenir, déclara-t-il à Anne, un modeste gage conquis par cette petite futée. Bonsoir, mon épouse.

— Le bonsoir à vous, monsieur mon mari, grinça Anne.

Il me découvrit alors et s'exclama avec joie :

— Marie ! La merveilleuse lady Carey est de retour parmi nous.

Je plongeai dans une révérence et le corrigeai doucement :

— Lady Stafford, Votre Majesté, je me suis remariée.

Son petit hochement de tête m'apprit qu'il s'en souvenait. La chaleur de son sourire me démontra quelle sorcière venimeuse était ma sœur : elle seule avait voulu mon bannissement, le roi m'eût pardonnée. Si Anne n'avait eu besoin de moi pour cacher sa grossesse, elle m'eût abandonnée dans ma petite ferme.

— J'entends que vous avez un enfant ? poursuivit-il, le regard passant vivement d'une Boleyn fertile à l'autre, stérile.

— Une fille, Votre Majesté, répondis-je en remerciant le ciel qu'il ne s'agît pas d'un garçon.

— William est un homme comblé.

Je lui souris.

— C'est ce que je lui répète.

Henri éclata de rire et me tendit la main.

— N'est-il point céans ? s'enquit-il en parcourant du regard les hommes qui nous entouraient.

— Il ne lui a pas été demandé... commençai-je.

Il saisit aussitôt l'allusion et se tourna vers sa femme.

— Pourquoi n'a-t-on requis de sir William Stafford qu'il revînt à la cour avec son épouse ?

Anne n'hésita pas une seconde.

— Mais ce fut le cas. Je les invitai tous deux, aussitôt ma chère sœur remise de sa délivrance.

Je ne pus m'empêcher de l'admirer ; il ne me restait qu'à jouer le jeu.

— Il me rejoindra demain avec ma fille, s'il plaît à Votre Majesté.

— La cour n'est pas un endroit pour un enfant, rétorqua Anne froidement.

Henri s'en prit aussitôt à elle.

— Je déplore de l'entendre de votre bouche, mon épouse. La cour est un lieu parfait pour un enfant ; j'eusse aimé vous le voir penser.

— Je pensais à la santé du bébé, plus protégée à la campagne, Votre Grâce, répliqua Anne d'un ton glacial.

— Sa mère sera seule juge, déclara Henri, magnanime.

J'affichai un doux sourire et saisis ma chance.

— Eh bien, avec votre permission, Sire, j'aimerais emmener ma fille à Hever cet été afin qu'elle rencontre mes autres enfants.

— *Mon* fils, me rappela Anne.

Je fixai le roi d'un air angélique.

— Pourquoi pas ? déclara-t-il. Tout ce que vous souhaitez, lady Stafford.

Il m'offrit le bras et j'exécutai une révérence avant de poser ma main sur sa manche. J'appliquai sur mes traits l'expression d'une admiration sans borne, comme s'il était le plus beau prince d'Europe. Ses cheveux se clairsemaient, sa bouche, jadis si charnue et sensuelle, arborait à présent une lippe boudeuse, ses yeux disparaissaient presque sous des paupières et des joues gonflées de graisse, mais je lui souris, radieuse, et le divertis en lui narrant mes prouesses fermières, jusqu'à la grand-salle, où il prit place sur son trône et moi à la table des dames d'atour.

Le dîner dura longtemps, cette cour était peuplée de gloutons. Les serviteurs présentèrent une vingtaine de plats de viandes et poissons puis autant de desserts. Henri les goûta tous sans en apprécier aucun, tandis qu'Anne, glaciale à ses côtés, touchait à peine à son assiette et lançait partout des regards furtifs, semblant chercher d'où provenait le danger.

Le repas débarrassé, la cour s'amusa au cours d'un bal. Je pris ma place dans un cercle de danseurs et badinai avec mes vieux amis tout en surveillant la porte latérale. Après minuit, ma vigilance se vit récompensée : William se glissa dans la salle et me chercha des yeux.

Il passa inaperçu dans la foule. Je m'excusai auprès de mes partenaires et le rejoignis ; il m'attira aussitôt dans une alcôve derrière une tenture.

— Mon amour, souffla-t-il, notre séparation me sembla une éternité.

— À moi aussi. Notre bébé se porte-t-il bien ?

— Je les ai laissées, elle et la nourrice, profondément endormies dans le logement que je trouvai pour nous.

— J'ai trouvé mieux, répliquai-je avec joie. Le roi s'est montré heureux de me voir et s'est enquis de vous. Nous pourrons nous installer ici demain, ensemble. Il m'a autorisée à emmener la petite Anne à Hever cet été.

— Votre sœur l'a-t-elle requis pour vous ?

Je secouai la tête.

— Anne est seule responsable de mon exil ; elle ne m'eût point laissé voir mes enfants.

Il émit un petit sifflement.

— Comment va-t-elle ?

— Elle est amère, chuchotai-je. Malade, et triste.

Été 1535

Cette nuit-là, George et moi prîmes place dans la chambre d'Anne. Le roi avait annoncé son intention de partager sa couche, aussi s'était-elle lavée et m'avait-elle demandé de lui brosser les cheveux.

— Il fait attention, n'est-ce pas? l'adjurai-je. C'est un péché qu'il partage votre couche.

George, allongé sur le lit d'Anne, bottes aux pieds, émit un rire bref.

— Je ne suis guère en danger de trop d'ardeur, railla Anne.

— Que voulez-vous dire?

— Parfois, il ne durcit même pas, c'est dégoûtant. Allongée sous lui, je dois attendre pendant qu'il grogne et transpire. Puis il s'emporte, contre moi! Comme si c'était ma faute.

— Si vous lui apprenez que vous portez un enfant… commençai-je.

— Je le dirai dès qu'il bougera, sans doute en juin. Henri annulera le périple d'été, nous demeurerons tous à Hampton Court et George l'accompagnera chaque jour à la chasse pour écarter cette garce de Jane.

— L'archange Gabriel lui-même ne saurait la repousser, intervint George. Vous récoltez ce que vous avez semé, Anne. Elles lui promettent toutes la lune sans rien donner. C'était bien plus facile quand, comme notre Marie, elles se laissaient séduire et remercier d'un manoir ou deux.

— *Vous* reçûtes les manoirs, répliquai-je sèchement. À moi m'échurent une paire de gants brodés et un collier de perles.

— Plus un bateau baptisé de votre nom, d'innombrables robes et un nouveau lit, ajouta Anne, sa jalousie intacte.

George éclata de rire.

— Votre énumération est digne d'un maître d'hôtel, Anne.

Il tendit la main et l'attira près de lui; je les observai, intimes dans le grand lit d'Angleterre.

424

— Je vous laisse, lançai-je sèchement.

— Courez donc auprès de monsieur Personne, railla Anne, puis elle tira les riches courtines du lit.

William m'attendait dans le jardin, le visage sombre.

— Que se passe-t-il ?

— Il a arrêté Fisher, m'apprit-il, je n'aurais jamais cru qu'il oserait.

— L'évêque Fisher ?

— Henri l'a toujours aimé, bien qu'il prît la défense de la reine Catherine, dont il était l'homme le plus fidèle. Elle va le pleurer.

— Il ne demeurera qu'une semaine ou deux à la Tour avant de s'excuser, puis tout sera terminé.

— Cela dépend de ce qu'ils exigent. Jamais il n'acceptera Élisabeth comme héritière à la place de Marie.

Je m'approchai de lui et posai une main sur son bras.

— Pourquoi tant vous inquiéter ? demandai-je.

William se tourna vers moi et me prit les mains.

— J'étais présent lorsque Henri ordonna son arrestation, il suivait la messe. Le roi communiait, Marie, lorsqu'il commanda l'emprisonnement d'un évêque.

— Il a toujours travaillé dans sa chapelle, objectai-je, réticente à reconnaître le sérieux de mon époux, cela ne signifie rien.

— Ces lois, l'acte de Succession, l'acte de Suprématie, puis l'acte de Trahison, sont les lois de Henri et non de l'Angleterre. Elles tendent des pièges dans lesquels, déjà, Fisher et More sont tombés.

— Il ne les décapitera pas, déclarai-je d'un ton raisonnable. L'un est le plus respecté des hommes d'Église et l'autre fut lord chancelier.

— S'il ose les juger pour crime de trahison, alors nul ne sera en sécurité. Henri se sera aperçu qu'il peut emprisonner quiconque tombe sous le coup d'une loi que lui seul aura établie, même un serviteur du pape.

Je retirai mes mains.

— Je n'en écouterai pas davantage, c'est se méfier de son ombre. Mon grand-père Howard, jadis emprisonné à la Tour pour trahison, en sortit en souriant. Henri n'exécutera pas Thomas More, même s'il est fâché contre lui à présent ; il l'adore.

— Et votre oncle Buckingham ?

— C'était différent, objectai-je, il était coupable.

Mon époux se détourna et fixa la rivière.

— Je prie Dieu que vous ayez raison et moi tort.

Nos prières ne furent pas exaucées. Henri fit l'impensable : il accula l'évêque Fisher et Thomas More, qui affirmaient que son union avec la reine Catherine était valide, à ne pas le reconnaître à la tête de l'Église d'Angleterre ; et ces deux hommes, parmi les meilleurs du pays, montèrent à l'échafaud comme de vulgaires traîtres.

La cour se trouva bien calme les jours qui suivirent, le monde semblait soudain dangereux. Si l'évêque Fisher et Thomas More pouvaient mourir ainsi, qui était protégé ?

George et moi attendions avec une impatience grandissante que le bébé d'Anne remuât dans son ventre, mais vint le milieu du mois de juin sans que rien ne se produisît.

— Peut-être avez-vous mal calculé la date de vos lunes ? demandai-je.

— Impossible, rétorqua-t-elle, je ne pense à rien d'autre.

— Peut-être bouge-t-il tellement légèrement que vous ne sentez rien ?

— À vous de me le dire, riposta Anne, c'est vous le champ fertile où tout pousse, est-ce possible ?

— Je ne sais pas, avouai-je.

— Si, vous le savez ! jeta-t-elle alors amèrement. Nous le savons toutes deux. Je ne prends pas de poids depuis le troisième mois, ce qui se trouve à l'intérieur de moi est mort.

Je la dévisageai, horrifiée.

— Vous devez voir un docteur.

Elle claqua ses doigts sous mon nez.

— Plutôt voir le Diable ! Si Henri apprend qu'un bébé est mort en moi, il ne m'approchera plus. Que vais-je faire ?

— Je demanderai à une sage-femme ce que vous pouvez prendre pour vous en débarrasser.

— Qu'elle ne sache surtout pas que cela m'est destiné, répondit Anne froidement, sinon je suis perdue, Marie.

— Je sais, répondis-je d'un air sombre, George m'aidera.

Le soir, avant le dîner, George et moi nous rendîmes chez une sorcière. Elle vivait près d'un bordel qui surplombait la rivière. Derrière les fenêtres où brillait une chandelle, j'aperçus des femmes à demi nues. Ma capuche rabattue, je tachai d'ignorer les roucoulements destinés à George, lui aussi dissimulé sous son grand chapeau.

— Hâtez-vous, chuchota celui-ci en me poussant, il nous faut aider Anne.

Je hochai la tête et entrai. La pièce était petite, enfumée, et chichement meublée d'une table et de deux chaises. La vieille femme, le dos voûté et les cheveux grisonnants, m'accueillit avec un regard brillant et un sourire qui révéla une bouche édentée.

— Une dame de la cour, coassa-t-elle, remarquant la richesse de mon manteau.

Je posai une pièce d'argent sur la table.

— Pour votre silence, dis-je simplement.

Elle rit.

— Je ne vous serai guère utile si je me tais.

— J'ai besoin d'aide.

— Vous voulez l'amour d'un homme ? Sa mort ?

Elle m'examina intensément, comme pour fouiller mon âme.

— Ni l'un ni l'autre.

— Problème de bébé, alors.

J'avançai une chaise et m'y assis, songeant au monde divisé de si simple manière entre amour, mort et grossesse.

— Ce n'est pas pour moi mais pour une amie.

— Comme toujours.

— Elle portait un enfant mais se trouve à son cinquième mois et le bébé ne bouge pas. Elle pense qu'il est mort.

— Grossit-elle ?

— Non, pas depuis deux mois.

— Est-elle nauséeuse au matin, les seins douloureux ?

— Plus maintenant.

Elle hocha la tête.

— A-t-elle saigné ?

— Non.

— On dirait que le bébé est mort. Menez-moi à elle, pour que je m'en assure.

— Vous ne pouvez la voir, n'insistez pas.

— Alors prenons un risque : je vous confie une potion qui la rendra malade comme un chien et fera sortir le bébé.

J'acquiesçai avec empressement mais elle leva la main.

— Mais si elle se trompe, s'il y a là un bébé qui prend son temps et se repose, vous l'aurez tué, dit-elle simplement. Cela fera de vous, d'elle, de moi, des meurtrières. Êtes-vous prête pour cela ?

— Seigneur, non ! soufflai-je, pensant à ce qu'il adviendrait de moi et de mes enfants si l'on apprenait que j'avais fourni à la reine une potion qui avait tué un petit prince.

Je me levai pour regarder par la fenêtre. Je me remémorai Anne lors de sa première grossesse, le visage coloré, les seins gonflés et je la vis maintenant, pâle, livide, décharnée.

— Donnez-moi la potion, ordonnai-je, elle choisira elle-même.

La femme se leva à son tour et se dirigea vers le fond de la pièce.

— Cela fera trois shillings.

Je n'opposai aucune remarque à ce prix démesuré et posai les pièces d'argent sur la table graisseuse. Elle s'en empara d'une main leste et me confia une petite fiole.

— Ce n'est pas la boisson mais la lame que vous devriez craindre, déclara-t-elle soudain.

J'étais presque parvenue à la porte et me retournai, frissonnant comme si la brume grise du fleuve s'était introduite dans mon corps.

— Que voulez-vous dire ?

— Si cela signifie quelque chose pour vous, prenez ce conseil à cœur, sinon, oubliez-le.

J'attendis, immobile, qu'elle ajoutât quelque chose, puis j'ouvris la porte.

George m'attendait, les bras croisés. Il me prit le bras et nous descendîmes les marches glissantes menant à la barque qui se balançait doucement. Le trajet se déroula dans le silence et, lorsque le batelier nous abandonna au palais, je me tournai vers George et lui dit vivement :

— Deux choses : d'abord, si le bébé n'est pas mort, cette potion le tuera et nous aurons cela sur la conscience.

— Existe-t-il un moyen de savoir si c'est un garçon ?

Je l'eusse tué de se montrer ainsi obsédé par cette idée fixe.

— Nul ne peut savoir.

Il hocha la tête.

— Et l'autre chose ?

— La vieille femme a dit que ce n'est pas la boisson que nous devrions craindre, mais la lame.

— La lame de l'épée, du rasoir, du bourreau ?

— Je ne sais pas.

— Nous sommes des Boleyn, déclara-t-il simplement. Les lames effraient toujours ceux qui vivent à l'ombre du trône. Finissons-en ! Qu'elle avale cette potion et nous verrons ce qu'il adviendra.

⚘

Anne assista au dîner comme une reine : pâle et lasse mais sourire aux lèvres et tête haute. Elle prit place auprès de Henri et, devisant avec lui, l'enchanta comme elle savait encore le faire. Mais, à chaque pause, le regard du roi errait vers la table des dames d'atour. Peut-être observait-il Madge Shelton ou Jane Seymour, il m'adressa même son chaud sourire, d'un air pensif.

Anne affectait de ne rien voir, s'intéressait à sa chasse, louait sa santé. Aussi séduisante et enjouée fût-elle, elle me rappelait la femme qui, assise à cette même place, avait elle aussi choisi de ne pas reconnaître que l'attention de son époux était attirée ailleurs.

Après le dîner, le roi annonça qu'il avait à faire, ce qui signifiait qu'il partait en nuit orgiaque avec ses amis les plus proches.

— Je le suivrai, m'annonça George, pouvez-vous veiller à ce qu'elle avale sa potion ?

— Je demeurerai auprès d'elle, promis-je. La vieille a affirmé qu'elle serait malade comme un chien.

Il hocha la tête, serra mon bras, puis se dirigea vers le roi.

Anne déclara qu'elle avait mal à la tête et souhaitait se coucher tôt. Laissant dans sa salle d'audience ses dames d'atour occupées à broder des chemises pour les pauvres, nous entrâmes dans sa chambre à coucher, où elle enfila sa chemise de nuit et me tendit son peigne à poux.

— Pendant que nous attendons, rendez-vous donc utile, ordonna-t-elle d'un air revêche.

Je posai la fiole sur la table.

— Versez-la dans une coupe.

Soudain révulsée par la petite bouteille de verre, je refusai :

— Non, c'est votre seule décision.

Elle haussa les épaules et versa le liquide dans un gobelet d'or. Elle me porta un toast moqueur, pencha la tête en arrière puis l'avala d'un seul coup, avant de le reposer sur la table avec violence.

— Voilà ! déclara-t-elle. Prions Dieu que tout se déroule facilement.

L'attente commença.

— Allons dormir, rien ne se passe, ordonna-t-elle un peu plus tard.

Nous nous glissâmes ensemble sous les couvertures, comme jadis et, au matin, Anne n'avait toujours pas de douleur.

— Ça n'a pas marché, dit-elle.

Un instant, j'eus l'espoir qu'elle portait un bébé bien vivant qui, malgré la potion, s'accrochait et demeurait en vie.

— Puis-je m'absenter, si vous n'avez pas besoin de moi? demandai-je.

— Courez donc chez monsieur Personne pour une bonne suée!

Je reconnus l'envie dans la voix de ma sœur et, avec un sourire, je me glissai hors de la chambre.

Rien ne survint, tout le jour. Anne, couvée comme un enfant par George et moi, se plaignit du chaud soleil de juin, sans plus.

— Il vous faudra retourner la voir demain, m'annonça-t-elle en se vêtant pour le dîner.

Vers minuit, j'aidai Anne à se coucher puis retournai à ma chambre. William, qui s'assoupissait doucement, se leva à mon entrée et délaça mon corps de cotte comme une chambrière attentionnée. J'émis un grognement de plaisir lorsqu'il massa doucement ma peau endolorie par les baleines.

— Vous sentez-vous mieux?

— Toujours, quand je suis avec vous.

Il me prit la main et me mena au lit. Je me glissai sous les couvertures avec délice et, aussitôt, son corps chaud et familier épousa le mien, son odeur me grisa, sa jambe entre les miennes excita mon désir, son torse chaud contre mes seins m'arracha un sourire de plaisir et ses baisers ouvrirent mes lèvres.

À deux heures du matin, un grattement à la porte nous tira du sommeil. William sortit aussitôt du lit, sa dague à la main.

— Qui va là?

— George, j'ai besoin de Marie.

William jura entre ses dents, s'enveloppa d'un manteau en me lançant une chemise et ouvrit la porte.

— Est-ce la reine?

George secoua la tête, incapable d'avouer nos secrets, puis tourna la tête vers moi.

— Venez, Marie.

William tempéra son irritation à voir mon frère m'ordonner de quitter mon lit d'épouse. Je passai ma chemise et, comme je m'apprêtai à enfiler jupe et corps de cotte, George lança d'un ton encoléré :

— Vous n'avez pas le temps, allons-y !

— Elle ne quittera pas cette pièce à demi nue, intervint William, catégorique.

George hésita un instant puis adressa à William son sourire enjôleur.

— C'est une affaire de famille, dit-il doucement, laissez-la partir, William. Je veillerai à ce qu'il ne lui arrive rien, mais elle doit venir maintenant.

William attacha vivement son manteau sur mes épaules et m'embrassa le front. Je courus derrière George jusqu'à la chambre d'Anne.

J'aperçus celle-ci recroquevillée au sol, les bras serrés autour de son ventre, un amas de linge près d'elle. À notre entrée, elle leva les yeux vers nous puis détourna aussitôt le regard.

— Anne ? chuchotai-je.

Je traversai la pièce pour m'agenouiller à son côté. Je passai mon bras autour de ses épaules ; elle ne fit aucun geste pour m'encourager ou me repousser, raide comme un billot de bois.

— Est-ce votre enfant ? demandai-je en indiquant les draps.

— Je sentis une crampe comme pour me vider, grogna Anne, les dents serrées, allai au pot de chambre et tout fut dit. Il n'y eut presque pas de sang, je pense que c'est mort depuis des mois. Quelle perte de temps !

Je me tournai vers George.

— Il faut vous en débarrasser. Enterrez-le. Il ne s'est rien passé.

Anne passa la main sur son front et dit d'un ton absent :

— Comme la dernière fois et celle qui suivra. Rien ne se passe jamais.

George se dirigea vers l'horrible ballot et s'arrêta, incapable de le toucher.

— Il me faut une cape.

J'indiquai un coffre d'un mouvement de tête. Il l'ouvrit et, aussitôt, une douce odeur de lavande envahit la pièce. Il en sortit une cape noire mais Anne lança :

— Pas celle-ci, elle est bordée d'hermine.

Il marqua une pause devant l'absurdité de cette réflexion puis s'empara d'une autre cape qu'il jeta au sol, recouvrant la chose avant de la prendre sous le bras.

— Je ne sais où creuser, me dit-il doucement.

— Allez chercher William, répondis-je, remerciant Dieu d'avoir un époux qui saurait surmonter l'horreur de cette situation.

— Non, coassa Anne, personne ne doit savoir !

Je fis à George un signe impérieux.

— Allez !

La porte refermée sur George, je tournai aussitôt mon attention vers Anne. Les draps de son lit étaient tachés, de même que sa robe de nuit ; je les déposai dans le feu. Je l'aidai à passer une nouvelle chemise et l'encourageai à retourner sous les couvertures. Livide comme la mort, claquant des dents, elle s'allongea dans l'immense lit à quatre colonnes où elle parut minuscule et perdue.

— Je vous apporte du vin chaud.

J'en trouvai dans sa salle d'audience, le fis réchauffer et y ajoutai du brandy avant de le verser dans sa coupe d'or. Je l'aidai à boire et elle cessa de trembler, mais demeura horriblement pâle.

— Dormez, lui ordonnai-je, je resterai avec vous ce soir.

Je soulevai les couvertures et me glissai auprès d'elle, la prenant dans mes bras pour la réchauffer, son petit corps au ventre plat aussi fragile que celui d'un enfant. Je sentis se mouiller ma chemise et compris alors qu'elle pleurait.

— Dormez, Anne, répétai-je. Il n'y a rien d'autre à faire, ce soir.

— Je vais dormir, chuchota-t-elle, et prier Dieu de ne jamais me réveiller.

Elle s'éveilla cependant, le lendemain, et ordonna à ses chambrières de lui remplir un bain d'eau bouillante, comme si elle avait voulu oblitérer la douleur de son corps et de son esprit. Le roi lui fit savoir qu'il se rendait aux matines, ce à quoi Anne répliqua qu'elle suivrait la messe dans sa chambre à coucher et le verrait à la première collation. Elle me demanda de la frotter jusqu'à ce que sa peau rougît puis, enfin, se sécha de draps chauds.

Elle ordonna ensuite que fussent étalées toutes ses robes autour d'elle. Je l'observai, perplexe, se faire lacer si serrée que ses seins remontèrent comme deux globes appétissants de chair tendre au sommet de sa robe. La chevelure mise en valeur par sa coiffe, ses longs doigts ornés de bagues, le cou arborant son collier de perles favori avec le « B » des Boleyn en son centre, elle s'observa dans le miroir et lança à son reflet ce demi-sourire si séduisant.

— Vous sentez-vous bien ? demandai-je, m'approchant enfin.

Elle fit volte-face, la soie de sa robe tourbillonnant autour d'elle, l'éclat des diamants scintillant dans la lumière :

— *Bien sûr*!* Pourquoi en irait-il autrement ?

Je quittai la pièce, incapable soudain de la supporter ainsi, dure et brillante, rêvant de William et d'un monde où les choses étaient ce qu'elles semblaient être.

Je le trouvai près du fleuve, notre enfant dans les bras.

— J'ai envoyé la nourrice déjeuner, me dit-il en me tendant le bébé.

J'enfouis mon visage dans le doux duvet, sentis le petit pouls battre contre ma joue et souris de plaisir. William nous attira contre lui et, après un instant de silence, nous fîmes quelques pas.

— Comment se porte la reine ce matin ?

— Comme si rien n'avait eu lieu.

Il hocha la tête et ajouta d'un air hésitant :

— Pardonnez-moi cette demande, mais... Pourquoi ne peut-elle porter d'enfant, depuis Élisabeth ?

Je plissai les yeux.

— Que voulez-vous dire ?

— Seulement ce que chacun dirait sachant ce que je sais.

— Et qui est ? martelai-je, la voix tranchante.

— Rien, si vous devez me dévisager de ce regard noir ; on dirait votre oncle et je tremble dans mes bottes.

J'éclatai de rire et secouai la tête.

— Là ! Plus de regard noir. Parlez.

— Ils diraient qu'elle est maudite, qu'un grave péché noircit son âme, se lança-t-il. Peut-être devrait-elle se confesser, partir en pèlerinage, nettoyer sa conscience.

Je me détournai et m'éloignai lentement. William m'attrapa le bras.

— Ne cherchez-vous pas à comprendre... ?

— Jamais, l'interrompis-je. Je ne connais pas la moitié de ce qu'elle a fait pour devenir reine ni ce qu'elle serait disposée à faire pour concevoir un fils.

Nous marchâmes un moment en silence.

— Si elle ne parvient pas à engendrer un mâle, elle gardera le vôtre, dit enfin William.

— Je sais, chuchotai-je avec désespoir.

La cour partit et j'obtins la permission de rejoindre mes enfants. William et moi saluâmes de la main la brillante cavalcade qui s'éloignait vers les villes et manoirs du Sussex, Hampshire, Wiltshire et Dorset. Anne était magnifique, vêtue d'or et de blanc. Henri, à ses côtés, avait l'air d'un grand roi, monté sur son immense étalon. Ils chevauchaient proches l'un de l'autre, comme quand, quelques années auparavant, il était amoureux d'elle et qu'elle sentait la récompense à portée de main.

Elle parvenait encore à forcer son attention, à déclencher son rire. Mais nul ne savait ce qu'il en coûtait à Anne de briller ainsi aux yeux du roi et de saluer de la main le peuple qui la dévisageait sans amour.

Dès que les souverains eurent disparu, après que l'interminable ruban de chariots eut quitté la cour et se fut engagé sur la route de l'ouest, William et moi nous dirigeâmes vers Hever et un été avec mes enfants.

Pendant un an, j'avais prié à deux genoux pour cet instant. Mes enfants avaient appris par mes lettres que j'étais mariée à William et que nous attendions un bébé. Ils connaissaient à présent l'existence de leur petite sœur et se languissaient de moi comme moi d'eux.

En pénétrant dans le parc, je les aperçus qui musardaient sur le pont-levis. Catherine me vit la première et tira Henri par la manche. Ils coururent à notre rencontre, je descendis précipitamment de ma selle et leur ouvris les bras dans lesquels ils se précipitèrent, me rendant mon étreinte avec force.

Comme ils avaient grandi en mon absence! Henri m'arrivait à l'épaule déjà ; quant à Catherine, elle montrait la grâce d'une jeune fille et possédait le petit sourire malicieux des Boleyn. Je la tins devant moi un instant pour la regarder et déclarai, devant son corps dont les rondeurs annonçaient la femme :

— Oh! Catherine, vous deviendrez une véritable beauté.

Elle rougit et revint se lover contre moi.

William étreignit Henri puis annonça à l'attention de Catherine :

— Je devrais vous baiser la main.

Elle éclata de rire et se précipita dans ses bras.

— J'étais tellement heureuse d'apprendre votre union, lança-t-elle. Dois-je vous appeler « père » à présent?

— Oui, sauf quand vous me nommerez « Monsieur ».

Elle émit un gloussement joyeux.

— Et le bébé ?

Je la pris des bras de la nourrice et la présentai à ma fille.

— Voici votre petite sœur.

Catherine s'en empara aussitôt en roucoulant d'aise. Henri se pencha par-dessus son épaule et déclara :

— Elle est si petite.

— Elle a pourtant bien grandi, répondis-je, elle était vraiment minuscule à la naissance.

— Pleure-t-elle beaucoup ? s'enquit mon fils.

Je souris.

— Moins que vous, qui étiez un véritable braillard.

Il eut aussitôt un sourire espiègle.

— Vraiment ?

— Affreux.

— Il l'est encore, intervint Catherine avec l'irrespect des aînés.

— Certainement pas ! protesta-t-il. Enfin ! Mère et, euh... père, entrez donc ; un déjeuner vous attend.

William se tourna vers la maison et posa un bras sur les épaules de Henri.

— Parlez-moi de vos études, l'invita-t-il. J'ai entendu que votre instruction était menée par des cisterciens. Vous enseignent-ils le grec et le latin ?

Catherine s'attarda à mes côtés.

— Puis-je la porter jusqu'à la maison ?

— Vous pouvez la garder tout le jour ; sa nourrice sera heureuse de se reposer.

— Se réveillera-t-elle bientôt ?

— Oui, la rassurai-je, vous pourrez alors voir ses yeux, qui sont d'un bleu merveilleux. Peut-être même vous adressera-t-elle un sourire.

Automne 1535

Je reçus une seule lettre d'Anne, cet automne-là.

Ma chère sœur,

La chasse est bonne. Le roi a acquis un nouvel étalon pour un prix dérisoire. Nous eûmes le grand plaisir de loger à Wulfhall, chez les Seymour, où Jane fit les honneurs de la maison. D'une politesse adamantine, elle accompagna le roi dans les jardins où elle lui montra les herbes qu'elle utilise afin de soigner les pauvres, ainsi que ses tourterelles et ses travaux d'aiguille. Elle supervise la préparation du dîner de son père, ayant pour maxime qu'une femme se doit de veiller au bien-être de son époux. Elle se montre, enfin, charmante au-delà des mots. Le roi roucoule autour d'elle comme un écolier. Cependant, rien ne m'empêcha de sourire car je possède un atout caché dans ma manche, ou plutôt dans mon ventre.

Plaise à Dieu que, cette fois, tout se déroule bien ! Je vous écris de Winchester ; nous nous rendons à Windsor, où vous me rejoindrez. Je vous veux près de moi toute la durée nécessaire ; le bébé naîtra l'été prochain, nous serons dès lors en sécurité. N'en soufflez mot à personne, le secret est essentiel. Seuls George et vous êtes dans la confidence, je ne l'apprendrai au roi que passé mon troisième mois. J'ai cette fois de bonnes raisons de penser que cet enfant sera fort.

Priez pour moi,
Anne

Dans ma poche, je m'emparai de mon rosaire que j'égrenai en priant avec passion qu'Anne menât à bien une grossesse qui débouchât sur un garçon. Un échec pouvait fort bien transformer la farouche ambition de ma sœur en une irrémédiable folie.

Alors que j'observais ma servante rassembler mes habits dans mon coffre de voyage, Catherine frappa à la porte et pénétra dans ma chambre.

Elle s'assit à côté de moi et je souris en la voyant baisser le regard vers les boucles de ses souliers, hésitant visiblement à parler.

— Qu'y a-t-il ? Parlez, Cat, vous semblez prête à étouffer.

Elle leva aussitôt la tête.

— Je sais que Henri demeurera avec les cisterciens et les autres garçons jusqu'à ce que la reine le convoque.

— En effet, acquiesçai-je, grinçant des dents.

— J'aimerais me rendre à la cour avec vous, le permettez-vous ? J'ai presque douze ans.

— Vous avez onze ans.

— C'est presque douze. Quel âge aviez-vous lorsque vous vous y rendîtes la première fois ?

— Quatre ans, répondis-je avec une grimace, j'ai toujours voulu vous épargner cela ; je pleurai chaque nuit jusqu'à cinq ans.

— Mais j'ai presque douze ans maintenant.

Je souris devant son insistance puis songeai à la lubricité qui régnait à la cour et combien la délicate beauté de cette nouvelle Boleyn pouvait la propulser au centre de l'attention. Comme j'eusse préféré qu'elle demeurât à la campagne, à l'abri !

— Soit, soupirai-je. Je suppose que c'est inévitable. William et moi veillerons sur vous. Mais il nous faut obtenir la permission d'oncle Howard. S'il accepte, vous nous accompagnerez la semaine prochaine.

Son visage s'éclaira et elle battit des mains.

— Recevrai-je de nouveaux habits ?

— Sans doute.

— Et un nouveau cheval ? Il me faudra suivre la chasse, n'est-ce pas ?

Je comptai sur mes doigts.

— De nouveaux vêtements, un cheval. Autre chose ?

— Des coiffes et une cape, la mienne est trop petite maintenant. C'est tout, termina-t-elle, hors d'haleine.

— Bien, mais souvenez-vous de ceci, mademoiselle Catherine : la cour n'est pas toujours un endroit qui convienne à une jolie jouvencelle. Vous devrez obéir et, si des lettres frivoles vous sont adressées, vous mes les apporterez.

— Je vous obéirai en tout ! s'exclama-t-elle en dansant à travers la pièce. De toute façon, je ne pense pas que l'on me remarquera.

Sa jupe virevolta et sa chevelure brune vola autour d'elle. Je lui adressai un sourire et conclut d'un ton sarcastique :

— Oh, vous serez remarquée, ma fille.

Hiver 1536

Jamais je ne pris autant de plaisir à célébrer Noël. Anne, enceinte, était radieuse. William, mon époux reconnu, se tenait à mes côtés tandis que mon bébé se trouvait au berceau et ma fille à la cour. La reine m'annonça que son pupille, mon Henri, pouvait nous rejoindre. La nuit des Rois, je dînai sous l'égide de ma sœur assise sur le trône d'Angleterre, ma famille siégeant aux meilleures tables de la salle.

— Vous avez l'air heureux, me chuchota William en prenant place à côté de moi pour la danse.

— Je le suis, répondis-je. Les Boleyn se trouvent où ils le souhaitent et semblent enfin en jouir.

Il glissa un regard vers Anne qui ouvrait la chorégraphie des femmes.

— Est-elle enceinte ?

— Oui, murmurai-je à mon tour. Comment avez-vous deviné ?

— À ses yeux. C'est également la première fois que je la vois faire preuve de civilité envers Jane Seymour.

Cette dernière, les yeux baissés, virginale dans une robe jaune pâle, attendait son tour de danser. Lorsqu'elle s'avança dans le cercle, le roi la dévora du regard.

— C'est un ange, remarqua William.

— C'est un serpent, rétorquai-je. Ôtez cet air de votre visage, je ne le tolérerai pas.

— Anne l'accepte chez Henri, me provoqua-t-il.

— Il l'arbore sans sa permission, croyez-moi.

— Un jour, il se montrera las des tempêtes et une femme comme Jane Seymour lui paraîtra une séduisante accalmie, remarqua-t-il.

Je secouai la tête.

— Elle l'ennuierait jusqu'aux larmes en une semaine. Le roi aime la chasse, les joutes et le divertissement ; seule une Boleyn peut lui apporter cela.

Le regard de William passa d'Anne à Madge Shelton, se posa sur moi puis sur Catherine Carey, ma fille si jolie qui observait les danseurs, vivant miroir de l'attitude coquette d'Anne.

William sourit.

— Comme je me montrai sage de cueillir la plus jolie d'entre elles, la plus jolie Boleyn.

Le lendemain matin, Catherine m'accompagna dans les appartements de la reine. Les dames d'atour d'Anne y brodaient une immense nappe d'autel, ce qui me rappela la reine Catherine et l'interminable travail sur le ciel bleu. Ma fille, que sa récente arrivée cantonnait au rang le plus bas, n'était autorisée qu'à ourler les bords, tandis que les femmes travaillaient le motif de la partie centrale. Leur bavardage ressemblait au roucoulement des tourterelles, seule la voix de Jane Parker résonnait de façon discordante. Anne tenait une aiguille en main mais ne travaillait pas, elle écoutait les musiciens. Je ne cousais pas non plus, assise près de la fenêtre, le regard au-dehors.

La porte s'ouvrit soudain et mon oncle entra, à la recherche d'Anne.

— Que se passe-t-il ? demanda cette dernière, sans autre forme de cérémonie.

— La reine est morte.

Il ne l'avait pas nommée « princesse douairière », signe de son émotion.

Un sourire apparut sur les lèvres d'Anne.

— Dieu merci ! Tout est terminé à présent.

— Que Dieu la bénisse et l'accueille en Sa miséricorde, chuchota Jane Seymour.

Les yeux d'Anne lancèrent des éclairs.

— Que Dieu vous pardonne, mademoiselle Seymour, d'oublier que cette femme attira le roi, son beau-frère, dans un faux mariage qui ne lui causa que douleurs et peines.

Jane fit face à l'orage sans plier.

— Nous la servîmes toutes deux, répondit-elle doucement, c'était une bonne maîtresse, une femme dévouée. Avec votre permission, j'aimerais aller prier pour elle.

Anne s'apprêta à refuser puis aperçut le regard avide de l'épouse de George et se souvint que toute querelle était colportée, amplifiée auprès de la cour.

— Bien entendu, répondit-elle avec amabilité. S'en trouve-t-il d'autres qui souhaitent prier avec Jane tandis que je m'en vais célébrer la nouvelle avec le roi?

Sans surprise, Jane partit seule tandis que nous nous dirigions vers les appartements du souverain.

Il accueillit Anne avec un rugissement de joie et la souleva dans ses bras, comme si la femme disparue avait été sa pire ennemie et non celle qui l'avait loyalement aimé avant de s'éteindre en prononçant son nom, seule, loin de sa fille. Il fit venir son maître des festivités et ordonna une célébration impromptue. Anne et Henri se vêtiraient de jaune, la couleur de la joie, de la lumière, mais aussi de deuil en Espagne. L'ambassadeur aurait à rapporter cette insulte ambiguë à l'empereur.

Incapable de partager l'éblouissant triomphe d'Anne et de Henri, je me dirigeai vers la porte. Une main m'arrêta. Mon oncle se tenait près de moi.

— Restez, m'ordonna-t-il.

— C'est une honte.

— Il s'agissait de l'ennemie de votre sœur, donc de la nôtre, qui a failli gagner.

— Parce qu'elle avait raison, chuchotai-je, et nous le savions tous.

Il eut un sourire, sincèrement amusé par mon indignation.

— Raison ou pas, elle est morte et sa cause avec elle ; votre sœur est véritablement reine et nul n'y gagne à le nier. L'Espagne se tiendra coite, Rome lèvera son excommunication. Qu'Anne accouche d'un garçon et tout nous appartiendra. Alors, restez et arborez un air heureux.

Obéissante, je demeurai à son côté tandis que Henri et Anne chuchotaient à la fenêtre, comme deux parfaits conspirateurs. Jane Seymour les eût-elle aperçus ainsi, elle aurait compris que rien ne pouvait pénétrer la complicité de ces deux esprits dénués de scrupules.

La cour, abandonnée à son sort, se forma en petits clans qui discutaient de la mort de la reine. William m'aperçut à côté de mon oncle et vint à moi.

— Elle restera ici, l'avertit oncle Howard.

— Elle suivra ses désirs, répliqua mon époux. Je ne permettrai pas qu'elle soit forcée d'obéir.

Mon oncle leva les sourcils.

— Une épouse peu commune.

— Une épouse qui me convient.

William se tourna vers moi.

— Que souhaitez-vous faire ?

— Je reste un moment, transigeai-je, mais je ne danserai pas, ce serait insulter sa mémoire.

Jane Parker apparut soudain.

— On dit qu'elle fut empoisonnée, déclara-t-elle, d'un poison glissé dans son assiette qui la fit périr d'une grande douleur. Qui aurait pu faire une chose pareille ?

Avec application, aucun d'entre nous ne posa les yeux sur le couple royal.

— C'est une calomnie scandaleuse et, si j'étais vous, je ne le répéterais pas, lui conseilla mon oncle.

— Toute la cour en parle déjà, se défendit-elle.

— Répondez qu'elle est morte non de poison mais de chagrin, répliqua mon oncle. De même qu'une femme pourrait mourir d'un excès de calomnie, surtout si elle diffame une puissante famille.

— C'est ma famille, lui rappela Jane.

— Je l'oublie sans cesse, rétorqua-t-il, vous voyant si peu auprès de George.

Elle soutint son regard.

— Je me trouverais davantage avec lui s'il ne passait son temps auprès de la reine. Ils sont inséparables.

— Parce qu'il sait que son devoir est de servir la reine autant que sa famille. Vous devriez vous comporter en meilleure épouse.

— Je ne crois pas qu'une autre femme que la reine l'intéresse, déclara-t-elle, perfide. Il ne se trouve qu'auprès d'elle ou de sir Francis.

Je cessai de respirer et n'osai regarder William.

— Votre devoir est de rester à son côté, qu'il l'ordonne ou non, répondit froidement oncle Howard.

Je crus un instant qu'elle allait répondre, mais elle sourit de son sourire sournois et s'éclipsa.

Anne me fit appeler dans sa chambre une heure avant le dîner. Elle s'aperçut aussitôt que je n'étais pas vêtue de jaune pour la soirée.

— Hâtez-vous, me dit-elle.

— Je ne m'y rendrai pas.

Elle hésita puis choisit d'éviter la querelle.

— Très bien, mais faites savoir que vous êtes souffrante.

Elle s'observa dans le miroir et ajouta :

— J'ai pris plus de poids avec celui-ci qu'avec les autres, cela signifie que le bébé grandit, n'est-ce pas ? Il est plus fort.

— Oui, la rassurai-je, et vous avez bien meilleure tournure.

Elle s'assit devant le miroir et ordonna :

— Brossez ma chevelure. Vous y excellez comme personne.

J'ôtai la coiffe jaune et passai la brosse d'argent dans sa lourde chevelure noire. Anne pencha la tête en arrière et se laissa aller au plaisir.

— Il sera fort, déclara-t-elle. Nul ne saura ce que me coûta la conception de ce bébé, Marie.

Mes mains tremblèrent soudain à la pensée de sorcières et de sortilèges.

— Ce sera un grand prince pour l'Angleterre, reprit-elle douce-ment. Un prince que je cherchai aux portes d'un enfer dont vous n'aurez jamais idée.

— Ne m'en parlez pas, alors, répliquai-je, pusillanime.

Elle émit un rire bref.

— Chère sœur, je fis plus pour mon pays que vous ne sauriez rêver.

— J'en suis certaine, murmurai-je pour l'apaiser, poursuivant mon brossage.

Elle demeura tranquille un moment mais, soudain, elle ouvrit les yeux et s'écria :

— Je l'ai senti, Marie, à l'instant ! Le bébé a bougé !

— Où ? Montrez-moi.

Elle frappa son corps de cotte dans un élan de frustration.

— Ici ! Je l'ai senti !

Elle s'interrompit et je vis son visage resplendir d'une joie révé-rencieuse.

— Il a encore bougé, chuchota-t-elle. Dieu tout-puissant ! Soyez béni, je porte un enfant bien vivant.

Elle se leva et m'ordonna :

— Courez l'apprendre à George.

Bien que connaissant leur intimité, je manifestai de la surprise.

— À George ?

Elle se reprit aussitôt.

— Au roi, veux-je dire. Allez chercher le roi.

Je courus aux appartements du souverain. Il se faisait vêtir pour le dîner, une demi-douzaine de compagnons auprès de lui. Je plon-geai dans une révérence sur le seuil de la porte et il se tourna vers moi, sourire aux lèvres, heureux de me voir.

443

— Voici l'autre fille Boleyn ! La plus douce des deux.

Plus d'un homme gloussa à la plaisanterie.

— La reine vous supplie de vous rendre auprès d'elle, Sire, elle souhaite vous faire part d'une heureuse nouvelle qui ne peut attendre.

— Aussi vous envoie-t-elle courir comme un page pour me siffler comme un chiot ?

Je m'inclinai de nouveau.

— Sire, je courus avec joie et, si vous connaissiez cette nouvelle, vous obéiriez au sifflet.

Le roi posa son manteau d'or sur ses épaules.

— Eh bien, menez-moi comme le chiot que je suis, lady Marie.

Je posai délicatement ma main sur le bras tendu, sans résister lorsqu'il m'attira à lui.

— Le mariage vous réussit, Marie, dit-il d'une voix chaude, la moitié des hommes derrière nous. Vous êtes aussi jolie que lorsque vous étiez une jeune fille et ma bien-aimée.

— Il y a longtemps de cela, répondis-je prudemment, Votre Majesté est aujourd'hui deux fois l'homme qu'elle était.

À peine les mots sortis de ma bouche, je me maudis intérieurement. J'avais eu l'intention de lui dire que sa beauté et sa puissance avaient doublé. Sotte que j'étais ! Ma phrase semblait affirmer qu'il était deux fois plus gros, ce qui était malheureusement l'horrible réalité.

Il s'arrêta net sur la troisième marche de l'escalier. Je fus tentée de tomber à genoux et n'osai lever la tête. Un rugissement éclata soudain, je levai les yeux et m'aperçus, à mon immense soulagement, qu'il hurlait de rire.

— Lady Marie, êtes-vous devenue folle ?

Je l'imitai, le cœur plus léger.

— Je le crois, Votre Majesté. Je souhaitais dire que vous étiez alors un grand prince devenu aujourd'hui un grand roi. Mais cela sembla…

Son rugissement s'éleva une fois encore. Les courtisans tendirent l'oreille afin de comprendre pourquoi le roi riait si fort alors que j'étais écarlate.

Henri m'attira à lui par la taille.

— Marie, vous êtes la meilleure des Boleyn car nul ne me divertit comme vous ! Menez-moi à mon épouse avant d'affirmer une chose horrible qui m'obligerait à vous décapiter.

Je m'échappai de son étreinte pour ouvrir le chemin. Il pénétra chez la reine, ses compagnons derrière lui. Anne ne se trouvait pas dans sa salle d'audience, mais encore dans sa chambre à coucher. Je toquai à la porte et annonçai le roi. Elle se tenait devant son miroir, les cheveux étalés sur ses épaules. Le roi entra puis referma la porte. Je me plaçai devant afin d'interdire à toute oreille indiscrète de s'approcher : Anne vivait son moment de triomphe, je voulais qu'elle le savoure.

William entra à cet instant, m'aperçut, et se dirigea vers moi.

— Défendez-vous l'accès ? s'enquit-il, sourire aux lèvres. Avec vos mains sur les hanches, vous ressemblez à une poissonnière gardant son seau.

— Elle lui apprend qu'elle attend un enfant ; elle a le droit de le faire sans qu'une Seymour vienne y fourrer son nez.

George apparut au côté de William.

— Elle lui apprend quoi ?

— Le bébé a bougé, dis-je en souriant, anticipant la joie sur le visage de mon frère.

Mais une ombre traversa ses traits. Ce fut si fugace que je doutai l'avoir vu. Pendant un instant, je sus pourtant avec certitude que mon frère n'avait pas la conscience tranquille. J'en déduisis qu'Anne l'avait pris avec elle aux portes de l'enfer, pour la conception de cet enfant.

— Seigneur, qu'avez-vous encore fait tous les deux !

Il afficha aussitôt son creux sourire de courtisan.

— Rien, rien ! Comme ils vont être heureux ! Et quelle semaine ! La reine Catherine morte, un petit prince bien vivant. *Vivat** les Boleyn !

William lui déclara en souriant :

— Votre famille m'impressionnera toujours par sa capacité à envisager les choses selon l'angle de son propre intérêt.

— Parce que nous nous réjouissons de la mort de la reine ?

— Princesse douairière !

William et moi avions parlé en même temps. George grimaça.

— Votre problème, William, c'est que vous n'avez aucune ambition. Vous ne voyez pas qu'il n'existe qu'un seul but dans la vie.

— Qui est ? s'enquit poliment mon mari.

— Davantage, répondit George avec simplicité. Davantage de tout.

Anne et moi partageâmes ensemble les journées froides de janvier, lisant, brodant, écoutant les musiciens. George papillonnait autour d'Anne, aussi attentif qu'un époux, et elle s'épanouissait sous ses attentions. Elle se prit d'affection pour Catherine, qu'elle voulut à nos côtés. J'observai ma fille étudier avec soin les manières des dames d'atour jusqu'à parvenir à s'emparer d'un luth ou d'une carte à jouer avec la même grâce.

— C'est une vraie Boleyn, approuva Anne. Dieu merci, elle possède mon nez et non le vôtre.

— J'en remercie le Seigneur chaque jour, rétorquai-je, sarcastique.

— Nous devrions lui chercher un époux digne d'elle, poursuivit Anne. Elle est ma nièce, le roi lui-même s'intéressera à son alliance.

— Je ne veux pas qu'elle se marie déjà, intervins-je, et certes pas contre son gré.

Anne éclata de rire.

— Mais c'est une Boleyn, son union devra satisfaire aux ambitions de la famille.

— C'est ma fille, rétorquai-je, elle ne sera pas vendue au plus offrant ; vous pouvez promettre Élisabeth au berceau, c'est votre droit. Mais mes enfants jouiront d'une enfance avant de s'unir.

Anne hocha la tête, abandonnant le sujet.

— Votre fils est toujours le mien, cependant, rappela-t-elle, égalisant les points.

— Je ne l'oublie jamais, répondis-je doucement.

Le temps était fort beau, un givre blanc recouvrait le sol chaque matin et la forte odeur de cerf guidait les chiens à travers le parc et dans la campagne. Les chevaux luttaient pour suivre et Henri changeait souvent de monture, parfois deux ou trois fois le jour. Il avait retrouvé sa jeunesse, heureux d'avoir planté un fils dans le ventre de sa jolie épouse. Le pays était en paix, car l'invasion espagnole ne menaçait plus à présent que Catherine avait disparu. Dieu lui souriait comme cela lui était dû, montrant ainsi qu'Il approuvait ses décisions.

Anne affichait sa joie : le monde était à ses pieds, sa rivale avait péri et, mieux que tout, son bébé grandissait en elle.

Henri annonça qu'un grand tournoi se tiendrait auquel tous les hommes devaient participer. William se plaignit de la dépense et emprunta son armure à un autre chevalier pauvre avant de jouter, prenant un soin extrême de sa monture. Il demeura en selle mais l'autre fut déclaré vainqueur.

— Dieu me pardonne, j'ai épousé un couard, lui lançai-je alors qu'il pénétrait dans la tente des femmes. Anne était assise au premier rang, enveloppée de fourrures tandis que nous nous tenions debout derrière elle.

— Dieu vous en bénisse, rétorqua-t-il, j'ai épargné à ma monture la moindre égratignure, ce qui me satisfait davantage que toute réputation d'héroïsme.

— Vous êtes un homme du peuple, le taquinai-je en souriant.

Il passa son bras autour de ma taille et me vola un rapide baiser.

— Mes goûts sont des plus vulgaires, chuchota-t-il. J'aime mon épouse, le calme, ma ferme et aucun dîner n'égale à mes yeux une tranche de lard sur un morceau de pain.

Je me blottis contre lui.

— Voulez-vous rentrer?

— Dès que le bébé sera né et qu'elle nous laissera partir, répondit-il.

Henri entra en lice le premier jour et gagna toutes les joutes. Au second jour, Anne, souffrante, garda la chambre et annonça qu'elle sortirait pour le déjeuner. Elle demanda à quelques-unes de ses dames d'atour de demeurer avec elle. Les autres se rendirent aux joutes, vêtues de couleurs lumineuses reprises par quelques-uns des chevaliers.

— George prendra soin de la Seymour, annonça Anne, regardant par la fenêtre.

— Le roi ne pensera à rien d'autre qu'aux joutes, la rassurai-je. Plus que tout, il aime gagner.

La matinée se déroula dans une atmosphère paisible. La grande nappe d'autel s'étalait devant nous, je m'escrimai à broder une large et ennuyeuse étendue d'herbe tandis qu'Anne s'appliquait sur le manteau de la Vierge. Entre nous deux se déployait un ruban de saints s'élevant au paradis et de diables dégringolant en enfer. J'entendis soudain le bruit d'un galop effréné.

— Que se passe-t-il? dit Anne en levant la tête.

J'allai à la fenêtre.

— Un cavalier qui arrive comme un fou. Je me demande…

Je me mordis les lèvres. La litière royale émergeait en hâte de l'écurie, tirée par deux robustes chevaux.

— Que se passe-t-il? répéta Anne.

— Rien, répondis-je, pensant au bébé.

Elle se leva mais la litière était déjà hors de vue.

— Un cavalier courait vers les écuries, poursuivis-je. Peut-être le cheval du roi a-t-il perdu un fer, vous savez comme Henri déteste démonter, même un court instant.

Elle hocha la tête mais demeura à la fenêtre.

— Voilà oncle Howard.

Ce dernier arrivait, accompagné d'une petite troupe, son étendard galopant au-devant.

Anne reprit sa place. Un moment plus tard résonnèrent une porte qui claque et le bruit des bottes dans l'escalier. Anne leva les yeux d'un air interrogateur lorsqu'il pénétra dans la pièce. Il s'inclina, plus bas qu'à l'habitude, ce qui me mit la puce à l'oreille. Anne se leva comme une somnambule, sa couture tombant à ses pieds, une main sur la bouche et l'autre sur son ventre.

— Mon oncle?

— J'ai le regret de vous informer que Sa Majesté le roi est tombé de cheval. Il est gravement blessé.

Anne pâlit et vacilla.

— Il nous faut nous préparer, déclara mon oncle d'une voix ferme.

Je poussai Anne dans un fauteuil et dévisageai mon parent.

— Nous préparer à quoi?

— S'il meurt, nous devons nous assurer du soutien de Londres et du Nord. Anne doit devenir régente jusqu'à ce que soit nommé un conseil. Je la représenterai.

— Mort? balbutia Anne.

— Il faut nous rallier le pays, martela mon oncle. Le temps sera long avant que l'enfant dans votre ventre devienne un homme. Il n'y a pas de temps à perdre.

Anne était livide, incapable d'obéir à notre oncle, d'imaginer un monde sans Henri, de prendre la tête d'un pays sans Henri pour le diriger.

— J'écrirai la proclamation et la signerai, nous avons des écritures similaires, intervins-je en hâte. Il faut lui éviter tout souci, elle doit penser à la santé de son enfant.

Il sourit, une Boleyn en valant une autre à ses yeux. Il plaça une chaise devant l'écritoire et m'ordonna :

— Commencez. « Soyez assurés... »

Anne s'enfonça profondément dans son fauteuil, main sur le ventre, le regard perdu au-dehors. Les minutes qui s'écoulaient témoignaient de l'état du roi : un homme simplement tombé de cheval était ramené en hâte, un homme approchant la mort était porté avec soin, plus lentement. Je m'avisai que, le roi mort, le royaume pouvait être écartelé entre les lords qui lutteraient pour leur propre compte. Nous reviendrions aux temps passés, avant que le père de Henri n'y mette un terme : York contre Lancastre et chacun pour soi.

Anne parcourut la pièce du regard et vit mon visage effaré, penché sur sa revendication de la régence durant la jeunesse d'Élisabeth.

— Mort ? énonça-t-elle dans un souffle.

Je me levai et pris ses mains glacées dans les miennes.

— Dieu tout-puissant, j'espère que non.

Ils l'amenèrent au pas, comme s'agissant d'une bière. George avançait à la tête du convoi, William et les autres, vêtus de leurs couleurs joyeuses, suivaient dans un silence apeuré.

Anne laissa échapper un gémissement et s'évanouit. L'une de ses femmes la rattrapa et nous la portâmes dans sa chambre, sur son lit, avant d'envoyer un page à la recherche de vin d'hypocras et d'un médecin. Je la délaçai et palpai son ventre, priant en silence que son enfant fût indemne.

Ma mère entra alors et apostropha Anne, livide, qui tentait de s'asseoir.

— Restez allongée ! Voulez-vous tout gâcher ?

— Henri ? demanda Anne.

— Il est en vie, répondit ma mère. Il a fait une mauvaise chute mais il va bien.

Du coin de l'œil, j'aperçus mon oncle qui se signait et murmurait une courte prière. Jamais je ne l'avais vu invoquer d'autre aide que la sienne propre. Ma fille Catherine passa la tête par la porte, se vit invitée à entrer pour porter la coupe de vin à Anne.

— Venez terminer la proclamation de régence, m'invita mon oncle à mi-voix, c'est plus important que toute autre chose.

Je lançai un dernier regard à Anne avant de revenir dans la salle d'audience m'emparer de la plume. Nous écrivîmes trois lettres : une adressée à la ville de Londres, une autre au Nord, la troisième au Parlement. Je les signai « Anne, reine d'Angleterre », le sentiment chevillé au corps de jouer avec le feu, tandis qu'entraient les médecins et apothicaires.

George fit alors irruption, le visage bouleversé.

— Comment va Anne ?

— Évanouie, répliquai-je. Et le roi ?

— Il a perdu l'esprit, chuchota-t-il. Il ne sait où il se trouve et appelle Catherine.

— Catherine ? répéta aussitôt mon oncle, et sa voix claqua comme un coup de fouet.

— Il se croit des années en arrière, quand il fut désarçonné lors d'un tournoi.

— Rendez-vous auprès de lui ! nous ordonna mon oncle. Que nul ne l'entende prononcer son nom ! Cela destituerait Élisabeth au profit de Marie.

George hocha la tête et nous courûmes à la grand-salle, où le roi avait été amené, par peur de trébucher dans le grand escalier. La litière avait été déposée sur deux tables rapprochées en hâte. Le roi s'agitait et gémissait. Nous jouâmes des coudes pour pénétrer le cercle de courtisans et le roi me vit. Ses yeux se froncèrent lorsqu'il me reconnut.

— Je suis tombé, Marie.

Sa voix était pitoyable, comme un petit garçon.

— Pauvre de vous.

Je m'approchai, m'emparai de sa main et la posai contre mon cœur.

— Souffrez-vous ?

— Dans tout le corps, souffla-t-il en fermant les yeux.

Le médecin apparut derrière moi et chuchota.

— Demandez-lui de remuer ses pieds et ses doigts, de vérifier s'il sent toutes les parties de son corps.

— Pouvez-vous bouger les pieds, Henri ?

Nous vîmes s'agiter ses bottes.

— Et tous vos doigts ?

Sa main se serra sur la mienne.

— Oui.

— Avez-vous une douleur à l'intérieur, mon aimé ? Dans votre ventre ?

Il hocha la tête.

— J'ai mal partout.

Je levai les yeux vers le médecin.

— Il faut le saigner, décréta celui-ci.

— Sans savoir où il est blessé ?

— Il se peut qu'il saigne à l'intérieur.

— Laissez-moi dormir, intervint Henri. Marie, restez avec moi.

Je me tournai vers lui ; il avait l'air si jeune qu'un instant je revis le prince dont j'étais tombée amoureuse. Sans lui, nous étions ruinés : pas seulement les Boleyn et les Howard, mais chaque homme, femme, et enfant d'Angleterre. Nul ne saurait empêcher les lords de lutter pour la Couronne, à laquelle pouvaient prétendre quatre héritiers : la princesse Marie, ma nièce Élisabeth, mon fils Henri et le bâtard Henri Fitzroy. L'Église grondait déjà, l'empereur d'Espagne ou le roi de France mandaterait le pape pour restaurer l'ordre ; jamais nous ne nous débarrasserions d'eux.

— Pensez-vous que dormir vous guérira ? lui demandai-je.

Il ouvrit les yeux et me sourit.

— Oh, oui, me répondit-il de sa voix de garçonnet.

— Resterez-vous tranquillement dans votre lit si nous vous y portons ?

Il acquiesça d'un signe de tête. Je me tournai vers le médecin et m'enquis :

— Est-il possible de le porter dans son lit pour le laisser se reposer ?

— Je le pense, répondit-il d'un ton incertain.

— Il ne peut dormir ici, alléguai-je.

George s'avança puis choisit une demi-douzaine d'hommes forts qu'il disposa autour de la litière.

— Gardez sa main, Marie, aidez-le à rester immobile. Vous autres, soulevez la litière à mon commandement. Nous monterons l'escalier et ferons une pause au premier palier. Un, deux, trois : soulevez.

Après un long effort, nous arrivâmes aux appartements du souverain. Lorsqu'ils posèrent la litière sur le lit, le roi gémit de douleur. Nous le soulevâmes par les épaules et fîmes glisser la litière. J'aperçus le visage du médecin et je compris que si le roi saignait à l'intérieur, notre traitement risquait de l'achever. La souffrance lui arracha un grognement que je pris un instant pour le râle de la mort. Mais il ouvrit les yeux et me regarda.

— Catherine ?

Les hommes autour de nous laissèrent échapper un sifflement superstitieux. George ordonna d'un ton sec :

— Dehors, tout le monde.

Sir Francis Weston s'approcha et lui chuchota quelques paroles à l'oreille. George écouta attentivement puis lui toucha le bras en signe de remerciement.

— La reine désire que Sa Majesté demeure en la seule compagnie de ses médecins, de sa belle-sœur et de ma personne, annonça George. Les autres peuvent se retirer.

Ils quittèrent la pièce avec réticence. Au-dehors, j'entendis mon oncle claironner que, si le roi était dans l'incapacité de régner, la reine devenait régente au nom d'Élisabeth envers laquelle, il n'était nul besoin de le rappeler, chacun avait fait serment d'allégeance comme seule et légitime héritière du trône.

— Catherine ? répéta Henri, les yeux posés sur moi.

— Non, c'est moi, Marie, répondis-je doucement. Marie Boleyn par le passé et à présent Marie Stafford.

Il leva ma main à ses lèvres en tremblant.

— Mon amour, chuchota-t-il, sans qu'on sût à laquelle de ses nombreuses amours il s'adressait.

— Dormez, à présent, lui dis-je avec bonté.

— Dormir. Oui, marmonna-t-il, les yeux vitreux comme un ivrogne.

George m'avança une chaise où je pris place sans lâcher la main du roi.

— Prions qu'il se réveille, murmura George, les yeux fixés sur le visage livide du souverain et ses paupières qui tressaillaient.

— Amen, répondis-je.

Nous demeurâmes à ses côtés jusqu'au milieu de l'après-midi. Henri transpirait abondamment, l'un des praticiens se leva et repoussa la courtepointe, puis se ravisa en apercevant l'ancienne plaie sur le mollet du roi, survenue lors d'un accident des années auparavant, ravivée et suintant le pus.

— Il faut le saigner, déclara-t-il. Qu'on apporte les sangsues afin qu'elles drainent le poison.

— Je ne peux pas regarder, annonçai-je à George, la voix tremblante.

— Allez vous asseoir près de la fenêtre, je vous appellerai quand elles seront en place. Et pas d'évanouissement !

Je pris place sur la banquette, tâchant de ne pas songer aux bêtes noires et visqueuses posées sur la jambe du souverain qui festoyaient de chair putréfiée.

George appela :

— Revenez vous asseoir auprès du roi, vous ne verrez rien.

Je m'exécutai, demeurant là jusqu'à ce que les sangsues, repues et gonflées comme d'abjectes petites outres, fussent retirées de la plaie.

Plus tard, alors que je caressai la main du roi, celui-ci ouvrit les yeux et s'écria :

— Dieu tout-puissant, je souffre le martyre.

— Vous êtes tombé de cheval, dis-je, tâchant de juger s'il savait où il se trouvait.

— Je m'en souviens, ainsi que d'avoir été ramené au palais.

— Nous vous avons porté, intervint George en s'avançant, vous vouliez Marie à vos côtés.

— Vraiment ? s'enquit Henri en m'accordant un sourire quelque peu surpris.

— Vous n'étiez pas vous-même, expliquai-je, votre esprit errait. Dieu merci, vous allez mieux.

— Je ferai avertir la reine que vous êtes remis, reprit George, se dirigeant vers un garde.

Henri gloussa.

— Quelle peur vous avez dû avoir !

Il voulut remuer mais grimaça soudain de douleur.

— Par le sang du Christ ! Ma jambe !

— Votre ancienne blessure s'est rouverte, ils y ont appliqué des sangsues, l'informai-je.

— Des sangsues ? Il faut un cataplasme. Catherine sait le faire, demandez-lui...

Il se mordit les lèvres.

— Donnez-moi du vin.

Un page accourut, une coupe à la main. George la maintint aux lèvres du roi, qui la vida d'un trait. Les couleurs lui revinrent et son attention se posa de nouveau sur moi.

— Qui agit le premier ? s'enquit-il d'un ton curieux. Seymour, Howard ou Percy ? Qui voulait défendre le trône au nom de ma fille en se faisant nommer régent jusqu'à sa majorité ?

George connaissait trop bien Henri pour s'abandonner à une confession, même en plaisantant à demi.

— Chacun demeura à genoux, répondit mon frère, priant pour vous sans penser à rien d'autre.

Henri hocha la tête, n'en croyant pas un mot.

— Permettez-moi d'aller annoncer votre rétablissement à la cour, demanda George. Nous organiserons une messe d'action de grâces, nous avons eu si peur.

— Apportez-moi encore du vin, grogna Henri, tous les os de mon corps semblent rompus.

— Voulez-vous que je vous laisse ? m'enquis-je.

— Restez, ordonna-t-il négligemment, mais relevez ces coussins dans mon dos. Quel est l'idiot qui m'allongea ainsi ?

— Nous craignions de vous bouger, expliquai-je, repensant à nos manœuvres pour le faire glisser de sa litière à son lit.

— Des poules mouillées, grimaça-t-il avec satisfaction, caquetant de peur quand le coq est parti.

— Dieu merci, vous êtes là.

— En effet, se rengorgea-t-il. Ma mort serait désastreuse pour les Howard et les Boleyn ; vous avez engendré bon nombre d'ennemis au cours de votre ascension qui vous verraient chuter avec joie.

— Je pensai à Votre Majesté, déclarai-je avec soin.

— Auraient-ils respecté mes désirs et placé Élisabeth sur le trône ? s'enquit-il soudain, l'esprit et le regard vifs. Je suppose que vous, les Howard, auriez soutenu l'un des vôtres, mais les autres, auraient-ils respecté leur serment d'allégeance ?

— Je ne sais pas, avouai-je.

— L'allégeance à Élisabeth signifie la régence pour Anne, dirigée par votre oncle... Une femme à la tête du royaume sous la coupe d'un Howard... C'est le désastre assuré. Elle doit me donner un fils cette fois.

Son visage s'assombrit. Une veine battait à sa tempe ; il y posa les doigts, comme pour repousser la douleur.

— Je vais m'allonger de nouveau, enlevez ces satanés coussins.

La porte s'ouvrit et Anne entra dans la pièce, le visage encore très pâle. Elle s'approcha du lit et s'empara de la main du roi. Celui-ci l'examina attentivement.

— Je vous ai cru mort, déclara-t-elle d'une voix sans timbre.

— Qu'auriez-vous fait ?

— J'aurais agi au mieux comme reine d'Angleterre, déclara-t-elle, la main sur le ventre.

Il y posa la sienne et articula froidement :

— J'espère que c'est un fils que vous avez là, madame, car votre mieux en tant que reine d'Angleterre ne serait pas assez. Je veux un garçon pour tenir ce pays, car je n'ai pas pour dessein de mourir en laissant derrière moi la princesse Élisabeth et cet intrigant qu'est votre oncle.

— Promettez-moi de ne plus jamais courir de joute, dit-elle passionnément.

Il détourna la tête.

— Laissez-moi me reposer, ordonna-t-il. Vous et vos promesses ou vos affirmations ! Que Dieu me vienne en aide ! Je croyais faire un meilleur marché en éliminant la reine.

Anne ne répondit pas. Je les observai tous deux : on eût dit deux fantômes, noyés dans leur peur. Anne plongea dans une révérence et se dirigea lentement vers la porte, devant laquelle elle marqua une pause.

Sous mes yeux, sa transformation s'opéra : elle releva la tête et carra les épaules comme un danseur prêt à entrer en scène aux premières notes. Elle fit signe au garde d'ouvrir la porte et apparut devant la cour, le visage radieux, annonçant que le roi était remis, qu'ils avaient plaisanté ensemble de sa chute de cheval et qu'il entrerait de nouveau en lice aussi tôt que possible.

Henri se montra calme et pensif pendant sa convalescence. La douleur lui offrait un avant-goût de la vieillesse. De son ancienne blessure suintait un mélange de sang et de pus, il devait la couvrir d'un épais bandage et, lorsqu'il était assis, il gardait sa jambe allongée sur un tabouret. Il boitait et s'en sentait humilié. Henri, jadis le plus beau prince d'Europe, voyait le grand âge lui apporter claudication, douleur constante et puanteur de vieux moine.

Anne ne comprenait pas cette attitude.

— Pour l'amour de Dieu, mon époux, soyez heureux ! le tança-t-elle d'un ton sec. Vous survécûtes, n'est-ce pas ?

— Tout comme vous ! rétorqua-t-il. Qu'adviendrait-il de vous si je devais périr ?

— Je m'en sortirais.

— Vous ne seriez pas seule, tous assis sur mon trône encore chaud.

Elle aurait pu tenir sa langue, mais l'habitude de s'en prendre à lui se montra trop forte.

— Nous accusez-vous, moi et ma famille, de quoi que ce soit d'autre qu'une inconditionnelle loyauté ?

La cour, qui attendait le dîner, tendit l'oreille.

— Les Howard font avant tout preuve de loyauté envers eux-mêmes, ensuite envers leur roi, rétorqua Henri.

Je vis sir John Seymour lever la tête, un petit sourire aux lèvres.

— Ma famille exposa sa vie à votre service, jeta Anne d'un ton cassant.

— Vous et votre sœur avez en effet tout exposé, intervint le bouffon.

Un hurlement de rire s'ensuivit. Je rougis et vis William poser un instant la main sur son épée. Mais il était inutile de s'en prendre à un bouffon, surtout quand le roi riait aussi.

Henri se pencha en avant et caressa le ventre d'Anne.

— Et bien vous en a-t-il pris, dit-il d'un ton jovial.

Anne repoussa sa main d'un air irrité. Il s'immobilisa, sa bonne humeur soudain évanouie.

— Je ne suis pas un cheval qu'on flatte, dit-elle d'un ton sec.

— Non, répondit-il froidement. Si je possédais aussi mauvais cheval, j'en nourrirais les chiens.

— Vous feriez mieux de chevaucher votre jument pour la mater, le défia-t-elle.

Nous attendîmes. Le silence se prolongea, le sourire d'Anne se figea.

— Il est des juments qui ne valent la peine d'être matées, murmura-t-il.

Seuls les convives les plus proches auraient pu entendre. Anne pâlit mais, l'instant d'après, elle rejeta la tête en arrière et éclata d'un rire aigu, comme si le roi avait fait une plaisanterie irrésistible.

— Encore un peu de vin, monsieur mon mari ? s'enquit-elle d'une voix ferme, faisant signe à l'échanson.

Henri garda pendant le repas un air boudeur, buvant et mangeant plus qu'à son habitude. Il se leva et parcourut la salle en boitant, s'arrêtant ici et là pour écouter un compliment ou une requête. Parvenu à la table des dames d'atour de la reine, il marqua une pause entre Jane Seymour et moi. Nous nous levâmes aussitôt, il répondit par un sourire à la révérence de Jane.

— Je suis las, mademoiselle Seymour, déclara-t-il. J'aimerais tant me trouver à Wulfhall pour que vous puissiez me concocter une potion avec les herbes de votre jardin.

Elle se releva, un doux sourire aux lèvres.

— Je ferais tout pour le repos de Votre Majesté et apaiser sa peine.

Le Henri que je connaissais aurait répliqué « tout ? » par provocation. Mais celui-ci tira une chaise à lui et s'assit en nous faisant signe de l'imiter.

— L'âge ne se peut soigner, gémit-il. J'ai quarante-cinq ans, je souffre pour la première fois.

— C'est un effet de votre chute, le rassura Jane avec douceur. De plus, je sais que vous vous préoccupez nuit et jour de la sécurité du royaume.

— Un bel héritage à laisser à un fils, se lamenta-t-il.

Tous deux tournèrent les yeux vers la reine, qui, irradiant de colère froide, leur rendit leur regard avec lassitude.

— Prions Dieu que la reine accouche d'un fils, cette fois, s'écria Jane d'un ton onctueux.

— Priez-vous réellement pour moi, Jane ? s'enquit-il dans un souffle.

Elle sourit.

— C'est mon devoir, vous êtes mon roi.

— Prierez-vous pour moi ce soir ? Quand le sommeil me fuira, quand la douleur envahira mon corps, je tirerai réconfort de vous savoir en prière pour moi.

— Ce sera comme si je me trouvais dans la pièce avec vous, ma main sur votre front, vous aidant à vous endormir, assura-t-elle.

Le roi se leva avec un grognement de douleur.

— Un bras ! ordonna-t-il par-dessus son épaule.

Une demi-douzaine d'hommes s'approchèrent. Le roi repoussa George et choisit le frère de Jane. Anne, George et moi observâmes en silence un Seymour aider le souverain à s'asseoir sur son trône.

— Je la tuerai ! s'exclama Anne.

Je m'étirai paresseusement sur le lit. George se tenait devant la cheminée, Anne face à son miroir.

— Je m'en charge, proposai-je. J'en ferai une sainte.

— Elle est vraiment habile, intervint George, admiratif malgré lui. Elle le plaint, je crois que c'est très séduisant.

— Quelle pisse-froid, grinça Anne.

George nous versa une coupe de vin.

— Dois-je la renvoyer de la cour ? demanda-t-elle à George.

— N'en faites rien, conseilla ce dernier. Une fois remis, il recherchera un peu plus de fougue. Toutefois, cessez de le molester.

— Ses lamentations m'insupportent.

— Il a peur, ce n'est plus un jeune homme.

— Si elle minaude une fois de plus, je lui claquerai la face ! reprit Anne. Dites-le-lui, Marie.

Je glissai au pied du lit.

— Je lui parlerai, quoique en d'autres termes. Puis-je partir, Anne ? Je suis très lasse.

— Très bien ! acquiesça-t-elle, exaspérée. Vous restez, n'est-ce pas, George ?

— Votre épouse va protester, avertis-je mon frère. Elle se plaint déjà de ce que vous passiez trop de temps ici.

À ma surprise, Anne, au lieu de hausser les épaules, lança un regard à George. Celui-ci se leva.

— Dois-je donc tout faire seule ? se plaignit Anne. Marcher, prier, dormir ?

George hésita.

— Oui, répondis-je d'un ton ferme. Vous choisîtes d'être reine, je vous avais prévenue que vous n'en tireriez aucune joie.

Au matin, je me rendis à la messe à côté de Jane Seymour. En passant devant la porte ouverte de l'appartement du roi, nous le vîmes assis, la jambe allongée devant lui sur un tabouret. Il écoutait un clerc qui lui lisait des lettres puis les posait devant lui, attendant sa signature. Jane ralentit et sourit ; le roi s'interrompit un instant pour la regarder.

Jane et moi nous agenouillâmes dans la chapelle de la reine et suivîmes la messe célébrée au-dessous, devant le maître-autel.

— Jane ? appelai-je doucement.

Elle ouvrit les yeux, tirée de son recueillement.

— Oui, Marie ? Pardonnez-moi, je priais.

— Si vous continuez à badiner avec le roi avec ces petits sourires béats, un Boleyn vous arrachera les yeux.

Anne prit l'habitude de se promener chaque jour. La plupart de ses dames d'atour l'accompagnaient, ainsi que certains des compagnons du roi quand celui-ci ne chassait pas l'après-midi. George et sir Francis Weston marchaient à ses côtés, la faisaient rire et lui prenaient le bras pour gravir les escaliers qui menaient à la pelouse des jeux. J'étais quant à moi toujours escortée de Henri Norris, sir Thomas Wyatt ou de William.

Un jour, Anne, se sentant lasse, écourta la marche. De retour au palais, les gardes ouvrirent les portes de ses appartements. Nous aperçûmes alors Jane Seymour qui descendit précipitamment des genoux du roi. Ce dernier tenta de se lever avec nonchalance mais n'y parvint pas, manquant d'agilité depuis sa chute. Anne s'engouffra dans la pièce comme une tempête.

— Sortez, sale traînée ! ordonna-t-elle à Jane.

Cette dernière exécuta une révérence et quitta la pièce. George chercha à entraîner Anne vers sa chambre mais elle se tourna vers le roi :

— Que faisait ce cataplasme collant sur vos genoux ?

— Nous parlions… répondit-il, gêné.

— Chuchote-t-elle à voix si basse qu'il lui faut vous glisser sa langue dans l'oreille ?

— C'était… c'était…

— Je sais ce que c'était ! hurla Anne. Toute la cour l'a vu : un homme trop fourbu pour se promener avec une petite garce sur les genoux.

— Anne… commença-t-il sans qu'elle perçût l'avertissement.

— Qu'elle quitte la cour ! cracha-t-elle.

— Les Seymour sont loyaux serviteurs de la couronne et nos bons amis, répliqua-t-il pompeusement. Ils restent.

— Elle ne vaut guère mieux qu'une putain, grinça Anne. Je ne l'accepterai pas parmi mes dames d'atour.

— C'est une fille gentille, douce, pure et…

— Pure ? Que faisait-elle sur vos genoux ? Priait-elle ?

— Assez ! cria-t-il avec colère. Elle demeurera votre dame d'atour. Vous vous oubliez, madame.

— Non ! tempêta Anne. Je ne reçois point d'ordre et ai pour liberté de dire qui me sert dans mes appartements. Je suis la reine.

— Vous accepterez pour serviteur qui je désigne. Je suis votre époux et souverain, vous m'obéirez !

— Que je sois damnée si j'obéis ! hurla-t-elle avant de tourner les talons et de se précipiter dans sa chambre.

Sur le seuil, elle se retourna et lui cria :

— Je ne suis pas votre esclave, Henri !

Sortir fut une erreur : il ne pouvait la suivre, comme par le passé, pour achever leur lutte au lit. Le désir laissa cette fois place au dépit. Il souffrait en son corps et dès lors ne se repaissait plus de sa jeunesse et de sa beauté, mais les lui enviait.

— Vous êtes plus une putain qu'elle ! clama-t-il. Ne croyez point que j'aie oublié les artifices dont vous usâtes pour grimper sur mes genoux. Jane Seymour n'en connaîtra jamais la moitié, madame ! Des procédés de catin française !

La cour hoqueta d'horreur, George et moi échangeâmes un regard terrifié. La porte d'Anne claqua, le roi se tourna vers la cour, le visage grimaçant de fureur.

Il se leva maladroitement.

— Bras, grommela-t-il.

Sir John Seymour poussa George. Le roi prit appui sur lui et ils se dirigèrent vers les appartements du souverain, suivis des courtisans.

La femme de George se matérialisa à mon côté.

— De quels artifices fit-elle usage ?

Je me souvins avec une clarté aveuglante lui avoir enseigné comment utiliser ses cheveux, sa bouche, ses mains. George et moi

459

avions indiqué à Anne les choses qu'aimait le roi, comme tous les hommes, bien qu'elles fussent expressément défendues par l'Église. Rencontrant le regard de George, je sus qu'il s'en souvenait aussi.

— Dieu nous protège, Jane, déclara ce dernier d'un ton las. Ne savez-vous donc pas que le roi, encoléré, ne sait plus ce qu'il dit ? Jamais elle ne fit plus que ces caresses et baisers que mari et femme échangent en leurs vertes années.

Il s'interrompit puis se reprit :

— Pas nous, bien sûr, mais vous êtes si peu séduisante.

Elle se détourna, comme piquée par un insecte.

— Bien sûr, siffla-t-elle froidement, *vous* n'embrassez guère les femmes, sauf s'il s'agit de vos sœurs.

Je laissai une demi-heure de solitude à Anne puis j'entrai dans sa chambre à coucher, refermant la porte au nez des femmes. La pièce était plongée dans la pénombre et, à la seule lueur du feu dans la cheminée, j'aperçus Anne, allongée sur le ventre dans son lit. Elle tourna vers moi un visage livide.

— Seigneur, comme il s'est emporté ! Sa voix était rauque d'avoir pleuré.

— C'est votre faute, Anne, vous l'avez provoqué.

— Que pouvais-je faire ? Il m'insulta devant toute la cour.

— Soyez aveugle, conseillai-je, comme la reine Catherine.

— Cela ne l'aida guère ! Je le lui pris, alors. Que dois-je faire pour le garder ?

Nous nous tûmes. Il n'y avait qu'une réponse, la même depuis toujours.

— J'étais tellement malade de colère que j'en aurais rendu mes entrailles.

— Il faut vous calmer.

— Comment l'être quand Jane Seymour apparaît toujours devant mes yeux ?

Je lui retirai sa coiffe et changeai de sujet :

— Préparez-vous pour le dîner. Soyez magnifique, prétendez avoir tout oublié.

— Il m'appela une putain, enragea-t-elle, nul ne l'oubliera.

— Qui ne l'est, comparée à Jane ? répliquai-je avec un humour forcé. Vous êtes son épouse à présent, vous portez son enfant. Séduisez-le et tâchez de le conquérir ce soir, Anne.

J'appelai sa chambrière qui entreprit de la vêtir. Anne choisit une robe blanche et argent, comme pour affirmer sa pureté à la cour. Son corps de cotte était brodé de perles et de diamants, l'ourlet de sa jupe cousu de fils d'argent ; elle était reine jusqu'au bout des ongles, d'une beauté à couper le souffle.

— Parfait, déclarai-je.

Anne afficha un sourire las.

— Ce ballet qu'il me faut danser pour captiver Henri ne cessera-t-il donc jamais ? Qu'adviendra-t-il quand je serai vieille ?

Je n'avais aucun réconfort à lui proposer.

— Souciez-vous de ce soir, pour commencer, et quand vous aurez un ou plusieurs fils, vous ne vous préoccuperez plus de vieillir.

Elle posa la main sur le magnifique corps de cotte.

— Mon fils, murmura-t-elle.

— Êtes-vous prête ?

Elle hocha la tête puis se dirigea vers la porte en relevant le menton, son éblouissant sourire aux lèvres. La servante ouvrit les battants et Anne sortit faire face aux rumeurs qui bourdonnaient dans ses appartements.

J'aperçus la famille qui s'était déplacée en signe de soutien : mon père, ma mère, mon oncle. Ce dernier, cela me frappa, était plongé dans une amicale conversation avec Jane Seymour. George m'adressa un sourire avant d'aller à la rencontre d'Anne pour lui prendre la main. Un petit murmure intéressé s'éleva devant la robe d'Anne puis reflua tandis que les groupes s'éloignaient et se reformaient. Sir William Brereton lui baisa la main en chuchotant quelque chose à propos d'un ange tombé du ciel. Anne rit et affirma ne pas être tombée mais arriver à l'instant pour une visite, ce qui transforma joliment l'image trop suggestive. Un frémissement parcourut la foule ; le roi entra, l'air boudeur, la jambe raide.

— Bonsoir, madame. Êtes-vous prête pour le dîner ? lança-t-il sèchement.

— Bonsoir, monsieur mon époux, répondit-elle, douce comme le miel. Je suis bien aise de voir que Votre Majesté se porte mieux.

Sa capacité à plier son humeur l'avait toujours stupéfié. Il marqua une courte pause, parcourut du regard les visages avides et demanda :

— Avez-vous salué sir John Seymour ?

— Bonsoir, sir John, dit-elle d'une voix sucrée. J'espère que vous me ferez l'honneur d'accepter un présent.

Il s'inclina maladroitement.

— L'honneur serait pour moi, Votre Majesté.

— J'aimerais vous offrir une petite escabelle de bois joliment sculptée que j'ai rapportée de France.

Il s'inclina de nouveau. Anne glissa un sourire à son époux.

— Il sera utile à Jane, votre fille. Il semble qu'elle ne possède de siège et qu'il lui faille emprunter le mien.

Après un moment de silence stupéfait éclata le gros rire de Henri. La cour fit aussitôt écho et le roi, riant encore, offrit son bras à Anne qui leva vers lui des yeux fripons. La cour s'avançait à leur suite quand j'entendis :

— Seigneur, la reine !

George traversa la foule, attrapa Anne par le bras et l'éloigna de Henri.

— Pardonnez la reine, Majesté, elle est souffrante.

Je le vis ensuite chuchoter à l'oreille d'Anne. Elle perdit soudain ses couleurs puis repoussa les courtisans pour suivre George qui courait vers ses appartements. Comme le reste de la cour, j'aperçus alors la tache écarlate qui maculait sa robe blanc et argent. Elle perdait son enfant.

Je plongeai à travers la foule, ma mère derrière moi. Nous nous engouffrâmes à la suite d'Anne, sous l'œil stupéfait du roi qui assistait à la fuite de son épouse et de la famille de celle-ci.

Anne se tenait devant George, cherchant à voir l'arrière de sa robe.

— Je n'ai rien senti.

— Je vais chercher un docteur, annonça mon frère.

— Ne dites rien ! l'avertit ma mère.

— Tout le monde a vu, même le roi !

— Ce ne sera peut-être rien. Allongez-vous, Anne.

Anne obéit, le visage couleur de cire.

— Je ne sens rien, répéta-t-elle.

— Sans doute n'est-ce qu'une petite tache.

Elle fit signe aux chambrières d'ôter à Anne ses bas et ses chaussures, de délacer son corps de cotte. Le jupon apparut, trempé de sang.

— Ce ne sera rien, indiqua ma mère d'un ton incertain.

Je pris la main d'Anne entre les miennes.

— N'ayez pas peur, chuchotai-je.

— Nous ne parviendrons pas à le cacher, cette fois, murmura-t-elle.

Nous tentâmes tout ce qui était en notre pouvoir : nous disposâmes une chaufferette à ses pieds, le physicien apporta un remontant puis un autre, lui posa un cataplasme, la recouvrit d'une courtepointe sanctifiée. Rien n'y fit. À minuit, le travail commença ; Anne s'accrocha aux draps en hurlant de douleur tandis que le bébé s'arrachait à son ventre. Rien ne l'aurait retenu à l'intérieur. Deux heures plus tard, elle émit un ultime cri et l'enfant émergea.

La sage-femme qui le reçut entre ses mains poussa une exclamation apeurée.

— Qu'y a-t-il ? demanda Anne, le visage en sueur.

— C'est un monstre, s'écria l'accoucheuse.

Anne siffla de peur et je me recroquevillai sous l'effet d'une terreur superstitieuse : entre les mains maculées de sang de la sage-femme se trouvait un bébé horriblement malformé, le dos ouvert, la tête énorme.

Anne grogna d'effroi et s'éloigna en rampant sur le lit, laissant derrière elle une traînée de sang.

— Enveloppez-le ! m'écriai-je, emportez cela !

La sage-femme dévisagea Anne, le visage grave.

— Qu'avez-vous fait ? Ce n'est pas l'enfant d'un homme, mais du Diable.

— Je n'ai rien fait !

Je me remémorai la potion de la vieille sorcière, le masque d'oiseau en or, le voyage aux portes de l'enfer pour donner ce fils à l'Angleterre.

Ma mère se détourna alors.

— Mère ! s'écria Anne d'une voix rauque, mais elle sortit sans un mot, sans un geste envers sa fille et je pensai : « La fin a sonné pour Anne. »

La sage-femme annonça :

— Je dois informer le roi.

Je bondis aussitôt pour me placer entre elle et la porte, lui barrant le chemin.

— Ne bouleversez pas Sa Majesté, plaidai-je, il s'agit de secrets de femmes, qui doivent demeurer entre nous. Gardons le silence et résolvons cela en privé, vous obtiendrez la reconnaissance de la reine et la mienne. Je veillerai à ce que vous soyez dédommagée de vos loyaux services ce soir, madame.

Elle ne leva pas même les yeux vers moi, l'horrible amas de chair et de sang entre les mains, caché dans le drap. Un terrible instant, je crus le voir bouger, j'imaginai la petite main écartant le tissu. Elle le souleva pour le mettre devant mon visage. Je m'écartai et elle en profita pour ouvrir la porte.

— Vous n'irez pas au roi! jurai-je, m'accrochant à son bras.

— Ne comprenez-vous pas? demanda-t-elle, la pitié perçant dans sa voix. Je suis sa servante, il me destina à être ses yeux et ses oreilles depuis le jour où la reine cessa d'avoir son flux mensuel.

— Pourquoi? haletai-je.

— Parce qu'il n'a pas confiance en elle.

Je m'appuyai au chambranle de la porte pour me soutenir et elle poursuivit :

— Il ne savait pas pourquoi elle ne parvenait à porter d'enfant. À présent, il comprendra, ajouta-t-elle en indiquant d'un signe de tête le ballot sanglant.

Je passai la langue sur mes lèvres desséchées.

— Annoncez au roi qu'elle a perdu un enfant et pourra bientôt en concevoir un autre, je vous payerai une fortune. Quoi qu'il vous donne, je vous offre le double.

— Je ferai mon devoir, affirma-t-elle. J'ai prêté serment à la Vierge Marie de ne jamais m'éloigner de ma tâche.

— Quelle tâche? m'enquis-je sauvagement.

— Dénoncer la sorcellerie, répondit-elle simplement.

Elle se glissa par la porte entrouverte et disparut, l'enfant du Diable entre les mains.

Je refermai la porte, poussant le verrou. Nul n'entrerait avant que le désordre fût nettoyé et Anne disposée à lutter pour sa vie.

— Qu'a-t-elle dit? demanda cette dernière, le visage cireux, les yeux enfoncés dans leurs orbites.

— Rien d'important. Dormez, à présent.

L'œil d'Anne scintilla de colère.

— Je ne suis pas une paysanne ignorante! Nulle peur imbécile ne me détournera du chemin que je me suis tracé.

— Anne?

— Rien ne m'effraiera! poursuivit-elle.

— Anne?

Elle détourna le visage, face au mur.

Dès qu'elle s'endormit, j'allai chercher une Howard – Madge Shelton – à qui j'ordonnai de s'asseoir auprès d'elle, tandis que les servantes faisaient disparaître les draps maculés de sang et jonchaient le sol de brassées fraîchement coupées. Dans la salle d'audience, la cour attendait des nouvelles, certains à demi assoupis, d'autres jouant aux cartes. George, adossé au mur, était plongé dans une discrète conversation avec sir Francis, leurs visages proches comme ceux de deux amants.

William avança vers moi et me prit la main, ce qui raviva mes forces.

— C'est affreux, mais je ne peux vous en parler encore, lui appris-je d'une voix brève. Je dois avertir mon oncle, suivez-moi.

George apparut à mon côté.

— Comment va-t-elle ?

— Le bébé est mort, déclarai-je en guise de réponse.

Il pâlit et se signa.

— Où se trouve oncle Howard ? m'enquis-je en parcourant la salle du regard.

— Il attend des nouvelles dans ses appartements.

— Comment se porte la reine ? demanda une voix.

— A-t-elle perdu l'enfant ? appela une autre.

George s'avança d'un pas.

— La reine dort, annonça-t-il. Elle vous prie de retourner dans vos chambres, et demain nouvelle sera donnée de son état.

— A-t-elle perdu le bébé ? insista quelqu'un.

— Comment le saurais-je ? grogna George, et un murmure irrité lui répondit.

— Il est mort, alors, affirma un autre. Pourquoi ne peut-elle donner un fils au roi ?

— Venez, intervint William en prenant le bras de George. Plus vous parlerez, pire cela deviendra.

Entourée de mon frère et de mon mari, je me dirigeai vers les appartements d'oncle Howard, où nous fûmes introduits sans un mot par un garde en livrée. Mon oncle était installé derrière la grande table de bois, quelques documents étalés devant lui, une chandelle projetant un halo jaunâtre autour de lui.

Lorsque nous entrâmes, il fit signe à un domestique de raviver le feu et d'allumer une autre chandelle.

— Oui ? demanda-t-il.

— Anne a accouché d'un enfant mort, annonçai-je sans préambule.

Il hocha la tête, le visage vide de toute émotion.

— Le bébé était un monstre ; le dos ouvert et la tête énorme, ajoutai-je.

Impassible, il semblait accueillir une nouvelle tout à fait ordinaire. Ce fut George qui lâcha une exclamation étouffée et chercha un appui sur le dossier d'une chaise.

— J'ai voulu empêcher la sage-femme de l'emporter. Elle m'apprit être au service du roi.

— Ah.

— Et lorsque je lui proposai de l'or pour laisser le bébé, elle refusa, arguant qu'il était de son devoir envers la Sainte Vierge de l'emporter car elle était une...

— Une?

— Une chasseuse de sorcière, terminai-je en chuchotant.

Une étrange sensation s'empara de moi : le sol se déroba sous mes pieds tandis que les sons de la pièce me parvenaient comme étouffés. William me poussa sur une chaise et m'offrit une coupe de vin. George ne bougea pas ; le visage livide, il s'accrochait à la chaise.

— Le roi a engagé une chasseuse de sorcière pour espionner Anne? répéta mon oncle, le visage de marbre.

Je confirmai d'un signe de tête en avalant une gorgée de vin.

— Alors elle est en grand danger.

— En danger? coassa George.

— Un époux soupçonneux est toujours dangereux ; un roi encore plus.

— Elle n'a rien fait, assura George.

Je lui lançai un regard curieux ; il reprenait les mêmes mots qu'Anne lorsqu'elle avait vu le monstre sorti de son corps.

— Peut-être, concéda mon oncle, mais le roi croit le contraire, ce qui est suffisant pour la détruire.

— Comment la protégerez-vous? demanda George d'un ton hésitant.

— Vous savez, George, répondit lentement mon oncle, lors de notre ultime conversation, elle m'envoya au diable en affirmant ne rien devoir à personne. Elle me menaça même de me faire emprisonner.

— C'est une Howard, intervins-je, reposant le vin.

Il s'inclina.

— Était.

— Nous parlons d'Anne! m'exclamai-je. Nous œuvrâmes notre vie entière à la placer où elle est.

— Nous en remercia-t-elle? Vous fûtes exilée sans espoir de retour si elle n'avait eu besoin de vos services. Je n'obtins rien. Quant à vous, George, vous êtes-vous enrichi depuis son accession au trône?

— Il ne s'agit pas de richesse ou de faveurs, mais de vie ou de mort ! s'écria George avec passion.

— Sa vie et sa position lui seront assurées lorsqu'elle accouchera d'un fils.

— Mais il est incapable d'engendrer un fils ! cria George. Ni avec Catherine ni avec Anne ! C'est cela qui rend Anne folle de peur…

Un silence de mort accueillit ses paroles.

— Que Dieu vous pardonne de nous mettre ainsi en danger, articula enfin mon oncle d'un ton glacial. Cette déclaration équivaut à une trahison ; je n'en ai rien entendu et vous n'avez rien dit. À présent, sortez.

William m'aida à me lever et nous nous dirigeâmes tous trois, à pas lents, vers la porte. Sur le seuil, George se retourna, sur le point de discuter plus outre, mais la porte se referma doucement sur son visage.

Anne s'éveilla au milieu de la matinée, brûlante de fièvre. Je partis à la recherche du roi. Je le trouvai qui jouait à la boule, entouré de ses favoris, les Seymour au premier rang. Je fus rassurée de voir George à côté du roi, souriant et affable, ainsi que mon oncle parmi les spectateurs. Je m'avançai et plongeai dans une révérence.

Le roi se renfrogna à ma vue, aucune fille Boleyn n'obtiendrait ses faveurs.

— Lady Marie, m'accueillit-il froidement.

— Votre Majesté, je viens au nom de ma sœur, la reine.

Il hocha la tête.

— Elle demande que la cour retarde son départ d'une semaine pour Greenwich jusqu'à ce que sa santé s'améliore.

— C'est trop tard, répondit-il. Qu'elle nous y rejoigne quand elle sera remise. Je n'ai plus de faveur à lui accorder. Je sais ce que je sais.

Un instant, une partie de moi voulut secouer ce grossier égoïste, qui annonçait la disgrâce de ma sœur alors que celle-ci souffrait après une terrible délivrance.

— Vous savez alors que nul Howard, jamais, ne se départit un instant de son amour et de sa loyauté à votre égard, affirmai-je, apercevant mon oncle qui se rembrunissait à la mention de la famille Howard.

— Espérons que votre loyauté à tous ne soit pas mise à l'épreuve, répliqua froidement le roi.

Il se détourna et fit signe à Jane Seymour. Modeste, les yeux baissés, elle approcha à petits pas.

— M'accompagnerez-vous ? demanda-t-il d'une voix douce.

Elle répondit d'une profonde révérence, comme trop émue pour parler, puis posa sa petite main sur la manche ornée de pierreries. Ils s'éloignèrent, la cour suivant à une discrète distance.

La cour bourdonnait de rumeurs. Jadis, une parole contre Anne eût amené son auteur à être pendu. À présent, des bruits scandaleux circulaient sur son entourage et son inaptitude à porter un enfant.

— Pourquoi Henri ne les réduit-il pas au silence ? m'emportai-je un jour devant William. Dieu sait qu'il en a le pouvoir !

Mon mari secoua la tête.

— Il leur permet au contraire de s'exprimer ; on dit qu'elle a tout fait sauf vendre son âme au diable.

— Foutaises !

William me prit tendrement la main.

— Mais Marie, comment expliquer autrement qu'elle accouchât d'un fils monstrueux ?

— Au nom du Ciel, croyez-*vous* qu'elle ait signé un pacte avec le Diable ?

— Ne le signerait-elle point si cela lui garantissait un fils ?

Je demeurai interdite, le fixant d'un air malheureux.

— Si elle avait opéré un sortilège pour tomber enceinte et qu'un monstre en fût le résultat, le roi aurait le droit de la répudier.

— Quelle étrange plaisanterie, William.

— Je suis sérieux, ma mie.

— Que nous arrive-t-il donc ? m'écriai-je, incapable de faire face aux changements qui survenaient.

William m'attira à lui et m'étreignit.

— Mon aimée, chuchota-t-il. Elle s'adonna sans doute à un bien grand péché pour engendrer un monstre, mais vous ne savez lequel. Vous-même, n'agîtes-vous jamais en secret pour son compte, en faisant venir une sage-femme, en achetant une potion ?

— Mais vous... commençai-je.

Il hocha la tête.

— J'ai enterré un enfant mort. Dieu fasse que nul ne pose trop de questions.

Jadis, une reine abandonnée, Catherine, avait suivi des yeux Henri et Anne qui quittaient le château en riant. L'histoire se répétait maintenant et Anne, à genoux sur une chaise, trop faible pour se tenir debout, observait par la fenêtre son époux et Jane Seymour qui menaient la cour au palais de Greenwich.

Parmi le train de courtisans qui trottaient derrière le roi se trouvait ma famille ; ma mère, mon père, mon oncle et mon frère luttaient pour obtenir les faveurs du roi, tandis que William et moi chevauchions avec nos enfants. Ma petite Catherine, calme et réservée, tourna la tête vers le palais puis leva les yeux vers moi.

— Qu'y a-t-il ? demandai-je.

— Cela semble étrange de partir sans la reine.

— Elle nous rejoindra lorsqu'elle aura recouvré la santé, la réconfortai-je.

— Savez-vous quels appartements sont destinés à Jane Seymour, à Greenwich ?

Je secouai la tête.

— Elle les partagera avec une autre Seymour, n'est-ce pas ?

— Non, répondit ma fille. Le roi a affirmé qu'elle aurait ses propres appartements et ses propres dames d'atour, afin de pouvoir s'exercer à sa musique.

Je n'avais rien voulu en croire mais il s'avéra que Catherine avait raison : le secrétaire Cromwell laissa ses appartements à mademoiselle Seymour pour que celle-ci pût roucouler sur son luth en toute tranquillité. Un passage secret reliait les pièces à la chambre privée du roi. Jane investissait les lieux comme Anne avant elle, en rivale officielle.

Lorsque la cour fut installée, un petit groupe Seymour se réunit pour danser, converser et chanter dans les nouveaux appartements de Jane. Très vite, les dames d'atour de la reine – sans reine à servir – en empruntèrent aussi le chemin. Le roi s'y trouvait tout le temps. Il dînait avec Jane de façon informelle, entouré de Seymour, dans ses appartements privés ou dans la grand-salle. Là, le roi asseyait Jane près de lui, alors que le trône vide à son côté rappelait à l'assistance qu'une reine d'Angleterre se trouvait délaissée dans un palais vide. J'avais le sentiment étrange qu'Anne n'avait jamais existé et que rien n'empêcherait Jane de prendre sa place.

Sa douceur à l'égard de Henri ne fléchit pas un instant, ils avaient dû lui imposer un régime draconien de betteraves à sucre, à Wiltshire. Elle faisait montre d'une bonté infinie, qu'il fût d'humeur maussade à cause de la douleur ou bien exubérant d'une joie enfantine quand il avait tué un cerf. Elle demeurait calme, modeste, pieuse.

Jane rejeta l'élégante coiffe en demi-lune qu'Anne avait introduite à la cour, lui préférant la coiffe en gable portée par la reine Catherine. Seulement un an plus tôt, cela lui eût valu d'être qualifiée de terne et d'ennuyeuse. Mais l'austérité même de cette coiffe, qu'elle portait comme une nonne, accentuait sa beauté réservée tandis que les palettes utilisées, d'un bleu, vert ou jaune pâle, faisaient état de sa modération.

Je compris qu'elle supplantait ma sœur lorsque Madge Shelton, si effrontée, si mutine, si portée sur la bagatelle, apparut un soir le visage enchâssé dans une guimpe surmontée d'une coiffe à gable bleu clair, les manches à la française de sa robe remodelées en une coupe plus anglaise. Après quelques jours, toutes les femmes de la cour portaient la nouvelle coiffe en vogue et avançaient les yeux baissés.

Anne nous rejoignit en février. Elle arriva précédée de l'étendard royal flottant au vent, la bannière des Boleyn derrière elle suivie d'un train immense de serviteurs en grande livrée. George et moi l'accueillîmes au château, les portes grandes ouvertes, alors que le roi se faisait remarquer par son absence.

— Comment lui parler des appartements de Jane ? murmurai-je.

— Francis proposait de le lui apprendre en public afin qu'elle soit obligée de se tempérer.

— Vous discutez de la reine avec Francis ?

— Tout comme vous vous en entretenez avec William.

— Il s'agit de mon époux, c'est différent.

George hocha la tête, les yeux fixés sur les gardes d'Anne qui pénétraient dans la cour.

— Je me fie à Francis, comme vous vous fiez en William, vous ne pouvez juger de son amour à mon endroit, déclara-t-il.

— Cet amour est condamné par les Saintes Écritures.

George afficha son irrésistible sourire.

— Marie, écoutez-moi ; nous vivons des temps dangereux et seul Francis m'offre du réconfort, laissez-moi cela. Dieu m'est témoin que je n'ai guère d'autre joie.

Anne arrêta son cheval devant nous avec un sourire radieux. Elle était vêtue d'un habit de cavalière rouge sombre avec un chapeau assorti sur lequel était plantée une longue aigrette.

— *Vivat Anna !* lança mon frère en réponse à cette arrivée pleine d'emphase.

Anne fouilla du regard l'ombre de la grand-salle, derrière nous, à la recherche du roi et demeura impassible devant son absence.

— Vous portez-vous bien ? demandai-je en m'avançant.

— Bien sûr ! claironna-t-elle. Pourquoi en irait-il autrement ?

Je secouai la tête. Il était clair que nous n'aborderions pas le sujet de son enfant mort, comme nous n'avions jamais discuté des autres.

— Où se trouve le roi ?

— Il chasse, expliqua George.

Anne entra dans le palais à grandes enjambées, précédée de serviteurs qui s'empressaient de lui ouvrir les portes.

— Avait-il connaissance de ma venue ? lança-t-elle par-dessus son épaule.

— Oui.

Elle hocha la tête sans répondre. La porte refermée sur nous dans ses appartements privés, elle demanda :

— Où sont mes dames d'atour ?

— Certaines chassent en compagnie du roi. D'autres… non, balbutiai-je, consternée, incapable de trouver mes mots.

Anne leva un sourcil et se tourna vers George.

— M'expliquerez-vous ce que ma sœur veut dire ? Je savais son latin comme son français incompréhensibles, mais il semble à présent que même son anglais ait perdu ses qualités.

— Vos dames d'atour se bousculent auprès de Jane Seymour, expliqua George froidement. Le roi dîne chaque jour avec elle et lui a offert les appartements de Thomas Cromwell, où elle tient sa petite cour.

Anne émit un hoquet de surprise et son regard se posa sur moi.

— Il lui a donné les appartements de Thomas Cromwell et peut se rendre chez elle en toute discrétion ?

J'acquiesçai en silence.

— Sont-ils amants ?

Je regardai George.

— Impossible de le savoir, répondit celui-ci. Je gagerais que non. Elle semble refuser les avances d'un homme marié et joue la carte de la vertu.

Anne s'avança lentement vers la fenêtre, réfléchissant aux changements survenus dans son monde.

— Qu'espère-t-elle ?

George et moi ne répondîmes rien ; qui connaissait la réponse mieux qu'un Boleyn ?

— Pense-t-elle me supplanter ? Elle est folle !

Devant notre silence qui perdurait, elle poursuivit :

— Et Cromwell reçut l'ordre de lui laisser ses appartements ?

Je secouai la tête.

— Il les lui offrit de son plein gré.

— Ainsi, il se déclare ouvertement contre moi, conclut-elle lentement.

Elle lança à George un regard étrange, comme si elle doutait de lui. Mais la fidélité de George à son endroit demeurait adamantine. Il se plaça derrière elle et posa une main sur son épaule. Au lieu de se tourner vers lui, elle appuya la tête contre son torse. Avec un soupir, George l'entoura de ses bras et ils se tinrent ainsi, le regard perdu au-dehors sur le fleuve qui scintillait au soleil.

— Je croyais que vous auriez peur de me toucher, souffla-t-elle.

Il secoua la tête.

— Oh, Anne, selon les lois de ce pays, je suis maudit et damné dix fois avant que débute ma journée.

Je frémis à cela mais Anne gloussa comme une petite fille.

— Quoi que nous ayons fait, nous agîmes par amour, ajouta-t-il avec douceur.

Elle se tourna alors vers lui, fouillant son visage des yeux. Jamais je ne lui avais vu une telle expression : George ne représentait pas seulement un degré dans son insatiable ambition. Elle l'aimait.

— Même si le résultat prouva être monstrueux ? demanda-t-elle.

Il haussa les épaules.

— Je ne prétends pas connaître la théologie, mais lorsque ma jument accoucha d'un poulain dont les deux pattes arrière étaient jointes, je ne l'ai point marquée du sceau de sorcellerie. Ce sont là des caprices de la nature ; vous manquâtes de chance, voilà tout.

— Je ne laisserai point cela m'effrayer, affirma-t-elle.

George n'entendit pas la note aiguë dans la voix d'Anne, les yeux fixés sur son visage plein de détermination.

— En avant et vers le haut, Anna Regina.

Elle lui sourit, radieuse.

— Et le prochain sera un mâle.

Elle se tourna dans ses bras, posa les mains sur ses épaules et s'enquit :

— Que dois-je faire maintenant ?

— Entreprenez sa reconquête, conseilla-t-il avec sérieux. Ne le malmenez pas, utilisez chacun des artifices que vous connaissez et charmez-le à nouveau.

Elle hésita puis avoua la vérité qui se cachait derrière l'éblouissant sourire :

— George, je compte presque trente années. Il n'eut de moi qu'un seul enfant vivant et sait à présent que j'ai donné naissance à un monstre. Il n'éprouve que répugnance à mon égard.

George resserra son étreinte.

— Cela ne se peut, dit-il simplement, ou ce sera notre mort à tous. Vous devez le reconquérir.

Il appela mon aide d'un regard et je m'avançai alors.

— Il aime à être réconforté et tranquillisé. Affirmez-lui qu'il est merveilleux, louez-le et soyez douce envers lui.

Elle me dévisagea comme si je parlais hébreu.

— Je suis sa maîtresse, non sa mère, énonça-t-elle froidement.

— Il veut une mère, à présent, renchérit George. Il est blessé, il craint l'âge et la mort. Sa blessure pue, il est terrifié à l'idée de quitter ce monde sans héritier. Il lui faut une femme qui le réconforte jusqu'à ce qu'il se porte mieux. Jane Seymour est tout sucre. Il vous faudra être tout miel.

Elle ne répondit pas. Nous savions qu'il était impossible de surpasser la douceur de Jane ; Anne perdit peu à peu ses couleurs, son sourire s'effaça.

— Par Dieu, j'espère que cela la tuera ! jura-t-elle soudain. Si elle pose la main sur ma couronne et le cul sur mon trône, que cela cause sa mort ! Qu'elle crève dans son lit en accouchant d'un mâle, et qu'il crève aussi !

George se raidit, apercevant la chasse qui revenait.

— Marie, annoncez mon arrivée au roi, ordonna Anne sans bouger des bras de George.

Je courus et arrivai auprès du souverain qui démontait. Il atterrit sur sa jambe blessée et je le vis tressaillir de douleur. Jane chevauchait à ses côtés, une cohorte de Seymour autour d'elle. Je cherchai ma famille des yeux ; mon oncle, mon père, ma mère se trouvaient à l'arrière, éclipsés.

— Votre Majesté, annonçai-je en plongeant dans une révérence, ma sœur la reine est advenue et me prie de transmettre ses compliments à Votre Altesse.

Il me dévisagea d'un air boudeur, le front plissé par la douleur, les lèvres serrées.

— Dites-lui que je suis las après ma chevauchée, je la verrai au dîner.

Il s'en fut d'un pas lourd, boiteux. Sir John Seymour aida sa fille à descendre de cheval. Je notai le récent habit de cavalière, la nouvelle monture, le diamant qui étincelait sur son gant. Je ravalai les répliques venimeuses que je rêvai de lui asséner et m'écartai avec un sourire tandis que son père et son frère l'escortaient à ses appartements de favorite.

Mon père et ma mère suivaient dans le train des Seymour. Ils ne me demandèrent pas de nouvelles d'Anne, aussi leur lançai-je un « Anne se porte bien ! » auquel ma mère répondit froidement :

— Bien.

— Lui rendrez-vous visite ?

Le visage vide de toute expression, elle déclara :

— Je lui rendrai visite quand le roi viendra la voir.

Je sus alors qu'Anne, George et moi ne pouvions compter que sur nous-mêmes.

Les dames d'atour reprirent leur service auprès d'Anne telles des buses à la recherche de la meilleure provende. J'assistai, en proie à un amusement sauvage, à une crise dans le domaine de la coiffe causée par le retour de la reine : certaines des femmes revenaient à l'élégance française des voiles, d'autres continuaient de porter la lourde coiffe en pointe favorisée par Jane Seymour. Toutes attendaient avec une anxiété palpable de voir quelle femme obtiendrait la préférence du roi.

En fin d'après-midi, alors que j'entrai dans les somptueux appartements d'Anne, trois femmes se turent à mon approche.

— Quelles sont les nouvelles ? m'enquis-je.

Jane Parker, toujours disposée à révéler les scandales, répondit, les yeux brillants d'excitation :

— Le roi fit présent à Jane Seymour d'une bourse d'or qu'elle refusa, ne pouvant accepter un tel cadeau avant son union, car cela la compromettait.

Je demeurai silencieuse, tâchant de pénétrer le sens de cette obscure déclaration. Puis je la priai de m'excuser et me dirigeai vers la chambre privée d'Anne, où celle-ci se trouvait en compagnie de George et de sir Francis Weston.

— Je dois vous parler, annonçai-je sans préambule.

— Vous pouvez parler devant sir Francis, déclara Anne.

— Jane rejeta un cadeau du roi en protestant que cela la compromettait tant qu'elle n'était pas mariée. Elle se pavane dans sa vertu et la cour ne parle que de cela.

— Elle rappelle ainsi au roi qu'elle pourrait en épouser un autre, remarqua George, songeur.

— C'est fort bien joué, ajouta sir Francis. Elle accepta le cheval, la bague de diamant, le pendentif avec le portrait du roi, n'est-ce pas ? Mais la cour la croira désormais dénuée de toute ambition. Touché !

Anne grinça des dents.

— Elle est insupportable.

— Ne songez pas même à vous venger ! l'avertit George. Relevez la tête, souriez, charmez-le.

— Mention sera peut-être faite d'une alliance avec l'Espagne, l'avisa sir Francis tandis qu'Anne se levait. Ne vous y opposez pas.

Anne lui lança un regard par-dessus son épaule et déclara :

— Si je dois devenir une Jane Seymour, si tout ce qui me caractérise – ma passion, mon tempérament, mon désir de réformer l'Église – doit m'être reproché, autant m'écarter dès à présent. S'il faut au roi une femme pliable à ses volontés, jamais je n'aurais dû conquérir le trône. Je ne me prêterai à aucune mascarade.

George se leva, s'empara de sa main et la porta à ses lèvres.

— Bien faites-vous, car nous vous adorons telle que vous êtes. Après cette foucade, le roi vous reviendra, car vous êtes son épouse, la mère de sa petite princesse. Vous pouvez le reconquérir.

Elle sourit, redressa la tête et me fit signe d'ouvrir les portes. J'entendis le bourdonnement de la cour lorsqu'elle sortit, vêtue d'un riche velours vert, parée d'émeraudes et de diamants, le « B » d'or scintillant à son cou.

Le temps se refroidit ; à la fin de février, la Tamise gela. Sous la couche de glace, je distinguai l'eau qui coulait, verte et menaçante.

Les jardins qui ornaient Greenwich se teintèrent d'une blancheur miraculeuse. Au matin, sous le soleil, les toiles tendues par les araignées comme de la dentelle scintillaient de petits cristaux. Tout était immaculé, éclatant.

Les nuits étaient effroyablement froides tandis que soufflait un fort vent venu de Russie. Mais le jour, sous le soleil, il était délicieux de courir dans les jardins ou de jouer à la boule sur le terrain gelé, les rouges-gorges s'approchant de nous en quête de pain.

Le roi décréta qu'il voulait une fête de l'hiver comprenant des joutes et de la danse sur glace ainsi qu'un divertissement incluant traîneaux, cracheurs de feu et jongleurs. Nous assistâmes à un combat d'ours et de chiens bien plus amusant qu'à l'ordinaire : l'énorme animal glissa en se précipitant vers les chiens et l'un de ceux-ci, après l'avoir mordu, chercha à s'enfuir sans y parvenir, ses pattes dérapant sur la glace. L'ours lui asséna alors un coup de griffe qui mit fin à ses velléités tandis que le roi, heureux du spectacle, rugissait de plaisir.

Ils firent venir des bœufs de Smithfield qu'ils embrochèrent pour les rôtir au-dessus d'immenses feux, sur la berge. Les marmitons accouraient des cuisines, chargés de pain tout chaud.

Jane, vêtue de blanc et de bleu, apparut comme une princesse d'hiver. Elle patinait avec maladresse et requérait l'assistance de son frère et de son père qui la tenaient chacun par un bras. Ils la poussèrent doucement vers le roi et je m'aperçus qu'une Seymour ne différait guère d'une Boleyn quand, poussée par sa famille, elle n'avait ni le pouvoir ni la sagesse de fuir.

Le trône de la reine se trouvait à la droite de Henri, comme il se devait, mais à la gauche du roi se dressait un siège où Jane pouvait se reposer. Le souverain, lui, ne patina pas car sa jambe le faisait souffrir. On parlait de faire venir des médecins de France, d'un pèlerinage à Canterbury. Seule Jane parvenait à effacer les rides de douleur du front de Henri, sans rien faire d'autre que se tenir à côté de lui, de se laisser pousser sur ses patins, de tressaillir devant les combats de coqs ou de sourire d'un air ravi devant le cracheur de feu. En bref, elle se comporta comme à son habitude, procurant au roi un apaisement qu'Anne se montrait incapable de lui apporter.

Cette dernière accompagna le roi au dîner les trois jours que durèrent les festivités. En la voyant glisser avec aisance sur ses patins, je me fis la réflexion que tous les Boleyn avançaient sur une bien fine couche de glace. La plus innocente de ses paroles provoquait parfois la colère du roi, qui l'observait sans cesse et tirait souvent sur l'anneau qu'il portait au petit doigt.

Anne tenta de l'éblouir par son esprit et sa beauté. Elle brida son caractère emporté bien qu'il se montrât acide et morose, dansa, joua, rit à gorge déployée, patina avec élégance. Elle éclipsa Jane Seymour, le roi lui-même ne parvint à détacher son regard d'elle quand elle évolua au centre d'un tourbillon d'hommes empressés. Mais le regard du souverain ne portait nulle trace de cette admiration enivrée qu'il avait montrée par le passé. Il l'observait comme un homme qui se réveille devant une tapisserie acquise à prix d'or qu'il découvre, un matin, sans valeur. Il fixait sur elle un regard qui demandait comment elle avait fait pour lui coûter tant et le récompenser si peu, et ni le charme ni la vivacité d'Anne ne semblaient le convaincre qu'il avait fait une bonne affaire.

Tandis que j'observai Anne, George et sir Francis surveillaient Cromwell. Des rumeurs circulaient ; on chuchotait que le roi songeait à répudier la reine sous le prétexte que le mariage était illicite. George et moi n'en croyions pas un mot mais sir Francis nous faisait remarquer que le Parlement serait dissous en avril, sans raison valable.

— Quelle différence cela fait-il ? s'enquit George.

— Les chevaliers du pays se trouveraient alors loin dans leurs comtés.

— Ils ne défendraient jamais Anne, intervins-je, ils la haïssent.

— Ils pourraient défendre la souveraine, non la femme : le roi les obligea à renier Catherine puis les droits de la princesse Marie au profit d'Élisabeth. S'il acceptait soudain la décision du pape sur son premier mariage puis répudiait la reine, ils auraient le sentiment que le roi s'est joué d'eux.

— Mais Catherine est morte, objectai-je. Même s'il dissout son union avec Anne, il ne pourra retourner à elle.

George poussa un soupir devant ma lenteur mais sir Francis se montra plus patient.

— Selon le pape, l'union avec Anne est illicite. Le voici dès lors veuf et libre de se remarier.

D'un seul mouvement, nous tournâmes les yeux vers le roi qui se levait lentement de son trône sous le magnifique dais bleu. Sir John Seymour et sir Édouard Seymour l'aidaient, tandis que Jane lui adressait un sourire émerveillé comme si jamais elle n'avait vu d'homme plus séduisant que ce gros invalide.

Anne, qui patinait alors en compagnie de Henri Norris et Thomas Wyatt, s'approcha avec élégance.

— Ne demeurez-vous point, monsieur mon mari ?

Le roi la dévisagea un instant. Les joues rosies par l'effort et le froid, son chapeau cramoisi de cavalière orné d'une longue plume laissant échapper une mèche de cheveux, elle était magnifique, indubitablement resplendissante.

— Je souffre, répondit-il lentement. Tandis que vous baguenaudiez, je pâtissais. Je me rends dans ma chambre pour me reposer.

— Je vous accompagne, proposa-t-elle aussitôt. Je fusse demeurée à vos côtés mais vous m'enjoignîtes de patiner. Mon pauvre époux! Permettez-moi de vous confectionner une tisane avant de m'asseoir à votre chevet et de lire pour vous.

Il secoua la tête.

— Je préfère dormir, refusa-t-il. Je préfère le silence à votre lecture.

Anne rougit. Henri Norris et Thomas Wyatt détournèrent le regard, souhaitant se trouver à mille lieues de là. Les Seymour demeurèrent diplomatiquement impassibles.

— Je vous verrai au dîner, répondit Anne enfin. Je prierai de vous trouver remis, libre de toute douleur.

Henri hocha la tête et se détourna. Les Seymour l'aidèrent à marcher sur les riches tapis disposés au sol pour l'empêcher de glisser. Jane, un petit sourire doucereux aux lèvres, comme pour s'excuser d'être choisie, s'apprêta à le suivre.

— Où croyez-vous aller, mademoiselle Seymour?

La voix d'Anne claqua comme un fouet.

L'interpellée se retourna et exécuta une révérence.

— Sa Majesté m'a demandé de lire pour lui, dit-elle simplement, les yeux à terre. Je ne lis pas bien le latin mais connais assez bien le français.

— Assez bien! s'exclama ma sœur qui parlait trois langues depuis l'enfance.

— En effet, rétorqua Jane avec fierté, bien que je ne comprenne pas tout.

— Vous ne comprenez rien, j'en gagerais! répliqua Anne. Vous pouvez partir.

Printemps 1536

La glace se mit à fondre sans que l'air semblât se réchauffer. Les jardins furent bientôt trop boueux pour que l'on pût s'y promener. La jambe du roi ne guérissait pas, malgré les innombrables potions et cataplasmes. Il se prit à craindre de ne jamais plus danser et la nouvelle que le roi de France se portait à merveille ne fit qu'empirer son humeur.

Le carême arriva, il n'était pas question de danser, de banqueter, ni même pour Anne de séduire Henri pour qu'il sème un bébé dans son ventre. Nul, pas même le roi et la reine, n'avait le droit de partager la même couche, et Anne se rongea les sangs tandis que Henri, installé sur son trône, la jambe allongée devant lui, écoutait Jane lire des versets dévotieux.

Peu à peu, Anne se vit éclipsée : ses dames d'atour se rendaient chaque jour un peu plus nombreuses dans les appartements de Jane Seymour. Celles qui demeuraient – des Howard – n'y eussent guère reçu d'accueil enthousiaste : Madge Shelton, tante Anne, ma fille Catherine et moi. Certains jours, les seuls gentilshommes présents étaient George et son groupe d'amis : sir Francis Weston, sir Henri Norris, sir William Brereton, ceux contre lesquels mon époux m'avait mise en garde. Nous jouions aux cartes, écoutions des musiciens ou, quand sir Thomas Wyatt se joignait à nous, organisions un tournoi de poésie : chaque homme présent écrivait un sonnet dédié à la plus belle des reines. Mais l'atmosphère était lourde et sans joie. Sa vie échappait à Anne et elle ne savait comment la reprendre en main.

Lorsque vint le milieu du mois de mars, elle ravala sa fierté et m'envoya chercher notre oncle.

— J'ai à faire et ne puis me libérer à l'instant. Dites à la reine que je la viendrai visiter ce tantôt.

— J'ignorais que l'on pût faire attendre une reine, observai-je.

L'après-midi, Anne l'accueillit d'un visage aimable et l'attira sur la banquette devant la fenêtre.

— J'ai besoin de votre aide pour lutter contre les Seymour, commença-t-elle. Il faut nous débarrasser de Jane.

Il haussa les épaules.

— Ma chère nièce, vous ne m'obligeâtes guère quand, il y a peu, vous me dénonçâtes auprès du roi. Si vous cessiez d'être reine, je ne sais si vous seriez digne de reprendre place dans ma famille.

— Je suis une Boleyn et une Howard, souffla Anne, la main sur le « B » d'or pendu à son cou.

— Les filles Howard sont nombreuses, déclara-t-il d'un air négligent. Mon épouse la duchesse en entretient une demi-douzaine, toutes aussi jolies que vous, que Marie, que Madge, toutes aussi vives et séduisantes. Quand il se lassera de cette niaise candide, une Howard viendra réchauffer sa couche.

— Mais je suis la reine !

Il hocha la tête.

— Voici mon offre : obtenez pour George l'ordre de la Jarretière en avril et je vous apporterai mon soutien.

Elle hésita.

— Je puis le demander pour lui.

— Faites. Œuvrez pour le bien de la famille et nous vous défendrons contre vos ennemis. Mais, cette fois, Anne, vous devrez vous remémorer qui est votre maître.

Elle se mordit l'intérieur de la lèvre, plongea dans une révérence et garda les yeux baissés.

Le 23 avril, le roi décerna l'ordre de la Jarretière à sir Nicolas Carew, un ami des Seymour dont ils avaient avancé le nom, mais pas à George. Lors du banquet donné pour célébrer les récompenses nouvellement octroyées, mon oncle et sir John Seymour, assis côte à côte, conversèrent comme de vieux amis.

Le jour suivant, Jane Seymour se trouvait avec nous dans les appartements de la reine, accompagnée de la cour dans son entier. On attendait les musiciens pour danser. Le roi, qu'Anne avait invité à un jeu de cartes, avait décliné froidement en annonçant être occupé ailleurs.

— Que fait-il? demanda-t-elle à George lorsque celui-ci revint, porteur du refus du roi.

— Je ne sais. Il reçoit les évêques et s'entretient avec la plupart des lords, l'un après l'autre.

— À mon propos?

Ils s'appliquèrent à ne pas regarder du côté de Jane Seymour, centre de l'attention générale dans les appartements de la reine.

— Je ne sais pas, répéta George d'un air malheureux. Il semble qu'il souhaite savoir quels hommes vous rendent visite chaque jour.

— Tous me rendent visite, rétorqua Anne d'un ton surpris, je suis la reine.

— Certains noms furent mentionnés, poursuivit George, dont Henri et Francis.

Anne éclata de rire.

— Henri Norris hante la cour pour le bien de Madge.

Elle se tourna et l'aperçut, penché par-dessus l'épaule de celle-ci, tournant les pages de son livre de chant.

— Sir Henri! Venez ici, je vous prie!

Il chuchota un mot à l'oreille de Madge, accourut et se laissa tomber sur un genou avec une galanterie moqueuse.

— J'obéis! déclama-t-il.

— Il est grand temps de vous unir, sir Henri, déclara Anne, faussement sévère. Je ne puis accepter de vous voir musarder dans mes appartements et me discréditer. Déclarez-vous à Madge, mes dames d'atour se doivent d'être irréprochables.

Il éclata de rire, tant un comportement honnête de la part de Madge était une idée saugrenue.

— Elle est mon bouclier, mon cœur est pris ailleurs.

Anne secoua la tête.

— Foin de joli discours. Vous devez demander Madge en mariage.

— Je ne puis offrir un cœur sincère à mademoiselle Shelton et dès lors ne l'offrirai point, car il appartient à la reine. Elle est la lune et vous le soleil.

Je roulai des yeux vers George.

— Merci, rétorqua Anne. Allez tourner des pages pour la lune.

Norris rit, se releva et lui baisa la main.

— Mais je ne puis être entachée d'aucune rumeur, l'avertit-elle. Le roi se montre sévère depuis sa chute.

Norris lui baisa de nouveau la main.

— Jamais vous n'aurez une quelconque raison de vous plaindre de moi, lui promit-il. Je risquerais ma vie pour vous.

Il repartit à petits pas précieux vers Madge qui leva les yeux et croisa mon regard, m'offrant un sourire mutin. Rien au monde n'obligerait cette fille à agir comme une lady.

George se pencha vers Anne.

— Vous ne briderez point les rumeurs ; négligez-les comme si elles n'avaient aucune importance.

— Je les musellerai toutes ! jura-t-elle. Quant à vous, trouvez qui le roi rencontre ce jour et ce qui se dit de moi.

George n'y parvint pas. Il m'envoya auprès de notre père qui détourna le regard et me conseilla de demander à notre oncle. Je trouvai ce dernier à l'écurie, admirant une jument qu'il pensait acquérir. J'attendis à l'ombre de la porte qu'il eût terminé puis m'approchai de lui.

— Mon oncle, le roi semble très occupé avec maître Cromwell, avec son Grand Argentier, avec vous. La reine se demande quelles affaires sont si pressantes.

Le regard qu'il posa alors sur moi contenait un sentiment que je n'y avais jamais observé auparavant : de la pitié.

— Faites en sorte que votre fils vous revienne, annonça-t-il doucement. Il suit l'éducation cistercienne offerte au garçon de Henri Norris, n'est-ce pas ?

— Oui, acquiesçai-je, confondue.

— Ne vous mêlez en rien à Norris, Brereton ou Weston. S'ils vous envoyaient quelque lettre, poème ou gage, brûlez-le aussitôt.

— Je suis une femme mariée et j'aime mon époux, répliquai-je, abasourdie.

— C'est votre sauf-conduit, apprécia-t-il. Partez, maintenant. Ce que je sais ne vous aiderait en rien et restera mon fardeau. Partez, Marie, et écoutez mon conseil : récupérez vos enfants et quittez la cour.

Au lieu de rejoindre Anne et George qui m'attendaient anxieusement, je me rendis aux appartements du roi pour trouver mon époux. Le souverain était enfermé avec ses plus proches conseillers dans sa salle d'audience, tandis que les autres attendaient dehors. Dès qu'il me vit, William traversa la pièce et me mena dans le corridor.

— Mauvaises nouvelles ?

— Une énigme, plutôt.

— Posée par qui ?

— Mon oncle. Il me conseilla de ne me point mêler à Henri Norris, William Brereton, Francis Weston ou Thomas Wyatt. Il ajouta qu'il me fallait soustraire Henri à ses tuteurs et quitter la cour avec mes enfants.

William réfléchit un instant.

— Votre oncle demeure une énigme à mes yeux, dit-il enfin. J'obéirai toutefois à son conseil.

En deux enjambées, il revint dans la salle d'audience et toucha un homme à l'épaule à qui il demanda de l'excuser auprès du roi. Puis il se dirigea en hâte vers les escaliers, m'obligeant à courir pour demeurer à sa hauteur.

— Que se passe-t-il ? lui demandai-je, soudain effrayée.

— Je ne le sais, mais je ne suis point homme averti deux fois : je vais chercher notre fils puis nous partirons tous pour Rochford.

La lourde porte du jardin était ouverte et William courut au-dehors. Je le suivis en soulevant ma robe. Il cria un ordre et un pale-frenier des Howard se précipita pour seller son cheval.

— Je ne puis l'ôter à ses tuteurs sans la permission d'Anne, souf-flai-je, hors d'haleine.

— Nous obtiendrons la permission plus tard, si besoin est. Je veux mettre notre fils en sécurité.

Il m'embrassa passionnément sur la bouche.

— Ma douce, je n'aime guère vous laisser seule ici.

— Que pourrait-il advenir ?

— Dieu seul le sait, mais votre oncle ne délivre pas d'avertisse-ments à la légère. Je vais chercher notre garçon et ensuite nous quit-terons cet endroit avant qu'un tourbillon ne nous entraîne.

— Laissez-moi vous apporter votre manteau.

— Inutile.

Il entra dans les écuries et en ressortit avec une grossière cape de futaine.

— Êtes-vous si pressé que vous ne puissiez attendre votre propre manteau ?

— Je préfère partir le plus vite possible, répondit-il doucement, et cette fermeté m'effraya davantage que tout ce que j'avais entendu.

— Avez-vous de l'or ?

— En suffisance, grimaça-t-il. Je viens d'en gagner une bourse contre sir John Seymour.

— Combien de temps serez-vous parti ?

Il réfléchit un instant.

— Trois, peut-être quatre jours, pas davantage. Je chevaucherai sans m'arrêter. Pouvez-vous m'attendre quatre jours ?

— Oui.

— Si les choses s'enveniment, emmenez Catherine et le bébé à Rochford. Je vous y rejoindrai avec Henri.

— Très bien.

Après un autre baiser, il se hissa en selle. Le cheval était jeune et nerveux mais William lui imposa de passer sous le châtelet au pas. Je mis ma main en visière pour me protéger du soleil et, le corps parcouru de frissons d'angoisse, suivis des yeux mon mari qui s'éloignait.

Jane Seymour ne réapparut plus dans les appartements de la reine et un calme étrange s'installa dans les pièces ensoleillées. Comme à l'habitude, les servantes allumèrent le feu, arrangèrent les chaises, disposèrent fruits, eau et vin sur les tables. Tout était prêt pour une cour qui ne se montra pas ; Anne et moi demeurâmes seules en compagnie de ma fille Catherine, de ma tante Anne et de Madge Shelton.

— Je me sens comme un fantôme, déclara Anne au bras de George un peu plus tard, alors que nous arpentions les berges du fleuve.

Je marchais derrière elle ave sir Francis Weston, Madge à notre queue en compagnie de sir William Brereton. L'anxiété me serrait la gorge, je ne savais pas pourquoi mon oncle m'avait nommé ces hommes ni quels secrets ils détenaient. Je craignais à tout instant de tomber au beau milieu d'une conspiration.

— C'est une sorte de tribunal, annonça George. C'est ce que je tirai d'un page entré leur verser du vin.

— Ils n'ont rien contre moi, déclara Anne.

— Non, répondit George, mais souvenez-vous de ce qui fut inventé à l'encontre de la reine Catherine.

Anne se tourna soudain vers lui.

— C'est cet enfant mort, n'est-ce pas ? Et les ignobles mensonges de cette garce de sage-femme.

George hocha la tête.

— Sans doute.

Elle fit volte-face et s'élança vers le palais.

— Je vais leur montrer! cria-t-elle.

George et moi courûmes après elle.

— Anne! m'écriai-je.

— Depuis trois mois, je me déplace dans ce château comme une petite souris effrayée par son ombre! s'exclama-t-elle. Mais je vais me défendre, je les forcerai à s'exprimer! Je ne me laisserai pas condamner par un groupe de vieillards qui m'ont toujours haïe.

Elle traversa la pelouse en courant et disparut dans le palais. George et moi nous tournâmes vers les autres.

— Continuez à vous promener, conseilla George, nous accompagnons la reine.

Nous pénétrâmes en hâte dans le palais à la suite d'Anne. Celle-ci ne se trouvait pas dans l'appartement du roi, nous apprit le garde de faction devant la double porte. Déconcertés, nous attendîmes un moment. Soudain, un bruit de pas retentit et Anne survint, la princesse Élisabeth dans les bras qui gigotait et babillait.

Déboutonnant la robe de l'enfant, Anne fit un signe au garde. Ce dernier ouvrit les portes pour elle et elle fit son entrée dans la salle d'audience royale.

— De quoi suis-je accusée? tonna-t-elle sur le seuil.

Le roi se leva maladroitement tandis que le regard furibond de la reine clouait les hommes sur leur chaise.

— Qui osera me lancer son accusation au visage?

— Anne, commença le roi.

Elle se tourna vers lui.

— L'on versa dans votre oreille mensonges et poisons contre moi, l'interrompit-elle en hâte. J'ai droit à meilleur traitement. Je vous fus bonne épouse, je vous aimai comme nulle autre femme.

— Anne…

— Certes, je ne portai point de mâle en son terme, mais ce n'est guère ma faute, poursuivit-elle avec passion. Catherine non plus. L'appelâtes-vous sorcière pour autant?

Un murmure réprobateur s'éleva; j'aperçus un poing se former, pouce entre l'index et le majeur, exécutant le signe de croix qui conjurait la sorcellerie.

— Je vous ai donné une princesse, cria Anne, la plus belle qui fût jamais, avec vos cheveux, vos yeux. À sa naissance, vous affirmâtes qu'il était tôt encore et que nous avions le temps d'avoir des fils. Vous ne craigniez pas votre ombre alors, Henri!

Elle avait à demi dévêtu Élisabeth, la tenait à bout de bras. Henri recula, bien que la petite appelât « papa ! » en lui ouvrant les bras.

— Sa peau est parfaite, sans marque d'aucune sorte ! Personne n'osera nier qu'il s'agit d'une enfant bénie de Dieu, qu'elle sera la plus grande princesse que ce pays ait jamais connue ! Pouvez-vous regarder votre fille sans savoir qu'elle aura des frères et des sœurs aussi forts et beaux qu'elle ?

La princesse Élisabeth parcourut l'assistance du regard, ne rencontrant que des visages moroses. Sa lèvre inférieure se mit à trembler. Anne la tendait à Henri à bout de bras, le visage rayonnant de défi. Le roi les dévisagea l'une après l'autre puis détourna les yeux.

Contre toute attente, Anne cessa de lutter. Elle sembla comprendre qu'il avait déjà pris sa décision.

— Mon Dieu, Henri, qu'avez-vous fait ? chuchota-t-elle.

Il ne répondit que d'un mot : « Norfolk ! » et mon oncle se leva, s'adressant à George et à moi qui nous tenions sur le seuil sans savoir que faire.

— Emmenez votre sœur, nous ordonna-t-il. Vous n'auriez jamais dû lui permettre de venir ici.

En silence, nous avançâmes dans la pièce. Je m'emparai de la princesse Élisabeth qui poussa un cri de joie et passa ses petits bras autour de mon cou. George entoura d'un bras la taille d'Anne pour l'attirer hors de la pièce.

Sur le point de sortir, je regardai par-dessus mon épaule ; Henri n'avait pas bougé. La porte se referma sur nous.

De retour dans les appartements d'Anne, la nourrice survint et reprit Élisabeth. Je la lui abandonnai non sans regrets, consciente du désir qui me taraudait de tenir mon enfant dans mes bras. Je me demandai où se trouvait William. Un sinistre pressentiment pesait sur le palais, comme un orage.

La porte des appartements privés s'ouvrit soudain, une petite silhouette bondit. Anne hurla et recula d'un pas. George sortit sa dague.

— Smeaton ! s'exclama-t-il. Que diable fais-tu ici ?

— Je venais voir la reine, répondit le gamin.

— Pour l'amour de Dieu, je t'ai presque poignardé. Tu n'as rien à faire ici sans invitation. Sors tout de suite !

— Je veux demander…

— Dehors ! répéta George.

— Témoignerez-vous en mon nom, Votre Majesté ? cria Smeaton par-dessus son épaule tandis que George le poussait vers la porte. Ils m'ont appelé et posé tellement de questions !

— Un instant, intervins-je. Des questions à quel propos ?

Anne se laissa tomber sur la banquette sous la fenêtre.

— Quelle importance, soupira-t-elle.

— Ils m'ont demandé si je m'étais montré familier avec vous, Votre Majesté, répondit le gamin, cramoisi. Ou avec vous, monsieur, dit-il à George. Ils voulaient savoir si j'avais été votre Ganymède. Je ne savais pas ce que c'était, alors ils m'ont expliqué.

— Qu'as-tu répondu ? s'enquit George.

— J'ai dit non. Je ne voulais pas dire…

— Bien, le coupa George. Tiens-toi à cette réponse et n'approche plus ni la reine, ni moi, ni ma sœur.

— Mais j'ai peur, gémit le garçon, les larmes aux yeux.

Ils l'avaient questionné des heures durant à propos de vices dont il n'avait pas même entendu parler, ces soldats aguerris, ces hommes d'Église qui en connaissaient plus sur le péché qu'il n'en saurait jamais. Il accourait vers nous à la recherche de réconfort et nous le repoussions.

George le prit par le coude et le raccompagna à la porte.

— Mets-toi ceci dans la tête, déclara George froidement. Tu es innocent. Mais s'ils te trouvent céans, ils te croiront à notre solde. Sors d'ici, c'est le pire endroit où chercher de l'aide.

Il le poussa vers la porte, mais le gamin s'accrocha au chambranle.

— Et ne mentionne pas sir Francis, ajouta George à voix basse, tu as compris ?

— Je n'ai rien dit ! cria Smeaton, toujours accroché à l'encadrement de bois. Mais qui me protégera s'ils me posent à nouveau des questions ?

George fit signe au soldat de faction qui frappa d'un coup sec l'avant-bras de l'enfant. Ce dernier relâcha sa prise avec un cri de douleur et George referma la porte en répondant froidement :

— Personne. Tout comme personne ne nous protégera.

Le jour suivant, premier jour de mai, Anne aurait dû s'éveiller au chant de ses dames d'atour, ses servantes lui apportant des branches de saule. Au lieu de cela, elle ouvrit les yeux, hagarde et pâle, puis passa la première heure de la journée agenouillée devant son prie-Dieu, avant d'aller écouter la messe à la tête de ses dames d'atour.

Jane la suivit, vêtue de blanc et vert. Elle avait dormi sur un coussin de fleurs où elle avait, sans aucun doute, rêvé de son futur époux. J'observai son visage lisse et plein de douceur, me demandant si elle avait conscience des enjeux de tout cela. Elle répondit à mon regard d'un large sourire et me souhaita une belle journée de premier mai.

Nous passâmes en file indienne devant la chapelle du roi, qui détourna les yeux pour ne pas voir Anne. Agenouillée et recueillie, celle-ci récita chaque prière, aussi pieuse que Jane elle-même. Après le service, alors que nous quittions l'église, le roi lui demanda d'un ton bref :

— Assisterez-vous au tournoi ?

— Oui, répondit Anne, surprise. Bien entendu.

— Votre frère entre en lice contre Henri Norris, reprit-il, l'observant intensément.

Anne haussa les épaules.

— Oui ?

— Vous serez en peine de choisir un champion dans cette joute, poursuivit-il, les paroles lourdes de sens.

Elle me lança un regard interrogateur, mais je levai un sourcil en signe d'ignorance.

— Le devoir me commande de choisir mon frère, avança-t-elle avec soin, mais Henri Norris est un fort brave chevalier.

— Peut-être êtes-vous dans l'incapacité de faire votre choix ? suggéra le roi.

— En effet, Sire, répondit-elle d'une petite voix pitoyable. Lequel Votre Majesté souhaite-t-il me voir favoriser ?

Le visage du souverain s'assombrit aussitôt.

— Soyez certaine que j'observerai sur qui se portera votre choix, proféra-t-il d'une voix pleine de hargne, avant de s'éloigner en boitant sous les yeux d'Anne, devenue muette.

L'après-midi se montra chaud et lourd, le ciel couvert d'épais nuages qui oppressaient l'air autour du château. Les chevaliers entrèrent en lice dans une chaleur abrutissante, tandis que, les yeux irrésistiblement attirés vers la route de Londres, j'espérais apercevoir William dont l'absence devait cependant encore durer deux jours.

Anne était vêtue de blanc et d'argent, une branche fleurie à la main comme une fille de la campagne sans aucun souci. Les chevaliers processionnaient devant la galerie royale, heaumes relevés, souriant au roi et à la reine assis côte à côte.

— Gagerez-vous ? s'enquit le roi.

Anne afficha un sourire empressé au ton anodin du roi.

— Certes ! s'exclama-t-elle.

— Qui est votre champion dans la première joute ?

— Ce sera mon frère, répondit-elle en souriant. Je soutiens un Boleyn.

— J'ai prêté mon propre cheval à Norris, l'avertit le roi. Il pourrait se montrer meilleur.

Anne éclata de rire.

— Alors je ferai de lui mon champion mais gagerai mon argent sur mon frère, cela est-il du goût de Votre Majesté ?

Il hocha la tête en silence.

Anne s'empara d'un mouchoir et se pencha par-dessus la barrière de la galerie, indiquant d'un signe à sir Henri Norris de s'approcher. Ce dernier salua en abaissant sa lance, puis, avec grâce, retenant son cheval d'une main, cueillit le mouchoir d'un élégant mouvement de sa lance. Les femmes applaudirent et sir Henri Norris sourit en enfouissant le mouchoir sous son armure.

Tout le monde observait le cavalier, sauf moi, qui regardais le roi. J'aperçus sur son visage une expression que je n'y avais jamais discernée, comme une ombre. Le regard qu'il lança à Anne lorsque celle-ci offrit son mouchoir à Norris fut celui d'un homme qui, après avoir bu, s'apprête à casser sa coupe ou, lassé d'un chien, est sur le point de le noyer : Henri en avait terminé avec ma sœur.

Un roulement de tambour claqua comme un coup de tonnerre, le roi ordonna au tournoi de commencer. Mon frère gagna la première joute, Norris la seconde. George, après avoir emporté la troisième, se remit en lice pour attendre le chevalier qui allait le défier. Anne se leva et applaudit à tout rompre.

Le roi ne quittait pas Anne des yeux, immobile, muet, comme un juge. Dans la chaleur, sa jambe se mit à dégager une odeur pestilentielle sans qu'il s'en rendît compte.

Lorsque le tournoi s'acheva, Anne se leva pour offrir sa récompense au vainqueur. Sans accorder d'importance à la cérémonie, j'observai le souverain qui se mit péniblement sur pied puis se dirigea vers l'arrière de la galerie. Il fit signe à Henri Norris. Celui-ci, dépouillé de son armure, se dirigea vers le roi sur son cheval encore tout suant.

— Où se rend le roi ? demanda Anne.

Sur la route scintillait l'étendard royal. Le roi chevauchait en hâte, Henri Norris à son côté, vers l'ouest, vers Londres.

Jane Parker s'avança d'un pas, les yeux brillants.

— Le secrétaire Cromwell vient de faire part au roi qu'après avoir interrogé Marc Smeaton hier soir, il l'enferma ce jour à la Tour. Peut-être le roi s'y rend-il pour apprendre ce que le jouvenceau a avoué. Mais pourquoi emmener Henri Norris ?

George et moi accompagnâmes Anne dans ses appartements avec le sentiment d'être des prisonniers.

— Je partirai à l'aube, annonçai-je. Je suis navrée, Anne, mais je veux éloigner Catherine.

— Où se trouve William ? s'enquit George.

— Il est allé chercher Henri.

Anne leva la tête.

— Henri est sous ma tutelle, me rappela-t-elle. Vous ne pouvez l'emmener sans ma permission.

— Pour l'amour de Dieu, Anne, laissez-moi le mettre à l'abri ! Il n'est guère temps de se quereller à propos de préséance et d'autorité.

Elle marqua une pause, hésitant à poursuivre la dispute, puis hocha la tête.

— Jouons aux cartes, voulez-vous ? demanda-t-elle alors d'un ton léger.

— Très bien. Permettez-moi seulement d'aller voir si Catherine dort.

Ma fille, qui avait dîné avec les autres dames d'atour, m'apprit que les rumeurs allaient bon train. Le trône du roi était vide, le siège de Cromwell aussi. Nul ne connaissait les raisons de l'arrestation de Smeaton, ni pourquoi le souverain était parti avec Norris.

— Ne vous en préoccupez pas, la coupai-je. Empaquetez quelques affaires et soyez prête à partir à l'aube.

— Courons-nous un danger ?

Véritable enfant de courtisans, elle ne montrait aucune surprise.

— Je ne sais pas, répondis-je brièvement. Je vous veux suffi-samment reposée pour chevaucher tout le jour, aussi devez-vous dormir à présent. Me le promettez-vous ?

Elle hocha la tête. Je la mis au lit, priant Dieu pour le retour le lendemain de William et Henri, à temps pour nous accompagner à la petite ferme nichée sous le soleil. Je l'embrassai puis envoyai un page avertir la nourrice de se tenir prête à partir le lendemain à la pique du jour.

De retour dans les appartements d'Anne, je les trouvai, George et elle, assis devant le feu. Ils tremblaient de froid bien que les fenêtres ouvertes sur la nuit chaude et sans air ne fissent pas même danser les flammes.

— Boleyn, chuchotai-je en ouvrant la porte.

George se retourna, m'ouvrit un bras et m'attira près de lui afin de nous enlacer toutes deux.

— Je vous parie que nous traverserons tout cela sans encombre, déclara-t-il d'un air résolu. L'an prochain, à cette époque, nous les aurons tous vaincus : Anne aura engendré un petit mâle et je serai chevalier de la Jarretière.

Nous passâmes la nuit ainsi, tels des vagabonds dans la crainte du bedeau. Lorsque le ciel se teinta de gris pâle, je descendis les escaliers sans faire de bruit pour jeter quelques graviers aux fenêtres du logement des palefreniers. J'ordonnai au premier qui passa sa tête au-dehors de seller ma jument. Mais lorsqu'il sortit ensuite celle de Catherine, il secoua la tête.

— Elle a perdu un fer, déclara-t-il, laconique.

— Quoi!?

— Il faut la mener au maréchal-ferrant, mais il est trop tôt.

— Ordonnez-lui d'ouvrir !

— Mais madame, il lui faudra d'abord allumer sa forge et qu'elle chauffe avant de la ferrer.

Je lançai un juron de frustration. Le palefrenier suggéra :

— Prenez un autre cheval.

Je secouai la tête. La route était longue, Catherine trop inexpérimentée pour maîtriser une nouvelle monture.

— Non, refusai-je, nous attendrons qu'elle soit ferrée. Mène-la chez le maréchal-ferrant, réveille-le et dis-lui de s'atteler immédiatement à la tâche. Quand ce sera fait, reviens et trouve-moi, où que je sois, pour m'apprendre discrètement qu'elle est prête. N'en parle à personne d'autre au château.

Il mit une main en coupe, je fouillai à la recherche d'une pièce et la déposai dans sa paume.

— Une autre si tout se déroule comme je veux.

Je revins au palais. Le garde, me voyant revenir, leva un sourcil endormi. Je savais qu'il ferait son rapport de mes allées et venues à quelqu'un : Cromwell, mon oncle, ou même sir John Seymour, qui comptait sans doute des hommes à sa solde, à présent.

Parvenue en haut du grand escalier, j'hésitai. J'aurais souhaité voir ma fille, mais la lumière des chandelles qui luisait sous la porte des appartements royaux me rappelait que j'appartenais à cette nuit de vigilance en compagnie de mon frère et de ma sœur. La sentinelle s'écarta et me laissa entrer.

Joue contre joue devant le feu, George et Anne conversaient doucement, leur murmure s'élevant comme le roucoulement de deux colombes. Ils tournèrent la tête d'un même geste en m'entendant entrer.

— Pas encore partie ? s'enquit Anne.

— La jument de Catherine a perdu un fer. J'ai envoyé un pale-frenier la mener chez le maréchal-ferrant. Il viendra m'avertir quand elle sera prête.

Je traversai la pièce et m'assis à leur côté. Nous observâmes les flammes un moment en silence puis Anne déclara d'un ton ensommeillé :

— Si seulement nous pouvions rester ainsi, toute notre vie.

— Vraiment ? répondis-je, surprise. Cette nuit est la pire de ma vie. J'aimerais me réveiller et m'apercevoir qu'il s'agissait d'un rêve et qu'elle n'eut jamais lieu.

George afficha un sourire sombre.

— C'est parce que demain ne vous effraie pas, déclara-t-il. Sinon, vous ne voudriez pas la voir finir.

Malgré leur souhait, le jour se leva. Nous entendîmes les serviteurs s'activer dans la grand-salle puis une servante monter l'escalier avec un seau de bûches pour raviver le feu dans l'appartement de la reine, suivie d'une autre, équipée de brosses et de linges pour nettoyer les tables.

Anne quitta son emplacement devant l'âtre. Elle avait le visage pâle et les joues couvertes de cendres.

— Faites-vous préparer un bain chaud et lavez-vous les cheveux, l'encouragea George. Vous vous sentirez mieux après.

Elle sourit puis hocha la tête.

George se pencha en avant et l'embrassa.

— Je vous verrai à matines, dit-il avant de quitter la pièce.

Ce fut la dernière fois que nous vîmes mon frère en liberté.

George n'assista pas à matines. Anne et moi, rosies par le bain, le cherchâmes en vain du regard. Ni sir Francis ni sir William Brereton ne savaient où il se trouvait. Nous n'obtînmes aucune nouvelle non plus des charges retenues contre Mark Smeaton. Le poids de la peur s'abattit de nouveau sur nous, comme une chape de nuages noirs posée sur les toits du palais.

J'envoyai à la nourrice de mon enfant le message de se tenir prête pour un départ que j'espérais dans l'heure.

Anne avait promis d'assister à un tournoi de paume et de décerner son prix au vainqueur. Elle prit place sous le dais et suivit la partie, la tête oscillant de droite et de gauche, le regard vide.

Je me tenais derrière elle ; je guettais la venue du palefrenier. Catherine, à mon côté, n'attendait qu'un mot de moi pour courir enfiler sa tenue de cavalière. Les portes menant à la loge royale s'ouvrirent soudain et deux soldats de la garde s'avancèrent. Je fus prise d'un pressentiment affreux. Incapable de parler, je touchai l'épaule d'Anne. Celle-ci tourna vers moi un visage interrogateur puis aperçut les deux hommes.

Ils ne s'inclinèrent pas, ce qui confirma ma frayeur. Dans les airs, le cri d'une mouette s'éleva, comme un hurlement de jeune fille.

— Le Conseil privé ordonne votre présence, Votre Majesté, annonça le capitaine sans préambule.

— Oh, répondit Anne en se levant.

Elle jeta un regard à ses dames d'atour qui se montrèrent soudain fascinées par le jeu, suivant les échanges avec un parfait ensemble. J'entendais battre leur cœur à l'unisson, inquiètes de se voir ordonner de suivre leur souveraine.

— Il me faut mes compagnes, annonça enfin Anne.

Aucun visage ne se tourna vers elle. Ses yeux se posèrent sur Catherine.

— Non ! m'exclamai-je, comprenant ce qu'Anne avait en tête. Anne, je vous en supplie !

— Puis-je me faire accompagner ? s'enquit ma sœur.

— Oui, Votre Majesté.

— Catherine m'escortera, ordonna-t-elle simplement.

Elle passa tranquillement la porte que le soldat tenait ouverte pour elle. Ma fille me lança un regard stupéfait et lui emboîta le pas.

— Catherine ! m'écriai-je.

Cette dernière, pauvre petite, se retourna vers moi sans savoir que faire.

— Allons, venez, commanda Anne d'une voix calme.

— Soyez charmante, lui enjoignis-je stupidement, comme si elle s'apprêtait à jouer un rôle.

Elle se tourna alors et suivit la reine avec le flegme d'une princesse.

Trop abasourdie pour intervenir, je les regardai s'éloigner. Lorsqu'elles eurent disparu, je relevai mes jupes et courus à la recherche de George, mon oncle, quiconque pourrait venir en aide à Anne et me ramener ma Catherine saine et sauve.

En pénétrant dans le palais, j'écartai d'une poussée l'homme qui surgit devant moi avant de me rendre compte qu'il s'agissait de l'unique personne au monde que je souhaitais voir.

— William !

— Mon amour, alors vous savez déjà ?

— Ils ont arrêté Catherine ! Ils m'ont pris ma fille !

— De quoi est-elle accusée ?

— Elle accompagne Anne comme dame d'atour ! La reine doit comparaître devant le Conseil privé.

— À Londres ?

— Non, ici.

Il me relâcha aussitôt, jura entre ses dents puis se mit à faire les cent pas.

— Il nous faut attendre qu'elle sorte, déclara-t-il enfin en revenant vers moi.

— Ne craignez rien, ajouta-t-il en prenant mes mains dans les siennes, Catherine est une toute jeune fille, elle n'a rien à cacher. C'est la reine qui est interrogée, pas elle.

Je frissonnai.

— Vous avez raison. De plus, elle est noble, ils n'oseraient la toucher. Où se trouve Henri ?

— En sécurité. Je croyais que vous courriez ainsi à cause de votre frère.

— George ? Que lui est-il arrivé ? m'enquis-je aussitôt, le cœur battant dans ma poitrine.

— Ils l'ont arrêté.

— Avec Anne, pour comparaître devant le Conseil privé ?

Il secoua la tête, le visage sombre.

— Non. Ils l'ont emmené à la Tour, où sont déjà emprisonnés Henri Norris ainsi que Mark Smeaton.

Mes lèvres se mirent à trembler.

— Mais de quoi sont-ils accusés ? Et pourquoi questionner la reine ? Il secoua la tête.

— Nul ne le sait.

L'attente dura jusqu'au milieu du jour. Je m'attardai dans le hall, près de la salle où le Conseil interrogeait la souveraine, mais l'on ne m'autorisa pas à entrer dans l'antichambre, de crainte de me voir écouter à la porte.

— Je ne veux pas écouter, je veux seulement voir ma fille, plaidai-je, mais la sentinelle, sans un mot, me fit signe de m'éloigner.

Peu après midi, un page se glissa hors de la pièce et vint murmurer quelque chose aux oreilles du garde.

— Vous devez partir, me dit celui-ci, j'ai ordre de libérer le passage.

— Pour qui ? demandai-je.

— Vous devez partir, répéta-t-il obstinément.

Il lança un ordre d'une voix claire vers le bas des escaliers, auquel une autre voix répondit aussitôt. Ils me poussèrent doucement en direction des jardins et tous les courtisans rencontrés en route subirent le même sort. Chacun obéit sans discuter face à cet étalage de pouvoir.

Je constatai qu'ils avaient dégagé un chemin qui menait à l'embarcadère royal. Je courus à celui réservé aux petites gens, vide de sentinelles, m'avançai jusqu'à son extrémité et me contorsionnai pour apercevoir la jetée royale du palais de Greenwich.

Je les vis très clairement : Anne, dans la robe bleue qu'elle avait portée pour assister au jeu de paume, Catherine, tout de jaune vêtue, un pas derrière elle. Elle portait une cape pour se protéger du froid du fleuve et je l'en félicitai intérieurement avant de me reprendre en me mordant les lèvres ; je m'inquiétai de si peu, alors que je ne savais pas même où ils la menaient ! Je ne la quittai pas du regard, comme si cela avait le pouvoir de la protéger. Elles montèrent à bord de la barge du roi. Le roulement de tambour destiné aux rameurs s'éleva dans l'air silencieux, aussi sinistre à mes oreilles que celui qui signalait au bourreau de lever sa hache.

— Où allez-vous ? hurlai-je soudain, incapable de contenir mon effroi un instant de plus.

Anne ne m'entendit pas, mais le petit visage de Catherine se tourna au son de ma voix et elle fouilla les jardins du regard.

— Ici, ici! criai-je plus fort encore, gesticulant.

Elle m'aperçut enfin et leva une petite main pour me saluer.

Les soldats poussèrent l'embarcation du roi, le mouvement les précipita toutes deux dans leur siège et je les perdis de vue un instant. Lorsque je l'aperçus de nouveau, elle était assise près d'Anne et me cherchait des yeux. Les rameurs amenèrent la barge au milieu du fleuve et celle-ci glissa sur l'eau avec aisance, aidée par la marée montante.

Je ne tentai pas d'appeler une fois de plus, sachant que le bruit du tambour couvrirait ma voix. Je me tins immobile et levai la main vers elle, lui signifiant que je savais où elle se rendait, que je viendrais la chercher dès que possible.

Sans me retourner, je sentis William qui se plaçait derrière moi. Il leva lui aussi la main vers notre fille.

— Où croyez-vous qu'ils la mènent? me demanda-t-il comme s'il ne connaissait pas la réponse aussi bien que moi.

— Vous le savez, répondis-je. Elle se rend au pire endroit qui soit : à la Tour.

William et moi ne perdîmes pas de temps. Nous nous précipitâmes vers notre chambre pour empaqueter en hâte quelques vêtements avant de courir vers l'écurie. Notre Henri nous y attendait avec les chevaux. Mon fils m'enlaça avec un sourire puis William me hissa sur ma selle avant d'enfourcher sa monture. Henri tenait en main les rênes de la jument de Catherine, nouvellement ferrée. Une fois la nourrice installée sur son cheval, le bébé bien attaché à elle, nous quittâmes l'enceinte extérieure du palais, empruntant la route de Londres sans informer quiconque de notre départ.

William nous trouva des chambres dans le quartier des Minories, loin du fleuve. J'apercevais la tour Beauchamp, où Anne et ma fille se trouvaient emprisonnées. Il s'agissait de la tour où Anne avait passé la nuit précédant son couronnement; se souvenait-elle de la robe magnifique qu'elle avait portée et du silence qui avait régné dans la ville?

William ordonna à notre tenancière de nous préparer un dîner puis il sortit à la recherche de nouvelles. Il revint alors que nous nous apprêtions à nous mettre à table. En ville, on ne parlait que de la reine qui avait été arrêtée, accusée d'adultère et de sorcellerie.

Je hochai la tête. Henri utilisait les rumeurs et la voix du peuple pour paver le chemin qui le mènerait à l'annulation. Déjà, on murmurait dans les tavernes que le roi était amoureux. Il aimait cette fois une fille aussi belle qu'innocente, une pieuse et douce Anglaise – que Dieu la bénisse. On affirmait même que Jane Seymour était l'amie de la princesse Marie. Elle avait dévotement servi la reine Catherine, priait selon l'ancienne manière et ne lisait pas de livres séditieux. Sa famille ne montrait aucune ambition, il s'agissait d'honnêtes gens. Et fertiles. Nul doute que Jane Seymour engendrerait un fils.

— Et mon frère?

William secoua la tête.

— Pas de nouvelle.

Je fermai les yeux, incapable d'imaginer un monde dans lequel George ne serait pas libre d'aller et venir à sa guise. Qui pouvait l'accuser de quoi que ce fût, lui si doux et si impulsif?

— Qui sert Anne?

— Votre tante, la mère de Madge Shelton, et deux autres femmes.

— Personne qu'elle aime mais, au moins, elle n'est pas seule et peut relâcher Catherine.

— Voulez-vous lui écrire? Je pourrais transmettre une lettre au constable de la Tour, si celle-ci n'était pas scellée.

Je courus à l'étage inférieur, au logement de notre hôtesse, qui me prêta plume et parchemin et me laissa utiliser son écritoire, profitant des dernières lumières du jour.

Chère Anne,
Je sais que vous êtes servie par d'autres femmes; dès lors vous pouvez me renvoyer Catherine car j'ai besoin d'elle auprès de moi.
Je vous supplie de la laisser partir.
Marie

Je fis couler la cire chaude dans laquelle j'imprégnai le « B » des Boleyn, mais sans sceller le pli, que je donnai à William.

— Bien, approuva-t-il, nul n'y décèlera autre chose que ce qui est écrit. Je l'apporte immédiatement et attendrai la réponse. Peut-être la ramènerai-je avec moi et pourrons-nous partir pour Rochford demain.

Je hochai la tête.

— Je vous attendrai.

Henri et moi jouâmes aux cartes sur des chaises branlantes devant le feu, misant des *farthings*[1]. Je m'emparai de tout son argent de poche, trichai alors pour le laisser en recouvrer une partie puis perdis à mon tour. William ne revenait toujours pas.

À minuit, il entra dans la pièce.

— Je suis désolé d'avoir tant tardé, s'excusa-t-il. Elle n'est pas avec moi.

Je laissai échapper un petit gémissement. Il s'approcha aussitôt de moi et me prit dans ses bras.

— Je l'ai vue, chuchota-t-il. J'ai pensé que vous seriez heureuse de savoir qu'elle se porte bien. Elle est très calme, vous pouvez lui rendre visite demain à la même heure et tous les jours qui suivront jusqu'à ce que la reine soit relâchée.

— Est-elle emprisonnée ?

— La reine souhaite la garder auprès d'elle, et les ordres du constable sont de lui accorder ce qu'elle désire, dans la limite du raisonnable.

— Mais…

— J'ai tout essayé, m'interrompit William. La reine a le droit de se faire assister de serviteurs et Catherine est la seule dont elle ait vraiment requis la présence. Les autres lui sont plus ou moins imposées. L'une d'elle est même l'épouse du constable, présente pour espionner et rapporter les faits et gestes de la reine.

— Comment se porte Catherine ?

— Vous seriez fière d'elle. Elle vous envoie son amour et indique qu'elle souhaite demeurer auprès de la reine pour la servir, car Anne, souffrante, se pâme et pleure.

J'émis un petit hoquet de surprise teinté d'amour et de fierté auquel se mêlait quelque impatience.

— C'est une petite fille, elle ne devrait pas même se trouver là !

— C'est une jeune femme, me corrigea William, qui fait son devoir. De plus, elle n'est pas en danger. Nul ne lui posera de questions car il est clair qu'elle se trouve à la Tour uniquement en qualité de compagne de la reine.

— De quoi Anne sera-t-elle accusée ?

William glissa un regard vers Henri puis décida que ce dernier était assez vieux pour savoir.

— Il semble qu'Anne soit accusée d'adultère. Savez-vous ce que cela signifie, Henri ?

---

1. Piécettes de bronze valant un quart de penny. (*N.d.T.*)

— Oui, monsieur, je l'ai lu dans la Bible, répondit mon fils en rougissant.

— Selon moi, cette accusation est fausse, poursuivit William d'un ton égal, mais c'est celle que le Conseil privé a décidé de porter contre la reine.

Je compris enfin.

— Les autres, arrêtés eux aussi, sont également mis en cause?

William hocha la tête, les lèvres serrées.

— Oui. Henri Norris et Mark Smeaton seront jugés comme ses amants.

— C'est ridicule! énonçai-je, catégorique. Mon frère est interrogé à ce sujet?

— Oui, répondit William.

Quelque chose dans sa voix m'alerta.

— Ils ne l'ont pas mis à la question? m'enquis-je, affolée.

— Non, me rassura William. Ils n'oublient pas qu'il est noble. Il est gardé à la Tour tandis que les autres sont interrogés.

— Mais de quoi est-il accusé?

William hésita, coulant un regard vers mon fils.

— Comme les autres hommes, dit-il enfin, sibyllin.

Il me fallut un moment pour comprendre. Puis je murmurai, incrédule:

— Adultère?

Il hocha la tête en silence.

Mon premier instinct m'ordonna de dénoncer d'un cri l'absurdité de cette accusation, mais je me souvins d'Anne, de son obsession d'avoir un fils et de sa certitude que le roi était incapable de l'engendrer. Je me remémorai les paroles de George affirmant qu'il aurait pu être excommunié dix fois avant la première collation – et elle avait répondu d'un rire. Je détournai mes pensées d'eux.

— Qu'allons-nous faire? demandai-je.

William entoura de son bras les épaules de mon fils. Ce dernier lui arrivait à l'épaule déjà. Il posa sur son beau-père un regard plein de confiance.

— Nous attendons. Quand cette affaire sera réglée, nous partirons pour Rochford avec Catherine, où nous garderons profil bas. Qu'Anne soit condamnée à vivre en couvent ou exilée, je crois que les Boleyn ont fait leur temps. Il est l'heure pour vous de retourner fabriquer du fromage, mon aimée.

Le jour suivant, j'accordai congé d'une journée à la nourrice et encourageai William et Henri à flâner en ville tandis que je jouais avec le bébé. L'après-midi, je sortis avec ma petite fille près de la rivière et laissai le vent de la mer caresser nos visages. De retour à l'auberge, je lui donnai un bain frais puis la laissai s'ébattre un moment sans l'emmailloter. Je la langeai à temps pour le retour de mes hommes puis la laissai à la nourrice tandis que William, Henri et moi nous rendions au guichet de la Tour, où Catherine nous rejoignit peu après.

Elle sembla si petite, au pied du mur d'enceinte intérieur ! Mais elle marchait comme une Boleyn, comme en terrain conquis, la tête haute. Elle sourit à l'un des gardes et son visage rayonna de joie lorsqu'elle me vit.

— Ma chérie, dis-je en la prenant dans mes bras.

Elle me rendit mon étreinte puis se précipita vers Henri.

— Hen !

— Cat !

Ils se dévisagèrent mutuellement avec un plaisir évident.

— Grandi, dit-elle enfin.

— Plus gros, répliqua Henri.

William me dévisagea par-dessus leurs têtes.

— Croyez-vous qu'ils utiliseront jamais des phrases complètes ?

— Catherine, j'ai écrit à Anne pour qu'elle vous laisse partir, dis-je d'un trait. Je veux que vous veniez avec nous.

Son visage se fit aussitôt grave.

— Je ne peux pas. Elle est plongée dans une telle détresse ! Les autres femmes ne sont bonnes à rien ; deux ne savent pas ce qu'elles font et les deux autres, ma tante Boleyn et ma tante Shelton, marmonnent tout le jour. Je ne peux la laisser avec elles.

— Que fait-elle ? s'enquit Henri.

Catherine rougit.

— Elle pleure, elle prie. Elle se comporte comme un enfant, incapable de prendre soin d'elle-même ; c'est pour cela que je ne peux la laisser.

— Vous nourrit-on correctement, demandai-je, où dormez-vous ?

— Avec elle, répondit Catherine, quoiqu'elle ne dorme guère. Et nous avons les mêmes repas qu'à la cour. Cela ne durera pas, mère.

— Comment le savez-vous ?

Le capitaine des gardes se pencha en avant et s'adressa à William d'un ton calme :

500

— Prenez garde, sir William.

Mon époux me regarda.

— Nous nous sommes engagés à ne point discuter avec Catherine sur le sujet ; nous ne sommes ici que pour nous assurer qu'elle se porte bien.

J'inspirai profondément.

— Très bien. Toutefois, Catherine, si cela se prolonge au-delà d'une semaine, vous devrez partir.

— Je vous obéirai, répondit-elle doucement.

— Puis-je vous apporter quelque chose demain ?

— Du linge propre. La reine a grand besoin d'une ou deux nouvelles robes, vous est-il possible de vous en procurer à Greenwich ?

— Oui, soupirai-je, résignée.

Il me semblait avoir servi Anne ma vie entière. Même à présent, en pleine crise, je demeurais à sa disposition.

William leva les yeux vers le soldat.

— Trouvez-vous acceptable, capitaine, que mon épouse apporte quelque linge aux femmes ?

— Oui, monsieur, lui répondit l'homme. Bien sûr, ajouta-t-il en me saluant.

Pour la première fois, une reine se trouvait emprisonnée sans preuves ni accusation formelle. Comment savoir de quel côté soufflerait le vent ?

Je retins Catherine un instant de plus, respirai l'odeur de ses cheveux et posai mes lèvres sur son front. Il me fallut la relâcher. Elle se détourna, traversa le guichet puis remonta la voie pavée de pierres qui s'étirait à l'ombre menaçante de la Tour. Elle marqua une pause, nous adressa un signe de la main, puis disparut.

Mai 1536

J'empruntai une barque afin de descendre la rivière vers Green-wich, laissant William, Henri et le bébé à l'auberge. William appréhendait de me laisser partir seule au château, j'avais également cette sensation étrange de retourner sur un lieu dangereux. Mais je préférais savoir que mon fils – le fils d'un roi, cette commodité si rare et si précieuse – se trouvait hors de vue de la cour. Je promis que mon absence ne durerait pas plus de deux heures.

Pénétrer dans mon ancienne chambre s'avéra facile, mais les appartements de la reine étaient scellés par ordre du Conseil privé. Je pensai un instant demander l'aide de mon oncle pour me procurer le linge et les robes d'Anne puis réfléchis qu'attirer l'attention sur une Boleyn quand l'autre était enfermée à la Tour n'était pas très judicieux. J'enveloppai plusieurs de mes propres vêtements et m'apprêtai à sortir lorsque Madge Shelton entra.

— Dieu tout-puissant, je vous croyais emprisonnée à la Tour! annonça-t-elle. Vous ont-ils relâchée après vous avoir interrogée?

— Je n'ai jamais été arrêtée, déclarai-je avec patience. Je me suis rendue à Londres pour ne pas quitter Catherine, qui suivit Anne comme dame d'atour. Elles sont encore à la Tour et je suis venue leur chercher du linge.

Madge s'effondra sur la banquette de la fenêtre et se mit à sangloter. Je lançai un rapide regard vers le couloir.

— Madge, je dois partir. Qu'y a-t-il?

— Seigneur, c'est affreux! Ils m'ont interrogée toute la matinée, transformant mes paroles pour nous assimiler aux putains d'un bordel! J'ai eu tellement honte, alors que ni vous ni moi n'avons jamais rien fait de mal!

Je réfléchis un instant à ce que je venais d'entendre.

— Le Conseil privé vous a interrogée?

— Ils questionnent tout le monde! Les dames d'atour, les domestiques, même les chambrières. Ils interrogeraient le chien Purkoy s'il n'était mort!

— Que veulent-ils savoir?

— Qui partageait la même couche, qui promettait quoi, qui n'assistait pas à l'office du matin, qui offrait des cadeaux à qui? Qui aimait la reine, lui écrivait des poèmes, lui chantait des odes? Et qui favorisait-elle en retour? Tout, vous dis-je!

— Et que répond-on?

— Oh, rien d'abord! répondit Madge avec fougue. Chacun garde son secret et ceux des autres. Mais ils apprennent une chose d'un côté ou de l'autre qui vous force à tout avouer; oncle Howard vous dévisage comme si vous étiez la dernière des putains et le duc de Suffolk se montre si aimable que vous lui avouez tout ce que vous vouliez garder secret.

Elle acheva son discours dans un sanglot qu'elle étouffa dans un mouchoir de dentelle, avant de soudain relever la tête.

— Partez maintenant! S'ils vous trouvent, ils n'auront de cesse de vous interroger car ils s'enquièrent constamment de vous, George et la reine, souhaitant savoir où vous étiez telle nuit et ce que vous faisiez telle autre.

Je hochai la tête et m'éloignai aussitôt. Un instant plus tard, j'entendis ses pas derrière moi.

— Si vous voyez Henri Norris, dites-lui que j'ai fait de mon mieux pour ne rien dire, dit-elle d'une petite voix. Mais ils me piégèrent et je racontai que la reine et moi gageâmes un jour un baiser de lui. Mais rien de plus! Quoi qu'ils entendissent de plus leur fut raconté par Jane.

Sans ralentir, j'agrippai le bras de Madge et l'entraînai à ma suite.

— Jane Parker?

— Elle est demeurée le plus longtemps avec eux et signa une déclaration. À la suite de ses dires, nous fûmes toutes rappelées pour parler de George et de la reine. Buvaient-ils beaucoup, se trouvaient-ils souvent seuls, avec ou sans vous?

— Jane aura médit de son mari, affirmai-je froidement.

— Elle en tire fierté, précisa Madge. La Seymour, quant à elle, quitta la cour hier pour se rendre dans le Surrey avec les Carew, se plaignant de la chaleur alors que l'on détruit lentement nos vies!

La voix de Madge se cassa sur un sanglot; je m'arrêtai et l'embrassai sur les joues.

— Puis-je venir avec vous? demanda-t-elle d'un air pitoyable.

— Non, refusai-je. Rendez-vous auprès de la duchesse de Suffolk, à Lambeth, elle prendra soin de vous, sans dire que vous m'avez vue.

— J'essaierai, répondit-elle honnêtement.

Je hochai la tête et l'abandonnai debout sur les marches du jardin : une jolie fille de la plus élégante cour d'Europe, qui avait séduit le roi lui-même et qui voyait à présent le monde changer, la cour devenir sombre et le roi suspicieux. Elle apprenait que nulle femme, si insouciante, vive ou jolie fût-elle, ne se trouvait à l'abri.

❦

J'apportai ce soir-là ses linges à Catherine sans lui dire pourquoi il m'avait été impossible de mettre la main sur les robes de la reine. Je ne voulais en aucun cas attirer l'attention sur moi ou notre petit logement. Je ne relatai pas non plus ce que j'avais appris du passeur dans le coche qui m'avait ramenée à Londres : l'arrestation de sir Richard Page et de sir Thomas Wyatt, le fervent admirateur de la reine qui avait rivalisé avec le roi lorsque, des années plus tôt, nous jouions tous à l'amour courtois.

— Ils viendront bientôt me chercher, annonçai-je plus tard à William, devant le feu. Ils s'en prennent à tous les proches d'Anne.

— Vous devriez cesser de rendre chaque jour visite à Catherine, conseilla-t-il. Je m'y rendrai tandis que, d'un endroit caché, vous l'observerez pour vous assurer qu'elle se porte bien.

Le jour suivant, nous changeâmes de gîte, où nous donnâmes un faux nom. Henri se rendit à la Tour vêtu comme un valet d'écurie. Il louvoya dans la foule à l'aller comme au retour, s'assurant que personne ne le suivait. Mais mon oncle ne songeait pas à surveiller Catherine afin de me retrouver, incapable d'imaginer l'amour d'une mère pour sa fille ; après tout, qui, dans cette famille, avait jamais considéré une fille comme autre chose qu'un pion ?

Il avait d'autres choses à faire, de toute façon, ce que nous apprîmes au milieu du mois. William me rapporta des nouvelles entendues à la boulangerie où il achetait notre dîner. Il attendit que j'eusse terminé mon repas pour parler.

— Mon amour, commença-t-il avec douceur, je ne sais comment vous préparer à ouïr ce qui va suivre.

Devant son visage grave, je repoussai mon assiette.

— Dites-le-moi sans détour.

— Ils déclarèrent coupables Henri Norris, Francis Weston, William Brereton et le petit Mark Smeaton d'adultère avec la reine, votre sœur.

Je le fixai, hébétée. Ses paroles peu à peu parvinrent à mon esprit, mais comme assourdies. William se leva, recula ma chaise de la table et me força à me pencher en avant pour mettre ma tête entre mes genoux. La sensation de vide s'estompa, j'aperçus le dessin des dalles sous mes pieds. Je relevai lentement la tête ; William s'agenouilla devant moi et me fixa d'un regard tendre et sérieux.

— Je crains qu'il ne vous faille prier pour l'âme de votre frère.

— A-t-il été jugé avec les autres ?

— Non, ils furent sentenciés au tribunal ordinaire. George et Anne devront faire face au tribunal des pairs.

— Alors, un arrangement prendra place.

William eut l'air dubitatif.

— Je dois me rendre à la cour, déclarai-je en me levant. Jamais je n'eusse dû me cacher. Tout cela n'est que folie et, si les autres sont déclarés coupables, il est important que je témoigne de l'innocence de George et d'Anne.

William, plus rapide, parvint à la porte avant moi et me bloqua le chemin.

— Je savais que vous diriez cela ; vous n'irez pas.

— William, mon frère et ma sœur courent un immense danger, je dois les sauver !

— Non, car si votre tête dépasse d'un seul pouce, ils la couperont comme celle des autres. Selon vous, qui reçoit ces preuves contre ces hommes et présidera la cour amenée à juger votre frère ? Votre oncle ! Votre père ou lui utilisent-ils leur influence afin de le sauver ? Non. Parce qu'ils savent qu'Anne a appris au roi comment se comporter en tyran et, à présent qu'il s'y exerce, nul ne sait comment l'en empêcher.

— Mais il s'agit de George, mon frère adoré, plaidai-je en poussant son torse. Comment pourrais-je vivre en sachant que, à son procès, il aura regardé autour de lui sans que personne prenne sa défense ? Même si cela signifie ma mort, je dois y aller !

William s'écarta soudain.

— Très bien. Embrassez notre enfant et Henri une dernière fois. Je ne manquerai pas de dire à Catherine que vous la bénissez. Et offrez-moi un baiser d'adieu car je suis certain que vous n'en sortirez pas vivante. Vous serez accusée, dans le meilleur des cas, de sorcellerie.

— Quelle sorcellerie ? Pour l'amour de Dieu ! Qu'avons-nous fait, selon vous ?

— Anne est accusée d'avoir séduit le roi au moyen de sortilèges, avec l'aide de votre frère. Pardonnez-moi de ne vous l'avoir annoncé plus tôt, je ne pouvais m'y résoudre. Ils sont accusés d'être amants, d'invoquer le Diable. C'est pour cela que leur procès se fera séparément de celui des autres : leurs crimes sont trop importants.

Je hoquetai d'horreur, vacillai contre lui. William me rattrapa et poursuivit :

— On leur impute d'avoir rendu le roi impuissant avec des potions, d'être amants et d'avoir engendré cet enfant monstrueux. Les charges qui pèsent contre eux ne changeront guère, quoi que vous disiez. Vous avez enseigné à la reine comment séduire le roi, après avoir été sa maîtresse pendant des années, vous avez ramené une sorcière dans l'enceinte du palais, vous avez tu la naissance de bébés mort-nés, moi-même en ai enterré un. Combien d'autres secrets avez-vous couverts pour les Boleyn que vous ne m'avez pas confiés ?

Je détournai les yeux et il hocha la tête.

— Je m'en doutais. Avala-t-elle des potions pour concevoir ?

J'inclinai de nouveau la tête.

— Elle fit empoisonner l'évêque Fisher, un saint homme. Elle a la mort de trois innocents sur la conscience. Elle empoisonna le cardinal Wolsey et la reine Catherine.

— Vous n'avez aucune preuve de cela ! m'exclamai-je.

Il posa sur moi un regard lourd de sens.

— Vous êtes sa propre sœur et ne pouvez offrir de meilleure défense que cela ?

J'hésitai.

— Elle est coupable de s'adonner à la sorcellerie, d'avoir séduit le roi avec un comportement impudique et immoral, d'avoir menacé la reine, l'évêque, le cardinal. Vous ne pouvez la défendre, Marie, la moitié des accusations sont fondées.

— Mais George… chuchotai-je.

— George l'a soutenue en tout et se rendit coupable d'autres péchés, déclara William. Si sir Francis et les autres confessaient ce qu'ils avaient fait avec Smeaton, ils seraient pendus pour bougrerie.

— Il s'agit de mon frère, je ne peux l'abandonner.

— Vous pouvez aller à votre mort, déclara mon époux, ou bien survivre à cette épreuve, élever vos enfants, protéger la fille d'Anne qui, avant la fin de la semaine, sera déclarée bâtarde et deviendra orpheline. Vous pouvez attendre la fin de ce règne pour voir ce que l'avenir apportera à la princesse Élisabeth ou à notre fils Henri. Peut-être nous faudra-t-il le défendre contre ceux qui chercheront à l'utiliser comme prétendant à la Couronne ? Vous devez à vos enfants de les protéger. Anne et George ont choisi leur propre voie. Mais la princesse Élisabeth, Catherine et Henri auront leurs propres choix à faire dans le futur, vous devriez vous trouver auprès d'eux pour les aider.

Mes mains, encore serrées en poings contre son torse, retombèrent de chaque côté de mon corps.

— Très bien, capitulai-je sombrement. Ils se rendront donc sans moi à leur procès. Je ne les y défendrai pas. Mais j'irai trouver mon oncle pour lui demander si l'on ne peut faire quelque chose pour les sauver.

Je m'attendais à ce qu'il refuse, mais il marqua une hésitation.

— Êtes-vous assurée qu'il ne vous emprisonnera pas avec les autres? Après tout, il vient de présider au procès de trois hommes qu'il connaît depuis leur enfance et les a condamnés sans battre un cil à être pendus, castrés et écartelés. Il ne se trouve guère enclin à la pitié.

Je hochai la tête, réfléchissant.

— Alors j'irai voir mon père.

À mon grand soulagement, William acquiesça.

— Je vous mènerai auprès de lui, dit-il.

Je jetai mon manteau sur mes épaules puis convoquai la nourrice pour lui demander de veiller sur Henri et le bébé tandis que William et moi sortions un moment.

— Où se trouve-t-il? m'enquis-je.

— Chez votre oncle, répondit William. La moitié de la cour est demeurée à Greenwich mais le roi ne quitte pas ses appartements. On affirme qu'il est en proie à un profond chagrin, mais d'autres allèguent qu'il se glisse hors de sa chambre la nuit pour rejoindre Jane Seymour.

— Qu'est-il advenu de sir Thomas et sir William, arrêtés avec les autres?

— Nul ne le sait, répondit William d'un ton las. Peut-être bénéficièrent-ils d'un manque de preuve, d'une plaidoirie spéciale, d'une faveur quelconque. Qui peut savoir quand un tyran se montre magnanime?

Il s'empara de ma main glacée pour la glisser au creux de son coude.

— Nous arrivons, dit-il. Passons par les écuries, je connais l'un des palefreniers. Je préfère savoir ce qui se trame ici avant d'entrer.

Nous pénétrâmes dans la cour mais, avant que William ne hurle « Holà! », nous entendîmes le fracas des sabots sur les pavés et mon père déboucha dans la cour. Je me précipitai au-devant de son cheval, qui, surpris, fit un brusque écart.

— Pardonnez-moi, mon père, je dois vous voir !

— Vous ! s'exclama-t-il d'un ton brusque. Où diable étiez-vous donc cachée cette semaine ?

— Auprès de moi, intervint William derrière moi d'une voix ferme, là où est sa place, avec nos enfants. Catherine se trouve aux côtés de la reine.

— Je le sais, répondit mon père. Pour autant que nous sachions, elle est la seule fille Boleyn sans une tache à sa vertu.

— Marie souhaite vous poser une question, puis nous partirons.

Je marquai une pause, cherchant mes mots.

— George et Anne seront-ils épargnés ? demandai-je enfin. Oncle Howard œuvre-t-il à les sauver ?

Mon père me lança un regard aussi froid qu'acéré.

— Vous en savez probablement plus que tout autre. Vous eussiez dû être interrogée avec les autres femmes.

— Il ne se passa rien ! m'écriai-je passionnément. Rien de plus que ce dont vous-même aviez connaissance, monsieur, ou ce que notre oncle avait ordonné. C'est lui qui me commanda d'enseigner à Anne comment charmer le roi, qui exigea d'Anne qu'elle conçût un enfant à tout prix, qui intima à George de la soutenir. Nous ne fîmes qu'obéir, doit-elle mourir pour s'être montrée une fille soumise ?

— Ne me mêlez pas à cela ! cracha-t-il, elle suivit son propre chemin, vous et George l'avez accompagnée.

J'eus un hoquet de surprise devant cette trahison. Il démonta, jeta les rênes à un garçon d'écurie et s'éloigna de moi. Je courus après lui et lui attrapai la manche.

— Mais oncle Howard trouvera-t-il un moyen de la sauver ?

Il approcha alors sa bouche de mon oreille et chuchota :

— Elle doit disparaître. Le roi la sait stérile, il veut une autre épouse. Les Seymour ont gagné cette manche, il n'y a pas à le nier. Le mariage sera dissous.

— Dissous ? Sur quelle base ?

— Liens d'affinité, répondit-il brièvement. Il était votre amant, il ne peut être l'époux de votre sœur.

Je tressaillis.

— Pas moi, encore !

— C'est ainsi.

— Qu'advient-il d'Anne ?

— Le couvent, si elle accepte son sort ; sinon, l'exil.

— Et George ?

— Banni.

— Et vous, monsieur ?

— Si je survis à cela, je survivrai à tout, dit-il sombrement. À présent, si vous ne souhaitez être appelée à témoigner, je vous conseille de vous faire discrète et de demeurer hors de vue.

— Mais ne pourrais-je apporter des preuves de leur innocence en paraissant à la cour ?

Il émit un rire bref.

— Il n'existe *aucune* preuve de leur innocence, me rappela-t-il. Il s'agit d'un procès pour trahison, ils ne peuvent qu'espérer la clémence de la cour et le pardon du roi.

— Puis-je supplier le roi de leur pardonner ?

Mon père me lança un regard froid.

— Si vous ne vous nommez point Seymour, il ne vous recevra pas. Le nom de Boleyn semble attirer la hache du bourreau. Si vous souhaitez aider votre frère et votre sœur, écartez-vous du chemin et laissez les événements se dérouler le plus rapidement et discrètement possible.

William m'attira dans l'ombre alors que résonnait le bruit d'une troupe de cavaliers qui approchait.

— C'est votre oncle, m'avertit-il, venez là.

Nous sortîmes par une petite porte dérobée à côté de l'arche sous laquelle pénétraient les chariots. William la referma derrière nous alors que les torches illuminaient la cour et que les soldats criaient aux garçons d'écurie d'aider Sa Grâce à descendre de cheval.

Nous rentrâmes par les petites rues de la ville, invisibles de tous. La nourrice nous ouvrit la porte puis me montra le bébé endormi dans son berceau et Henri, assoupi sur son lit, le visage auréolé des boucles d'or des Tudor.

William m'attira ensuite dans notre lit, où il me déshabilla. Puis il referma les courtines autour de nous et me prit dans ses bras, sans un mot. Je m'accrochai à lui toute la nuit sans parvenir à me réchauffer.

Le procès d'Anne devait se dérouler devant les pairs, dans le hall du roi, à la Tour de Londres. Ils craignaient de lui faire traverser la ville vers Westminster ; l'humeur de la foule, de morose lors de son couronnement, tendait à présent à la vouloir défendre. Le plan de Cromwell faisait long feu : peu de gens croyaient une femme capable de séduire un homme en étant enceinte de son époux, ou bien qu'elle s'abandonnât entre les bras de deux, trois, quatre amants sous le nez de son mari, quand celui-ci était le roi d'Angleterre. Même les femmes qui avaient traité Anne de putain pensaient à présent que le roi, à nouveau pris de folie, destituait une épouse légitime sous le premier prétexte venu pour les beaux yeux d'une autre favorite.

Jane Seymour avait emménagé dans la magnifique demeure londonienne de sir Francis Bryan. Il était de notoriété publique que la barge du roi demeurait appontée à la jetée jusque très avant dans la nuit. Dans la maison résonnaient les échos de musique, danse, jeux et banquets pendant que la reine se trouvait emprisonnée à la Tour, où cinq hommes braves et bons croupissaient également.

Henry Percy, l'ancien amour d'Anne, siégeait parmi les pairs au jugement de cette reine dont ils avaient tous baisé la main et à la table de laquelle ils avaient festoyé. Comme cela dut leur sembler étrange de la voir pénétrer dans la salle du roi, le « B » d'or accroché au cou, sa coiffe à la française qui découvrait sa chevelure noire et brillante, vêtue d'une robe sombre qui mettait en valeur sa peau crémeuse ! Les prières devant l'autel et les pleurs incessants des derniers jours l'avaient laissée calme pour son procès ; elle se montra aussi jolie et pleine de confiance que toutes ces années auparavant, fraîchement arrivée de France, quand ma famille lui avait ordonné de séduire mon amant.

J'aurais pu prendre place parmi le public, derrière le bourgmestre et les échevins, mais William craignit qu'on me reconnût. De plus, j'appréhendais d'entendre les mensonges mais aussi les vérités qui allaient être proférés. Notre logeuse s'y rendit et revint avec un récit confus d'endroits où la reine avait séduit des courtisans et enflammé leur désir en les embrassant avec la langue et en leur accordant de magnifiques présents. Parfois, ces histoires effleuraient la vérité, à d'autres moments elles n'étaient qu'inventions fantaisistes, comme quiconque ayant connu la cour s'en fût aperçu. Mais ces récits érotiques, sales, ténébreux, obéissaient à une fascination pour le scandale. Ils répondaient à ce que les gens attendaient d'une reine, d'une catin mariée à un roi, quoiqu'ils trahissent les rêves du secrétaire Cromwell bien mieux qu'ils ne parlassent d'Anne, de George ou de moi.

Aucun témoin ne vint corroborer les affirmations indiquant qu'Anne avait enseveli ses soupirants sous des présents ; nul n'appuya non plus l'accusation de sorcellerie quand ils affirmèrent que la jambe pourrissante du souverain lui était imputable. Anne plaida non coupable et tenta d'expliquer à ces hommes, qui le savaient déjà, qu'il était normal pour une reine d'offrir des présents aux courtisans, de danser avec l'un puis avec l'autre. Bien sûr, que les hommes lui dédiaient des poèmes d'amour ; jamais le roi ne s'était plaint de la tradition d'amour courtois qui régnait dans toutes les cours d'Europe.

Le dernier jour de son procès, le comte de Northumberland, lord Henry Percy, n'apparut pas, prétextant qu'il était souffrant. Je compris alors que le verdict la déclarerait coupable. Les lords qui, jadis, eussent vendu leur âme pour lui plaire, se prononcèrent contre elle. L'un après l'autre, ils déclarèrent « coupable ». Lorsque vint le tour de mon oncle, ses sanglots l'empêchèrent presque d'émettre la sentence qui la punissait à être brûlée ou décapitée selon le bon plaisir du roi.

La logeuse se tamponna les yeux d'un morceau de tissu déniché de sa poche. Il lui semblait outrancier qu'une reine fût condamnée au bûcher pour avoir dansé avec quelques jeunes gens.

— En effet, répondit William avant de la raccompagner hors de notre chambre.

Il me prit ensuite sur ses genoux où je me pelotonnai comme un enfant, le laissant m'entourer de ses bras et me balancer doucement.

— Elle haïra vivre dans un couvent.

— Elle obéira au jugement du roi, répliqua-t-il avec douceur. L'exil ou le couvent, elle devra s'en contenter.

Ils jugèrent mon frère le jour suivant. Ils l'accusèrent lui aussi d'avoir été l'amant d'Anne, d'avoir comploté contre le roi. Il nia énergiquement. Ils ajoutèrent qu'il avait mis la paternité d'Élisabeth en doute et s'était moqué de l'impuissance du roi. George, sous serment, se tut, incapable de démentir. La preuve la plus accablante provint de la déposition écrite par Jane Parker, cette épouse qu'il avait toujours méprisée.

— Ils ajoutent foi à l'opinion d'une épouse aigrie ? demandai-je à William.

— Il est coupable, répondit simplement mon mari. Même moi, qui ne suis point de ses intimes, l'ai entendu brocarder Henri en affirmant qu'il était incapable de monter une jument, encore moins une femme comme Anne.

Je secouai la tête.

— C'est paillard et indiscret, mais…

— C'est trahison, me corrigea-t-il avec douceur en prenant ma main, au même titre que lorsque Thomas More doute de la suprématie du roi à la tête de l'Église. Ce souverain décide de ce qui constitue une offense punissable de mort ou non ; nous lui avons octroyé ce pouvoir en ôtant au pape celui de diriger l'Église. À présent, il a décidé que votre sœur était une sorcière, votre frère son amant, et que tous deux sont des ennemis de l'État.

— Mais il va les gracier, insistai-je.

Chaque jour, mon fils se rendait à la Tour rencontrer sa sœur et s'assurer qu'elle se portait bien. Il était toujours suivi de William, qui vérifiait que nul ne l'espionnait. Mais personne ne s'intéressait à mon Henri ; il semblait que le pire avait déjà eu lieu en piégeant Anne et George.

Un jour de mai, j'accompagnai Henri pour voir ma petite fille. Nous entendîmes le bruit des clous martelés dans l'échafaud où mon frère et quatre autres hommes seraient exécutés. Catherine était calme, mais un peu pâle.

— Rentrez avec moi, la pressai-je. Nous nous rendrons à Rochford, vous ne pouvez plus rien faire, ici.

Elle secoua la tête.

— Laissez-moi rester, requit-elle, jusqu'à ce que tante Anne soit relâchée et parte pour le couvent.

— Comment va-t-elle ?

— Elle prie tout le temps et se prépare à une vie derrière des murs où elle renoncera à la souveraineté, à la princesse Élisabeth, à son statut de reine. Toutefois, les choses se sont arrangées depuis la fin du procès : elle se montre moins gardée, moins espionnée.

— Avez-vous vu George ? m'enquis-je, essayant de parler d'une voix légère malgré la douleur au ventre m'oppressant le cœur.

Catherine me fixa avec pitié.

— C'est une prison, me rappela-t-elle doucement, je ne puis m'y déplacer à ma guise.

Je secouai la tête, me maudissant de ma propre stupidité.

— J'y séjournai jadis ; il s'agissait alors d'un palais royal que je pouvais parcourir comme bon me semblait. Tout est différent aujourd'hui.

— Le roi épousera-t-il Jane Seymour ? demanda Catherine. Elle souhaite le savoir.

— C'est une certitude, répondis-je. Il se rend chaque soir chez elle ; tout se déroule comme avec Anne aux premiers jours.

Catherine hocha la tête.

— Je devrais partir, déclara-t-elle en glissant un regard à la sentinelle derrière elle.

— Dites à Anne…

Je m'interrompis. Il y avait trop à dire. Je ne pouvais résumer d'un mot ces années de rivalité suivies de cette alliance forcée, notre amour sans cesse corrompu par cet irrépressible besoin de surpasser l'autre. Comment lui déclarer combien je l'aimais et étais heureuse d'être sa sœur bien qu'elle fût responsable de sa situation et d'y avoir entraîné George ? Comment, enfin, lui dire que jamais je ne lui pardonnerais ce qu'elle nous avait fait quoique je comprisse ses raisons ?

— Quoi ? s'enquit Catherine.

— Dites-lui que je pense à elle, répondis-je simplement. Tout le temps, chaque jour. Comme toujours.

Le jour suivant, ils décapitèrent mon frère avec son amant, Francis Weston, ainsi que Henri Norris, William Brereton et Mark Smeaton. Ils les exécutèrent sous la fenêtre d'Anne, qui assista à leur supplice. Je cherchai à échapper à ce cauchemar au bord du fleuve, mon enfant dans les bras. Le vent soufflait doucement et une mouette lança un long gémissement au-dessus de ma tête. La marée remontait son cortège d'épaves insignifiantes : bouts de cordes, lambeaux d'algues, morceaux de bois incrustés de coquillages. Mes bottes alourdies de boue, je humai l'air salin en me demandant comment les Boleyn, de si haut, étaient tombés si bas.

Je revins à l'auberge, le visage trempé de larmes. Je compris n'avoir jamais cru perdre George. Il me semblait inconcevable qu'Anne et moi dussions vivre sans lui.

Ils firent venir un bourreau de France pour exécuter Anne. Le roi prévoyait un sursis de dernière minute et voulait tirer tout l'aspect dramatique possible de cet événement. Ils construisirent l'échafaud sur la pelouse, sous la tour Beauchamp.

— Le roi la graciera-t-il ? demandai-je à William.

— C'est ce qu'affirme votre père.

— Alors il a organisé cela comme un divertissement, repris-je, connaissant Henri. Il accordera sa grâce au tout dernier moment et les gens, soulagés, lui pardonneront la mort des autres.

Le bourreau souffrit de retard, il fallut attendre un jour de plus pour cette mascarade. Le soir, Catherine m'apparut comme un fantôme à la porte du château.

— L'archevêque Cranmer a apporté des documents annulant le mariage aujourd'hui ; elle les a signés. Ils lui ont promis le couvent si elle les paraphait.

— Merci, mon Dieu, murmurai-je, mesurant combien j'avais eu peur. Quand sortira-t-elle ?

— Demain peut-être, répondit Catherine. Il lui faudra ensuite vivre en France.

— Elle aimera cela, affirmai-je. Elle deviendra abbesse en cinq jours, vous verrez.

Catherine afficha un sourire las ; sa peau, sous ses yeux, avait pris une couleur violette.

— Rentrez, à présent, tout est presque terminé, l'exhortai-je soudain, en proie à une peur soudaine.

— Quand elle sera en France, répondit-elle fermement.

Cette nuit-là, je demeurai éveillée, fixant le dais.

— Le roi tiendra parole et la relâchera, n'est-ce pas ? demandai-je à William.

— Pourquoi pas ? Il possède une preuve d'adultère démontrant qu'il n'a pu engendrer un monstre, une union annulée comme si elle n'avait jamais eu lieu, et la mort de tous ceux qui l'accusaient d'impuissance. La tuer n'aurait aucun sens. De plus, il est lié par sa parole, il doit l'envoyer au couvent.

Le jour suivant, peu avant neuf heures, ils la menèrent à l'échafaud. Derrière elle marchaient ses dames d'atour, Catherine parmi elles.

Cachée dans la foule, j'aperçus Anne, mince silhouette vêtue de noir. Elle repoussa sa coiffe, montrant sa chevelure enchâssée dans un filet, puis prononça ses ultimes paroles. Je n'avais cure de les entendre, ces mots vides de sens, contribution à la mascarade organisée par le roi. J'avais les yeux fixés sur la grande arche qui menait à l'embarcadère ; j'attendais l'arrivée de la barge royale au son des tambours, toutes oriflammes au vent, et du roi qui s'élancerait pour accorder son pardon à Anne.

Henri semblait avoir décidé de prolonger l'attente et, dès lors, l'intensité dramatique, ce qui lui ressemblait fort. Il nous faisait languir avant d'effectuer une arrivée triomphale pour prononcer son discours de pardon. Ensuite, Anne s'en irait en France, je récupérerais ma fille et nous pourrions rentrer chez nous.

J'observai ma sœur qui se tourna vers le prêtre pour une ultime prière. Elle retira lentement sa coiffe à la française puis son collier. Je trépignais d'irritation devant la vanité d'Anne et le retard de Henri : ne pouvaient-ils en terminer au plus vite ?

L'une des femmes entourant la reine s'avança vers elle, lui banda les yeux puis l'aida à s'agenouiller, avant de reculer d'un pas. Anne était seule. Elle s'agenouilla. Comme un champ de maïs pliant sous le vent, la foule devant l'échafaud l'imita. Seule, je demeurai immobile, les yeux fixés sur ma sœur au loin, vêtue d'une robe noire déchirée de l'éclat cramoisi de sa jupe, les yeux bandés, le visage pâle.

L'épée du bourreau s'éleva interminablement dans le soleil du matin. Malgré moi, je jetai un regard vers l'embarcadère. Puis l'épée s'abattit dans un éclair, la tête quitta le corps, et la longue rivalité qui m'avait opposée à l'autre fille Boleyn prit fin.

William me poussa sans ménagement vers une alcôve aménagée dans le mur, puis joua des coudes pour traverser la foule qui s'assemblait autour du corps d'Anne enveloppé dans un linceul et allongé dans un cercueil. Il souleva Catherine et revint vers moi.

— C'est fini, dit-il d'une voix rauque. Partons, maintenant.

Comme un enragé, il nous ouvrit le chemin. Partout dans la ville, les gens transmettaient la nouvelle que l'épouse avait été sacrifiée, que la putain avait péri, ou que la pauvre martyre avait succombé, selon les opinions que chacun émettait.

Catherine trébucha, ses jambes se dérobèrent sous elle. William la rattrapa et la porta dans ses bras comme une enfant. En voyant sa tête rebondir doucement contre l'épaule de William, je m'aperçus qu'elle dormait à demi, exténuée d'avoir attendu avec ma sœur cette promesse inviolable de clémence. Alors que j'avançai comme dans un rêve, je trouvai difficile de croire que cette grâce ne fût point accordée, que l'homme que j'avais aimé, jadis le plus beau prince de la chrétienté, se comportât comme un monstre incapable d'accepter que son épouse pût vivre sans lui en le méprisant. Il m'avait enlevé George, mon frère bien-aimé, et il m'avait ôté Anne, mon autre moi-même.

Catherine dormit tout le jour et la nuit entière qui suivit. Lorsqu'elle s'éveilla, William avait préparé les chevaux et elle se retrouva en selle avant d'avoir le temps de protester. Nous embarquâmes sur un coche d'eau descendant la rivière vers Leigh. Catherine déjeuna à bord, Henri à son côté. Mon bébé sur les genoux, j'observai mes enfants, remerciant Dieu d'avoir quitté la ville sans encombre et Le suppliant de nous aider à traverser ce nouveau règne.

Jane Seymour choisit sa robe de mariée le jour où ma sœur fut exécutée. Je ne l'en blâmai pas, Anne ou moi eussions fait de même. Henri changeait vite d'avis et il fallait se montrer sage et le suivre sans s'opposer à lui. Surtout à présent. Il avait divorcé d'une femme irréprochable et en avait décapité une autre : il connaissait son pouvoir.

Jane serait reine et ses enfants, quand elle en aurait, deviendraient princes et princesses. Ou bien elle attendrait, comme les autres, de concevoir en sachant, mois après mois, que la patience et l'amour du roi s'amenuisaient. Peut-être aussi que la malédiction lancée par Anne – sa mort en donnant naissance à un fils – se réaliserait. Je n'enviais pas Jane Seymour. J'avais vu deux reines mariées au roi Henri, aucune n'en avait retiré beaucoup de bonheur.

Quant à nous, les Boleyn, mon père avait raison, il nous fallait survivre. Avec la mort d'Anne, mon oncle avait perdu une bonne carte, qu'il avait jouée comme Madge et moi. Je savais qu'il trouverait toujours une autre fille à offrir, que celle-ci fût destinée à séduire le roi ou à devenir un exutoire à sa fureur. Il jouerait de nouveau. Mais, pour l'heure, nous, les Boleyn, étions détruits. Nous avions perdu la reine Anne, la plus célèbre d'entre nous. Élisabeth ne valait rien, moins encore que la princesse Marie, déjà si méprisée. Jamais elle ne serait appelée princesse, jamais elle ne prendrait place sur le trône.

— J'en suis heureuse, déclarai-je soudain à William. Je veux vivre à la campagne avec vous, élever nos enfants dans l'amour de leur famille et la crainte de Dieu. Je veux la paix, à présent, j'ai assez joué le jeu des courtisans. Le prix à payer est trop élevé. Je ne veux que vivre à Rochford et vous aimer.

Il passa son bras autour de mes épaules et m'attira contre lui, me protégeant du vent qui soufflait de la mer.

— Soit, acquiesça-t-il d'une voix douce, votre rôle ici se termine, si Dieu le veut.

Il tourna la tête et son regard se posa sur mes deux enfants, à la proue du bateau, qui plongeaient les yeux dans l'eau et se balançaient gentiment au rythme du tambour.

— Mais ces deux-là? reprit-il. Bientôt, ils remonteront la rivière vers la cour et le pouvoir.

Je secouai la tête énergiquement, mais il ajouta :

— Ils sont à demi Boleyn et à demi Tudor. Comme leur cousine Élisabeth. Seigneur, quel mélange! Nul ne peut prédire de quoi ils se montreront capables.

Note de l'auteur

$\mathcal{M}$arie et William Stafford vécurent heureux à Rochford. À la mort de ses parents (1538 et 1539), Marie hérita des possessions des Boleyn dans l'Essex ; William et elle devinrent ainsi de riches propriétaires terriens.

Elle mourut en 1543. Son fils, Henri Carey, devint un important conseiller à la cour de sa cousine la reine Élisabeth Ire, la plus auguste souveraine que le pays connût jamais. Elle le nomma vicomte Hunsdon. Catherine, la fille de Marie, épousa sir Francis Knollys et fonda une imposante dynastie élisabéthaine.

Je dois beaucoup à Retha M. Warnicke dont le livre *The Rise and Fall of Anne Boleyn* me fut d'une aide précieuse dans la confection de cette histoire. J'ai suivi la thèse originale et provocatrice de Warnicke selon laquelle l'homosexualité dans l'entourage d'Anne, incluant son propre frère, ajoutée à sa dernière fausse couche créèrent une situation permettant au roi de l'accuser de sorcellerie et de pratiques sexuelles perverses.

J'aimerais par ailleurs affirmer ma reconnaissance envers ces autres auteurs, dont les livres m'ont aidée à écrire l'histoire presque inconnue de Marie Boleyn, ou bien m'ont procuré des informations sur l'époque :

Bindoff, S.T., *Pelican History of England : Tudor England*, Penguin, 1993.

Bruce, Marie Louise, *Anne Boleyn*, Collins, 1972.

Cressy, David, *Birth, Marriage and Death, ritual religions and the life-cycle in Tudor and Stuart England*, OUP, 1977.

Darby, H.C., *A New historical geography of England before 1600*, CUP, 1976.

Elton, G.R., *England under the Tudors*, Methuen, 1955.

Fletcher, Anthony, *Tudor Rebellions*, Longman, 1968.

Guy, John, *Tudor England*, OUP, 1988.

Haynes, Ala, *Sex in Elizabethan England*, Sutton, 1997.

Loades, David, *The Tudor Court*, Batsford, 1986.

Loades, David, *Henri VIII and his Queens*, Sutton, 2000.

Mackie, J.-D., *Oxford History of England, The Earlier Tudor*, OUP, 1952.

Plowden, Alison, *Tudor Woman, Queens and Commoners*, Sutton, 1998.

Randell, Keith, *Henri VIII and the Reformation in England*, Hodder, 1993.

Scarisbricks, J.J., *Yale English Monarchs: Henri VIII*, YUP, 1997.

Smith, Baldwin Lacey, *A Tudor Tragedy, the life and times of Catherine Howard*, Cape, 1961.

Starkey, David, *The Reign of Henri VIII, Personalities and Politics*, G. Philip, 1985.

Starkey, David, *Henri VIII: A European Court in England*, Collins and Brown, 1991.

Tillyard, E.M.W., *The Elizabethan World Picture*, Pimlico, 1943.

Turner, Robert, *Elizabethan Magic*, Element, 1989.

Warnicke, Retha M., *The Rise and Fall of Anne Boleyn*, CUP, 1991.

Weir, Alison, *The Six Wives of Henri VIII*, Pimlico, 1997.

Young, Joyce, *Penguin Social History of Britain*, Penguin.

Cet ouvrage a été composé
par Atlant' Communication
aux Sables-d'Olonne (Vendée)

Impression réalisée sur CAMERON par

C P I
Brodard & Taupin
La Flèche

en janvier 2008
pour le compte des Éditions de l'Archipel
département éditorial
de la S.A.R.L. Écriture-Communication

Imprimé en France
N° d'édition : 2016 – N° d'impression : 45193
Dépôt légal : mars 2008